Michel Laurin

avec la collaboration de
Michel Forest

40

ANTHOLOGIE
de la LITTÉRATURE
QUÉBÉCOISE

CEC

LES ÉDITIONS CEC INC.

8101, boul. Métropolitain Est, Anjou, Qc, Canada H1J 1J9
Téléphone: (514) 351-6010   Télécopieur: (514) 351-3534

Directeur de l'édition
Alexandre Stefanescu

Directrice de la production
Lucie Plante-Audy

Directeur de la publication
Pierre Desautels

Chargée de projet
Nicole Beaugrand Champagne

Réviseur linguistique
François Morin

Conception et réalisation graphique
Michel Allard, avec la collaboration d'Annie Gagnon

Page couverture
Conception graphique : Michel Allard
Photo : Mia et Klaus « Le pic de l'aurore »
Poème autographe extrait de *Mémoire* de Jacques Brault :

> *Tu es beau mon pays tu es vrai avec*
> *ta chevelure de fougères et ce grand bras d'eau*
> *qui enlace la solitude des îles*
> *Tu es sauvage et net de silex et de soleil*

Rédaction des contextes historiques
Hervé Gagnon

Consultants
Jacques Lecavalier, professeur de français au collège de Valleyfield
Agathe Martin, professeure de français au collège Montmorency

L'auteur tient à exprimer sa sincère gratitude aux personnes suivantes pour leurs commentaires, leurs remarques et leurs précieux conseils : Francine Bergeron, professeure de français au collège de Sorel-Tracy, Lise Laplante, professeure de français au collège de la Région de l'amiante, Bertrand Malenfant, professeur de français au collège Marie-Victorin, Marc Pelletier, professeur de français au collège de l'Outaouais, Julie Poirier, professeure de français au collège de Jonquière, Céline Thérien, professeure de français au collège de Maisonneuve, Nathalie Sainte-Marie, professeure de français au collège Bois-de-Boulogne, Olivier Sénéchal, professeur de français au collège de l'Assomption et à Élizabeth Roussel.

Dépôt légal : 3ᵉ trimestre 1996
Bibliothèque nationale du Québec
Bibliothèque nationale du Canada

ISBN 2-7617-1303-6
Imprimé au Canada
   4 5 00 99

ABRÉVIATIONS UTILISÉES
ANC : Archives nationales du Canada
ANQ : Archives nationales du Québec
BNQ : Bibliothèque nationale du Québec
MACM : Musée d'art contemporain de Montréal
MACQ : Ministère des Affaires culturelles du Québec
MBAM : Musée des beaux-arts de Montréal
MCQ : Ministère des Communications du Québec
MBAC : Musée des beaux-arts du Canada

AVANT-PROPOS

La récente réforme de l'enseignement du français et de la littérature au collégial a permis une étonnante constatation : l'absence d'un outil aussi indispensable qu'une anthologie littéraire, adaptée au présent et aux besoins des élèves des cégeps. C'est cette carence, d'un manuel apte à faire aimer autant que comprendre notre littérature nationale, que le présent ouvrage entend combler.

Cette lacune est d'autant plus étonnante qu'on entend sans cesse répéter que la majorité des élèves sont dépourvus de connaissances sur leur histoire et leur littérature. Et on sait qu'une génération sans mémoire peut difficilement disposer d'une perspective historique qui lui permette de comprendre le présent ; il était donc urgent de faire ressortir ce qui perdure à travers les générations qui se sont succédé dans l'histoire. Cette incursion dans les provinces de notre imaginaire collectif devrait permettre une réflexion sur l'art, plus particulièrement la littérature, en même temps que sur l'expérience vécue au quotidien, amenant chacun à s'interroger sur soi, sur son rôle social de même que sur son destin historique et cosmique. Ce, tout en comblant amplement les attentes du ministère de l'Éducation.

L'un des principaux défis de ce projet consistait à observer l'évolution littéraire sous un angle peu habituel : non plus celui essentiellement historique, auquel nous étions habitués, mais celui des courants et des tendances littéraires comme mode d'organisation pour regrouper les auteurs. Il faut cependant reconnaître que, malgré de nombreuses hésitations tenant à la définition même des mots « courant » et « tendance », l'approche n'est pas si différente qu'elle a pu paraître : il y a une grande complicité entre un courant et une époque littéraires, chacun s'inscrivant dans un devenir historique.

Apportons ici quelques distinctions. Alors qu'une *école* littéraire se définit par son origine et ses influences et qu'un *mouvement* regroupe des auteurs qui se définissent par leurs orientations communes, un *courant* permet une plus grande ouverture : il propose un lieu de la littérature situé à la convergence de préoccupations artistiques, esthétiques et sociales dans une époque donnée. Le courant littéraire arrive à canaliser différents facteurs en une vision du monde originale permettant une appréhension du réel. Quant à la *tendance* littéraire, elle se veut beaucoup plus libre, moins inscrite dans une concertation : on pourrait parler d'une orientation commune à plusieurs (comme la tendance féministe dans le courant de la transgression).

Nous avons cru pouvoir dégager dix courants comme autant d'étapes de l'itinéraire d'apprentissage d'un peuple qui s'initie à la parole de même qu'à la conquête de sa liberté, tant collective qu'individuelle. Ces courants procèdent de trois sources. Ils sont puisés d'abord dans la littérature de la Nouvelle-France (1534-1760), née dans la mouvance qui annonce déjà notre quête de l'ailleurs. Puis dans les écrits du Canada français (1760-1960), au style souvent enrubanné ou gominé, qui militent tantôt pour la défense des valeurs traditionnelles, tantôt pour celle des libertés. Enfin, dans la littérature du Québec (à partir de 1960), où un pays accepte d'assumer son destin et la gestion de son existence collective. Une littérature au style herbu, mal fauché, qui affirme enfin la légitimité du moi – pris en charge jusqu'à ce jour par l'idéologie et la religion –, qui affirme même la légitimité du moi de l'Autre, ce voisin et néanmoins étranger dont on affectait d'ignorer l'existence.

Chaque chapitre propose une vision du monde associée à un courant différent. Ancrée d'abord dans un contexte historique, cette vision prend chair dans des manifestations sociales qui, elles, déterminent un contexte littéraire particulier. Autre particularité des dix courants présentés ici, qui ne sont que le regroupement de constantes observées au fil des lectures, chacun appelle logiquement le courant suivant, dans un enchaînement aussi bien thématique que chronologique, aussi naturellement qu'une génération appelle la suivante. On constatera, de plus, que ces courants débordent largement les cadres du Québec : ils ne représentent que l'épiphénomène de courants existant déjà dans le monde occidental, tant en Europe qu'aux États-Unis.

Les extraits ont été choisis pour leur aptitude à rendre compte d'un courant littéraire (ou pour leur inadéquation). La plupart de ces textes, qui devaient toucher une pluralité de genres littéraires, ont été retenus pour les qualités de leur écriture, à cause de leur dénuement exemplaire, autant que pour l'inattendu de leurs trouvailles stylistiques. Mais certains pourront ne pas correspondre aux canons esthétiques traditionnels : ils auront plutôt été choisis pour leur puissance émotive ou encore pour la profondeur humaine des propos, avec la part de rêves qu'ils offrent ou le goût de liberté qu'ils suggèrent. Dans l'ensemble, ces textes, travaillés par des énergies fabuleuses et fabulantes, dépassent leur auteur et leur époque, tout en permettant de déchiffrer la vie et son (non-) sens.

Chaque extrait est accompagné de pistes de lecture, qui facilitent la compréhension du texte aussi bien que son rapport avec le courant littéraire et le cadre sociohistorique. Par souci pédagogique, nous avons tenté d'équilibrer les questions portant sur les marques thématiques et stylistiques. Quant aux auteurs, ils sont généralement présentés dans un fait exemplaire de leur vie, plutôt que par des références biographiques.

Chaque chapitre propose, de plus, une « résonance » avec un écrivain francophone ayant une parenté privilégiée avec un auteur du courant, de même qu'une ou deux études détaillées (dont la plupart figurent dans le complément pédagogique). Ajoutons des questions de synthèse qui permettent une étude plus poussée d'un extrait ou la comparaison entre des extraits : elles peuvent amener à souligner les caractéristiques d'un courant ou les ressemblances et les différences entre des courants différents, à actualiser le contenu d'un extrait ou, plus généralement, à dégager des particularités thématiques ou stylistiques. Elles préparent l'élève à la pratique d'une des trois compétences exigées par le ministère de l'Éducation et, en bout de course, à l'épreuve finale de français. Ajoutons que l'iconographie est un outil supplémentaire pour appréhender le courant, en même temps que pour établir des liens entre l'écriture et d'autres manifestations, sociales ou artistiques, et qu'un tableau synthèse vient rappeler – succinctement – les lignes de force du courant. Un aide-mémoire, comprenant une grille d'analyse conçue pour faciliter l'étude de chacun des textes de cette anthologie, complète l'ouvrage.

Un complément pédagogique accompagne le présent manuel : outre qu'il contient la majorité des études déjà signalées, il précise la place particulière qu'occupe chaque auteur dans le grand livre de la littérature québécoise et fournit un supplément d'informations permettant de tirer le maximum de profit de chaque extrait.

Qu'il me soit enfin permis de remercier un précieux collaborateur, Michel Forest, mon premier lecteur, qui est aussi l'artisan des « Résonances » et des « Études détaillées ».

Michel Laurin

Table des matières

page

Avant-propos 3

Chapitre 1
Les écrits coloniaux

Contexte historique : La Nouvelle-France 10

Les écrits coloniaux 11
🖎 **Récits et voyages de découvertes** 12
    Jacques Cartier (1491-1557) 13
    Baron de La Hontan (1666-1715) 14
        Étude détaillée 15

🖎 **Relations historiques et descriptions ethnographiques** 16
    Gabriel Sagard (avant 1600-1650 ?) 17
        Résonance : Jean-Jacques Rousseau 18
    François-Xavier Charlevoix (1682-1761) 19

🖎 **Annales et lettres** 21
    Les *Relations* des Jésuites 22
    Marie de l'Incarnation (1599-1672) 23

Questions de synthèse 24
Tableau synthèse 24

Chapitre 2
La littérature orale et son imaginaire particulier

Contexte historique : La vie après la Conquête 26

La littérature orale et son imaginaire particulier 27
🖎 **D'abord un quasi-monopole de la littérature orale** . . 28
    La chanson : *À la claire fontaine* 29
    La légende : *La chasse-galerie* 31
        Résonance : Claude Dubois 32
    Le conte : *Les trois filles qui ont cariotté* 33

🖎 **La littérature orale, terreau de la littérature écrite** . . 35
    Les romanciers 36
    Philippe Aubert de Gaspé fils (1814-1841) 36
    Philippe Aubert de Gaspé père (1786-1871) 37
    Les conteurs 38
    Louis Fréchette (1839-1908) 38
    Honoré Beaugrand (1848-1906) 39

page

Questions de synthèse 40
Tableau synthèse 40

Chapitre 3
Le romantisme patriotique

Contexte historique : En marche vers le passé 42

Le romantisme patriotique 43
🖎 **Quelques échappées d'un romantisme entravé** 44
    Pierre-Georges Boucher de Boucherville (1814-1894) . 45
    Fadette (1860-1946) 46
    Laure Conan (1845-1924) 47
    Eudore Évanturel (1852-1919) 48

🖎 **Un romantisme inféodé à une cause** 49
Romantisme et aspirations libérales 49
Romantisme révolutionnaire 49
    François-Xavier Garneau (1809-1866) 50
    Marie-Thomas Chevalier de Lorimier (1805-1839) . . 51
    Antoine Gérin-Lajoie (1824-1882) 53
Romantisme et anticléricalisme 54
    Louis-Antoine Dessaulles (1819-1895) 55
    Arthur Buies (1840-1901) 56
        Résonance : Baron d'Holbach 57
Romantisme et conservatisme ultramontain 58
Limites imposées au romantisme littéraire 58
    Henri-Raymond Casgrain (1831-1904) 59
    Jules-Paul Tardivel (1851-1905) 60
Romantisme compassé 61
    Octave Crémazie (1827-1879) 62
    Patrice Lacombe (1807-1863) 63

Questions de synthèse 64
Tableau synthèse 64

Chapitre 4
Terroir et anti-terroir

Contexte historique : La résistance au progrès 66

Terroir et anti-terroir 67
🖎 **L'héritage : vision idyllique de la terre** 68

	page
En poésie : la mélodie des champs	68
William Chapman (1850-1917)	69
Nérée Beauchemin (1850-1931)	70
Alfred DesRochers (1901-1978)	71
En prose : les récits agriculturistes	72
Adjutor Rivard (1868-1945)	73
Frère Marie-Victorin (1885-1944)	74
Georges Bouchard (1888-1956)	75

L'héritage contesté ou l'anti-terroir | 76
En poésie : exotisme et universalisme	76
Guy Delahaye (1888-1969)	76
Paul Morin (1889-1963)	77
En prose : nos « écrivains maudits »	77
Albert Laberge (1871-1960)	78
Étude détaillée	79
Résonance : Émile Zola	80
Rodolphe Girard (1879-1956)	81
Jean-Aubert Loranger (1896-1942)	82

L'héritage à liquider : les romans régionalistes . . . . . | 83
Louis Hémon (1880-1913)	84
Claude-Henri Grignon (1894-1976)	85
Ringuet (1895-1960)	86
Germaine Guèvremont (1896-1968)	87

Un terroir populiste . . . . | 88
| Jean Narrache (1893-1970) . . . . | 89 |

Les penseurs et le terroir . . . . | 90
Camille Roy (1870-1943)	91
Édouard Montpetit (1881-1954)	92
Claude-Henri Grignon (1894-1976)	93

| Questions de synthèse . . . . | 94 |
| Tableau synthèse . . . . | 94 |

Chapitre 5
Les idéalistes

| Contexte historique : L'entrée dans le XXᵉ siècle . . . . . | 96 |

| Les idéalistes . . . . | 97 |
Une poésie de la solitude : depuis la nuit jusqu'à l'aube . | 98
Depuis les « rêves enclos » de la nuit...	98
Émile Nelligan (1879-1941)	99
Étude détaillée	101
Le mythe Nelligan : Réjean Ducharme	102

	page
Jean-Aubert Loranger (1896-1942)	103
Hector de Saint-Denys Garneau (1912-1943) . .	104
... jusqu'à la poésie de l'aube	105
Alain Grandbois (1900-1975)	106
Rina Lasnier (née en 1915)	107
Anne Hébert (née en 1916)	108
Résonance : Arthur Rimbaud	110

Des romans qui en appellent à la conscience . . . . | 111
| Félix-Antoine Savard (1896-1982) . . . . | 112 |
| Jean-Charles Harvey (1891-1967) . . . . | 113 |

Les penseurs et les angoisses d'un destin collectif | 114
| Lionel Groulx (1878-1967) . . . . | 115 |

| Questions de synthèse . . . . | 116 |
| Tableau synthèse . . . . | 116 |

Chapitre 6
Réalité et surréalité

| Contexte historique : L'ère Duplessis . . . . | 118 |

| Réalité et surréalité . . . . | 119 |
Littérature et constat de la réalité . . . . | 120
La réalité sociale : entre la mémoire et l'oubli	120
Romans de moeurs : la ville et les petites communautés.	120
Gabrielle Roy (1909-1983)	122
Roger Lemelin (1919-1992)	123
Yves Thériault (1915-1983)	124
Le théâtre entre en scène	125
Gratien Gélinas (né en 1909)	126
Marcel Dubé (né en 1930)	127
La réalité psychologique	128
Les récits de l'intériorité	128
Françoise Loranger (1913-1995)	129
Anne Hébert (née en 1916)	131
André Langevin (né en 1927)	132
Le théâtre de l'absurde réalité	133
Jacques Languirand (né en 1931)	133

Automatisme et surréalité . . . . | 135
La poésie	135
Gilles Hénault (né en 1920)	136
Roland Giguère (né en 1929)	138
Paul-Marie Lapointe (né en 1929)	139
Le théâtre	140

	page
Claude Gauvreau (1925-1971)	141
Le manifeste	142
Le *Refus global*	142
Étude détaillée	144
Résonance : André Breton	145
Questions de synthèse	146
Tableau synthèse	146

Chapitre 7
Le pays convergent

Contexte historique : La création d'un État moderne . .	148
Le pays convergent	149
⚘ La poésie et la quête de l'identité collective	151
L'Hexagone et « l'Âge de la parole »	151
Pierre Perrault (né en 1927)	152
Gaston Miron (né en 1928)	153
Résonance : Léopold Sédar Senghor	155
Jean-Guy Pilon (né en 1930)	156
Gatien Lapointe (1931-1983)	158
Jacques Brault (né en 1933)	160
Étude détaillée	163
Parti pris et l'écriture militante	164
Gérald Godin (1938-1994)	165
Paul Chamberland (né en 1939)	167
⚘ Les récits de la révolte et de la rupture	169
Jacques Ferron (1921-1985)	171
Gérard Bessette (né en 1920)	173
Jacques Renaud (né en 1943)	174
André Major (né en 1942)	175
Hubert Aquin (1929-1977)	176
Réjean Ducharme (né en 1941)	177
Marie-Claire Blais (née en 1939)	178
Jacques Godbout (né en 1933)	179
⚘ Le théâtre de la contestation	180
Jacques Ferron (1921-1985)	181
Françoise Loranger (1913-1995)	183
Jean-Claude Germain (né en 1939)	184
⚘ L'essai : creuset du changement	186
Jean-Paul Desbiens (Frère Untel) (né en 1927)	187
Pierre Vallières (né en 1937)	188
Pierre Vadeboncoeur (né en 1920)	189
⚘ Le chant du pays	190
Félix Leclerc (1914-1988)	191

	page
Gilles Vigneault (né en 1928)	192
Raymond Lévesque (né en 1928)	193
Claude Léveillée (né en 1932)	194
Claude Gauthier (né en 1939)	195
Questions de synthèse	196
Tableau synthèse	196

Chapitre 8
Esthétique de la transgression

Contexte historique : Une société moderne	198
Esthétique de la transgression	199
⚘ Une poésie qui se remet en question	201
Denis Vanier (né en 1949)	203
Lucien Francoeur (né en 1948)	204
Claude Péloquin (né en 1942)	205
Josée Yvon (1950-1994)	206
Gilbert Langevin (1938-1995)	207
Claude Beausoleil (né en 1948)	208
Madeleine Gagnon (née en 1938)	209
⚘ Les romans de la modernité	210
Yolande Villemaire (née en 1949)	212
Madeleine Ouellette-Michalska (née en 1930) .	213
Victor-Lévy Beaulieu (né en 1945)	214
Michel Tremblay (né en 1942)	215
Marie José Thériault (née en 1945)	216
Daniel Gagnon (né en 1946)	217
⚘ Un théâtre qui s'éclate	218
Michel Tremblay (né en 1942)	218
Antonine Maillet (née en 1929)	220
Denise Boucher (née en 1935)	221
⚘ L'essai, un genre littéraire qui ne se reconnaît plus	222
Nicole Brossard (née en 1943)	223
Suzanne Lamy (1929-1987)	224
François Ricard (né en 1947)	225
⚘ Des chansons pour secouer la torpeur	226
Robert Charlebois (né en 1944)	226
Plume Latraverse (né en 1946)	228
Résonance : Renaud	229
Raôul Duguay (né en 1939)	230
Clémence DesRochers (née en 1933)	232
Louise Forestier (née en 1943)	233
Questions de synthèse	234
Tableau synthèse	234

Chapitre 9
Intimité et pragmatisme

page

Contexte historique : À l'aube d'un nouveau millénaire . 236

Intimité et pragmatisme 237
- **La poésie dans tous ses états** 240
  - Fernand Ouellette (né en 1930) 241
  - Michel Garneau (né en 1939) 242
  - Michel Beaulieu (1941-1985) 243
  - Pierre Morency (né en 1942) 244
  - Marie Uguay (1955-1981) 245

- **La vie est un roman.** 246
  - Jacques Poulin (né en 1937) 247
  - Yves Beauchemin (né en 1941) 248
  - Francine Noël (née en 1945) 249
  - Robert Lalonde (né en 1947) 250
  - Jacques Savoie (né en 1951) 251
  - Monique Proulx (née en 1952) 252
    - Résonance : Serge Doubrovsky 253
  - Louis Hamelin (né en 1959) 254

- **Le théâtre fait des scènes** 255
  - Marie Laberge (née en 1950) 256
  - Normand Chaurette (né en 1954) 257
  - René-Daniel Dubois (né en 1955) 258

- **L'essai comme « journal dénoué ».** 259
  - Gilles Archambault (né en 1933) 260
  - Jean Larose (né en 1948) 261
  - François Hébert (né en 1946) 262

- **La chanson s'émeut encore.** 263
  - Jean-Pierre Ferland (né en 1934) 263
  - Sylvain Lelièvre (né en 1943) 265
  - Richard Desjardins (né en 1948) 266
    - Étude détaillée 267
  - Paul Piché (né en 1953) 268

Questions de synthèse 270
Tableau synthèse 270

Chapitre 10
Société pluraliste et littérature métissée

Contexte historique : Une société multiculturelle 272

page

Société pluraliste et littérature métissée 273
- **Poètes sans frontières** 276
  - Gérald Godin (1938-1994) 277
  - Marco Micone (né en 1945) 278
  - Antonio D'Alfonso (né en 1953) 279
  - Filippo Salvatore (né en 1948) 281
  - Anne-Marie Alonzo (née en 1951) 282

- **Les récits de l'ailleurs ici** 283
  - Sylvain Trudel (né en 1963) 284
  - Émile Ollivier (né en 1940) 285
  - Dany Laferrière (né en 1953) 286
  - Ying Chen (née en 1961) 287
  - Paul Zumthor (1915-1995) 288

- **Le théâtre fait quasi relâche** 289
  - Suzanne Lebeau (née en 1948) 289
  - Marco Micone (né en 1945) 291
  - Pan Bouyoucas (né en 1946) 292
  - Abla Farhoud (née en 1945) 294

- **L'essai : différents et différends** 296
  - Doris Lussier (1918-1993) 297
  - Naïm Kattan (né en 1928) 298
  - Gérard Étienne (né en 1936) 299

- **Le chant de l'exilé** 300
  - Pauline Julien (née en 1928) 300
    - Résonance : Tahar Ben Jelloun 302
  - Michel Rivard (né en 1951) 303
  - Jim Corcoran (né en 1949) 304

Questions de synthèse 305
Tableau synthèse 305

Annexes

Aide-mémoire 306

Bibliographie 313

Index 315

Les écrits
coloniaux

L'intérêt de la France pour le Canada se ravive, au début du XVIIe siècle, avec l'apparition d'un nouveau besoin pour la fourrure de castor. Toutefois plusieurs compagnies de traite, auxqu... la colonie, s'avèrent des munautés religieuses fe... France dans son ensemb... nellement en mains le so... tants permanents. Auc... toujours d'un commerce la colonie à une nouvelle ture l'administration su... alors dans une période a... aux Grands Lacs et de... sives entravent cependan... 12 000 habitants dissém... colonies anglaises. Lors...

anglaises sont vingt fois plus peuplées que la colonie française, s'avèrent des échecs. Malgré les efforts du clergé (récollets, jésuites et communautés religieuses féminines)

- Récits et voyages de découvertes
- Relations historiques et descriptions ethnographiques
- Annales et lettres

chapitre

contexte historique

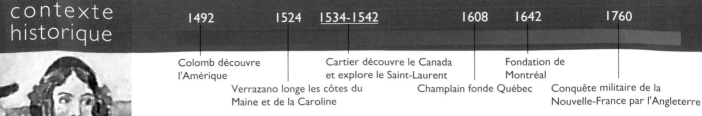

| 1492 | 1524 | 1534-1542 | 1608 | 1642 | 1760 |

Colomb découvre
l'Amérique

Verrazano longe les côtes du
Maine et de la Caroline

Cartier découvre le Canada
et explore le Saint-Laurent

Champlain fonde Québec

Fondation de
Montréal

Conquête militaire de la
Nouvelle-France par l'Angleterre

ANC-C10688

△ L'arrivée des filles du roi
en Nouvelle-France.

LA NOUVELLE-FRANCE

Sous la Renaissance, au cours des XVᵉ et XVIᵉ siècles, la culture européenne connaît une remarquable effervescence littéraire, philosophique, artistique et scientifique. Une pénurie de métaux précieux mine cependant le commerce de produits de luxe avec l'Asie. Ainsi, à compter de la fin du XVᵉ siècle, les grandes puissances européennes financent des voyages d'exploration vers l'ouest pour pallier cette pénurie. Au XVIᵉ siècle, la menace ottomane, la réforme protestante de Martin Luther et la Contre-Réforme catholique engendrent un nouvel esprit missionnaire.

■ Vers le Nouveau Monde

C'est donc pour s'enrichir et pour convertir les peuples du Nouveau Monde que le Portugal et l'Espagne, les premiers lancés dans la course, entreprennent des voyages de découvertes. En 1487, le Portugais Diaz longe le littoral du sud de l'Afrique et contourne le cap de Bonne-Espérance. En 1492, le Génois Colomb touche terre aux Bahamas au nom de l'Espagne. Ce n'est qu'au XVIᵉ siècle que la France joint le mouvement. Après une reconnaissance des côtes américaines par le Florentin Verrazano en 1524, François Iᵉʳ charge le Malouin Jacques Cartier de trouver un passage vers l'ouest. Celui-ci se rend au Canada à trois reprises entre 1534 et 1542 et y explore particulièrement le Saint-Laurent et ses affluents. L'entreprise demeure toutefois un échec, Cartier ne découvrant ni métaux précieux ni route vers l'Asie.

■ La Nouvelle-France

L'intérêt de la France pour le Canada se ravive, au début du XVIIᵉ siècle, avec l'apparition d'un nouveau besoin pour la fourrure de castor. Toutefois plusieurs compagnies de traite, auxquelles on accorde un monopole sur le commerce des fourrures dans la colonie, s'avèrent des échecs. Malgré les efforts du clergé (récollets, jésuites et communautés religieuses féminines) et de dévots français, le peuplement de la Nouvelle-France dans son ensemble demeure faible : en 1663, lorsque Louis XIV prend personnellement en mains le sort de la Nouvelle-France, le Canada abrite à peine 3 200 habitants permanents. Aucune industrie ne s'y est vraiment développée et l'économie dépend toujours d'un commerce des fourrures mal contrôlé.

Louis XIV concède le territoire de la colonie à une nouvelle compagnie, la Compagnie des Indes Occidentales, et en restructure l'administration sur le modèle des provinces françaises. La Nouvelle-France entre alors dans une période d'expansion et son territoire s'étend graduellement de l'Atlantique aux Grands Lacs et de la baie d'Hudson au golfe du Mexique. Des guerres successives entravent cependant cette croissance et, en 1689, la Nouvelle-France compte à peine 12 000 habitants disséminés sur un territoire immense, comparativement aux 250 000 des colonies anglaises. Lorsque se déclenche la guerre de Conquête (1756-1763), les colonies anglaises sont vingt fois plus peuplées que la colonie française.

Les écrits coloniaux

La découverte du Canada s'est effectuée sous le signe de la Renaissance, cette période de profonde mutation qui caractérisa l'Europe des XVe et XVIe siècles. La carte géographique et économique du monde se trouva alors totalement redessinée conséquemment aux grands voyages de découvertes, en particulier ceux des Colomb, Gama, Magellan et Cartier. S'ensuivit une véritable révolution du savoir, qui rendit caduques les vieilles croyances héritées de l'époque médiévale et entraîna le bouleversement des consciences, en même temps qu'une confiance enthousiaste et illimitée en la nature humaine.

Cet humanisme croit, en effet, au progrès sans fin de l'humanité et au bonheur individuel par la bonne conduite de la raison et l'acquisition de connaissances, en particulier par l'étude des grandes œuvres du passé. Toutefois, à cette conception s'oppose bientôt un rigorisme religieux qui marquera le catholicisme pendant des siècles. Le « Fais ce que voudras » de Rabelais se trouve ainsi en conflit avec un idéal religieux d'obéissance et de renoncement. États d'esprit tout à fait opposés dont on retrouve de nombreuses traces dans notre littérature, jusque dans les écrits coloniaux.

Mais que faut-il entendre par « écrits coloniaux » ? Ces vocables recouvrent l'ensemble des textes de notre littérature composés sous l'Ancien Régime, à l'époque où le Canada s'appelait encore la Nouvelle-France. Des écrits qui, l'un après l'autre, laborieusement, décrivent la gestation d'un pays autant que de sa littérature. Œuvres d'hommes et de femmes, de nouveaux arrivants et, plus tard, de fils du sol, de grands navigateurs et d'ambitieux aventuriers, de missionnaires et de libertaires, d'érudits inspirés et de simples administrateurs, écrits personnels ou d'intérêt public, l'ensemble de ces textes disparates n'en constitue pas moins une mosaïque qui, si nous nous faisons le plaisir de nous l'approprier, permet de renouer avec les plus profondes racines de l'identité québécoise, en

même temps qu'avec les émotions vécues par ceux qui se donnèrent comme mission de civiliser ces nouvelles contrées.

Nous tenons bien ici les textes fondateurs de notre littérature autant que de l'imaginaire collectif des Québécois. Des écrits épars, mais soudés par un contexte historique, époque où l'histoire ne savait pas encore qu'elle allait devenir destin. Des textes qui président à la naissance d'une nation ; mieux, ils deviendront son acte de naissance. Alors que ces écrits célèbrent la découverte du Nouveau Monde, force est de constater qu'on ne peut les aborder aujourd'hui qu'avec un pincement au cœur : comment, en effet, arriver à les lire sans ressentir le goût de l'amère défaite de 1760 ? Au XVIIe siècle, presque toute l'Amérique du Nord était francophone, du Grand Nord jusqu'au golfe du Mexique... et qu'en reste-t-il maintenant ? C'est ce qui explique le lieu mythique qu'est devenue cette période, sorte de paradis perdu devant hanter inexorablement notre conscience collective, et que tout un peuple s'épuisera à faire revivre. Aspiration lancinante qui drainera l'énergie de tant d'écrivains : ils se verront bientôt contraints de se faire mercenaires au service d'une cause certes noble, mais qui a bien peu à voir avec les exigences de l'art.

L'Histoire et les histoires des auteurs des écrits coloniaux n'ont cessé d'être rééditées depuis leur première publication. C'est dire leur intérêt. Certains historiens littéraires n'hésitent d'ailleurs pas à affirmer qu'il s'agit d'un des sommets de notre littérature. Retenons de plus que ces textes, qui disent les premières perceptions et sensations de ce noyau d'intrépides Français venus essaimer en terre d'Amérique – noyau auquel se sont greffés plus tard de nouveaux arrivants de différents groupes ethniques pour former le Québec contemporain – , constituent une importante source d'inspiration pour de nombreux écrivains actuels.

On peut même parler de véritable appropriation de ces textes, qui prennent une valeur sacrée, quand la collectivité québécoise, à partir de 1960, accepte de tirer un trait sur le passé nostalgique pour enfin décider de s'assumer, de prendre en mains son destin. Chez quantité d'écrivains, cette renaissance vient s'inscrire en écho aux écrits de ceux qui, les premiers, ont pris possession de la contrée nouvelle ; à leur image et dans leurs pas, des écrivains tentent l'aventure de la parole et de l'écriture pour dire la prise de possession effective du pays. Nourris de la foi inébranlable des découvreurs, ces fils saluent le travail des pères en se réappropriant leur œuvre, métaphore de l'appropriation du pays même. Une aventure amorcée en 1534 voit enfin l'amorce d'un dénouement, plus de quatre siècles plus tard.

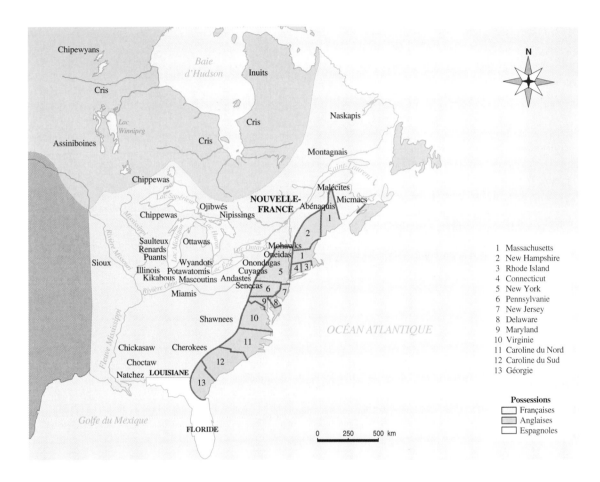

La Nouvelle-France vers 1754.

À cette époque, la Nouvelle-France s'étendait de la baie d'Hudson au golfe du Mexique.

❧ RÉCITS ET VOYAGES DE DÉCOUVERTES

Les découvreurs, colonisateurs et autres voyageurs laissèrent de nombreux écrits comme témoignages de leur passage en Nouvelle-France. Des grands explorateurs, nous retenons ici le nom de Jacques Cartier, à qui l'on doit la découverte du Canada. Quant aux voyageurs européens qui vinrent, nombreux, prendre personnellement le pouls du continent nouveau, le baron de La Hontan est, à n'en pas douter, le plus digne d'intérêt.

JACQUES CARTIER (1491-1557)

ILS FONT POUDRE DE LADITE HERBE[1]

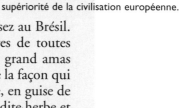

Ledit peuple n'a aucune créance de Dieu qui vaille, car ils croient en un dieu qu'ils appellent Cudouagni ; et ils disent qu'il leur parle souvent et leur dit le temps qu'il doit faire. Ils disent que, quand il se courrouce contre eux, il leur jette de la terre aux yeux. Ils croient aussi, quand ils trépassent, qu'ils vont aux
5 étoiles, puis viennent, baissant en l'horizon, comme les étoiles ; puis qu'ils vont en de beaux champs verts, pleins de beaux arbres et fruits somptueux. Après qu'ils nous eurent donné ces choses à entendre, nous leur avons démontré leur erreur, et que leur Cudouagni était un mauvais esprit qui les abusait ; qu'il n'est qu'un Dieu, lequel est au ciel, et nous donne tout ; qu'il est le créateur de toutes
10 choses, et qu'en lui seulement nous devons croire ; et qu'il faut être baptisé ou aller en enfer. Et il leur fut remontré plusieurs autres choses de notre foi, ce que facilement ils ont cru, et appelé leur Cudouagni *agojuda*[2], tellement que plusieurs fois ils ont prié le capitaine de les faire baptiser. [...]

Ils gardent l'ordre du mariage, si ce n'est que les hommes prennent deux ou
15 trois femmes ; et quand les hommes sont morts, jamais les femmes ne se remarient, mais elles font le deuil de ladite mort toute leur vie, et se teignent le visage de charbon pilé et de graisse, comme l'épaisseur d'un couteau, et à cela on connaît qu'elles sont veuves. Ils ne sont point de grand travail, et labourent leurs terres avec de petits bois de la grandeur d'une demi-épée, où ils font le blé, qu'ils
20 appellent « ozizy », qui est gros comme un pois ; et de ce même blé il en croît assez au Brésil. Pareillement ils ont assez de gros melons et concombres, courges, pois et fèves de toutes couleurs, mais non de la sorte des nôtres. Ils ont aussi une herbe dont ils font grand amas durant l'été, pour l'hiver ; ils l'estiment fort, et les hommes seulement en usent de la façon qui suit. Ils la font sécher au soleil et la portent à leur cou, en une petite peau de bête, en guise de
25 sac, avec un cornet de pierre ou de bois ; puis, à toute heure, ils font poudre de ladite herbe et la mettent à l'un des bouts dudit cornet ; puis ils mettent un charbon de feu dessus et aspirent par l'autre bout, tant qu'ils s'emplissent le corps de fumée, tellement qu'elle leur sort par la bouche et les narines, comme par un tuyau de cheminée. Ils disent que cela les tient sains et chaudement, et ils ne vont jamais sans lesdites choses. Nous avons expérimenté ladite fumée,
30 dans laquelle, après l'avoir mise dans notre bouche, il semble y avoir de la poudre de poivre, tant elle est chaude.

Les Voyages de Jacques Cartier, Montréal, Les Amis de l'histoire, 1969.

Jacques Cartier est le premier écrivain du nouveau pays, le premier à l'inventorier et à le nommer, donc à lui conférer une identité. C'est à ce navigateur que le roi François Ier avait confié la mission de trouver une nouvelle route maritime vers les Indes, pays de richesses fabuleuses. Sa découverte du fleuve Saint-Laurent allait bientôt permettre aux Français de maîtriser tout un continent. Malgré son désir de paraître le plus rigoureux possible, Cartier se livre totalement dans ses récits : son sentiment religieux est constant, de même que son don d'émerveillement. Et jamais il ne doute de la supériorité de la civilisation européenne.

Pistes de lecture

1. Trouvez le sens étymologique des mots « courrouce » et « créance ».
2. Quels procédés l'auteur utilise-t-il pour exprimer son émerveillement ? Pourrait-on parler ici de choc culturel ?
3. Qu'apprend-on de la religion des Amérindiens ? En quoi se distingue-t-elle de celle des Blancs ?
4. Quel portrait moral pourrait-on esquisser de Jacques Cartier ?
5. Ce premier regard d'un Européen sur la civilisation amérindienne pourrait-il aider à comprendre le toujours difficile dialogue entre les deux peuples ?

Au plaisir de lire

■ *Voyages en Nouvelle-France*   ■ *Relations*

1 Ce texte est extrait du récit du deuxième voyage de Cartier.

2 Agojuda : démon.

LA HONTAN (LOUIS-ARMAND DE LOM D'ARCE, BARON DE) (1666-1715)

À l'âge de 17 ans, Louis-Armand de Lom D'Arce, fils d'un noble ruiné, s'embarque pour le Canada, espérant y renouer avec la fortune. Après un séjour d'une dizaine d'années pendant lequel il tient un journal, il en tire, à son retour en Europe, quelques manuscrits qui connaissent bientôt un vif succès de style autant que de scandale. C'est que le jeune baron, libertin et libertaire, ennemi de l'ordre social proposé conjointement par la monarchie et l'Église catholique, ne rate pas une occasion de vilipender les valeurs alors défendues sur le vieux continent. Il incarne déjà, au XVIIe siècle, la philosophie du Siècle des lumières. De son œuvre émergera le type pleinement réalisé du « bon sauvage », destiné à une grande filiation littéraire. L'extrait permet de se faire une bonne idée du style de ce contestataire, qui utilise abondamment la parodie et l'ironie.

UNE RÉJOUISSANTE ARRIVÉE[1]

[...] Après ces premiers Habitans vint une peuplade utile au païs, & d'une belle décharge pour le Royaume. C'étoit une petite flote chargée d'Amazones de lit, & de troupes femelles d'embarquement amoureux. [...]. L'on m'a conté les circonstances de leur arrivée, & j'aime trop à vous divertir pour ne

5 vous en point faire part. Ce chaste troupeau étoit mené au pâturage conjugal par de vieilles & prudes Bergeres. [...] Si-tôt qu'on fût à l'habitation, les Commandantes ridées passerent leur Soldatesque en revûë, & l'ayant séparée en trois Classes, chaque bande entra dans une Sale differente. Comme elles se serroient de fort près à cause de la petitesse du

10 lieu, cela faisoit une assez plaisante décoration. Ce n'étoient pas trois boutiques où l'Amour faisoit des montres & des étalages, c'étoient trois magasins tous pleins. Le bon marchand Cupidon ne fût jamais mieux assorti. Blonde, brune, rousse, noire, grasse, maigre, grande, petite ; il y en avoit pour les bizarres & pour les delicats. Au bruit de cette nouvelle

15 marchandise, tous les bien intentionnez pour la multiplication accourent à l'emplète. Comme il n'étoit pas permis d'examiner tout ; encore moins d'en venir à l'essai ; on achetoit chat en poche, ou tout au plus on prenoit la piéce sur l'échantillon. Le debit n'en fut pas moins rapide. Chacun trouva sa chacune, & en quinze jours on enleva ces trois parties de venaison, avec tout

20 le poivre qui pouvoit y être compris. Vous me demanderez comment les laides eurent si-tôt le couvert. Ne sçavez-vous pas qu'on se jette sur le pain noir pendant la famine ? D'ailleurs, la terreur causée par le cocuage contribuë beaucoup à ce choix. [...]

Voyages du baron de La Hontan dans l'Amérique septentrionale, Amsterdam, 1705.

Au plaisir de lire

■ *Dialogues avec un sauvage* (1703)
■ *Nouveaux voyages en Amérique septentrionale* (1703)

1 Ce texte a été rédigé le 2 mai 1684.

Iʳᵉ partie : Collecte de données

1. Les procédés lexicaux
a) Dégagez les trois principaux champs lexicaux du texte. Pour chacun de ces champs lexicaux, dressez la liste des mots qui le composent.
b) Relevez les termes appréciatifs et dépréciatifs.
c) Pour chacun de ces mots, donnez la dénotation et la connotation :
- femelles   - emplette
- décoration   - famine
- multiplication
d) Relevez les archaïsmes.

2. Les procédés grammaticaux
a) En ce qui concerne la structure des phrases, le style de La Hontan est-il simple ou complexe ? Afin de répondre à cette question, faites une analyse logique des phrases pour identifier les propositions indépendantes, principales et subordonnées.
b) Parmi les verbes du texte, quel temps et quel mode dominent ? Pourquoi l'auteur a-t-il parfois recours au présent de l'indicatif ? Expliquez la cohabitation des différents temps de verbe.
c) Relevez les négations. Quelle fonction peut-on leur attribuer ?

3. Les figures de style
a) Analysez l'accumulation à la ligne 13. Donnez la nature des mots énumérés et la signification de ce procédé.
b) Relevez un euphémisme et expliquez-le.
c) Quelle figure de l'analogie est surtout utilisée ici ? Donnez deux exemples pertinents.

4. Le point de vue
a) En vous basant sur le texte de présentation, définissez l'attitude du narrateur devant le spectacle décrit.
b) À qui peut-il s'adresser ?

5. Le ton
a) Quelle est la tonalité dominante dans ce texte ? Citez trois passages révélateurs.
b) On a dit de La Hontan qu'il était peu scrupuleux. En quoi ce texte tend-il à le prouver ?

6. Le genre
À quel type de texte appartient cet extrait : s'agit-il d'un texte narratif, argumentatif, descriptif ou poétique ?

2ᵉ partie : Pour l'analyse littéraire

1. Cernez, en une phrase, l'intérêt et l'originalité de ce texte.

2. Élaborez un plan possible d'analyse littéraire, à partir des éléments analysés ci-dessus.

3. Rédigez l'introduction et la conclusion de cette analyse.

RELATIONS HISTORIQUES ET DESCRIPTIONS ETHNOGRAPHIQUES

Parmi les écrits coloniaux, un très grand nombre de récits s'attachent à décrire les particularités des peuples autochtones, pendant que d'autres étudient le comportement des Européens venus s'établir ici ; certains poussent plus avant l'analyse, s'efforçant de mettre en parallèle les attitudes des Blancs et des Amérindiens, ou encore celles des habitants de la Nouvelle-France et de la Nouvelle-Angleterre. Le frère récollet Gabriel Sagard est sans doute le plus important témoin des débuts de la colonie. À la fin du régime, quand la mère patrie souffre d'un manque endémique de fonds en même temps que s'élèvent de nombreuses voix, en particulier celles de Voltaire et de Montesquieu, dans le but de dénoncer toute contribution financière pour ce qui ne semble que « quelques arpents de neige », la colonie française périclite pendant que l'anglaise, au sud, affiche les signes d'une étonnante vitalité. Aussi le roi désigne-t-il un enquêteur, le jésuite François-Xavier Charlevoix, homme de mesure et de grand jugement.

ANC

Cérémonie des morts.

Les Amérindiens étaient convaincus que, dans l'au-delà, ils vivraient à peu près comme sur la terre.

GABRIEL SAGARD (AVANT 1600-1650 ?)

LA GRANDE FÊTE DES MORTS

De dix en dix ans, nos sauvages et autres peuples sédentaires font la grande cérémonie des morts en l'une de leurs villes ou villages, comme il aura été ordonné par un conseil de tous ceux du pays. Ils la font encore annoncer aux autres nations circonvoisines, afin que ceux qui y veulent ensevelir les os de
5 leurs parents les y portent et que les autres qui veulent venir par dévotion, honorent la fête en leur présence. Car tous y sont les bienvenus et festinés pendant les jours que dure la cérémonie ; l'on ne voit que chaudières sur le feu, festins et danses continuels, ce qui fait qu'il s'y trouve une infinité de monde qui vient de toutes parts.

10 Les femmes qui ont à apporter les os de leurs parents, les prennent aux cimetières ; que si les chairs ne sont pas détruites, elles les nettoient et en tirent les os qu'elles lavent et enveloppent de beaux castors neufs et de colliers de porcelaine, que les parents et amis donnent, disant : « Tiens, voilà ce que je donne pour les os de mon père, de ma mère, de mon oncle, cousin
15 ou autre parent. » Les ayant mis dans un sac neuf, ils les portent sur leur dos, ayant orné le dessus du sac de quantité de petites parures, de colliers, bracelets et autres enjolivements. Puis les pelleteries, haches, chaudières et autres choses de valeurs avec quantité de vivres se portent aussi au lieu destiné. Étant tous assemblés, ils mettent les vivres en un lieu pour les employer aux festins,
20 qui se font à grands frais entre eux ; ils pendent proprement dans les cabanes de leurs hôtes tous leurs sacs et leurs pelleteries, en attendant le jour auquel tout doit être enseveli dans la terre.

La fosse se fait hors de la ville, fort grande et profonde, capable de contenir tous les os, meubles et pelleteries dédiés aux défunts. On dresse un échafaud près du bord, auquel on porte tous
25 les sacs d'os ; on tapisse la fosse partout, aux fonds et aux côtés, des peaux et robes de castor neuves ; puis on fait un lit de haches, puis de chaudières, rassades[1], colliers et bracelets de porcelaine et autres choses qui ont été données par les parents et amis. Cela fait, du haut de l'échafaud, les capitaines vident tous les os des sacs dans la fosse parmi la marchandise. Ils couvrent encore le tout d'autres peaux neuves, puis d'écorces, et après rejettent par-dessus la terre et de
30 grosses pièces de bois. Par honneur ils fichent en terre des piliers de bois tout à l'entour de la fosse et font une couverture par-dessus, qui dure autant qu'elle peut. Puis ils festinent et prennent tous congé et s'en retournent d'où ils sont venus, bien joyeux et contents que les âmes de leurs parents et amis aient bien de quoi butiner et se faire riches ce jour-là en l'autre vie.

Le Grand Voyage au pays des Hurons, Montréal, Les Amis de l'histoire, 1969.

Pendant une année, le frère récollet Gabriel Sagard a vécu parmi les Hurons afin d'apprendre leur langue et d'étudier leurs mœurs. Pour avoir été le tout premier à tenter cette expérience, il incarne aujourd'hui encore l'archétype du voyageur canadien. Dans les souvenirs et impressions que Gabriel Sagard a publiés, entre autres dans le *Grand Voyage au pays des Hurons* (1632), on peut lire un riche tableau des mœurs et des conditions de la vie des autochtones, pour qui Sagard éprouve une vive sympathie. On observera la minutie des détails et la richesse du tableau d'ensemble.

Pistes de lecture

1. Trouvez le sens étymologique des mots « circonvoisines », « rassades » et « festinent ».
2. Résumez les principales étapes de la fête des morts, en précisant les rôles respectifs des hommes et des femmes.
3. Comment l'emploi des adjectifs qualificatifs vient-il quelque peu trahir le désir d'objectivité du narrateur ?
4. Le regard de Jacques Cartier se voulait plutôt hautain. Comment pourrait-on qualifier celui de Gabriel Sagard ? Justifiez votre réponse.
5. En quoi l'auteur a-t-il pu contribuer à l'élaboration, au XVIIe siècle, du mythe du « bon sauvage » ?

1 Rassades : petites perles de peu de valeur dont on fait des bijoux.

Résonance

Jean-Jacques Rousseau (1712-1778) fera du mythe du « bon sauvage » le point central de son *Discours sur l'origine et les fondements de l'inégalité parmi les hommes* (1755). Voulant illustrer les méfaits de la civilisation, Rousseau peint un portrait idyllique et fortement idéalisé du mode de vie des Amérindiens. Comparez l'extrait suivant avec les textes de Cartier et de Sagard. Dans quelle mesure les idées de Rousseau s'appuient-elles sur les faits et non sur de pures spéculations ? Justifiez, à l'aide de citations, votre prise de position à ce sujet.

Tant que les hommes se contentèrent de leurs cabanes rustiques, tant qu'ils se bornèrent à coudre leurs habits de peaux avec des épines ou des arêtes, à se parer de plumes et de coquillages, à se peindre le corps de diverses couleurs, à perfectionner ou embellir leurs arcs et leurs flèches, à tailler avec des pierres tranchantes quelques canots de pêcheurs ou quelques grossiers instruments de musique ; en un mot, tant qu'ils ne s'appliquèrent qu'à des ouvrages qu'un seul pouvait faire, et qu'à des arts qui n'avaient pas besoin du concours de plusieurs mains, ils vécurent libres, sains, bons et heureux autant qu'ils pouvaient l'être par leur nature et continuèrent à jouir entre eux des douceurs d'un commerce indépendant. Mais, dès l'instant qu'un homme eut besoin du secours d'un autre, dès qu'on s'aperçut qu'il était utile à un seul d'avoir des provisions pour deux, l'égalité disparut, la propriété s'introduisit, le travail devint nécessaire, et les vastes forêts se changèrent en des campagnes riantes qu'il fallut arroser de la sueur des hommes, et dans lesquelles on vit bientôt l'esclavage et la misère germer et croître avec les moissons.

Jean-Jacques Rousseau, *Discours sur l'origine et les fondements de l'inégalité parmi les hommes*, 1755.

Campement amérindien.

FRANÇOIS-XAVIER CHARLEVOIX (1682-1761)

Durant son séjour en Amérique, l'émissaire du roi, François-Xavier Charlevoix, un jésuite, a ratissé le territoire depuis la Nouvelle-France jusqu'en Acadie, sans négliger la Nouvelle-Angleterre. Il y a observé et analysé les comportements et les mentalités des différentes communautés ethniques. Qui veut cerner les principales caractéristiques de l'âme québécoise actuelle peut déjà en trouver les principaux indices dans les écrits de Charlevoix.

LE TYPE CANADIEN EN 1720

Les Canadiens, c'est-à-dire les créoles du Canada, respirent en naissant un air de liberté, qui les rend fort agréables dans le commerce de la vie ; et nulle part ailleurs on ne parle plus purement notre langue. On ne remarque même ici aucun
5 accent.

On ne voit point en ce pays de personnes riches, et c'est bien dommage, car on y aime à se faire honneur de son bien ; et personne presque ne s'amuse à thésauriser. On fait bonne chère, si avec cela on peut avoir de quoi se bien mettre ; sinon
10 on retranche sur la table pour être bien vêtu. Aussi faut-il avouer que les ajustements font bien à nos créoles. Tout est ici de belle taille et le plus beau sang du monde, dans les deux sexes. L'esprit enjoué, les manières douces et polies sont communes à tous ; et la rusticité, soit dans le langage soit
15 dans les façons n'est pas même connue dans les campagnes les plus écartées.

Il n'en est pas de même, dit-on, des Anglais, nos voisins ; et qui ne connaîtrait les deux colonies, que par la manière de vivre, d'agir et de parler des colons ne balancerait pas à juger
20 que la nôtre est la plus florissante.

Il règne, dans la Nouvelle-Angleterre et dans les autres provinces de l'Amérique soumises à l'Empire britannique, une opulence, dont il semble qu'on ne sait point profiter ; dans la Nouvelle-France, une pauvreté cachée par un air
25 d'aisance qui ne paraît point étudié.

[...]

Nous ne connaissons point au monde de climat plus sain que celui-ci. Il n'y règne aucune maladie particulière : les campagnes et les bois y sont remplis de simples merveilleux, et les arbres y distillent des baumes d'une grande vertu. Ces
30 avantages devraient bien au moins y retenir ceux que la Providence y a fait naître ; mais la légèreté, l'aversion d'un travail assidu et réglé et l'esprit d'indépendance en ont toujours fait sortir un grand nombre de jeunes gens et ont empêché la colonie de se peupler.

35 Ce sont là, Madame, les défauts qu'on reproche le plus et avec

plus de fondement aux Français canadiens, c'est aussi celui des Sauvages. On dirait que l'air qu'on respire dans ce vaste continent, y contribue ; mais l'exemple et la fréquentation de ses habitants naturels, qui mettent tout leur bonheur dans la
40 liberté et l'indépendance, sont plus que suffisants pour former ce caractère. [...]

Je ne sais si je dois mettre parmi les défauts de nos Canadiens la bonne opinion qu'ils ont d'eux-mêmes. Il est certain du moins qu'elle leur inspire une confiance, qui leur fait
45 entreprendre et exécuter ce qui ne paraîtrait pas possible à beaucoup d'autres. Il faut convenir d'ailleurs qu'ils ont d'excellentes qualités. Nous n'avons point, dans le royaume, de province où le sang soit communément si beau, la taille plus avantageuse et le corps mieux proportionné. La force du
50 tempérament n'y répond pas toujours ; et si les Canadiens vivent longtemps, ils sont vieux et usés de bonne heure. Ce n'est pas uniquement leur faute ; c'est aussi celle des parents qui, pour la plupart, ne veillent pas assez sur leurs enfants pour les empêcher de ruiner leur santé dans un âge, où quand
55 elle se ruine, c'est sans ressource. Leur agilité et leur adresse sont sans égales ; les Sauvages les plus habiles ne conduisent pas mieux leurs canots dans les rapides les plus dangereux et ne tirent pas plus juste.

Histoire et Description générale de la Nouvelle-France, 1744.

Grand canot qu'on utilisait pour les expéditions au milieu du XVIIIe siècle.

ANC-C2774

Pistes de lecture

1. Trouvez les sens étymologique et contextuel des mots « chère » (bonne chère), « rusticité », « écartées » et « simples » (simples merveilleux).
2. Comment pourrait-on expliquer l'exceptionnelle qualité de la langue des Canadiens ?
3. En quoi les Canadiens ont-ils été influencés par les Amérindiens ?
4. Établissez un parallèle où seront comparés les Français et les Anglais.
5. Rédigez un paragraphe, structuré logiquement, où vous dresserez un portrait du Canadien de 1720.

✻ ANNALES ET LETTRES

On comprend facilement que les Européens venus ici, soit pour un temps limité, soit pour s'y établir, aient été portés à rendre compte à leurs répondants ou à leurs parents de leur nouvelle situation. Ce qui explique la présence d'un grand nombre d'annales et de correspondances dans les écrits coloniaux.

Les annales les plus célèbres et les plus précieuses sont les *Relations des Jésuites*, compte rendu annuel de l'aventure missionnaire et coloniale relatée au jour le jour, que le supérieur jésuite du Québec faisait parvenir à son supérieur français. Ces *Relations* comprennent soixante-treize volumes rédigés entre 1611 et 1693 : elles éclipsent tous les autres récits du genre.

Quant à la correspondance la plus nourrie, la palme revient aux 13 000 lettres – la plupart ont été détruites par le destinataire – que Marie de l'Incarnation aurait adressées à son fils Claude Martin, prêtre bénédictin.

Musée du Québec

Premier monastère des Ursulines fondé en 1639 servant à l'éducation des jeunes filles.

Dès le début de la colonie, ce sont les communautés religieuses qui prennent en charge l'éducation et les services de santé, situation qui prévaudra jusqu'à la Révolution tranquille des années 1960.

LES *RELATIONS DES JÉSUITES* (1611-1693)

De caractère initialement privé, les *Relations des Jésuites*, précieux témoignage qui évoque les différents aspects de la vie de cette communauté religieuse en terre missionnaire, sont très tôt publiées en France, afin, du moins l'espérait-on, qu'elles servent à l'édification des lecteurs européens. Ces récits, au style généralement soigné, sont d'authentiques documents historiques (descriptions ethnologiques, listes botaniques et zoologiques, commentaires sur la langue, les mœurs, la petite histoire, etc.), même si l'histoire y côtoie souvent de fort près l'hagiographie.

LA LÉGENDE DE LA DAME BLANCHE (1665)

Une femme fort vertueuse, se voyant chargée de trois enfans, dont le plus âgé n'a que quatre ans, et d'ailleurs fort éloignée de l'Église, estoit fort en peine les jours de Festes, pour faire ses dévotions. Elle ne laissoit pas neantmoins de venir à la Chapelle de Saint-Jean, et d'assister fort exactement à l'assemblée de la Sainte Famille, quoy que
5   ce fust toûjours avec beaucoup d'inquietude, et de crainte pour ses enfans.

Un jour qu'elle les avoit laissez endormis à la maison, elle fut bien surprise à son retour, de les voir habillez fort proprement sur leurs lits, qui avoient à desjeuner, de la maniere qu'elle avoit accoûtumé de leur donner. Elle demanda à sa fille aisnée, qui les avoit ainsi habillez dans son absence. Cét enfant, qui a bien de l'esprit pour son âge,
10   ne pût luy dire autre chose, sinon que s'estoit une Dame vestuë de blanc, qu'elle ne connoissoit point, quoy qu'elle connust fort bien toutes celles du voisinage ; qu'au reste qu'elle ne faisoit que de sortir, qu'elle avoit deû la rencontrer en entrant.

Plusieurs personnes ont crû pieusement que la Sainte Vierge avoit voulu guerir elle-mesme les inquietudes de cette bonne femme, et luy faire connoistre qu'elle devoit,
15   aprés avoir pris de sa part les precautions ordinaires pour ses enfans, abandonner le reste à la protection de la Sainte Famille.

Ce qui rend cette opinion probable, est que la mere trouva la porte du logis fermée de la mesme maniere, qu'elle l'avoit laissé en sortant, qu'elle ne vit point cette femme vestuë de blanc, qui ne faisoit que de sortir quand elle entroit ; que toutes les choses
20   se sont faites dans l'ordre, qu'elle avoit accoustumé de les faire elle-mesme ; que cela ne peut estre attribué à nulle personne du voisinage, ni du païs, que l'on sçache ; que l'enfant est dans un âge peu capable d'un mensonge de cette nature ; et qu'aprés tout, Dieu fait quelquefois en faveur des pauvres, de semblables merveilles. Enfin, les informations en ont esté faites tres-exactement, par un Ecclesiastique tres-vertueux.
[...]

Relations des Jésuites, tome 5, Montréal, Éditions du Jour, 1972.

Pistes de lecture

1. On a conservé ici l'écriture originale, témoin d'une époque où la langue n'était pas encore totalement codifiée. Réécrivez ce texte en français contemporain et commentez les différences que vous y observez entre le français du XVIIe siècle et celui d'aujourd'hui.
2. Notez l'usage abondant des adverbes et montrez l'aspect édifiant de ce récit.
3. Ce texte a donné naissance à la légende de la Dame Blanche. Définissez la légende comme genre littéraire.

Au plaisir de lire

■ *Relations des Jésuites* (1611 à 1693)

MARIE DE L'INCARNATION / MARIE GUYARD (1599-1672)

Marie Guyard, qui avoue avoir toujours éprouvé une forte inclination pour la vie religieuse, doit néanmoins se résoudre au mariage. Mais, veuve à dix-neuf ans, elle peut bientôt, même si elle est mère d'un fils, entrer au monastère des Ursulines où elle adopte le nom de Marie de l'Incarnation. Dans son couvent, elle entend, en songe, le pressant appel de Dieu qui l'invite à venir fonder un monastère en Nouvelle-France. Elle rédigera par la suite la relation de ses états d'âme et rencontres avec son Dieu. Puis, dans son pays d'adoption, elle consacrera sa vie à l'éducation des jeunes filles, thème récurrent de sa correspondance.

Couvent des Ursulines

COMMENT DIEU M'A APPELÉE AU CANADA

[...] Un jour que j'étais en oraison devant le très saint Sacrement, appuyée en la chaise que j'avais dans le chœur, mon esprit fut en un moment ravi en Dieu, & ce grand pays qui m'avait été montré en la façon que j'ai décrite ci-devant me fut de nouveau représenté avec toutes les mêmes circonstances.

5 Lors, cette adorable Majesté me dit ces paroles : « C'est le Canada que je t'ai fait voir ; il faut que tu y ailles faire une maison à Jésus & à Marie. » Ces paroles qui portaient vie & esprit en mon âme, la rendirent en cet instant dans un anéantissement indicible au commandement de cette infinie & adorable Majesté, laquelle lui donna force pour répondre en disant :
10 « O mon grand Dieu ! Vous pouvez tout, & moi je ne puis rien ; s'il vous plaît de m'aider, me voilà prête. Je vous promets de vous obéir. Faites en moi & par moi votre très adorable volonté. » Il n'y eut point là de raisonnement ni de réflexion : la réponse suivit le commandement, ma volonté ayant été à ce moment unie à celle de Dieu ; d'où s'ensuivit une extase amoureuse dans
15 laquelle cette infinie Bonté me fit des caresses que langue humaine ne pourrait jamais exprimer, & à laquelle succédèrent de grands effets intérieurs de vertu. Je ne voyais plus d'autres pays pour moi que le Canada, & mes plus grandes courses étaient dans le pays des Hurons pour y accompagner les ouvriers de l'Évangile, y étant unie d'esprit au Père Éternel, sous les auspices
20 du sacré Cœur de Jésus, pour lui gagner des âmes. [...]

Le témoignage de Marie de l'Incarnation, Paris, Gabriel Beauchesne, 1932
(texte préparé par Dom Albert Jamet).

Pistes de lecture

1. Expliquez le sens des mots « ravi », « lors », « anéantissement » et « vertu ».
2. Certains mots du deuxième paragraphe semblent établir un lien entre une extase mystique et une expérience profondément sensuelle. Repérez ce réseau de mots.
3. Rédigez un paragraphe, structuré logiquement, où vous comparez ce que vous savez de Marie de l'Incarnation d'après cet extrait et ce que vous apprenez d'elle dans le texte de présentation.

———— **Au plaisir de lire** ————

■ *Correspondance*

QUESTIONS DE SYNTHÈSE

1. Parmi les textes de ce chapitre, lesquels pourriez-vous associer à la Renaissance, au Classicisme et au Siècle des lumières ?

2. Comparez l'apport particulier de chacun des auteurs, leur vision du monde. En quoi leurs écrits, si différents, se complètent-ils ?

3. Comparez, quant à leur objectivité, les textes de Cartier, Sagard et Charlevoix.

4. Rédigez un texte où vous comparez la culture des Amérindiens et celle des Européens.

5. Si vous étiez un Français du XVIIIᵉ siècle, quelle idée vous feriez-vous, après la lecture de ces textes, au sujet du Canada et de ses habitants ?

6. Discutez cette assertion : « Ces textes permettent de renouer avec les plus profondes racines de l'identité québécoise. »

TABLEAU SYNTHÈSE

1. Le terme « écrits coloniaux » désigne l'ensemble des textes composés à l'époque de la Nouvelle-France.

2. Ces écrits, véritables textes fondateurs de la littérature québécoise, sont l'œuvre d'explorateurs, de colons et de natifs du Canada. Ils décrivent la naissance d'un pays et les émotions ressenties par ceux qui venaient civiliser ce nouveau territoire.

3. D'abord représentatifs de l'enthousiasme de la Renaissance au XVIᵉ siècle en France, ils portent ensuite la marque de l'idéal religieux d'obéissance et de renoncement qui apparaîtra au XVIIᵉ siècle.

4. Ces textes constituent encore, de nos jours, une importante source d'inspiration pour les écrivains québécois.

La littérature orale et son imaginaire particulier

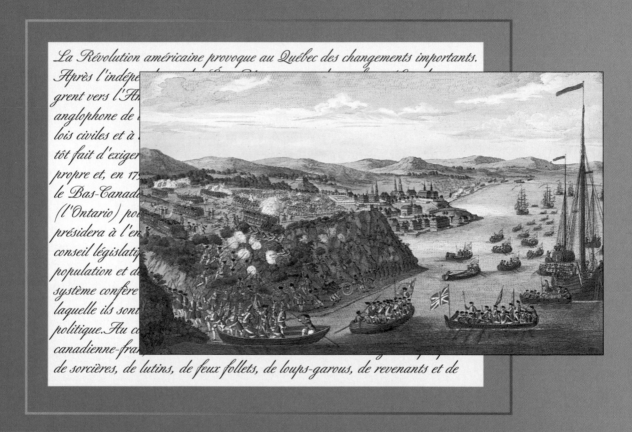

La Révolution américaine provoque au Québec des changements importants.
Après l'indépe...le...les...en...t de...
grent vers l'Amé...
anglophone de...
lois civiles et à...
tôt fait d'exiger...
propre et, en 17...
le Bas-Canad...
(l'Ontario) po...
présidera à l'en...
conseil législati...
population et d...
système confère...
laquelle ils sont...
politique. Au c...
canadienne-fran...
de sorcières, de lutins, de feux follets, de loups-garous, de revenants et de

D'abord un quasi-monopole de la
littérature orale
La littérature orale, terreau de la
littérature écrite

1763   1774   1783   1791

Traité de Paris et
Proclamation royale

Acte de Québec

Indépendance des États-Unis

Acte constitutionnel et création
du Haut et du Bas-Canada

△ Attaque de Québec
par la flotte britannique
le 13 septembre 1759.

ANC-C-1078

LA VIE APRÈS LA CONQUÊTE

Avec la Conquête débute la présence anglaise au Québec. Les administrateurs français retournent rapidement en France et l'élite britannique s'installe à leur place. Globalement, toutefois, les structures administratives changent peu : le territoire que l'on appelait « Canada » devient la province de Québec, le gouverneur français est remplacé par un gouverneur anglais et la nouvelle mère patrie, comme l'ancienne, régit la colonie. Le régime seigneurial demeure intouché et la noblesse locale, qui reste au pays, se consacre dorénavant à une administration plus judicieuse de ses terres. Cependant, son accès à des postes administratifs dépend désormais d'une condition : l'obligation de prêter un serment anticatholique, le serment du Test, ce qui exclut à toutes fins utiles les Canadiens français.

Les habitants de la Nouvelle-France demeurent propriétaires de leurs biens et conservent, selon le bon vouloir du roi d'Angleterre, le droit de pratiquer leur religion. Rien, dans le traité, ne concerne cependant leur langue et leurs coutumes. Ils conservent également la liberté de commercer, et la vie économique reprend rapidement son cours normal, à la différence près que les fourrures vont maintenant être expédiées vers le marché anglais. L'Église catholique se retrouve, quant à elle, dans une position difficile. Les communautés religieuses voient leurs effectifs diminuer dangereusement. De même, après la mort de Mgr de Pontbriand en 1760, l'Église coloniale passe sous la tutelle d'un roi protestant. Enfin, elle se voit contrainte à respecter la foi des protestants qui arrivent dans la nouvelle colonie anglaise.

■ L'indépendance américaine

La Révolution américaine provoque au Québec des changements importants. Après l'indépendance des États-Unis en 1783, de nombreux Loyalistes émigrent vers l'Amérique du Nord britannique et la proportion anglophone de la population passe à 15 % en 1790. Se retrouvant soumis aux lois civiles et à la tenure seigneuriale françaises, ils ont tôt fait d'exiger la tenure et les lois anglaises sur un territoire qui leur serait propre et, en 1791, l'Acte constitutionnel divise la colonie en deux provinces : le Bas-Canada (le Québec) pour les Canadiens français et le Haut-Canada (l'Ontario) pour les colons anglais et loyalistes. Un gouverneur général présidera à l'ensemble du territoire, assisté d'un conseil exécutif, d'un conseil législatif nommé par le roi, d'une chambre d'assemblée élue par la population et de lieutenants-gouverneurs pour chaque province. Ce nouveau système confère aux Canadiens français une institution politique grâce à laquelle ils sont désormais en mesure de revendiquer un plus grand pouvoir politique.

Au cours des décennies qui suivent la Conquête, la culture canadienne-française demeure essentiellement orale. Des légendes peuplées de sorcières, de lutins, de feux follets, de loups-garous, de revenants et de diables perpétuent une moralité populaire au sein de laquelle le bien et le mal sont clairement définis. Véritable imaginaire collectif auquel puiseront les conteurs et écrivains du XIXe siècle et que les ethnologues du début du XXe siècle recenseront avidement, ces légendes, souvent basées sur des faits réels survenus en France ou dans la colonie et mettant en scène des personnages représentatifs de la vie quotidienne, sont le symbole d'une culture canadienne-française qui existe désormais en soi.

La littérature orale et son imaginaire particulier

Certains pourront s'étonner de trouver la littérature orale associée à un courant littéraire. Pourtant, pendant près d'un siècle, en raison de circonstances historiques particulières – la quasi-totalité de la classe lettrée était rentrée en France après la Conquête anglaise de 1760 – , notre littérature, tel un brasier réduit à ses cendres, se confina presque totalement dans sa dimension orale.

En fait, quand on voudra répliquer aux assertions de lord Durham selon lesquelles nous serions « un peuple sans littérature », on réussira à colliger tout au plus trois cents petits textes dispersés au fil des pages de nos premiers journaux, témoignages, en 1848, de près d'un siècle de vie intellectuelle[1]. Mais là où il aurait fallu regarder, c'est du côté de la littérature orale. Dans leur repli instinctif pour assurer leur survie, alors même qu'ils désapprenaient à revendiquer, les Canadiens se mirent à ressusciter de la mémoire ancestrale ses chansons, ses contes et ses légendes, puis à faire fructifier avec une rare énergie cet héritage qui trouva ici sa terre d'élection, plus que partout ailleurs dans la francophonie. Nos ancêtres venaient de choisir la tradition orale comme ciment de leur vie sociale.

Que faut-il entendre par « littérature orale » ? C'est ce patrimoine qui, transmis de bouche à oreille depuis les mystérieux lointains des origines, se fait l'expression la plus fidèle de l'âme d'une collectivité. Il s'agit en fait du lien culturel qui relie les points extrêmes de la durée d'un peuple, ce qu'il y a de continuel et de permanent dans la succession des individus. Cette évocation des forces ancestrales dont un peuple est issu se particularise à un autre niveau : il n'y a pas d'auteurs individuels mais plutôt une production collective. Certains soutiendront que le mot littérature ne peut être utilisé ici que métaphoriquement ; mais le mot culture ne l'est-il pas, également, quand il s'applique à autre chose qu'à la culture des champs ?

Véhicule de ses aspirations, de son imaginaire collectif, cette littérature de masse constitue le terreau privilégié où germent à loisir les schémas – certains préfèrent parler d'archétypes – qu'un peuple s'est faits de lui-même, sa véritable identité culturelle. Et que dévoile, de l'identité séculaire des Québécois, cet incomparable héritage ? Nos légendes, nos contes et nos chansons de tradition orale parlent d'un peuple fier, jovial, hospitalier, sûr de lui, bon vivant et au farouche esprit d'indépendance. Un peuple ne dédaignant pas la licence, qui laisse le puritanisme à son clergé ainsi qu'aux anglophones protestants. Bienheureuse époque où les questions portant sur l'identité culturelle ne se posaient pas. Où la culpabilité et les complexes d'impuissance et d'autodestruction qui caractérisent actuellement les Québécois dits de souche ne trouvaient encore aucun écho.

Soulignons la fécondité à nulle autre pareille de cette littérature : si, pendant plus d'un siècle, elle fut à peu près notre unique véhicule culturel, quand émergeront, au XIXᵉ siècle, les premiers écrivains dignes de ce nom, la majorité de ces derniers se feront les simples et fidèles transcripteurs de ces récits que les générations se transmettaient avec la vie. Et encore aujourd'hui, quantité d'auteurs puisent abondamment à cette source intarissable et permettent ainsi à leurs lecteurs de s'intégrer aux gestes et aux mythes primitifs à l'origine de leur devenir collectif. Son contenu, qui fait fi des modes et des moyens littéraires de transmission, essaime dans la littérature écrite comme si elle avait toujours été son véhicule privilégié.

> Alors que l'enseignement est remarquablement bien organisé dans la Nouvelle-France, la Conquête provoque le démantèlement d'une grande partie du réseau d'écoles. Peu à peu l'analphabétisme gagne du terrain. Au tournant du XIXᵉ siècle, on estime que seulement 4000 personnes sur une population de 150 000 habitants environ savent lire et écrire.

1 Voir : James Huston, *Répertoire national*, Montréal, VLB éditeur, 1982.

✎ D'ABORD UN QUASI-MONOPOLE DE LA LITTÉRATURE ORALE

La littérature orale désigne généralement les chansons, les contes et les légendes qui, sans auteurs connus, ont été transmis de bouche à oreille, donc sans l'assistance de l'écriture, pendant quelques générations. C'est dire qu'à l'époque présente, qui privilégie la transmission des connaissances par des techniques audiovisuelles perfectionnées, il ne peut plus y avoir création de littérature orale. Ainsi, même une chanson de madame Bolduc, malgré ses connotations folkloriques, n'a rien à voir avec la littérature orale : on connaît le nom de l'auteur, la transmission s'est faite grâce aux disques et toutes les versions accessibles sont conformes à la chanson originale. Ce qui n'est pas le cas pour la chanson qui nous intéresse, qui est multiple et jamais tout à fait identique à ce qu'elle fut au moment de sa création, chaque chanteur y imprimant la marque de son talent et de son sens artistique.

Les textes présentés sont puisés dans notre « âge d'or » de la littérature orale. Période dont il a déjà été fait mention, où ne subsistait pratiquement que la seule culture de tradition orale. Abandonnée par son élite, la population québécoise, majoritairement analphabète, se trouvait disséminée sur d'immenses espaces géographiques. Contraints, pour subsister, de besogner du lever au coucher du soleil sur des sols souvent ingrats, ces gens ne disposaient que de bien peu de temps pour les loisirs, littéraires ou autres. Ce qui ne les a pas empêchés, bien au contraire, de vouer un véritable culte à la culture de leurs ancêtres, de propager avec une vitalité égalée nulle part ailleurs dans la francophonie leurs chansons, leurs légendes et leurs contes.

Malgré le nombre restreint de textes retenus, il est possible de se forger une idée assez précise des caractéristiques de l'âme québécoise : valorisation du patriotisme et des origines françaises, malaise à habiter l'ici et maintenant, quête du bien-être dans l'ailleurs, goût du rire et des amusements naïfs.

ANC

Lord Durham.

Nommé par le roi gouverneur du Canada après les Rébellions de 1837-1838, lord Durham fut chargé d'en trouver les causes et aussi d'y apporter des solutions. En 1839, il publie un rapport où il propose l'assimilation pure et simple des Canadiens français, des êtres qu'il estime inférieurs et qui ne savent même pas reconnaître l'incomparable grandeur de l'Empire britannique. On peut lire dans ce rapport :

> « On ne peut guère concevoir nationalité plus dépourvue de tout ce qui peut vivifier et élever un peuple que les descendants des Français dans le Bas-Canada, du fait qu'ils ont gardé leur langue et leurs coutumes particulières. C'est un peuple sans histoire et sans littérature. »

C'était sans compter avec la farouche volonté de survivre et de résister à l'assimilation des Canadiens français...

La chanson

À la claire fontaine

Nous retenons deux versions d'une chanson qui, pendant des décennies, fit figure d'hymne national des Canadiens, au moins jusqu'en 1880, moment de la création du *Ô Canada* par Calixa Lavallée et Basile Routhier. La légende rapporte que les Patriotes, lors de leur ultime combat à Saint-Eustache, réfugiés dans l'église paroissiale encerclée par les soldats de l'armée britannique, en sortirent, conscients qu'une mort certaine les attendait, en chantant *À la claire fontaine*. D'autres avancent que la devise « Je me souviens » aurait été inspirée par le refrain *Lui y a longtemps que je t'aime / Jamais je ne t'oublierai*. C'est dire l'importance de cette chanson, à l'origine chantée dans les noces.

Royal Ontario Museum

Soirée dansante.

Peuple fier, jovial, bon vivant, les Canadiens français saisissent toutes les occasions pour organiser des veillées où la danse occupe une place centrale. Fortement ancrée dans les mœurs de l'époque, jusqu'à ce que le clergé n'en censure la pratique vers le milieu du XIXe siècle (voir chapitre 4), la danse est un thème qui revient dans de nombreux romans et contes, tel *Le Chercheur de trésors* de Philippe Aubert de Gaspé fils.

La littérature orale et son imaginaire particulier 2

VERSION FRANÇAISE

En revenant des noces,
J'étais bien fatiguée.
Au bord d'une fontaine,
Je me suis reposée.

Refrain

5 Lui y a longtemps que je t'aime,
Jamais je ne t'oublierai.

Et l'eau était si claire
Que je m'y suis baignée.
À la feuille du chêne
10 Je me suis essuyée.

Sur la plus haute branche
Le rossignol chantait.
Chante, rossignol, chante,
Toi qui as le cœur gai.

15 Le mien n'est pas de même,
Il est bien affligé.
C'est de mon ami Pierre
Qui ne veut plus m'aimer.

Pour un bouton de rose
20 Que je lui refusai.

(Variante)

Pour un bouton de rose
Que trop tôt j'ai donné

Je voudrais que la rose
Fût encore au rosier
25 Et que mon ami Pierre
Fût encore à m'aimer.

VERSION CANADIENNE

À la claire fontaine,
M'en allant promener,
J'ai trouvé l'eau si belle
Que je m'y suis baigné.

Refrain

5 Lui y a longtemps que je t'aime,
Jamais je ne t'oublierai.

Sous les feuilles d'un chêne,
Je me suis fait sécher.
Sur la plus haute branche,
10 Le rossignol chantait.

Chante, rossignol, chante,
Toi qui as le cœur gai.
Tu as le cœur à rire,
Moi je l'ai-t-à pleurer.

15 J'ai perdu ma maîtresse
Sans l'avoir mérité
Pour un bouquet de roses
Que je lui refusai.

Je voudrais que la rose
20 Fût encore au rosier
Et moi et ma maîtresse
Dans les mêmes amitiés.

(Variante)

Et que le rosier même
Fût à la mer jeté.

Pistes de lecture

1. Comparez les deux versions et dressez la liste de leurs principales différences.
2. Tentez d'imaginer la symbolique de la rose et du rosier, différente dans chaque version, et d'expliquer l'allégorie de l'amoureux et de l'amoureuse.
3. Comment le lyrisme s'exprime-t-il ici ? Comment des sentiments individuels peuvent-ils prendre une valeur collective ?
4. Expliquez les différences apportées par les variantes.
5. Comment pouvez-vous imaginer qu'une histoire d'amour déçu ait pu devenir un hymne national ?

La légende

La chasse-galerie

Notre légende la plus connue est sans doute celle de la chasse-galerie. Cette adaptation québécoise d'une légende française, mais qui n'a en fait conservé de celle-ci que le titre, en dit long sur le désir d'évasion qui tenaille les Québécois, pour qui le bonheur est très fréquemment perçu comme un ailleurs.

Nous connaissons cette histoire : dans un chantier forestier, des bûcherons concluent un pacte avec Satan. Ils pourront aller danser avec leurs belles à condition, toutefois, de ne pas blasphémer pendant le trajet effectué en canot volant, et de ne pas heurter le clocher des églises. Tout se déroule comme prévu jusqu'au moment où un bûcheron s'enivre. Et comme au Québec certains ont tendance à prononcer de religieuses paroles après avoir consommé de l'alcool, on imagine le danger qui guette les voyageurs. Cette version, contée par M. Jean-Baptiste Bouffard, 48 ans, de Rouyn (Témiscamingue), le 27 février 1971, ne retient que quelques éléments de la légende.

LE DIABLE ET LA CHASSE-GALERIE

Oui, ça c'est une légende, hein, lorsque j'étais jeune, on lisait ça dans des histoires, ou ça nous était raconté plutôt par des gens qui faisaient du chantier dans l'temps.

Alors, une fois on nous avait raconté, par exemple, un groupe d'hommes qui étaient huit, qui étaient pris dans l'Nord d'la province, dans l'bois. Noël s'en venait : i'pou-
5 vaient pas aller chez eux pour descendre chez eux l'soir, on va dire dans les Cantons de l'Est ou soit à Montréal, ou quelque chose, ou à Québec... Et puis, un jour, i'ont dit : « I' faut y aller absolument ! Noël s'en vient : faut s'en aller ! » De quelle manière sortir d'ici ? l'avait aucune manière de sortir de là, d'aut' chose que par l'eau. P'is l'eau, b'en c'tait l'hiver, alors c'était gelé. P'is, i' étaient des centaines de milles dans l'bois.
10 Alors, un dés bûcherons qui a été le cuisinier aurait dit : « Moi, j'ai besoin de sortir en canot. » Les gars 'i ont dit : « T'és fou ! » B'en, i' dit : « Ce soir, à minuit, vous viendrez m'trouver, en arriér' du camp'ment. J'aurai un canot pour huit places, dont sept de vous autres à part de moi et on va descendre à Québec. On va descendre chez nous en canot. »
15 Alors, à minuit, l'soir, cés sept bûcherons-là, qui étaient toutes des supposés « tough », des gars « tough », t'sé, des durs de durs, on a embarqué dans l'canot avec ce fameux « cook »-là. Le « cook » a faite une prière au diable p'is le bateau s'aurait en allé dans les airs. I' pédalaient dans les airs pour s'en aller à Québec. Lorsqu'i' sont arrivés à Québec, là, par la suite, le « cook », le cuisinier, leur aurait conté l'histoire qu'i' s'en r'tournerait
20 pas avec eux aut'es, qu'i' pouvait pas, c'était impossible, qu'i' était pour être mort le lendemain du Jour de l'An parce qu'i' avait vendu son âme au diable, qu'i' avait promis au diable que si i'pouvait l'amener chez eux pour Noël, p'is l'Jour de l'An, i' f'ra' c' qu'i' voudra' avec lui.

Jean Du Berger, *Introduction à la littérature orale.* Documentation, Les Presses de l'Université Laval, 1971.

La chasse-galerie, la plus connue de nos légendes.

Pistes de lecture

1. Relevez et classez les différents traits propres à la langue orale.
2. Quels sont les éléments caractéristiques de la chasse-galerie contenus dans ce récit ? Tous les éléments énoncés dans le texte de présentation s'y trouvent-ils ?
3. Traduisez en langue écrite ce texte oral, dans un paragraphe de moins de dix lignes.
4. Notez les grandes distinctions entre la langue orale et la langue écrite.

La littérature orale et son imaginaire particulier   2

Résonance

Encore aujourd'hui, à l'ère électronique, la littérature orale demeure une importante source d'inspiration pour les créateurs, qu'ils soient écrivains ou chanteurs (sans négliger les publicitaires). Claude Dubois (né en 1947) est un auteur-compositeur d'une exceptionnelle fécondité : ses succès s'étalent sur quatre décennies. D'abord identifié comme le chanteur du prolétariat urbain, il aborde par la suite à peu près tous les thèmes : amour et tendresse, anarchie et liberté, contre-culture et folklore... On ne peut s'étonner que ce créateur réfractaire aux conventions ait pactisé avec la littérature orale, lieu privilégié de la transgression. On note, dans sa version de la chasse-galerie, le grand dépouillement du style. Claude Dubois respecte-t-il ici la fonction sociale confiée traditionnellement à la légende ?

LA CHASSE-GALERIE

À force de rester
Dans la forêt à s'ennuyer
Le Diable est venu les hanter
Il fallait deux semaines
Quand la glace s'était en allée
En canot pour s'en retourner

C'était déjà l'hiver
Les grands froids nous mordaient les pieds
Impossible de s'en aller
C'était déjà Noël
Le Nouvel An montrait son nez
Tous les hommes voulaient s'en aller

Le Diable guettant
Comme un rapace son gibier
Vient leur offrir tout un marché
Dans un canot
Dans le plus grand que vous ayez
Installez-vous là sans bouger

Quand minuit sonnera
Ton canot d'un coup bougera
Il s'élèvera pour t'emporter
Mais si l'un d'entre vous
Après la fête terminée
Manque le bateau vous périrez

Chez le grand Satan
Vous irez brûler ignorés
Ignorés pour l'éternité
Le canot s'éleva
Jusqu'au ciel ils furent emportés
Jusqu'à leur village tant aimé

Chacun revint
Une fois la fête terminée
Sauf le dernier sans y penser
Posant le pied
En embarquant s'est retourné
S'est retourné sans y penser

Alors le grand Satan
Dans un tourbillon de brasier
Tous et chacun a emportés
Le plus jeune d'entre eux
Le plus méfiant le plus peureux
Gardait comme un bijou précieux

Une prière
À tuer les diables de la terre
Et quand il l'eut enfin citée
Comme des étoiles
Furent soudainement libérés
Devant leur cabane isolée

Claude Dubois, *La chasse-galerie*, Montréal, Les Éditions CD, 1980.

Le conte

Les trois filles qui ont cariotté

On a pu recueillir plus de 20 000 contes oraux dans l'Amérique francophone. C'est dire l'importance culturelle de ces récits. Les contes sont généralement divisés en trois grands types : les contes d'animaux, les récits merveilleux et les contes pour rire, aussi appelés fabliaux. Voici un exemple de ce dernier type, éloquent témoignage d'une tradition rabelaisienne qui ne s'est jamais démentie chez nous. Notons la verdeur des propos et leur truculence malicieuse. Ce conte a été recueilli en juin 1946 auprès de Joseph à Polémon Gauthier, à Saint-Irénée en Charlevoix.

LES TROIS FILLES QUI ONT CARIOTTÉ

Une fois, c'était un seigneur qu' avait trois filles. Ça fait que le seigneur s'avait trouvé un jeudi, i' dit : « Mes filles, on (moi et votre mère) va aller se prom'ner. Vous allez garder 'a maison, vous autres ! Vous êtes capables de garder.

5 I' ont dit : « C'est correct ! »

Ça fait qu' ces filles-là, comme de vrai, *l'* avaient des cavaliers. Aussitôt qu' leu' père, leu' mère, i' avaient été partis, *l'* ont envoyé des messages à leu' cavaliers.

Les cavaliers ont v'nu 'es trouver pour veiller. Ça fait qu'i' font une
10 veillée jusque vers neuf heures, neuf heures et demie. Les garçons veul'nt partir, mais les filles dis'nt : « Mais partez pas ! »

— Pourquoi ?

— *Ben*, couchez *avé'* nous autres !

— Ah ! i' ont dit, i' a pas moyen !

15 — Ah ! oui, oui, oui, couchez *avé'* nous autres.

Toujours, i' s' sont décidés d' coucher avec eux autres.

Toujours, le lend'main matin, ces filles-là... c'était l' premier vendredi du mois. Ça s' trouvait vendredi *pis* c'tait le premier vendredi du mois. A fallu qu'i' fuss'nt à confesse.

20 I' partent *pis* descendent à confesse.

La plus jeune des trois était en avant, tout' pensif'. *A* s' dévire, *a* dit : « *Coudon*, ma sœur, *moé*... sais-tu *ben*... ça m' gêne d'aller dire au curé qu'on a couché avec un cavalier ! »

— Bougresse de simple, *a* dit, t' iras pas dire t' étais couchée *avé'* ton
25 cavalier ; tu vas 'i dire que t' as cariotté ! »

— Hein ?

A dit : « Oui, tu vas 'i dire que t' as cariotté ! »

— Ha, c'est *ben* !

La plus vieille rentre à confesse, s' confesse d'avoir cariotté. L' curé
30 comprend pas l'histoire, mais i' donne l'absolution *pis* l'envoye.

La deuxième rentre, *a* fait la même chose : « Mon père, je m'accuse d'avoir cariotté. »

I' s' met encore là qu'i' écoute un peu *pis* i' donne l'absolution *pis* l'envoye.

35 La plus jeune rentre encore *pis a* s' confesse d'avoir cariotté.

— Qu' c'est ça ? Qu' c'est ça, à *matan*, i' dit là, tout l' mond' a carioté ? Qu'est-c' ça veut dire ? C' que c'est que cariotter ?

— *Ben*, *a* dit, c'est coucher avec mon cavalier !

— Ah !

40 L' curé 'i a fait des r'montrances. C't' une affaire terrible !

— Ma p'tite fille, on doit pas *fére* ça, i' dit ! Pour ta pénitence, tu plant'ras la culbute trois fois, i' dit, en sortant du confessionnal.

Pis i' avait une pauvr' vieille qu' avait *pu* d' dents, qu'était vieille, qu'était su' l' bout du banc, qu'attendait pour entrer au confessionnal
45 pour aller à confesse après elle.

A s'en vient 'i planter 'a culbute dans ses jambes

— Mon doux ! *a* dit, qu'est-*cé* que vous faites là ?

— *Ben*, *a* dit, j' fais ma pénitence.

— Qu'est-*cé* vous avez faite ?

50 — J'avais cariotté.

— Que c'est cariotter ?

— D'avoir pété dans l'église.

— Ah mon doux, *a* dit ! *Moé* qu' a pété trois fois ! Comment ça va arriver ?

Toujours, la vieille rentre dans l' confessionnal. *A* s'confesse d'avoir cariotté.

55 — Comment, comment, i' dit ! Une vieille comme vous, i' dit ! Pensez-vous encore à cariotter ?

— *Foute* de *foute* de *foute* de *foute*, *a* dit ! J' cariott' rai *ben* tant que j' voudrai, *a* dit ! J' s'rai *ben* maître de mon cul !

Jacques Labrecque, *Contes et légendes. Trois contes populaires et une légende anecdotique*, Archives de folklore, Québec, Université Laval, coll. Luc Lacoursière.

Pistes de lecture

1. Trouvez les sens étymologique et contextuel de « cavaliers » et de « simple ».
2. Quels mots et quelles attitudes peuvent contribuer à donner de la verdeur à ce conte ?
3. En quoi le réalisme linguistique de ce conte contribue-t-il à sa crédibilité ?
4. Quels procédés de l'humour sont utilisés ici ?
5. Comment expliquez-vous la présence, à une époque de foi et de grande ferveur religieuse, de contes comme celui-ci, qui se moquent des ministres du culte, alors qu'en fait ce sont des personnages craints et respectés ?
6. Tentez de trouver, à partir de ce texte, quelques caractéristiques du conte oral.

LA LITTÉRATURE ORALE, TERREAU DE LA LITTÉRATURE ÉCRITE

Après le quasi-monopole de la littérature orale, quand, dans la première moitié du XIXe siècle, des écrivains voudront établir les assises d'une littérature nationale, ils tireront tout naturellement leur principale source d'inspiration de la littérature orale, celle-là même dans laquelle ils baignent depuis leur toute petite enfance.

Parfois le récit légendaire peut servir d'inspiration première pour le texte écrit ; mais le plus souvent, chez les romanciers en particulier, l'utilisation des légendes sert simplement à étoffer le récit, ce qui peut aller jusqu'à l'adjonction d'un chapitre complet. C'est ainsi que *L'Influence d'un livre* (1837) propose une version de la légende du « diable beau danseur », alors que *Les Anciens Canadiens* (1863) fait la première relation écrite de l'histoire d'une malheureuse condamnée à être pendue en cage, Marie-Josephte Corriveau. Quant aux conteurs, dont les écrits sont le genre littéraire dominant durant le XIXe siècle, plusieurs se contentent d'adapter et de transcrire en langue écrite des légendes fantastiques. Et ces versions écrites figent de manière définitive des histoires, tantôt venues de France, tantôt nées sur le sol canadien, jusqu'alors transmises uniquement de bouche à oreille.

Le choix des textes légendaires adoptés par des écrivains – et finalement par un peuple – n'a rien de gratuit. Ces récits représentent toujours une vision particulière du monde ; elles sont la projection hors de soi des vertus et des pouvoirs que nous voudrions acquérir ou des faiblesses humaines et des angoisses dont nous désirons nous départir. Les légendes rivalisent donc avec l'histoire pour leur masse de renseignements humains. Se faisant le répertoire imagé de nos espoirs autant que de nos complexes, elles éclairent sans doute davantage que l'histoire sur la vérité « psychologique » d'un peuple. Soulignons enfin que par le recours à des légendes, qui ne sont pas soumises aux lois du réel, le conteur et le romancier peuvent se permettre d'aller très loin dans l'évasion et la transgression, ce qui ne saurait être toléré autrement.

En 1763, Marie-Josephte Corriveau est reconnue coupable du meurtre de son mari. Sa condamnation stipule qu'elle doit être pendue et son corps enfermé dans une cage suspendue à la vue des passants : il importe que ce supplice atroce serve d'exemple. Ce fait historique se propage et s'amplifie jusqu'à devenir légende.

Légende qui ne semble avoir nullement perdu de son attrait pour les foules puisqu'en août 1851, on expose au public de Montréal la cage dans laquelle le corps de la Corriveau fut suspendu. Elle occupe encore aujourd'hui une place suffisante dans l'imaginaire collectif des Québécois pour que, 227 ans plus tard, en février 1990, l'Association du Jeune Barreau de Montréal interjette appel de la sentence devant trois juges.

Dessin d'Henri Julien

PHILIPPE AUBERT DE GASPÉ fils
(1814-1841)

C'est au journaliste Philippe Aubert de Gaspé fils qu'on doit notre tout premier roman, *L'Influence d'un livre* (1837) – la censure ecclésiastique prendra soin de le rebaptiser *Le Chercheur de trésors*, le seul livre pouvant prétendre au titre choisi par l'auteur étant la Bible ! Ce récit d'aventures souvent fantastiques comprend de très nombreuses légendes : celles de la poule noire qui sert de troc avec Satan ; de la main-de-gloire qui permet de repérer des trésors cachés ; de l'homme du Labrador transformé en animal pour avoir blasphémé et, surtout, du diable beau danseur, un étranger qui entraîne l'étourdie Rose Latulippe dans une danse infernale. L'extrait décrit l'arrivée de l'inconnu qui causera un malheur irréparable à la jeune fille détournée de ses devoirs de chrétienne.

LE DIABLE M'EMPORTE

Il y avait autrefois un nommé Latulippe qui avait une fille dont il était fou ; en effet c'était une jolie brune que Rose Latulippe : mais elle était un peu scabreuse pour ne pas dire éventée. – Elle avait un amoureux nommé Gabriel Lepard, qu'elle aimait comme la prunelle de ses yeux ; cependant, quand d'autres l'accostaient, on dit qu'elle lui en faisait passer ; elle aimait
5 beaucoup les divertissements, si bien qu'un jour de Mardi-Gras, un jour comme aujourd'hui, il y avait plus de cinquante personnes assemblées chez Latulippe ; et Rose, contre son ordinaire, quoique coquette, avait tenu, toute la soirée, fidèle compagnie à son prétendu : c'était assez naturel ; ils devaient se marier à Pâques suivant. Il pouvait être onze heures du soir, lorsque tout à coup, au milieu d'un cotillon, on entendit une voiture s'arrêter devant la porte.
10 Plusieurs personnes coururent aux fenêtres, et frappant, avec leurs poings sur les châssis, en dégagèrent la neige collée en dehors afin de voir le nouvel arrivé, car il faisait bien mauvais. Certes ! cria quelqu'un, c'est un gros, comptes-tu, Jean, quel beau cheval noir ; comme les yeux lui flambent ; on dirait, le diable m'emporte, qu'il va grimper sur la maison. Pendant ce discours, le Monsieur était entré et avait demandé au maître de la maison la permission de se
15 divertir un peu. C'est trop d'honneur nous faire, avait dit Latulippe, dégrayez-vous, s'il vous plaît – nous allons faire dételer votre cheval. L'étranger s'y refusa absolument – sous prétexte qu'il ne resterait qu'une demi-heure, étant très pressé. Il ôta cependant un superbe capot de chat sauvage et parut habillé en velours noir et galonné sur tous les sens. Il garda ses gants dans ses mains, et demanda permission de garder aussi son casque ; se plaignant du mal de tête.

20 – Monsieur prendrait bien un coup d'eau-de-vie, dit Latulippe en lui présentant un verre. L'inconnu fit une grimace infernale en l'avalant ; car Latulippe, ayant manqué de bouteilles, avait vidé l'eau bénite de celle qu'il tenait à la main, et l'avait remplie de cette liqueur. C'était bien mal au moins – Il était beau cet étranger, si ce n'est qu'il était très brun et avait quelque chose de sournois dans les yeux.

L'Influence d'un livre, roman historique, Québec, W. Cowan & Fils, 1837.

Pistes de lecture

1. La ponctuation contribue ici à donner de la vie au style. Commentez-en l'usage.
2. Quels mots ou expressions vous semblent désuets ?
3. Relevez les mots qui suggèrent la nature diabolique de l'étranger.
4. Quel enseignement voulait-on transmettre avec ce récit légendaire ?

PHILIPPE AUBERT DE GASPÉ père
(1786-1871)

TU VEUX ME MENER AU SABBAT ?

— Tu veux me mener au sabbat ?

— Si donc, dit José, que le défunt père, tout brave qu'il était, avait une si fichue peur, que l'eau lui dégouttait par le bout du nez, gros comme une paille d'avoine. Il était là, le cher homme, les yeux plus grands que la tête, sans oser
5 bouger. Il lui sembla bien qu'il entendait derrière lui le tic tac qu'il avait déjà entendu plusieurs fois pendant sa route ; mais il avait trop de besogne par devant, sans s'occuper de ce qui se passait derrière lui. Tout à coup, au moment où il s'y attendait le moins, il sent deux grandes mains sèches, comme des griffes d'ours, qui lui serrent les épaules : il se retourne tout effarouché, et se
10 trouve face à face avec la Corriveau, qui se grapignait[1] amont lui. Elle avait passé les mains à travers les barreaux de sa cage de fer, et s'efforçait de lui grimper sur le dos ; mais la cage était pesante, et, à chaque élan qu'elle prenait, elle retombait à terre avec un bruit rauque, sans lâcher pourtant les épaules de mon pauvre défunt père, qui pliait sous le fardeau. S'il ne s'était pas tenu
15 solidement avec ses deux mains à la clôture, il aurait écrasé sous la charge. Mon pauvre défunt père était si saisi d'horreur, qu'on aurait entendu l'eau qui lui coulait de la tête tomber sur la clôture, comme des grains de gros plomb à canard.

— Mon cher François, dit la Corriveau, fais-moi le plaisir de me mener danser
20 avec mes amis de l'île d'Orléans. [...]

— Satanée bigre de chienne, lui dit mon défunt père, est-ce pour me remercier de mon *dépréfundi* et de mes autres bonnes prières que tu veux me mener au sabbat ? Je pensais bien que tu en avais, au petit moins, pour trois ou quatre mille ans dans le purgatoire pour tes fredaines. Tu n'avais tué que deux maris : c'était une misère ! aussi ça me faisait encore de la
25 peine, à moi qui ai toujours eu le cœur tendre pour la créature, et je me suis dit : Il faut lui donner un coup d'épaule ; et c'est là ton remerciement, que tu veux monter sur les miennes pour me traîner en enfer comme un hérétique !

— Mon cher François, dit la Corriveau, mène-moi danser avec mes bons amis ; et elle cognait sa tête sur celle de mon défunt père, que le crâne lui résonnait comme une vessie sèche pleine
30 de cailloux.

— Tu peux être sûre, dit mon défunt père, satanée bigre de fille de Judas *l'Escariot*, que je vais te servir de bête de somme pour te mener danser au sabbat avec tes jolis mignons d'amis !

— Mon cher François, répondit la sorcière, il m'est impossible de passer le Saint-Laurent, qui est un fleuve bénit, sans le secours d'un chrétien.

Les Anciens Canadiens, Québec, Desbarats et Derbishire, 1863.

Œuvre historique, roman de mœurs, récit d'aventures, témoignage précieux pour son apport folklorique, *Les Anciens Canadiens* (1863), de Philippe Aubert de Gaspé père – il a commencé sa carrière littéraire à 76 ans –, est considéré comme un des plus importants romans du XIXᵉ siècle. Nous nous y intéressons ici pour sa narration de la légende de la Corriveau. L'extrait présente la criminelle, après sa mort, en quête d'un chrétien charitable qui lui permettra de franchir le Saint-Laurent, fleuve bénit et qui, de ce fait, lui est interdit. Elle compte rejoindre ses semblables réunis, de l'autre côté, pour un sabbat. Le narrateur précise que cette aventure est arrivée à son propre père. C'est précisément cette scène qui servit pour la célèbre illustration de la cage de la Corriveau.

Pistes de lecture

1. Trouvez les sens étymologique et contextuel de « fichue », « effarouché », « sabbat », « fredaines », « créature » et « mignon ».
2. Relevez les comparaisons et trouvez leur effet.
3. Comparez le style des différents narrateurs.
4. Quelle est la tonalité dominante de ce récit ?
5. En quoi ce texte se veut-il moral ?

Au plaisir de lire

■ *Mémoires* (1866)

1 Canadianisme formé à partir du mot « grappin », pour « s'agripper ».

La littérature orale et son imaginaire particulier 2

Les conteurs

BNQ

LOUIS FRÉCHETTE (1839-1908)

Tour à tour poète, dramaturge, conteur, journaliste et député, Louis Fréchette est considéré par plusieurs comme notre plus grand écrivain du XIXᵉ siècle. De son œuvre ressort le personnage d'un exceptionnel conteur, l'omniprésent Jos Violon. Quand l'auteur en fait son narrateur, les personnages des contes sont campés avec un grand savoir-faire, les effets abondent et le suspense est habilement ménagé. Dans l'extrait suivant, du conte *Les lutins*, Jos Violon décrit ce qu'il aperçoit et ressent, un jour qu'il est dissimulé avec un complice dans une écurie, dans l'espoir d'y surprendre de petits êtres fantastiques.

UNE PLANCHE QUI REMUE

Jos Violon pi une poule mouillé, ça fait deux, vous savez ça ; eh ben, je sais pas ce qui me retint de prendre la porte pi de me sauver. Faut que ça soit Zèbe, qui me retint, parce quc jc m'aperçus qu'il avait la main frette comme un glaçon. Je le crus sans connaissance. Surtout quand je vis, à deux pas de not' cachette,
5 devinez quoi, les enfants ! un des madriers du plancher qui se soulevait tout doucement comme s'il avait été poussé par en-dessour. Ça pouvait pas être des rats : on fit un saut, comme de raison. Crac ! v'là le madrier qui se replace, tout comme auparavant. Je crus que j'avais rêvé.

[...] Tout d'un coup, v'là la planche qui recommence à remuer ; épi nous autres à
10 regarder. C'te fois-citte on avait not' en belle : le trou se montrait tout à clair à la lueur de not' fanal. D'abord on vit r'sourdre le bout à pic d'un chapeau pointu, puis un grand rebord à moitié rabattu sus quèque chose de reluisant comme une braise, qui nous parut d'abord comme une pipe allumée, mais que je compris plus tard être c't'espèce d'œil flambant que ces races-là ont dans le milieu du front.
15 Sans ça, ma grand' conscience du bon Dieu, j'aurais quasiment cru reconnaître Pain-d'épices avec son brûle-gueule. C'que c'est que l'émagination ! j'crus même l'entendre marmotter : « Quins, Zèbe qu'a oublié d'éteindre son fanal ! »

Je fis ni une ni deux, j'mis la main dans ma poche pour aveindre mon chapelet. Bang ! v'là mon couteau à ressort qui timbe par terre, Zèbe qui jette un cri, le
20 chapeau pointu qui disparaît, et moi qui prends la porte et pi mes jambes, suivi par mon associé, qu'était loin de penser aux jointées d'argent et aux barils pleins d'or, je vous en signe mon papier.

Contes, vol. 2, *Masques et fantômes et autres contes épars*, Montréal, Fides, 1976.

Pistes de lecture

1. Relevez et commentez les mots et expressions propres à la langue orale.
2. Quelle est la tonalité dominante de ce texte ?
3. Comment l'auteur ménage-t-il le suspense ?
4. À partir de cet extrait et de ce que vous savez des lutins, tentez de reconstituer la légende que l'imaginaire québécois a retenue à leur sujet.

───────────────── **Au plaisir de lire** ─────────────────

■ *La Noël au Canada*

HONORÉ BEAUGRAND (1848-1906)

Honoré Beaugrand, qui fut maire de Montréal, a écrit de nombreux récits d'inspiration folklorique, initialement parus dans les journaux puis rassemblés dans un recueil intitulé *La Chasse-galerie* (1900). On y trouve une histoire de loup-garou, récit qui relate habituellement la métamorphose d'un mécréant en animal pour avoir omis de « faire ses Pâques » pendant sept ans ; il est condamné à errer la nuit, à la poursuite d'un chrétien qui le délivrera de son sort. Mais ici il est plutôt question d'un étrange rendez-vous galant et, fait très exceptionnel, le loup-garou est de sexe féminin.

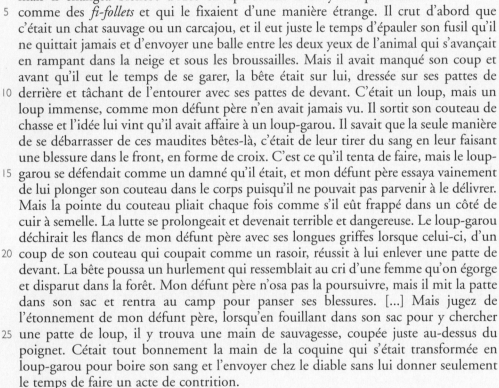

BNQ

LEUR TIRER DU SANG

Il se rendit donc à l'endroit désigné un peu avant l'heure et il fumait tranquillement sa pipe pour prendre patience, lorsqu'il entendit du bruit dans la fardoche. Il s'imagina que c'était sa sauvagesse qui s'approchait, mais il changea bientôt d'idée en apercevant deux yeux qui brillaient
5 comme des *fi-follets* et qui le fixaient d'une manière étrange. Il crut d'abord que c'était un chat sauvage ou un carcajou, et il eut juste le temps d'épauler son fusil qu'il ne quittait jamais et d'envoyer une balle entre les deux yeux de l'animal qui s'avançait en rampant dans la neige et sous les broussailles. Mais il avait manqué son coup et avant qu'il eut le temps de se garer, la bête était sur lui, dressée sur ses pattes de
10 derrière et tâchant de l'entourer avec ses pattes de devant. C'était un loup, mais un loup immense, comme mon défunt père n'en avait jamais vu. Il sortit son couteau de chasse et l'idée lui vint qu'il avait affaire à un loup-garou. Il savait que la seule manière de se débarrasser de ces maudites bêtes-là, c'était de leur tirer du sang en leur faisant une blessure dans le front, en forme de croix. C'est ce qu'il tenta de faire, mais le loup-
15 garou se défendait comme un damné qu'il était, et mon défunt père essaya vainement de lui plonger son couteau dans le corps puisqu'il ne pouvait pas parvenir à le délivrer. Mais la pointe du couteau pliait chaque fois comme s'il eût frappé dans un côté de cuir à semelle. La lutte se prolongeait et devenait terrible et dangereuse. Le loup-garou déchirait les flancs de mon défunt père avec ses longues griffes lorsque celui-ci, d'un
20 coup de son couteau qui coupait comme un rasoir, réussit à lui enlever une patte de devant. La bête poussa un hurlement qui ressemblait au cri d'une femme qu'on égorge et disparut dans la forêt. Mon défunt père n'osa pas la poursuivre, mais il mit la patte dans son sac et rentra au camp pour panser ses blessures. [...] Mais jugez de l'étonnement de mon défunt père, lorsqu'en fouillant dans son sac pour y chercher
25 une patte de loup, il y trouva une main de sauvagesse, coupée juste au-dessus du poignet. C'était tout bonnement la main de la coquine qui s'était transformée en loup-garou pour boire son sang et l'envoyer chez le diable sans lui donner seulement le temps de faire un acte de contrition.

La Chasse-galerie, Montréal, Bibliothèque québécoise, 1991.

Pistes de lecture

1. Commentez l'usage de l'imparfait et du passé simple.
2. Quelle classe de mots (noms, adjectifs, verbes, etc.) privilégie-t-on ici ? Dans quel but ?
3. Relevez et commentez le réseau de mots relié au loup-garou.
4. Pourriez-vous trouver les principaux éléments de la légende des loups-garous ?

La littérature orale et son imaginaire particulier 2

QUESTIONS DE SYNTHÈSE

1. Après relecture du conte *Les trois filles qui ont cariotté* et de la légende *Le diable et la chasse-galerie*, tentez de trouver ce qui distingue le conte de la légende.

2. Établissez les principales distinctions entre le conte oral *Les trois filles qui ont cariotté* et le conte écrit *Une planche qui remue*.

3. Prouvez que la littérature orale était une occasion d'aller très loin dans la transgression.

4. Prouvez que les textes de ce chapitre viennent confirmer les affirmations du père Charlevoix (au chapitre précédent) sur les Canadiens français.

5. La légende est le récit d'un fait réel amplifié par l'imagination populaire et devenu un objet de croyance. Prouvez-le.

6. Prouvez que les légendes relèvent du fantastique alors que les contes traditionnels sont plutôt associés au merveilleux.

TABLEAU SYNTHÈSE

1. Le terme « littérature orale » désigne le patrimoine culturel transmis de bouche à oreille pendant des générations et qui est, en fait, l'expression la plus fidèle de l'âme d'une collectivité.

2. La Conquête de 1760 permettra indirectement le développement d'une tradition orale : afin d'assurer leur survie, les Canadiens français essaieront de faire revivre les croyances, les coutumes et la culture de leurs ancêtres. Contes, légendes et chansons deviennent la mémoire vivante de l'héritage culturel français.

3. La littérature orale ne cesse d'inspirer quantité d'écrivains québécois contemporains.

Le romantisme
patriotique

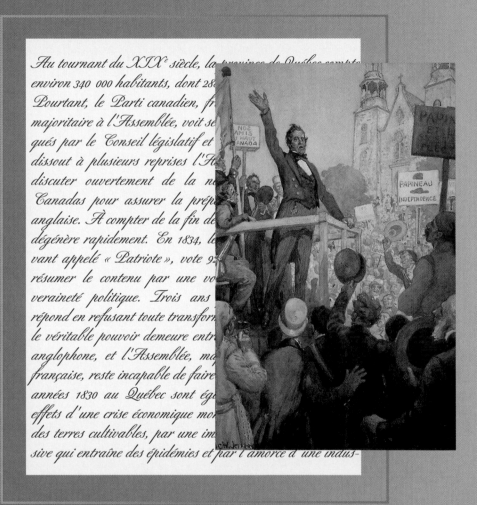

*Au tournant du XIXe siècle, la province de Québec compte
environ 340 000 habitants, dont 28...
Pourtant, le Parti canadien, fr...
majoritaire à l'Assemblée, voit se...
qués par le Conseil législatif et...
dissout à plusieurs reprises l'A...
discuter ouvertement de la n...
Canadas pour assurer la prépo...
anglaise. À compter de la fin de...
dégénère rapidement. En 1834, le...
vant appelé « Patriote », vote 9...
résumer le contenu par une vo...
veraineté politique. Trois ans...
répond en refusant toute transform...
le véritable pouvoir demeure entr...
anglophone, et l'Assemblée, ma...
française, reste incapable de faire...
années 1830 au Québec sont ég...
effets d'une crise économique mo...
des terres cultivables, par une im...
sive qui entraîne des épidémies et par l'amorce d'une indus-*

- Quelques échappées d'un romantisme
  entravé
- Un romantisme inféodé à une cause

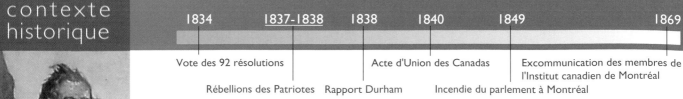

ANC-C73725

△ Louis-Joseph Papineau haranguant la foule à Saint-Charles en 1837.

EN MARCHE VERS LE PASSÉ

Au tournant du XIXe siècle, la province de Québec compte environ 340 000 habitants, dont 288 000 Canadiens français. Pourtant, le Parti canadien, francophone et massivement majoritaire à l'Assemblée, voit ses projets constamment bloqués par le Conseil législatif et le gouverneur Craig, qui dissout à plusieurs reprises l'Assemblée. On commence à discuter ouvertement de la nécessité d'unir les deux Canadas pour assurer la prépondérance de la politique anglaise. À compter de la fin des années 1820, la situation dégénère rapidement. En 1834, le Parti canadien, dorénavant appelé « Patriote », vote 92 résolutions dont on peut résumer le contenu par une volonté d'atteindre la souveraineté politique. Trois ans plus tard, l'Angleterre répond en refusant toute transformation du système en place : le véritable pouvoir demeure entre les mains de la minorité anglophone, et l'Assemblée, majoritairement canadienne-française, reste incapable de faire exécuter ses décisions.

Les années 1830 au Québec sont également marquées par les effets d'une crise économique mondiale, par une saturation des terres cultivables, par une immigration irlandaise massive qui entraîne des épidémies et par l'amorce d'une industrialisation qui fera de Montréal le pivot de l'économie canadienne. Entre 1831 et 1865, Montréal est une ville à majorité anglophone où un prolétariat industriel nombreux s'entasse dans des quartiers d'une salubrité douteuse.

■ La crise

Le contexte général est donc propice à la crise, qui atteint son apogée en 1837-1838, alors que les Patriotes prennent les armes. À la suite de leur défaite, on proclame l'union des Canadas. La nouvelle Chambre d'assemblée comprend un nombre égal de députés de chacun des deux Canadas malgré que le Bas-Canada, maintenant appelé Canada-Est, compte 200 000 habitants de plus. En substance, il se retrouve politiquement subordonné au Canada-Ouest.

■ La montée du pouvoir clérical

Dans ce contexte, l'Église canadienne acquiert un ascendant marqué sur l'ensemble de la société québécoise. Après une baisse consécutive à la Conquête, les effectifs du clergé et des communautés religieuses augmentent rapidement après 1840. Cette augmentation accroît l'influence de l'Église sur les fidèles. Alliée aux autorités civiles, l'Église prêche la soumission comme gage de stabilité sociale et devient le porte-parole d'un nouveau nationalisme de survivance qui marquera la société québécoise pour le siècle à venir. Pour l'Église, la survie passe par la préservation de la religion, de la langue française et des institutions canadiennes-françaises. Elle met sur pied et dirige des associations de jeunes, des associations littéraires et elle censure activement le théâtre, la danse et la littérature. Son influence sur le pouvoir politique devient considérable, particulièrement par la personne de Mgr Ignace Bourget, évêque de Montréal et meneur incontesté de l'idéologie « ultramontaine » qui prêche la fidélité absolue au pape et la suprématie de l'Église sur l'État. Inquiets des dangers que recèlent la démocratie et l'activité économique, les ultramontains préfèrent que les Canadiens français se consacrent à l'agriculture sous l'œil attentif de leur curé.

Le romantisme patriotique

Un gigantesque souffle démocratique balaie une grande partie du XIXᵉ siècle. Ce vaste mouvement libéral, dont les origines pourraient remonter à la Déclaration d'indépendance américaine en 1775 et à la Révolution française de 1789, permet à de nombreux peuples de s'affranchir du joug féodal : l'autorité du peuple est dorénavant considérée comme légitime et l'idée de la patrie n'est plus incarnée dans le roi mais dans la nation. En politique, on s'intéresse à tout ce qui milite en faveur des libertés, individuelles et collectives : droits imprescriptibles de la personne humaine, défense des idées républicaines, séparation de l'Église et de l'État et, pour former de bons citoyens, accès de tous à l'instruction publique.

Appliquées à la littérature, ces idées généreuses donnent naissance au romantisme. L'exploration de toutes les dimensions de la subjectivité devient si importante que les autres valeurs paraissent nivelées. L'expression personnelle des sentiments ne souffre plus aucune retenue. Ce lyrisme personnel, qui fait bon ménage avec une imagination débridée, se nourrit de tristesse, d'ennui, de vague à l'âme et d'inquiétude. Et, contrairement au classicisme, l'expression artistique se fait en totale liberté, afin de rendre compte de l'inépuisable richesse et des innombrables particularités de chaque être humain.

Cette exploration des infinies possibilités du moi peut aussi déborder dans la valorisation de l'unicité et de l'autonomie des peuples. L'œuvre de très nombreux auteurs à l'esprit humanitaire témoigne de cette dimension proprement sociale du romantisme. Le poète semble y jouir d'une fonction sacrée : c'est à lui qu'il revient de guider son peuple vers un avenir meilleur. D'où l'engagement et l'action politique de plusieurs écrivains.

Les principales composantes de ce courant européen, qu'on pourrait désigner par trois mots qui semblent indissolublement liés : *liberté, patriotisme et romantisme,* ont aussi leur écho dans le Québec du XIXᵉ siècle. Avec la particularité que cette période est le théâtre d'un affrontement incessant entre deux idéologies assurées l'une et l'autre de posséder une vérité sans partage : le libéralisme et l'ultramontanisme. À la fois deux visions du monde et deux conceptions de la littérature radicalement opposées. Et le romantisme d'ici se verra teinté de l'une et de l'autre tendance.

D'un côté, des orateurs, des journalistes et des écrivains, surtout des Montréalais, animés de profondes aspirations démocratiques ; ils se passionnent pour les questions politiques, linguistiques, économiques, sociales et nationales. Convaincus de l'urgence d'une action concrète pour faire triompher leurs idées de liberté et de progrès, ils se retrouvent soit parmi les écrivains dits aujourd'hui révolutionnaires – leur volonté de prise en mains du destin collectif connaît son paroxysme avec l'insurrection de 1837-1838 –, soit parmi les artisans de l'Institut canadien de Montréal.

De l'autre, des laïcs gravitant autour de la faction ultramontaine du clergé, surtout cantonnés à Québec : une élite recroquevillée dans la dévotion du passé afin de neutraliser les dangers d'une possible assimilation des francophones et de la perte de la foi catholique. Si, dans le domaine littéraire, ces bien-pensants estiment que le classicisme demeure le seul modèle digne d'imitation, ils sont néanmoins contraints de composer avec le romantisme, fortement épuré il va de soi. Et ces gens disposent d'un appareil répressif et cœrcitif

ANC-C2726

Incendie du parlement de Montréal en 1849, huile sur toile de Joseph Légaré.

La décision de dédommager les victimes innocentes des Rébellions de 1837-1838 au Bas-Canada révolte les marchands anglais qui se déchaînent et sèment la terreur dans les rues de Montréal. C'est au cours d'une de ces émeutes que le parlement du Canada-Uni à Montréal est incendié.

considérable pour faire triompher leurs idées. Si persuasif qu'ils parviennent à décaler au XXe siècle québécois des courants littéraires du XIXe siècle français : le réalisme, le naturalisme et le symbolisme.

Mais qu'on lise les auteurs d'une tendance ou de l'autre, on se rend vite compte que notre romantisme a bien peu à voir avec le romantisme européen. C'est que la cause nationale colore sans cesse le nôtre. Comme si l'attachement à la patrie était, pour les Canadiens français – nous ne nous désignerons comme « Québécois » qu'après 1960 –, une manière d'être, quasi un mode de vie. Aussi les textes authentiquement romantiques paraissent-ils de rares exceptions.

❦ QUELQUES ÉCHAPPÉES D'UN ROMANTISME ENTRAVÉ

Différentes raisons empêchent l'exportation en sol canadien du romantisme français dans toute son authenticité. Il faut d'abord reconnaître qu'en terre d'Amérique la vie quotidienne est moins trépidante qu'en Europe et que les récits aux caractères excessifs convenaient mal à nos ancêtres, gens généralement paisibles. Ce que souligne d'ailleurs, en 1846, l'éditeur du roman *Charles Guérin* de P.-J. Olivier Chauveau :

> « Ceux qui cherchent dans *Charles Guérin* un de ces drames pantelants, comme Eugène Sue et Frédéric Soulié en ont écrit, seront bien complètement désappointés. C'est simplement l'histoire d'une famille canadienne contemporaine que l'auteur s'est efforcé d'écrire, prenant pour point de départ un principe tout opposé à celui qu'on s'était mis en tête de faire prévaloir il y a quelques années : *le beau c'est le laid*. C'est à peine s'il y a une intrigue d'amour dans l'ouvrage ; pour bien dire, le fond du roman semblera, à bien des gens, un prétexte pour quelques peintures de mœurs et quelques dissertations politiques et philosophiques. De cela cependant il ne faudra peut-être pas autant blâmer l'auteur que nos Canadiens, qui tuent ou empoisonnent assez rarement leur femme ou le mari de quelque autre femme, qui se suicident le moins qu'ils peuvent et qui en général vivent, depuis deux ou trois générations, une vie assez paisible et dénuée d'aventures, auprès de l'église de leur paroisse, au bord du grand fleuve ou d'un de ses nombreux et pittoresques tributaires[1]. »

Comment ne pas tenir compte également du taux élevé d'analphabétisme au Canada français et du peu d'intérêt soulevé par la littérature. Le critique et poète Octave Crémazie l'a regretté dans un texte mémorable où il dénonce une « société d'épiciers » où chacun « n'a d'autre savoir que celui qui lui est nécessaire pour gagner sa vie ». Où la culture est trop souvent un vain mot :

> « Il faut bien le dire, dans notre pays on n'a pas le goût très délicat en fait de poésie. Faites rimer un certain nombre de fois gloire avec victoire, aïeux avec glorieux, France avec espérance ; entremêlez ces rimes de quelques mots sonores comme notre religion, notre patrie, notre langue, nos lois, le sang de nos pères ; faites chauffer le tout à la flamme du patriotisme, et servez chaud. Tout le monde dira que c'est magnifique[2]. »

Ajoutons enfin l'opposition organisée ici contre la France, pays impie et déicide, et contre sa littérature, à l'influence jugée pernicieuse ; dans ce contexte, la Conquête de 1760 pourra même prendre les allures d'un geste providentiel. Cette conception particulière de la littérature, qui doit se faire le véhicule de valeurs morales et édifiantes, explique en grande partie le fait que notre romantisme se soit empêtré dans les atours d'un classicisme rétrograde.

Malgré tout, à de rares exceptions il est vrai, quelques œuvres véritablement romantiques réussissent à germer dans ce sol ingrat. C'est le cas de nos premiers romans, en particulier *L'Influence d'un livre* (1837), au romantisme cabalistique, et la première partie de *Une de perdue, deux de trouvées* (1849), de P.-G. Boucher de Boucherville, dont le romantisme sera quelque peu atténué dans la deuxième version en 1864. De ce dernier auteur nous retenons plutôt un extrait de sa nouvelle *La Tour de Trafalgar*. Des femmes ont également laissé leurs empreintes dans ce courant, telles Fadette et Laure Conan, de même que des poètes, tel Eudore Évanturel.

1 P.-J.-O. Chauveau, *Charles Guérin*, Marc-Aimé Guérin éditeur, 1973.

2 Octave Crémazie, *Oeuvres complètes*, Montréal, Beauchemin et Valois, 1882. Cet extrait est tiré d'une lettre adressée à l'abbé H.-R. Casgrain le 29 janvier 1867.

PIERRE-GEORGES BOUCHER DE BOUCHERVILLE (1814-1894)

Pierre-Georges Boucher de Boucherville fut emprisonné pour crime de haute trahison : lors des troubles de 1837-1838, cet avocat avait osé prendre la défense des accusés politiques. Auparavant, à 21 ans, il avait écrit ce qui est considéré comme le premier récit fantastique québécois, *La Tour de Trafalgar* (1835). Ce texte rappelle l'histoire d'un crime qui eut réellement lieu en 1752 : un misérable avait tué un couple sur le mont Royal, fait historique qui s'était rapidement mué en légende. Notons l'abondance des thèmes chers aux romantiques.

UNE MAIN QUI S'ALLONGEAIT SANGLANTE

Aussitôt que je vis que la pluie avait entièrement cessé, je m'élançai vite hors de cette tour, la fuyant comme s'il y eût eu là quelque chose qui me faisait horreur. Et en effet, j'y avais vu du sang... Une main... Je marchais d'un pas véloce, sans savoir où j'allais. Le moindre bruit, le roulement d'une pierre que
5 j'avais détachée sous mes pieds, et dont les bonds saccadés se répétaient sur les rochers au-dessous, tout, jusqu'aux branches que je froissais, me faisait frissonner. À chaque instant je tournais la tête croyant entendre derrière moi les pas d'un meurtrier qui allait m'atteindre. Et quelquefois il me semblait voir une main qui s'allongeait sanglante pour me saisir... Je m'efforçais, mais en
10 vain, de chasser cette idée de mon esprit ; c'était quelque chose qui me poursuivait partout, et me pressait comme un cauchemar.

La nuit était encore obscure, et au lieu de prendre le bon chemin, je m'enfonçai plus avant dans le bois : tellement que le soleil était déjà haut, et brillait radieux au ciel, quand j'arrivai de l'autre côté de la montagne. Je
15 cherchais avec avidité quelque hutte, quelque cabane, où je pus trouver quelqu'un qui me donnerait l'hospitalité, qui me fournirait un lit pour me reposer ou un morceau de pain pour assouvir la faim qui me dévorait et m'étreignait de ses pointes aiguës. Mes regards se plongeaient inquiets dans les longues avenues qui s'étendaient obscures devant moi, et rien ne frappait ma vue et je mourais de faim, et cette main... et ce sang... Et il me tardait de savoir
20 quelques particularités sur un fait qui devait avoir fait du bruit dans les environs. Je désespérais presque de trouver là quelque demeure habitée, quand je crus voir au loin, derrière un taillis, comme un objet bleuâtre qui se détachait sur le fond blanc d'un roc aride. Je me hâte, imaginez ma joie, j'arrive, c'est une cabane !... Mais ma surprise fut cruelle quand je vis un homme au regard farouche, à la taille haute, aux épaules larges et dont les muscles se dessinaient avec
25 force, qui me dit avec aigreur qu'il n'avait rien pour moi, et que sa maison ne pouvait servir d'abri à qui que ce fût. J'eus peur de cet homme. Il était assis sur un tronc d'arbre, et affilait sur une vaste pierre une hache qui paraissait avoir été rougie par du sang ; et il la cacha, avec un singulier geste de mécontentement, sous une branche qui était à ses pieds.

La Tour de Trafalgar, dans James Huston, *Répertoire national*, tome 1, Montréal, VLB éditeur, 1982.

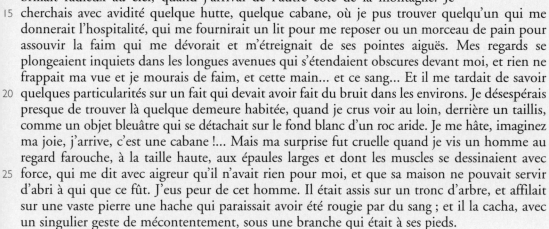

---

1. Trouvez le sens du mot « véloce ».   **Pistes de lecture**
2. Repérez une hyperbole et commentez-en l'effet.
3. Quel est le rôle des points de suspension ?
4. Quels éléments du décor appartiennent au romantisme ?
5. Citez les différents éléments fantastiques qui créent une atmosphère d'angoisse.

Au plaisir de lire

■   *Une de perdue, deux de trouvées*

BNQ

FADETTE / HENRIETTE DESSAULLES (1860-1946)

Henriette Dessaulles, journaliste et conteuse, a collaboré à une douzaine de périodiques sous différents pseudonymes, dont celui de Fadette. Mais auparavant, entre 15 et 20 ans, elle avait tenu un journal personnel. Quelle surprise de découvrir cette jeune fille à l'indépendance frondeuse, à l'intelligence vive et à l'humour incisif. Elle y relate, dans un style intimiste et un langage émancipé, ce qu'elle vit et ce qu'elle ressent.

J'AIME MIEUX MOI QUE LES AUTRES

La retraite continue. Tout m'y ennuie, excepté le silence qui me ravit ! Dieu que c'est bon de se taire et de ne plus entendre les autres !

J'ai tout de même attrapé une bonne petite gronderie injuste. Hier soir, maman me demande : « Comment prêche-t-il ce prédicateur ? »

5 Stupidement, « il crie et veut nous faire croire que nous sommes toutes en voie de nous damner ! » Alors on me gronda. Je suis trop jeune pour donner mon opinion ainsi (pourquoi me la demande-t-on ?), c'est un esprit de critique nuisible et ridicule, etc.

Et voilà, ma fille, garde tes petites idées va, et dis des mensonges plutôt que ton opinion. Ce serait le résultat logique de la gronderie.

10 Ce soir, un sermon sur la mort. Cela me révolte d'entendre beaucoup de bruit et de tapage autour de la mort qui me paraît une chose triste mais douce. Triste à cause de la séparation, alors il faut en parler avec des larmes et non avec ce grand fracas. Puis elle est douce, la mort ; ne vivre qu'avec son âme, comprendre l'incompréhensible Dieu !

Décidément, il est ridicule cet homme qui ramène tout en bas, qui ne parle que du laid 15 en nous, dans la mort et dans l'éternité, avec ses descriptions insensées des châtiments !

Pauvre prêtre, va, ce n'est pas le « genre Jésus » que tu as adopté, tu prêches plutôt comme les ministres de l'Armée du Salut qui crient comme des forcenés dans les rues de Montréal depuis quelque temps.

Cela ne peut être mal de le critiquer parce qu'il est un prêtre, je ne crois pas cette bêtise-là. 20 Je voudrais bien être très bonne, mais je sais que jamais je ne le pourrai. Et puis, ceux qui sont si bons que ça sont un peu détestables, exigeants, voulant tout ramener à leur opinion, réglant et dirigeant tout, excepté leur humeur.

Voilà donc mes réflexions de retraite ! Elles se ramènent hélas ! à dire que j'aime mieux moi que les autres, à m'excuser de ce que je fais mal en accusant les autres.

25 Je suis toute triste de moi et de mes petitesses. Et je ne me suis jamais sentie si seule. C'est affreux de ne pouvoir s'ouvrir à quelqu'un non seulement qui comprendrait mais qui aiderait !

Journal d'Henriette Dessaulles, 1874-1880, Montréal, HMH, 1971.

Pistes de lecture

1. Relevez les antithèses et commentez-en l'usage.
2. Expliquez la présence de nombreuses phrases simples et qualifiez le style.
3. Repérez les différents procédés qui expriment la subjectivité de l'auteure.
4. En quoi la conception de la mort et de Dieu peut-elle apparenter ce texte au romantisme ?

LAURE CONAN / FÉLICITÉ ANGERS (1845-1924)

La romancière et journaliste Félicité Angers, qui a adopté le pseudonyme de Laure Conan, a été l'auteure la plus remarquée du XIXᵉ siècle. Elle est la première femme à avoir rédigé un roman, le seul ouvrage vraiment psychologique de ce siècle et le premier roman crédible d'amour-passion. Dans l'extrait, l'héroïne revit en imagination la dernière journée passée avec son père, la veille de sa mort. On notera la particularité du lien qui unit la fille à son père, et la très vive sensibilité de la narratrice, l'émotion étant toujours présente.

LA MER S'ÉTAIT RETIRÉE

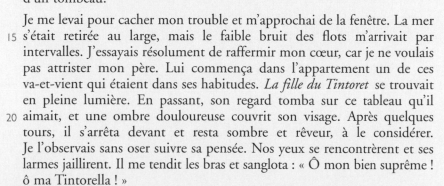

Je vois encore son air moitié amusé, moitié attendri. Il m'embrassa
sur les cheveux, en m'appelant *sa chère folle*, et me fit asseoir pour
causer. Il était dans ses heures d'enjouement, et alors sa parole,
ondoyante et légère, avait un singulier charme. Je n'ai connu
5   personne dont la gaieté se prît si vite.

Mais ce soir-là quelque chose de solennel m'oppressait. Je me sentais
émue sans savoir pourquoi. Tout ce que je lui devais me revenait
à l'esprit. Il me semblait que je n'avais jamais apprécié son admirable
tendresse. J'éprouvais un immense besoin de le remercier, de le
10 chérir. Minuit sonna. Jamais glas ne m'avait paru si lugubre, ne
m'avait fait une si funèbre impression. Une crainte vague et terrible
entra en moi. Cette chambre si jolie, si riante me fit soudain l'effet
d'un tombeau.

Je me levai pour cacher mon trouble et m'approchai de la fenêtre. La mer
15 s'était retirée au large, mais le faible bruit des flots m'arrivait par
intervalles. J'essayais résolument de raffermir mon cœur, car je ne voulais
pas attrister mon père. Lui commença dans l'appartement un de ces
va-et-vient qui étaient dans ses habitudes. *La fille du Tintoret* se trouvait
en pleine lumière. En passant, son regard tomba sur ce tableau qu'il
20 aimait, et une ombre douloureuse couvrit son visage. Après quelques
tours, il s'arrêta devant et resta sombre et rêveur, à le considérer.
Je l'observais sans oser suivre sa pensée. Nos yeux se rencontrèrent et ses
larmes jaillirent. Il me tendit les bras et sanglota : « Ô mon bien suprême !
ô ma Tintorella ! »

25 Je fondis en larmes. Cette soudaine et extraordinaire émotion, répondant
à ma secrète angoisse, m'épouvantait, et je m'écriai : « Mon Dieu ! mon
Dieu ! que va-t-il donc arriver ? »

Angéline de Montbrun, Montréal, Fides, 1950.

Pistes de lecture

1. Relevez les mots qui annoncent le décès prochain du père.
2. À partir des réseaux de mots, mettez en opposition les émotions éprouvées par la narratrice et le lien affectif qui la lie à son père.
3. Peut-on voir un symbole dans l'allusion à la mer ?
4. Le romantisme est une littérature du cœur davantage que de la raison. Prouvez-le avec cet extrait.

EUDORE ÉVANTUREL (1852-1919)

Le poète Eudore Évanturel a osé écrire en demeurant à l'écoute de son inspiration plutôt que de se soumettre aux normes de l'idéologie officielle. Cet auteur qui écrit à la première personne peut être considéré comme un devancier d'Émile Nelligan. La nature se met ici au diapason des sentiments du poète, procédé cher aux romantiques.

SOULAGEMENT

Quand je n'ai pas le cœur prêt à faire autre chose,
Je sors et je m'en vais, l'âme triste et morose,
Avec le pas distrait et lent que vous savez,
Le front timidement penché vers les pavés,
5 Promener ma douleur et mon mal solitaire
Dans un endroit quelconque, au bord d'une rivière,
Où je puisse enfin voir un beau soleil couchant.

Ô les rêves alors que je fais en marchant,
Dans la tranquillité de cette solitude,
10 Quand le calme revient avec la lassitude !
Je me sens mieux.

Je vais où me mène mon cœur.
Et quelquefois aussi, je m'assieds tout rêveur,
Longtemps, sans le savoir, et seul, dans la nuit brune,
15 Je me surprends parfois à voir monter la lune.

Premières poésies (1876-1878), Montréal, Leméac, coll. « Introuvables québécois », 1979.

Pistes de lecture

1. Relevez les réseaux de mots reliés aux sentiments et à la nature.
2. Commentez l'utilisation des pronoms personnels.
3. Quels thèmes romantiques sont contenus ici ?
4. De quelle façon ce poème se distingue-t-il de ceux de François-Xavier Garneau et d'Octave Crémazie ?

Romantisme et aspirations libérales

On l'oublie trop souvent, mais avant d'être récupérée dans la seconde partie du XIXe siècle par une idéologie conservatrice et ultramontaine, notre littérature en a été une de combat. Un romantisme à tendance libérale, qui culmine d'abord au moment de la rébellion des Patriotes, puis à l'occasion des luttes nettement libertaires menées par l'Institut canadien de Montréal.

Romantisme révolutionnaire

Parallèlement au vaste brasier démocratique qui enflamme l'Europe et l'Amérique latine dans la première moitié du XIXe siècle, et qui permet à de nombreux pays de se libérer du joug colonial, une flambée nationaliste s'élève sur les rives du Saint-Laurent. C'est qu'ici aussi souffle le vent de la révolution : on veut rompre avec le pouvoir établi et, surtout, effacer l'infamie de la Conquête. C'est l'émergence d'une véritable conscience nationale associée à la certitude d'un destin historique. Ces « patriotes[1] » à l'esprit républicain et égalitaire éprouvent un vif sentiment d'appartenance au monde français tout en proposant une société ouverte et tolérante ; parmi leurs chefs les plus respectés se trouvent des Anglais et des Irlandais, notamment, des Nelson et des Hindelang.

Les écrivains de cette tendance, surtout des orateurs, des journalistes et des poètes, sont fortement influencés par des romantiques français qui se sont lancés dans l'action politique et sociale, les Hugo, Lamartine et Vigny. Jeunes fils de bourgeois frais émoulus des collèges, portés par un idéal à la mesure de leur jeunesse, ils se servent de leur plume pour revendiquer des libertés fondamentales : usage de la langue française, libre choix du peuple quant à son gouvernement, correction des injustices sociales[2], etc. Il s'agit donc d'une littérature militante et engagée qui se fait l'expression d'une nation en devenir. Quelques noms se démarquent : Étienne Parent, Napoléon Aubin et, surtout, François-Xavier Garneau. Plus tard, après l'écrasement de la rébellion, les poètes s'apitoieront sur les malheureuses victimes mortes pour la patrie ou condamnées à l'exil. Les lettres du valeureux de Lorimier seront publiées alors que la complainte *Un Canadien errant* connaîtra un succès instantané.

Proclamation émise le 1er décembre 1837 offrant mille livres de récompense à quiconque livrera à la justice le chef du Parti patriote, Louis-Joseph Papineau, accusé de haute trahison.

1 Ils empruntèrent ce nom à leurs ancêtres français, les partisans de 1789.

2 Cette sensibilité à l'égard des défavorisés annonce déjà Parti pris dans les années 1960.

FRANÇOIS-XAVIER GARNEAU
(1809-1866)

François-Xavier Garneau a toujours milité pour la revendication des droits de sa collectivité. Avant de donner aux Canadiens français une première idée de leur destin historique avec son *Histoire du Canada*, il a composé de nombreux poèmes qui ont contribué, malgré leur classicisme sur le plan formel, à l'éveil du romantisme libéral.

POURQUOI DÉSESPÉRER[1]

Partout on dit, l'œil fixé sur les flots,
L'esquif brisé s'abîme sous l'orage,
Ô Canada ! ton nom n'a plus d'échos,
Et tes enfants chéris ont fait naufrage.
5 Mais non, ils ne périront pas,
Une voix tout à coup s'écrie :
Le soleil dore au bout des mâts
Le vieux drapeau de la patrie,
De la patrie.

10 Canadien, tu connus cette voix ;
Le ciel pour nous souvent l'a fait entendre :
Dans nos malheurs, hélas ! combien de fois
Nous avons cru notre Ilion[2] en cendre !
Enfants jetés hors des berceaux,
15 On nous exposa sur le Tibre ;
Mais Rome sortit des roseaux...
Et Rome aussi bientôt fut libre,
Bientôt fut libre.

Mais si la nue éclipsa dans les cieux,
20 Plus d'une fois notre étoile sacrée,
Après l'orage à son front radieux
On reconnut sa gloire à l'empyrée.
Phare qui ne s'éteint jamais,
Elle éblouit la tyrannie,
25 Qui droit sur l'écueil des forfaits
Ira jeter sa barque impie,
Sa barque impie.

À la tribune on vit, comme aux combats,
Toujours briller notre même courage.
30 Chargés de fers, menacés du trépas,
De nos tyrans nous braverions la rage,
S'il fallait pour la liberté
Sacrifier nos biens, la vie,
Et sous son drapeau redouté
35 Mourir pour elle et la patrie,
Et la patrie.

Dans James Huston, *Répertoire national*, tome 1, Montréal, VLB éditeur, 1982.

Pistes de lecture

1. Trouvez le sens des mots « esquif », « nue », « empyrée » et « impie ».
2. Relevez les métaphores et commentez-les.
3. Quelle est la portée symbolique du deuxième vers ?
4. Quel effet produit la répétition à la fin de chaque strophe ?
5. Quels mots révèlent les sentiments de l'auteur à l'égard des Anglais ?
6. La portée sociale de ce texte le relie au romantisme. Commentez.

Au plaisir de lire

■ *Histoire du Canada français* (6 tomes)

1 Ce poème est paru en 1834.

2 Métaphore avec la guerre de Troie.

MARIE-THOMAS CHEVALIER DE LORIMIER (1805-1839)

De Lorimier fut un des partisans les plus enthousiastes de Louis-Joseph Papineau, celui que les Patriotes avaient choisi comme chef. Arrêté en 1838, il fut accusé d'avoir été un des fauteurs de la rébellion, et le tribunal le condamna à la pendaison. La veille de son exécution, le 14 février 1839, il rédige son testament politique, un texte émouvant où l'auteur prend figure de héros romantique.

TESTAMENT POLITIQUE

Prison de Montréal
14 février 1839 à 11 heures du soir

Le public et mes amis en particulier attendent peut-être une déclaration sincère de mes sentiments : à l'heure fatale qui doit nous séparer de la terre, les opinions sont toujours regardées et reçues avec plus d'impartialité. L'homme chrétien se dépouille en ce moment du
5 voile qui a obscurci beaucoup de ses actions, pour se laisser voir en plein jour ; l'intérêt et les passions expirent avec ses dépouilles mortelles. Pour ma part, à la veille de rendre mon esprit à son créateur, je désire faire connaître ce que je ressens et ce que je pense. [...]

Je meurs sans remords, je ne désirais que le bien de mon pays dans
10 l'insurrection et l'indépendance, mes vues et mes actions étaient sincères et n'ont été entachées d'aucun des crimes qui déshonorent l'humanité, et qui ne sont que trop communs dans l'effervescence des passions déchaînées. Depuis 17 à 18 ans, j'ai pris une part active dans presque toutes les mesures populaires et toujours avec conviction
15 et sincérité. Mes efforts ont été pour l'indépendance de mes compatriotes, nous avons été malheureux jusqu'à ce jour. La mort a déjà décimé plusieurs de mes collaborateurs. Beaucoup gémissent dans les fers, un plus grand nombre sur la terre d'exil avec leurs propriétés détruites, leurs familles abandonnées sans ressources aux rigueurs
20 d'un hiver canadien. Malgré tant d'infortunes, mon cœur entretient encore du courage et des espérances pour l'avenir : mes amis et mes enfants verront de meilleurs jours, ils seront libres, un pressentiment certain, ma conscience tranquille me l'assurent. Voilà ce qui me remplit de joie, quand tout est désolation et douleur autour de moi. Les
25 plaies de mon pays se cicatriseront après les malheurs de l'anarchie d'une révolution sanglante. Le paisible Canadien verra le bonheur et la liberté sur le Saint-Laurent, tout concourt à ce but, les exécutions même, le sang et les larmes versés sur l'autel de la liberté arrosent aujourd'hui les racines de l'arbre qui fera flotter le drapeau marqué
30 des deux étoiles des Canadas. Je laisse des enfants qui n'ont pour héritage que le souvenir de mes malheurs. Pauvres orphelins, c'est vous que je plains, c'est vous que la main ensanglantée et arbitraire de

la loi martiale frappe par ma mort. [...]

Le crime fait la honte et non pas l'échafaud. Des hommes d'un
35　mérite supérieur au mien m'ont battu la triste carrière qui me reste à
parcourir de la prison obscure au gibet. Pauvres enfants, vous
n'aurez plus qu'une mère tendre et désolée pour maintien : si ma
mort et mes sacrifices vous réduisent à l'indigence, demandez
quelquefois en mon nom ; je ne fus jamais insensible aux malheurs
40　de l'infortune. Quant à vous, mes compatriotes, peuple, mon
exécution et celle de mes compagnons d'échafaud vous seront utiles.
Puissent-elles vous démontrer ce que vous devez attendre du
gouvernement anglais... Je n'ai plus que quelques heures à vivre, et
j'ai voulu partager ce temps précieux entre mes devoirs religieux et
45　ceux dus à mes compatriotes : pour eux je meurs sur le gibet et de la
mort infâme du meurtrier ; pour eux je me sépare de mes jeunes
enfants et de mon épouse sans autre appui, et pour eux je meurs en
m'écriant : *Vive la liberté ! Vive l'indépendance !*

Dans James Huston, *Répertoire national*, tome 2, Montréal, VLB éditeur, 1982.

Pistes de lecture

1.　Relevez les antithèses et les métaphores. Commentez-en l'usage.
2.　Quel réseau de mots fait de ce testament un texte profondément romantique ?
3.　Le martyr qui se sacrifie au nom du bien collectif est la figure par excellence du héros romantique. Relevez les passages du texte qui élèvent de Lorimier au rang de martyr.

Après le départ de lord Durham, le nouveau gouverneur du Bas-Canada Colborne fait des « exemples » : douze Patriotes sont pendus à la prison du Pied-du-Courant à Montréal.

ANTOINE GÉRIN-LAJOIE (1824-1882)

Une légende veut qu'Antoine Gérin-Lajoie, élève au collège de Nicolet, ait rédigé sa célèbre complainte en 1838, après avoir été profondément troublé à la vue du navire qui emportait en Australie les malheureux Patriotes condamnés à la déportation. La vérité est sans doute plus prosaïque, car *Un Canadien errant* fut écrit en 1842. Le destin de ce texte n'en demeure pas moins phénoménal.

UN CANADIEN ERRANT

BNQ

1

Un Canadien errant,
Banni de ses foyers,
Parcourait en pleurant
Des pays étrangers.

2

5 Un jour, triste et pensif,
Assis au bord des flots,
Au courant fugitif
Il adressa ces mots :

3

Si tu vois mon pays,
10 Mon pays malheureux,
Va dire à mes amis
Que je me souviens d'eux.

4

Ô jours si pleins d'appas,
Vous êtes disparus...
15 Et mon pays, hélas !
Je ne le verrai plus.

5

Plongé dans les malheurs
Loin de mes chers parents,
Je passe dans les pleurs
20 D'infortunés moments.

6

Pour jamais séparé
Des amis de mon cœur,
Hélas ! oui je mourrai,
Je mourrai de douleur.

7

25 Non, mais en expirant,
Ô mon cher Canada,
Mon regard languissant
Vers toi se portera.

Un Canadien errant, dans Paul Gérin-Lajoie, *Combats d'un révolutionnaire tranquille*,
Montréal, Centre éducatif et culturel, 1989.

Pistes de lecture

1. Commentez le choix des épithètes.
2. Décrivez la construction métrique de ce poème : rimes, rythme, strophes.
3. Quels traits du romantisme patriotique y voyez-vous ?
4. Définissez ce qu'est une complainte à partir de ce poème.
5. Ce poème a été mis en musique et est ainsi devenu une des chansons les plus populaires au Québec. Comment expliquez-vous la diffusion exceptionnelle qu'a connue ce texte ?

--- **Au plaisir de lire** ---

- *Le Jeune Latour* (tragédie en trois actes)
- *Jean Rivard, le défricheur* (récit de la vie réelle)
- *Jean Rivard, économiste*

Romantisme et anticléricalisme

Plusieurs Patriotes périrent au combat, d'autres furent pendus et un certain nombre exilés aux Bermudes et en Australie. On peut comprendre que ceux qui s'en tirèrent préférèrent se faire oublier. On trouve néanmoins une résurgence de l'esprit libéral du romantisme chez les membres de l'Institut canadien de Montréal. Fondé en 1844 par de jeunes intellectuels montréalais, l'Institut devint rapidement le foyer des idées libérales. Avec un fort accent anticlérical, on se scandalise de la constante collusion du trône et de l'autel. L'Église catholique est allée jusqu'à excommunier tous ceux qui ont osé prendre les armes au côté des Patriotes. On vise donc à établir une nette séparation des pouvoirs et des rôles de l'Église et de l'État. Et finie la résignation chrétienne et son éternelle soumission. On propose plutôt une action sociale qui permette d'accéder au progrès, jusqu'à maintenant empêché, affirme-t-on, par l'intolérance de l'Église. Parmi ces libres-penseurs, que l'Histoire appelle « les Rouges », nous portons une attention particulière à Louis-Antoine Dessaulles et Arthur Buies.

Attaque des troupes britanniques à Saint-Charles le 25 novembre 1837.

Bibliothèque municipale de Montréal

LOUIS-ANTOINE DESSAULLES (1819-1895)

DISCOURS SUR LA TOLÉRANCE

On a osé écrire en toutes lettres qu'admettre des gens de diverses croyances dans notre Institut, c'était montrer qu'on les acceptait toutes, conséquemment que l'on n'en avait aucune. Ainsi donc, vivre en paix avec son voisin, c'est admettre que l'on partage toutes ses opinions. Voilà les habiles conclusions de
5 la réaction ! Si le catholique ne dit pas *Raca* au protestant, cela prouve qu'il est lui-même protestant ! Mais, grand Dieu, pourquoi donc ne rallume-t-on pas de suite les bûchers ? On ne serait que logique après tout. Ah ! c'est sans doute parce que l'on craindrait peut-être, en ce siècle, que l'édificateur du bûcher n'y fût jeté le premier ! Quel malheur que l'on n'ait pas songé à cela plus tôt !
10 Comme les bûchers se seraient vite éteints !

[...] Mais de quoi s'agit-il donc, au fond ?

Nous formons une société d'étude ; et de plus, cette société est purement laïque. L'association entre laïques, en dehors du contrôle religieux direct, est-elle permise catholiquement parlant ? Où est l'ignare réactionnaire qui osera
15 dire NON ?

L'association entre laïques appartenant à diverses dénominations religieuses est-elle catholiquement permise ? Où est encore l'ignare réactionnaire qui osera dire non ?

Eh bien, dans un pays de religion mixte, où donc est le mal que les esprits bien
20 faits appartenant aux diverses sectes chrétiennes se donnent mutuellement le baiser de paix sur le champ de la science ? Quoi ! quand des protestants et des catholiques sont *juxtà-posés* dans un pays, dans une ville, il ne leur sera pas permis de travailler en commun à leur progrès intellectuel ! Certaines gens ne seront tranquilles que quand ils en auront fait des ennemis, et dans le domaine de la conscience et dans celui de l'intelligence ! Où donc ces gens prennent-
25 ils leurs notions évangéliques ?

Et pourtant, où sont donc la prudence et le simple bon sens ? Ce sont ceux qui sont en minorité dans l'État qui ne veulent endurer personne et ont toujours l'ostracisme à la bouche ! Mais nous vous endurons bien, nous, avec tous vos travers d'esprit, et de cœur surtout ! Imitez donc un bon exemple au lieu d'en donner un mauvais !

30 Nous formons donc une société littéraire *laïque* ! Notre but est le progrès, notre moyen est le travail, et notre lien est la tolérance. Nous avons les uns pour les autres ce respect que les hommes sincères ne se refusent jamais. Il n'y a que les hypocrites qui voient le mal partout, et qui se redoutent *parce qu'ils se connaissent*.

« Discours sur la tolérance », dans René Dionne, *La Patrie littéraire,* Montréal, Les Éditions La Presse, coll. « Anthologie de la littérature québécoise », vol. II, 1978.

> Âme dirigeante de l'Institut canadien de Montréal, Louis-Antoine Dessaulles fut un des libéraux les plus actifs de son siècle. Essayiste et journaliste, il multiplia les critiques contre Ignace Bourget, évêque de Montréal. L'extrait choisi est tiré d'un discours célébrant un anniversaire de fondation de l'Institut, le 17 décembre 1868.

Pistes de lecture

1. Quel effet produisent les phrases interrogatives ?
2. Comment l'auteur retourne-t-il les préceptes religieux à son profit ?
3. Quelle périphrase permet à Dessaulles de dénoncer l'intolérance de ses adversaires ?
4. Quelle est la tonalité dominante de ce texte ?
5. Décrivez les valeurs, les objectifs de l'Institut canadien.

Au plaisir de lire

■ *Écrits*

ARTHUR BUIES (1840-1901)

Le franc-tireur Arthur Buies est reconnu pour sa virulence pamphlétaire. Libéral anticlérical, il exerce ses talents satiriques surtout dans son journal *La Lanterne* (1868-1869), implacable pourfendeur de tous les préjugés. Ce qui ne l'empêche toutefois pas de mourir en odeur de sainteté, de même que la plupart des Patriotes qui échappent à la mort en 1837 et 1838 décèdent plus tard en odeur de royauté !

BORNÉS À L'OMBRE QUI LES ENTOURE

[Parmi nos jeunes gens,] il en est qui sont restés avec vous[1], ceux-là n'ont plus la force de se relever ; captifs endormis, ils regardent leurs chaînes d'un air hébété, ne sachant même plus qu'ils sont esclaves. D'autres s'agitent, mais ils retombent, vaincus par le poison que vous avez versé dans leur intelligence.

5 Ils font pitié à voir ; aussi je les regarde sans dédain. Caractères avachis, cœurs étiolés, fantômes sournois, on les aperçoit qui passent, l'œil terne, ne voyant plus d'avenir, bornés à l'ombre qui les entoure.

Une triste lassitude règne dans ces âmes abattues avant d'avoir pris leur vol. Partout ailleurs la jeunesse a des élans ; ici, elle n'a que des craintes.

10 Vous avez étouffé en elle la source généreuse du patriotisme et de l'abnégation. Cette soif de liberté et de lumière qui s'abreuve et s'augmente à la fois par l'absorption des grandes idées, qui seule est l'instrument du progrès humain, dont les désirs toujours croissants accusent l'intarissable fécondité de l'esprit, vous l'avez étouffée sous les capuchons de l'Union Catholique, comme on étouffe un feu dévorant que l'eau ne peut éteindre.

15 Non, vous n'aviez pas assez d'eau bénite pour nous noyer dans le marais. Il vous a fallu des ressources inouïes contre cette jeunesse livrée à vous sans défense, fréquentant vos collèges, ignorant que le monde partout marchait, tandis qu'elle seule reculait.

[...] Comprendrez-vous enfin, jeunes gens, comprendrez-vous qu'entre les mains du clergé, vous ne pouvez être qu'un instrument de circonstance qu'il brise dès qu'il n'en a plus besoin, 20 qu'en croyant vous faire de lui un allié, vous vous êtes donné un maître qui exploite à son profit unique tout le bien que vous pouvez faire avec vos talents et votre énergie, qu'en persistant à ne pas vous arracher à vos chaînes, vous perdez de plus en plus le sentier de l'avenir, que vous vous rendez inhabiles aux conditions nécessaires de notre prochain état de société, et que vous vous trouverez avant longtemps peut-être isolés au milieu d'un monde qui aura 25 marché sans vous ?

Mais combien de temps encore devrai-je prêcher dans le désert ?

La Lanterne (1884), dans Laurent Mailhot, *Anthologie d'Arthur Buies*, Montréal, Bibliothèque québécoise, 1994.

Pistes de lecture

1. Relevez les mots associés à la captivité. D'autres mots viennent-ils s'y opposer ?
2. Comment est décrite la condition morale de la jeunesse ?
3. Quelle est la tonalité dominante de ce texte ?
4. Dans quel but l'auteur a-t-il écrit ce texte ?
5. Justifiez la place de cet extrait dans le présent courant.

──────────── **Au plaisir de lire** ────────────

■ *Chroniques*   ■ *Correspondance* (1855-1901)

---

1 Il s'agit du clergé.

Publiée entre 1751 et 1766, l'*Encyclopédie* est un des ouvrages français ayant fait le plus de bruit à son époque. Ce vaste recueil de connaissances humaines cherchait, entre autres, à répandre une pensée rationnelle, libre de toute superstition. Son audace politique et religieuse sera punie de la censure royale. Ouvrage collectif placé sous la direction de Diderot (1713-1784), l'*Encyclopédie* compte parmi ses collaborateurs les Voltaire, d'Alembert et Rousseau. Nous avons retenu l'article « Prêtres », écrit par le baron d'Holbach. En comparant ce texte à celui d'Arthur Buies, déterminez l'influence des libres penseurs français du XVIIIᵉ siècle sur la pensée des auteurs libéraux du Québec.

PRÊTRES

[...] Il était difficile à des hommes si révérés de se tenir longtemps dans les bornes de la subordination nécessaire au bon ordre de la société : le sacerdoce enorgueilli de son pouvoir, disputa souvent les droits de la royauté ; les souverains soumis eux-mêmes, ainsi que leurs sujets, aux lois de la religion, ne furent point assez forts pour réclamer contre les usurpations et la tyrannie de ses ministres ; [...]. Les peuples eussent été trop heureux, si les prêtres de l'imposture eussent seuls abusé du pouvoir que leur ministère leur donnait sur les hommes ; [...]. Ces vaines prétentions ont été cimentées quelquefois par des flots de sang : elles se sont établies en raison de l'ignorance des peuples, de la faiblesse des souverains, et de l'adresse des prêtres : ces derniers sont souvent parvenus à se maintenir dans leurs droits usurpés. [...]

Baron Paul Henri d'Holbach (1723-1789), article « Prêtres » dans l' *Encyclopédie*, 1765.

BNQ

Jean-Baptiste Éric Dorion, fondateur de l'Institut canadien de Montréal en 1844.

Cet institut reprendra les idées libérales prônant la séparation de l'Église et de l'État provoquant ainsi l'ire du clergé. Mᵍʳ Bourget, évêque de Montréal, en viendra même à excommunier dix-sept membres de l'Institut. La confrontation atteindra son paroxysme avec l'affaire Joseph Guibord. L'Église refuse en effet la sépulture dans le cimetière catholique de la Côte-des-Neiges à ce typographe, membre de l'Institut canadien, décédé en 1869. Il faudra un ordre du Conseil privé de Londres pour faire obtempérer l'évêque de Montréal. Cinq ans plus tard, Joseph Guibord est enfin inhumé au cimetière de la Côte-des-Neiges. Mᵍʳ Bourget ne s'avoue pas vaincu pour autant et désacralise la parcelle de terrain où est enterré le typographe.

Romantisme et conservatisme ultramontain

Après la défaite des Patriotes qui signa la fin des espoirs d'émancipation nationale, les défenseurs du

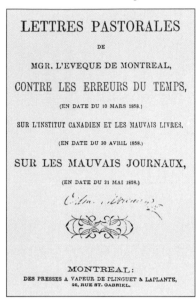

LETTRES PASTORALES
DE
MGR. L'EVEQUE DE MONTREAL,
CONTRE LES ERREURS DU TEMPS,
(EN DATE DU 10 MARS 1858.)
SUR L'INSTITUT CANADIEN ET LES MAUVAIS LIVRES,
(EN DATE DU 30 AVRIL 1858.)
SUR LES MAUVAIS JOURNAUX,
(EN DATE DU 21 MAI 1858.)
MONTREAL:
DES PRESSES A VAPEUR DE PLINGUET & LAPLANTE,
26, RUE ST. GABRIEL.

L'évêque de Montréal livre la guerre à Satan, à ses œuvres et à ses pompes.

libéralisme ne pouvaient être que minoritaires. Cela permit au clergé de reprendre le rôle de principal porte-parole de la collectivité canadienne-française, qui lui était échu aux lendemains de la Conquête de 1760. S'il proposa une action qui permit de lutter efficacement contre le danger de l'assimilation, toute son entreprise baigna cependant dans un stagnant ultramontanisme : le pouvoir religieux a toujours préséance sur le civil et, dans le doute, on s'aligne inconditionnellement sur l'autorité papale. C'est l'amorce d'une longue période de conservatisme, certains parlent de « grande noirceur », où l'urgence première consiste à protéger la foi catholique sur tout le territoire. Parce que, disait-on, la foi est gardienne de la langue : la religion catholique serait l'élément intégrateur de la personnalité nationale. Le Québec était devenu une société monolithique théocratique, vouée à un étroit nationalisme de survivance. La mainmise du clergé était quasi totale sur la vie intellectuelle.

L'énergique et astucieux évêque de Montréal, Ignace Bourget[1], se fera le héraut de ce nouveau nationalisme. Avec lui, l'Église investira tous les champs d'activité, laïques aussi bien que religieux. À commencer par la littérature, cet « égout qui déverse la pestilence dans la conscience populaire » et qui serait « l'arme principale des ennemis de l'Église ». Elle devra quitter le domaine de l'esthétique pour se vouer à la défense de l'ordre établi et de ses valeurs. Curieux patriotisme où la défaite historique se mue en destin providentiel, où nos faiblesses économiques recèlent des trésors de richesse spirituelle, où la misère sociale accède au rang de vertu, où la pauvreté culturelle devient gage de pureté. La crainte de l'assimilation et l'angoisse qu'elle suscite face au présent et à l'avenir s'expriment dans l'exaltation d'un passé révolu et

déformé, ce paradis à jamais perdu, néanmoins paré du prestige du rêve et de l'idéal.

Cette entreprise de sanctification de la société canadienne-française et de sa littérature puise abondamment son inspiration dans un ouvrage de première qualité, l'œuvre la plus importante du XIXᵉ siècle, l'*Histoire du Canada* de F.-X. Garneau, qui valut à son auteur le titre envié de père de la littérature canadienne-française. S'y trouvent les principales valeurs-refuges défendues par les écrivains de l'époque : culte du passé et de la patrie, fidélité à la langue et à la foi. Reste à ajouter la nécessité de magnifier la vertu, et on tient toutes les balises assignées aux écrivains.

Limites imposées au romantisme littéraire

Une véritable gaine morale et patriotique recouvre la littérature de cette époque où on se méfie, de plus, du romantisme français et de sa potentielle influence ici. Ses épanchements mélancoliques et ses amours maladives sont jugés peu conformes aux attitudes d'un chrétien et, quant au « mal du siècle » qui affecte quantité d'écrivains européens, on se réjouit d'en être épargné grâce à la pratique de la religion. Il importe de se faire sourd aux doléances du moi et d'être tout oreilles aux appels d'un nous salvateur, au service de la sacro-sainte obsession de la survivance. Dans un tel contexte, les romans et les pièces de théâtre sont très souvent interdits, parce que jugés trop réalistes ou faisant trop appel à l'imagination. Et pour faire triompher les canons de l'orthodoxie, on dispose de toute une batterie de critiques littéraires sans originalité qui n'hésitent pas à censurer ou à interdire. Ils ne cessent de répéter l'extrême importance de nous tenir dévotement serrés derrière le rempart de notre foi, de notre langue et de nos traditions.

Nous proposons deux textes, plutôt théoriques, qui précisent certaines limites imposées au romantisme littéraire. Ils sont tirés de l'institution littéraire plutôt que de la littérature elle-même. C'est qu'au Québec – et il s'agit d'une des originalités de notre littérature qui n'aurait pas son équivalent dans le monde occidental, selon le critique Gilles Marcotte[2] –, l'institution littéraire a précédé la naissance de notre littérature, à tout le moins d'œuvres littéraires dignes de ce nom.

1 Sous sa plume, les Canadiens français deviendront plutôt des Canadiens catholiques.

2 Gilles Marcotte, *Littératures et circonstances*, Montréal, L'Hexagone, coll. « Essais littéraires », 1989.

HENRI-RAYMOND CASGRAIN (1831-1904)

Cet abbé fut le principal animateur du mouvement littéraire de Québec, ce qui l'amena à devenir, pendant de nombreuses années, le principal censeur des lettres canadiennes-françaises. Dans cet extrait, il définit le rôle et la mission qu'il assigne à la littérature.

RÔLE DE NOTRE LITTÉRATURE

Oui, nous aurons une littérature indigène, ayant son cachet propre, original, portant vivement l'empreinte de notre peuple, en un mot, une littérature nationale.

BNQ

On peut même prévoir d'avance quel sera le caractère de cette
5 littérature. Si, comme cela est incontestable, la littérature est le reflet des mœurs, du caractère, des aptitudes, du génie d'une nation, si elle garde aussi l'empreinte des lieux, des divers aspects de la nature, des sites, des perspectives, des horizons, la nôtre sera grave, méditative, spiritualiste, religieuse, évangélisatrice comme nos missionnaires,
10 généreuse comme nos martyrs, énergique et persévérante comme nos pionniers d'autrefois et en même temps elle sera largement découpée, comme nos vastes fleuves, nos larges horizons, notre grandiose nature, mystérieuse comme les échos de nos immenses et impénétrables forêts, comme les éclairs de nos aurores boréales, mélancolique comme nos
15 pâles soirs d'automne enveloppés d'ombres vaporeuses, comme l'azur profond, un peu sévère, de notre ciel, chaste et pure comme le manteau virginal de nos longs hivers.

Mais surtout elle sera essentiellement croyante et religieuse. Telle sera sa forme caractéristique [...]. Elle n'a pas d'autre raison d'existence ; pas plus
20 que notre peuple n'a de principe de vie sans religion, sans foi ; du jour où il cesserait de croire, il cesserait d'exister [...]. Elle n'aura point ce cachet de réalisme moderne, manifestation de la pensée impie, matérialiste ; mais elle n'aura que plus de vie, de spontanéité, d'originalité [...].

Heureusement que, jusqu'à ce jour, notre littérature a compris sa mission, qui
25 est de favoriser les saines doctrines, de faire aimer le bien, admirer le beau et connaître le vrai, de moraliser le peuple en ouvrant son âme à tous les nobles sentiments.

Œuvres complètes, tome I, Montréal, Beauchemin et Valois, 1896.

Pistes de lecture

1. Précisez le sens des mots « indigène » et « cachet ».
2. Prouvez que les comparaisons servent à appuyer l'intention de l'auteur.
3. Que doit-on comprendre dans l'expression « littérature nationale » ?
4. Le romantisme privilégie la couleur locale, l'exotisme. Quelles en sont les traces ici ?
5. Le mot « mission » peut-il être associé au messianisme qui caractérise ce courant ?
6. Montrez que l'abbé Casgrain s'intéresse essentiellement à la valeur morale de la littérature.
7. Quelles idées contenues dans ce texte le rapprochent du romantisme français ?

JULES-PAUL TARDIVEL (1851-1905)

Journaliste, essayiste et auteur du premier roman portant sur l'indépendance du Québec, *Pour la patrie* (1895), Jules-Paul Tardivel ne ratait pas une occasion de pourfendre ceux qui ne pensaient pas comme lui. Il s'est donné comme mission de sauvegarder la vocation civilisatrice et religieuse des Français d'Amérique. Dans l'avant-propos à son roman *Pour la patrie*, il dénonce le genre romanesque !

LE ROMAN, INVENTION DIABOLIQUE

[Un prédicateur] appelle les romans une *invention diabolique*. Je ne suis pas éloigné de croire que le digne religieux a parfaitement raison. Le roman, surtout le roman moderne, et plus particulièrement encore le roman français, me paraît être une arme forgée par Satan lui-même pour la destruction du genre humain. Et malgré cette
5　conviction j'écris un roman ! Oui, et je le fais sans scrupule ; pour la raison qu'il est permis de s'emparer des machines de guerre de l'ennemi et de les faire servir à battre en brèche les remparts qu'on assiège. C'est même une tactique dont on tire quelque profit sur les champs de bataille.

On ne saurait contester l'influence immense qu'exerce le roman sur la société
10　moderne. Jules Vallès, témoin peu suspect, a dit : « Combien j'en ai vu de ces jeunes gens, dont un passage, lu un matin, a dominé, défait ou refait, perdu ou sauvé l'existence. Balzac, par exemple, comme il a fait travailler les juges et pleurer les mères ! Sous ses pas, que de consciences écrasées ! Combien, parmi nous, se sont perdus, ont coulé, qui agitaient au-dessus du bourbier où ils allaient mourir une page arrachée à
15　la *Comédie humaine*... Amour, vengeance, passion, crime, tout est copié, tout. Pas une de leurs émotions n'est franche. Le livre est là. »

Le roman est donc, de nos jours, une puissance formidable entre les mains du malfaiteur littéraire. Sans doute, s'il était possible de détruire, de fond en comble, cette terrible invention, il faudrait le faire, pour le bonheur de l'humanité ; car les
20　suppôts de Satan le feront toujours servir beaucoup plus à la cause du mal que les amis de Dieu n'en pourront tirer d'avantages pour le bien. La même chose peut se dire, je crois, des journaux. [...]

Pour la patrie, dans René Dionne, *La Patrie littéraire*, Montréal, Les Éditions La Presse, coll. « Anthologie de la littérature québécoise », vol. II, 1978.

Pistes de lecture

1.　Commentez la métaphore d'ordre militaire.
2.　Quelle allégorie illustre la déchéance qu'entraîne le roman ?
3.　Quelle contradiction majeure relevez-vous dans ce texte
4.　Pourquoi l'auteur fait-il explicitement référence au roman français ?

Romantisme compassé

Les principaux artisans de cette littérature compassée, formée d'historiens, de critiques, de conteurs[1], de poètes et de romanciers, gravitent autour du mouvement littéraire de Québec, baptisé « le mouvement immobile » par un critique actuel. Le principal animateur de ce groupe formé en 1858, l'abbé Henri-Raymond Casgrain, voit à ce que les œuvres soient respectueuses des traditions romantico-catholiques. En particulier les romans, qui se doivent de recycler les défaites du passé en victoires providentielles et d'inciter les lecteurs à la pratique de l'agriculture, unique voie du salut.

Malgré la pléthore de restrictions et d'interdits, les publications de cette époque, surtout par leur nombre, peuvent enfin assurer la survie et l'existence de la littérature canadienne-française. Les prochains extraits tendent à illustrer comment les écrivains ont réussi à composer avec l'orthodoxie idéologique.

Une vision idyllique de la vie rurale telle que la chanteront bientôt les « terroiristes ».

1 On se fera une idée de leur importance en se référant au deuxième chapitre. Les textes qui se font la transcription de la littérature orale ont en fait été, avec leur culte du passé, un volet du romantisme.

Chantre nostalgique du passé, Octave Crémazie est reconnu comme le premier poète authentique du Canada français. Si, par son âge, il précède le mouvement littéraire de Québec, il en annonce néanmoins plusieurs thèmes importants : enthousiasme patriotique, célébration de l'héroïsme en plus de la hantise de la vieillesse et de la mort. Crémazie fait partie des très nombreux « écrivains empêchés » de notre littérature, dont la vie se termine en exil[1]. Le poème retenu a été composé à l'occasion de la venue de la frégate française *La Capricieuse*, le 13 juillet 1855 : signal de la reprise des rapports officiels interrompus, depuis la Conquête, entre la France et le Canada.

OCTAVE CRÉMAZIE (1827-1879)

ENVOI AUX MARINS DE *LA CAPRICIEUSE*

Quoi ! déjà nous quitter ! Quoi ! sur notre allégresse
Venir jeter sitôt un voile de tristesse ?
De contempler souvent votre noble étendard
Nos regards s'étaient fait une douce habitude.
5 Et vous nous l'enlevez ! Ah ! quelle solitude
Va créer parmi nous ce douloureux départ !

Vous partez. Et bientôt, voguant vers la patrie,
Vos voiles salueront cette mère chérie !
On vous demandera, là-bas, si les Français
10 Parmi les Canadiens ont retrouvé des frères.
Dites-leur que, suivant les traces de nos pères,
Nous n'oublierons jamais leur gloire et leurs bienfaits.

Car, pendant les longs jours où la France oublieuse
Nous laissait à nous seuls la tâche glorieuse
15 De défendre son nom contre un nouveau destin,
Nous avons conservé le brillant héritage
Légué par nos aïeux, pur de tout alliage,
Sans jamais rien laisser aux ronces du chemin.

Enfants abandonnés bien loin de notre mère,
20 On nous a vus grandir à l'ombre tutélaire
D'un pouvoir trop longtemps jaloux de sa grandeur.
Unissant leurs drapeaux, ces deux reines suprêmes
Ont maintenant chacune une part de nous-mêmes :
Albion notre foi, la France notre cœur.

25 Adieu, noble drapeau ! Te verrons-nous encore
Déployant au soleil ta splendeur tricolore ?
Emportant avec toi nos vœux et notre amour,
Tu vas sous d'autres cieux promener ta puissance.
Ah ! du moins, en partant, laissez-nous l'espérance
30 De pouvoir, ô Français, chanter votre retour.

Œuvres complètes, Montréal, Beauchemin et Valois, 1882.

Pistes de lecture

1. Quel effet produit l'utilisation des points d'exclamation ?
2. Faites l'analyse formelle de ce poème : vers, strophes et rimes.
3. Relevez et commentez les comparaisons et les métaphores.
4. Quels mots traduisent le sentiment d'abandon et quels autres, l'espoir du retour prochain de la France ?
5. Qu'est-ce qui permet de relier ce poème au romantisme patriotique ?

1 Exil intérieur, comme la folie d'Émile Nelligan, le silence de Gaston Miron, le suicide d'Hubert Aquin ou exil extérieur, le plus souvent en France ou aux États-Unis.

PATRICE LACOMBE (1807-1863)

Le notaire Patrice Lacombe a écrit un roman considéré aujourd'hui comme le prototype des thèses agriculturistes romancées, *La Terre paternelle* (1846). Ce roman de mœurs paysannes glorifie tout ce qui relève de la vie rurale et condamne tout ce qui touche à la ville. Vision idyllique d'une société : en réalité, plus de 850 000 agriculteurs durent abandonner leur terre, parce que trop ingrate, pour aller tenter fortune dans les manufactures de la Nouvelle-Angleterre. La germination de ce roman et de quelques autres donnera bientôt naissance au courant du terroir.

ILS COULAIENT DES JOURS TRANQUILLES

BNQ

La terre soigneusement labourée et ensemencée s'empressait de rendre au centuple ce qu'on avait confié dans son sein. Le soin et l'engrais des troupeaux, la fabrication des diverses étoffes, et les autres produits de l'industrie, formaient l'occupation journalière de cette famille. La
5 proximité des marchés de la ville facilitait l'exportation du surplus des produits de la ferme, et régulièrement une fois la semaine, le vendredi, une voiture chargée de toutes sortes de denrées, et conduite par la mère Chauvin, accompagnée de Marguerite, venait prendre au marché sa place accoutumée. De retour à la maison, il y avait reddition de compte en
10 règle. Chauvin portait en recette le prix des grains, fourrage et du bois qu'il avait vendus ; la mère, de son côté, rendait compte du produit de son marché ; le tout était supputé jusqu'à un sou près, et soigneusement enfermé dans un vieux coffre qui n'avait presque servi à d'autre usage pendant un temps immémorial.

15 Cette scrupuleuse exactitude à toujours mettre au coffre, et à n'en jamais rien retirer que pour les besoins les plus urgents de la ferme, avait eu pour résultat tout naturel, d'accroître considérablement le dépôt. Aussi le père Chauvin passait-il pour un des habitants les plus aisés des environs ; et la commune renommée lui accordait volontiers plusieurs mille livres au coffre, qu'en père sage et prévoyant, il destinait à
20 l'établissement de ses enfants.

La paix, l'union, l'abondance régnaient donc dans cette famille ; aucun souci ne venait en altérer le bonheur. Contents de cultiver en paix le champ que leurs ancêtres avaient arrosé de leurs sueurs, ils coulaient des jours tranquilles et sereins. Heureux, oh ! trop heureux les habitants des campagnes, s'ils connaissaient leur bonheur !

La Terre paternelle, Montréal, Bibliothèque québécoise, 1993.

Pistes de lecture

1. Commentez l'utilisation des mots « reddition » et « supputé ».
2. Quels mots permettent d'affirmer que ce texte idéalise la vie terrienne ?
3. Quel effet produit l'utilisation des énumérations ?
4. Quels mots évoquent la succession des générations passées et futures ?
5. Expliquez pourquoi l'utilisation de l'imparfait est significative.
6. Quelle est l'intention de l'auteur ?

QUESTIONS DE SYNTHÈSE

1. Précisez ce qu'il faut entendre par « romantisme et aspirations libérales ».

2. Cernez les principales caractéristiques du « romantisme ultramontain ».

3. Prouvez que dans l'expression « romantisme patriotique » le second mot est plus important que le premier.

4. Trouvez le lien existant entre nos romantiques ultramontains et le classicisme européen.

5. À l'aide des textes de Boucher de Boucherville, Fadette, Laure Conan et Eudore Évanturel, prouvez l'existence d'un authentique romantisme.

6. Prouvez que romantisme et aspirations nationalistes ne font qu'un au Canada français du XIXᵉ siècle.

7. Dites pourquoi tout le contenu du deuxième chapitre, la littérature orale, peut être associé au romantisme.

8. Prouvez qu'à quelques exceptions près nos écrivains étaient en service commandé.

9. Prouvez que *La Terre paternelle* de Patrice Lacombe est la mise en pratique des idées exposées dans le texte d'Henri-Raymond Casgrain.

10. Comparez les critiques du clergé dans les textes de Fadette, Buies et Dessaulles.

11. Critiquez l'affirmation de Casgrain voulant que la littérature soit « le reflet des mœurs, du caractère, des aptitudes, du génie d'une nation ».

TABLEAU SYNTHÈSE

1. Le romantisme trouve son origine dans le vaste courant de démocratie qui marque la fin du XVIIIᵉ siècle : valorisation des libertés individuelles, des droits de l'homme, séparation de l'Église et de l'État.

2. Le romantisme en littérature se caractérise par l'expression personnelle des sentiments : tristesse, ennui, vague à l'âme, inquiétude. Cette insistance sur l'individu peut également mener, sur le plan politique, à la valorisation de l'autonomie des peuples.

3. Le romantisme au Québec se distingue par l'importance accordée à la question nationale. Deux groupes idéologiques s'affrontent : les libéraux et les ultramontains.

   Libéraux : journalistes, écrivains et orateurs recherchant la liberté et le progrès, souhaitant que les Canadiens français soient maîtres de leur destin. Le libéralisme connaît son apogée avec l'insurrection de 1837-1838.

   Ultramontains : laïcs et membres du clergé de mentalité conservatrice, ils vénèrent le passé, craignant une possible assimilation des francophones et la perte de la foi catholique. Imitateurs du classicisme, ils pratiqueront un romantisme fortement épuré. Ils disposent d'un considérable appareil cœrcitif et répressif pour faire triompher leurs idées.

Terroir et Anti-terroir

de présenter l'agriculture comme l'unique voie permettant
d'assurer un avenir
commerce étant rés
demeure, pour les
idéologie préconisée
de la société. Au n
greffer celui de la
adjoint celui de la g
veau courant est to
terrienne : le destin
amour du sol nat
individuelles ne se
stratégie défensive
toujours la vie r
français, le Québec
remous économiques.
société industrielle
pas : déjà, en 1931,
habitant dans les v
demeure sous haute
former à la nouvell
l'occasion du développement d'une opposition manichéenne

- L'héritage : vision idyllique de la terre
- L'héritage contesté ou l'anti-terroir
- L'héritage à liquider : les romans régionalistes
- Un terroir populiste
- Les penseurs et le terroir

chapitre

4

contexte
historique

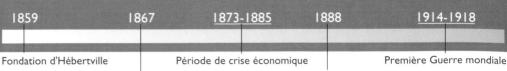

| 1859 | 1867 | 1873-1885 | 1888 | 1914-1918 |

Fondation d'Hébertville   Période de crise économique   Première Guerre mondiale

Confédération   Nomination du curé Labelle au poste de
sous-ministre de la Colonisation

LA RÉSISTANCE AU PROGRÈS

En 1867, alors que naît la nouvelle Confédération canadienne, le Québec demeure une société essentiellement rurale. On y compte une population d'environ 1 150 000 habitants, très majoritairement catholiques, dont 75 % sont francophones et 80 % vivent à la campagne. Malgré cela, la croissance économique que connaît le Québec depuis les années 1840 et l'urbanisation qui en découle provoquent un effritement des anciennes structures socio-économiques. Les terres arables de la plaine du Saint-Laurent étant entièrement occupées, les agriculteurs quittent de plus en plus la campagne pour les emplois des manufactures de Montréal et des États-Unis.

◼ Les inquiétudes de l'Église

Cette situation ne va pas sans inquiéter l'Église qui, solidement implantée dans le monde rural, la perçoit comme une menace à son ascendant moral. Forte d'un pouvoir social, politique et idéologique qui va croissant tout au long du siècle et ancrée dans un profond conservatisme, elle considère qu'une nation doit avant tout être enracinée dans le sol. Elle professe plutôt la fidélité aux valeurs tradition-nelles de la famille, de la religion, de la langue française et de la terre. Pour elle, l'agriculture

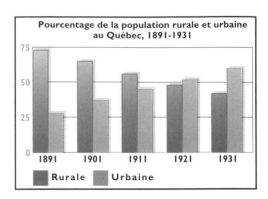

constitue un mode de vie idéal qui met à l'abri des crises financières et du chômage tout en éloignant l'individu de ce lieu de perdition qu'est la ville.

◼ Le mouvement de colonisation

Ce discours agriculturiste a une influence considérable et se cristallise notamment dans le mouvement de colonisation qui s'amorce au milieu du siècle, alors que le clergé prend en mains le développement des régions éloignées. Nombreux sont les curés et les évêques qui fondent alors des sociétés de colonisation visant à faciliter l'établissement des colons. D'autres, tels le curé Hébert à Hébertville, au Lac-Saint-Jean, ou le curé Labelle dans les Laurentides, au nord de Montréal, fondent eux-mêmes de nouvelles paroisses dans les terres nouvelles. La colonisation devient une véritable œuvre nationale, par laquelle la présence française au Québec et le maintien des valeurs catholiques seront assurés. Malgré cela, elle ne parvient pas à absorber le surplus de population des campagnes et, jusqu'aux premières décennies du XXᵉ siècle, l'exode vers les villes se poursuivra. Au début du siècle, pour la première fois, l'agriculture n'est plus le principal employeur de la population québécoise.

△ Burning fallen trees
Tableau de G. Harvey.

Image exaltante du travail de la terre préconisée par les « terroiristes ».

ANC-C-41220

Émigration nette vers les États-Unis Québec 1870-1930		
période	en milliers	% de la population
1870-1880	120	10,1
1880-1890	150	11,3
1890-1900	140	9,6
1900-1910	100	6,0
1910-1920	80	4,0
1920-1930	130	5,6

Histoire du Québec contemporain, Boréal.

Terroir et anti-terroir

A lors que le patriotisme du XIXe siècle entendait assurer la survie d'un peuple et le doter d'une littérature qui soit la voix de cette survivance, au début du XXe siècle, maintenant qu'on a la certitude de l'existence viable de la nation canadienne-française, la littérature est à nouveau appelée à contribution au service de l'identité nationale. L'élite clérico-bourgeoise lui assigne la mission de présenter l'agriculture comme l'unique voie permettant d'assurer un avenir à cette collectivité. L'industrie et le commerce étant réservés aux mercantiles Anglo-Saxons, ne demeure, pour les francophones, que la terre salvatrice[1], idéologie préconisée par l'Église pour maintenir la cohésion de la société.

Au mythe de la race glorieuse vient donc se greffer celui de la terre. Au culte du sol ancestral, on adjoint celui de la glèbe et des guérets. En un mot, ce nouveau courant est totalement voué à l'idéalisation de la vie terrienne : le destin de chacun se mesure dorénavant à son amour du sol natal. Toutefois, même si les mentalités individuelles ne se sont guère modifiées, l'Église et sa stratégie défensive de résistance au changement encadrant toujours la vie religieuse et profane des Canadiens français, le Québec est cependant en pleine mutation. Les remous économiques et sociaux sont nombreux alors que la société industrielle et l'urbanisation progressent à grands pas : déjà, en 1931, on compte 60 % de Canadiens français habitant dans les villes[2]. Néanmoins, rien n'y fait, l'écriture demeure sous haute surveillance, et la littérature doit se conformer à la nouvelle orthodoxie de l'agriculture. Ce qui est l'occasion du développement d'une opposition manichéenne entre les valeurs de la campagne et celles de la ville.

On exige donc des écrivains qu'ils s'engagent dans une nouvelle œuvre de propagande nationale : la valorisation tout azimut du terroir, autre lieu commun du conservatisme. Mais, au fait, que recouvre précisément le terme « terroir » ? Nous constatons d'abord un profond attachement au sol nourricier, ce legs sacré hérité des ancêtres ; à cet amour du sol viennent se greffer toutes les coutumes et traditions des pionniers, qu'on s'efforce de répéter religieusement, en particulier celles relatives à la foi et à la langue. Au terroir, se greffe également la croyance que la culture du sol pourra fournir les bases économiques d'une société prospère. Précisons que si un auteur « terroirisant » s'attache à peindre les sites et les mœurs d'une région précise, à mettre en valeur une « petite patrie », on dira de son œuvre qu'elle est « régionaliste ».

L'écrivain du terroir, désormais prisonnier d'une esthétique à forte teneur agricole, se doit de proposer une vision idyllique de la vocation agraire et de la vie rurale. Dans ce tableau idéal, la mémoire s'oublie au profit de l'imagination : la vie des ancêtres est devenue un âge d'or. C'est dire que pour améliorer le présent on l'observe dans le prisme du passé. Par cette fuite, on tente en fait de gommer une réalité fort peu glorieuse : la terre n'arrive plus à nourrir les familles nombreuses et, dépossédés depuis 1760 de notre économie, nous nous sentons toujours impuissants[3] face à l'Autre, qui détient tous les leviers du monde économique[4].

Mais certains écrivains refusent de se soumettre au mot d'ordre et, même, s'élèvent contre ce qui leur paraît une sclérose généralisée de la société et un obscurantisme de plus en plus étouffant. Ils reprochent surtout à cette littérature « terroirisante » terrorisante ses canons esthétiques d'ordre moraliste, bons à produire des écrits aussi onctueux qu'aseptisés. Aussi passent-ils avec armes et bagages du côté de la « vraie » littérature, celle qui vaut essentiellement pour sa dimension esthétique. Au terroir ils opposent l'exotisme, au régionalisme l'universalisme ; et la valorisation de l'art pour l'art remplace la conception de la littéra-ture comme service national.

1 Au XIXe siècle, quelques romanciers avaient exploité ce thème qui n'était pas encore un courant littéraire, en particulier Patrice Lacombe avec *La Terre paternelle* (1846) (voir chapitre III, p. 63).

2 Ils n'étaient que 36 % en 1901.

3 Pour excuser cette « faiblesse », certaines expressions, marquées du sceau de la fatalité, sont répétées *ad nauseam* : « On est né pour un petit pain », « On n'a pas la bosse des affaires », etc.

4 Notre prise en mains ne viendra qu'après 1960, alors que le thème du terroir resurgira dans celui du pays.

L'HÉRITAGE : VISION IDYLLIQUE DE LA TERRE

En poésie : la mélodie des champs

Les poètes ont été les véritables initiateurs du courant du terroir. Principalement groupés autour de la revue *Le Terroir*, fondée en 1909, ces héritiers du mouvement littéraire de Québec se sont donné comme mission de peindre « l'âme du peuple ». Célébrant les multiples séductions de la campagne québécoise, ils se firent plus particulièrement les chantres des divers travaux de la ferme. Cette poésie profondément enracinée dans l'humus se trouve autant chez des poètes identifiés au XIXe siècle, mais qui poursuivent leur œuvre au XXe, que chez des poètes plus jeunes.

Musée du Québec

Ploughing, the First Gleam at Dawn (1900), huile sur toile d'Horatio Walker.

WILLIAM CHAPMAN (1850-1917)

Après avoir réalisé son rêve, devenir avocat, William Chapman jette bientôt sa toge aux orties pour se donner tout entier au journalisme et à la littérature. Même si l'intérêt pour sa poésie est aujourd'hui fort discutable, il demeure que plusieurs de ses poèmes témoignent avec éloquence des valeurs du courant privilégié à l'époque, le terroir. En particulier, ce portrait de l'humble cultivateur canadien-français, où les influences romantiques et parnassiennes ne passent cependant pas inaperçues.

LE LABOUREUR

Derrière deux grands bœufs ou deux lourds percherons,
L'homme marche courbé dans le pré solitaire,
Ses poignets musculeux rivés aux mancherons
De la charrue ouvrant le ventre de la terre.

5 Au pied d'un coteau vert noyé dans les rayons,
Les yeux toujours fixés sur la glèbe si chère,
Grisé du lourd parfum qu'exhale la jachère,
Avec calme et lenteur il trace ses sillons.

Et, rêveur, quelquefois il ébauche un sourire :
10 Son oreille déjà croit entendre bruire
Une mer d'épis d'or sous un soleil de feu ;

Il s'imagine voir le blé gonfler sa grange ;
Il songe que ses pas sont comptés par un ange,
Et que le laboureur collabore avec Dieu.

BNQ

Les Aspirations. Poésies canadiennes, Paris, Librairies-imprimeries réunies, Motteroz, Martinet, 1904.

Pistes de lecture

1. Trouvez le sens des mots « percherons », « glèbe » et « jachère ».
2. Relevez et commentez les métaphores.
3. Montrez que ce portrait du paysan est à la fois réaliste et idéaliste.
4. Quels types de relations s'établissent entre le laboureur et sa terre ?
5. On retrouve ici deux aspects importants de la littérature du terroir: la prospérité matérielle et le messianisme. Prouvez-le.

BNQ

NÉRÉE BEAUCHEMIN (1850-1931)

La grande sensibilité de Nérée Beauchemin fait probablement de lui notre meilleur poète du terroir. S'il commence à publier sa poésie au XIXᵉ siècle, ce médecin de village ne donne la pleine mesure de son talent qu'avec *Patrie intime* en 1928. Notons le soin que ce poète intimiste apporte à son écriture : la forme est bien maîtrisée, à la manière des Parnassiens, alors que le fond permet au terroir de sortir de son carcan pour respirer l'air « des sapinières de savane ».

LA PERDRIX

Au ras de terre, dans la nuit
Des sapinières de savane,
Le mâle amoureux se pavane
Et tambourine à petit bruit.

5 La femelle écoute, tressaille,
Et, comme une plume, l'amour
L'emporte vers le troubadour
Qui roucoule dans la broussaille.

Tel un coq gonfle tout l'émail
10 Et tout l'or de sa collerette,
Le mâle, dressant son aigrette,
Roule sa queue en éventail.

Mais voici qu'un coup de tonnerre,
Sous les arbres, vient d'éclater,
15 Faisant, au loin, répercuter
Les échos du bois centenaire.

Et, frappée au cœur en son vol,
Ailes closes, la perdrix blanche,
Dégringolant de branche en branche,
20 Tombe, mourante, sur le sol.

Patrie intime. Harmonies, Montréal, LACF, 1928.

Pistes de lecture

1. Analysez le choix des verbes.
2. Comment l'auteur prépare-t-il la chute de son poème, c'est-à-dire la dernière strophe ?
3. Trouvez une comparaison, une métaphore et une métonymie.
4. Associez ce poème au courant du terroir.

ALFRED DESROCHERS (1901-1978)

Cet écrivain régionaliste des Cantons de l'Est est considéré comme le plus important poète né au XXe siècle à avoir puisé son inspiration dans le terroir. Observons le réalisme des vers où défilent, les uns après les autres, les différents tableaux du terroir.

LIMINAIRE « JE SUIS UN FILS DÉCHU »

Je suis un fils déchu de race surhumaine,
Race de violents, de forts, de hasardeux,
Et j'ai le mal du pays neuf, que je tiens d'eux,
Quand viennent les jours gris que septembre ramène.

5 Tout le passé brutal de ces coureurs des bois :
Chasseurs, trappeurs, scieurs de long, flotteurs de cages,
Marchands aventuriers ou travailleurs à gages,
M'ordonne d'émigrer par en haut pour cinq mois.

Et je rêve d'aller comme allaient les ancêtres ;
10 J'entends pleurer en moi les grands espaces blancs,
Qu'ils parcouraient, nimbés de souffles d'ouragans,
Et j'abhorre comme eux la contrainte des maîtres.

Quand s'abattait sur eux l'orage des fléaux,
Ils maudissaient le val, ils maudissaient la plaine,
15 Ils maudissaient les loups qui les privaient de laine :
Leurs malédictions engourdissaient leurs maux.

Mais quand le souvenir de l'épouse lointaine
Secouait brusquement les sites devant eux,
Du revers de leur manche, ils s'essuyaient les yeux
20 Et leur bouche entonnait : « À la claire fontaine »...

Ils l'ont si bien redite aux échos des forêts,
Cette chanson naïve où le rossignol chante,
Sur la plus haute branche, une chanson touchante,
Qu'elle se mêle à mes pensers les plus secrets :

25 Si je courbe le dos sous d'invisibles charges,
Dans l'âcre brouhaha de départs oppressants,
Et si, devant l'obstacle ou le lien, je sens
Le frisson batailleur qui crispait leurs poings larges ;

Si d'eux, qui n'ont jamais connu le désespoir,
30 Qui sont morts en rêvant d'asservir la nature,
Je tiens ce maladif instinct de l'aventure,
Dont je suis quelquefois tout envoûté, le soir ;

Par nos ans sans vigueur, je suis comme le hêtre
Dont la sève a tari sans qu'ils soit dépouillé,
35 Et c'est de désirs morts que je suis enfeuillé,
Quand je rêve d'aller comme allait mon ancêtre ;

BNQ

Mais les mots indistincts que profère ma voix
Sont encore : un rosier, une source, un branchage,
Un chêne, un rossignol parmi le clair feuillage,
40 Et comme au temps de mon aïeul, coureur des bois,

Ma joie ou ma douleur chante le paysage.

À l'ombre de l'Orford, Montréal, Fides, 1979.

Pistes de lecture

1. Comment s'exprime ici la célébration des ancêtres ?
2. De quelle manière le poète parle-t-il de sa filiation avec les ancêtres ?
3. Faites l'analyse formelle de ce poème : vers, strophes, rimes.
4. Trouvez la structure de ce poème.
5. Pourquoi l'auteur a-t-il isolé le dernier vers ?
6. Commentez l'insertion de ce poème dans le courant du terroir.

──────────────────── **Au plaisir de lire** ────────────────────

■ *Œuvres poétiques*

En prose : les récits agriculturistes

Dans les récits narratifs en prose, on se plaît à inventorier les moindres anecdotes, souvenirs, traditions, coutumes, croyances du passé rattachés à la terre, et tout revêt bientôt une dimension légendaire. Ici l'histoire patriotique est abandonnée au profit de la « petite histoire ». Il y a une recherche effrénée de l'objet susceptible de témoigner de la permanence du passé. Les travaux et occupations des paysans de jadis et naguère y sont minutieusement décrits : ceux de la campagne comme ceux de la forêt, ceux de la terre comme ceux de la chasse. Des préoccupations, reconnaissons-le, bien davantage folkloriques ou ethnologiques que littéraires.

On peut répartir ces récits en deux catégories. Il y a d'abord les romans de la terre et de la colonisation du XIXe siècle rapatriés dans ce courant qui a partie liée avec le XXe[1], puis ceux de quelques écrivains plus jeunes qui poursuivent l'œuvre de leurs prédécesseurs, en particulier Damase Potvin (1879-1964). Ces romans véhiculent le mythe agraire de la terre paternelle : cet instrument de continuité entre les générations est le seul à donner accès à la vraie liberté des individus et à assurer la permanence de la nation. Le mal ne saurait venir que chez ceux qui se refusent à cette terre, dotée le plus souvent des traits d'une épouse exigeante et jalouse.

On y trouve également les contes paysans, que nous privilégions ici. Ils sont généralement constitués de « rapaillages[2] » de souvenirs reliés au bonheur champêtre. Ce terroir poétisé, embelli, sanctifié aime répéter l'attachement du paysan à la terre et au clocher paroissial. Encore ici, l'écrivain choisir de se faire prédicant plutôt que de s'attarder à décrire avec justesse des émotions et des sentiments.

1 Pour cette catégorie, on doit se reporter au chapitre précédent.

2 Ce nom est emprunté à Lionel Groulx qui a publié, en 1916, *Les Rapaillages*.

ADJUTOR RIVARD (1868-1945)

Cet écrivain, qui fut aussi avocat et linguiste, a fondé en 1902 la Société du parler français au Canada. Parmi les nombreux petits croquis de la vie paysanne qu'il a composés, nous tirons un tableau rappelant une vente aux enchères au profit des âmes du purgatoire. Observons le processus d'idéalisation.

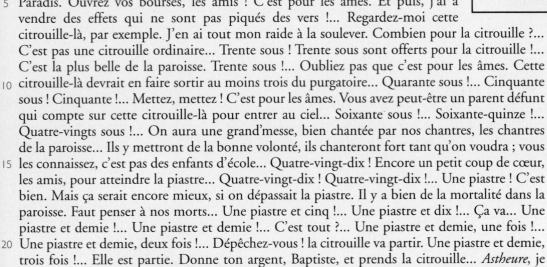

LA CRIÉE POUR LES ÂMES

— La *criée pour les âmes* va commencer. Chacun de nous a ses défunts, et, sans offense, on peut bien dire que plusieurs des nôtres doivent être dans le purgatoire : car il y en a qui, de leur vivant, n'étaient pas commodes. Eh ! bien, c'est le temps de leur donner un petit coup d'épaule pour les pousser en
5 Paradis. Ouvrez vos bourses, les amis ! C'est pour les âmes. Et puis, j'ai à vendre des effets qui ne sont pas piqués des vers !... Regardez-moi cette citrouille-là, par exemple. J'en ai tout mon raide à la soulever. Combien pour la citrouille ?... C'est pas une citrouille ordinaire... Trente sous ! Trente sous sont offerts pour la citrouille !... C'est la plus belle de la paroisse. Trente sous !... Oubliez pas que c'est pour les âmes. Cette
10 citrouille-là devrait en faire sortir au moins trois du purgatoire... Quarante sous !... Cinquante sous ! Cinquante !... Mettez, mettez ! C'est pour les âmes. Vous avez peut-être un parent défunt qui compte sur cette citrouille-là pour entrer au ciel... Soixante sous !... Soixante-quinze !... Quatre-vingts sous !... On aura une grand'messe, bien chantée par nos chantres, les chantres de la paroisse... Ils y mettront de la bonne volonté, ils chanteront fort tant qu'on voudra ; vous
15 les connaissez, c'est pas des enfants d'école... Quatre-vingt-dix ! Encore un petit coup de cœur, les amis, pour atteindre la piastre... Quatre-vingt-dix ! Quatre-vingt-dix !... Une piastre ! C'est bien. Mais ça serait encore mieux, si on dépassait la piastre. Il y a bien de la mortalité dans la paroisse. Faut penser à nos morts... Une piastre et cinq !... Une piastre et dix !... Ça va... Une piastre et demie !... Une piastre et demie !... C'est tout ?... Une piastre et demie, une fois !...
20 Une piastre et demie, deux fois !... Dépêchez-vous ! la citrouille va partir. Une piastre et demie, trois fois !... Elle est partie. Donne ton argent, Baptiste, et prends la citrouille... *Astheure*, je mets en vente un rouleau de *catalogne*. Il y en a cinq verges. Combien pour la *catalogne* ?... C'est pour les âmes...

[...]

Et nos braves gens enchérissent. Ils ne regardent guère à la valeur des objets ; c'est pour les
25 âmes : ils y vont largement. Un jour, un chou se vendit trois piastres !... Et l'adjudicataire, après avoir payé, remit le chou aux enchères ! Ce chou rapporta quatre piastres et demie.

Chez nos gens, Québec, Éditions de l'Action sociale catholique, 1918.

Pistes de lecture

1. Quels procédés stylistiques ou grammaticaux permettent à l'auteur de recréer le rythme et l'intonation de la langue parlée ?
2. Que nous apprend ce texte sur les croyances religieuses de l'époque ?
3. Quel thème est développé ici ?
4. De quelle manière l'auteur idéalise-t-il les paysans ?
5. Montrez en quoi cette idéalisation s'inscrit dans le courant du terroir.

Au plaisir de lire

■ *Chez nous*

Archives de *La Presse*

On doit à Conrad Kirouac, qui adopte le nom de Marie-Victorin quand il devient frère des Écoles chrétiennes, la création du Jardin botanique de Montréal. Et son traité de botanique *Flore laurentienne* est probablement l'ouvrage scientifique le plus répandu au Québec. Mais ce docteur ès sciences de l'Université de Montréal fut également un prosateur fort talentueux. Remarquons l'exubérance du style qui traduit sans peine la vie de la nature.

FRÈRE MARIE-VICTORIN / CONRAD KIROUAC (1885-1944)

SUIS ALLÉ AU BOIS !

Suis allé hier à Saint-Bruno, voir ma mie Printemps ! La neige a quitté la place. La cabane à sucre est cadenassée, mais la tonne oubliée sur le traîneau, et les copeaux frais jonchant les alentours, disent encore le joyeux labeur des jours derniers.

Dans la grande lumière neuve, les fûts des hêtres ont des pâleurs de vieil argent, 5 et de voir sans obstacle le ciel au-dessus d'eux, fait songer à quelque cathédrale de rêve laissée inachevée, à quelque temple déserté, repris par la grande vie universelle ! Ce n'est partout que frissons d'ailes et bruit menu d'eau qui court entre les roches capitonnées de mousse.

Au travers des feuilles mortes, l'hépatique, partout, passe la tête. Les autres 10 fleurs sauvages, celles de l'été et celles de l'automne, n'ont qu'une parure : l'hépatique prend toutes les teintes du ciel depuis le blanc troublant des midis lumineux jusqu'à l'azur des avant-nuits, en passant par le rose changeant des crépuscules. La nature gâte cette première-née qui va disparaître si vite, avec les vents plus chauds !

J'ai voulu gravir les pentes, parmi les fougères alanguies et les hanaps écarlates des 15 champignons printaniers. Les mousses, gorgées d'eau, mettaient du vert nouveau sur la grisaille des rochers. Autour de moi, les jeunes hêtres gardaient encore, recroquevillées, leurs feuilles de la saison dernière, et la brise, soufflant à travers les files de petits cadavres blancs y entonnait la chanson importune des choses mortes, si triste ainsi plaquée sur la grande symphonie de la vie renaissante. 20

J'avais soif. J'ai blessé un bouleau merisier pour boire avec volupté à la coupe parfumée de la sève nouvelle. Et comme je m'éloignais, une vanesse, grand papillon aux ailes noires lisérées de blanc, s'est venue attabler à la lèvre de l'écorce ruisselante. D'un mouvement harmonieux, l'insecte abaissait et relevait alternativement ses grandes ailes veloutées, et parce que c'est le geste qu'il répète lorsqu'il festoie aux calices des fleurs, j'en ai conclu que, comme moi, il 25 s'enivrait lui aussi, à la joie du renouveau.

D'avoir vu ma mie Printemps, suis revenu du bois, des fleurs plein les mains et de la jeunesse plein le cœur !

Croquis laurentiens, Montréal, 1920.

Pistes de lecture

1. Trouvez le sens des mots « tonne », « fûts » et « hépatique ».
2. De quelle manière la nature est-elle ici associée à une femme ?
3. Quels mots nous permettent d'affirmer que l'auteur avait une intention scientifique ?
4. Relevez les termes religieux et commentez leur effet.
5. Quel rôle particulier l'auteur confie-t-il aux adjectifs ?
6. De quelle façon cette approche du terroir se distingue-t-elle de celle d'Adjutor Rivard ?

Au plaisir de lire

■ *Récits laurentiens*　　　■ *Flore laurentienne*

GEORGES BOUCHARD (1888-1956)

Le chroniqueur, essayiste et conteur Georges Bouchard a voué toute sa vie à l'agriculture. Ses nombreux récits font l'éloge du temps passé et semblent répéter inlassablement « Ah ! C'était l'bon temps ! ». Dans l'extrait suivant, relevons les nombreuses oppositions entre les mœurs terriennes et urbaines.

LES FUNÉRAILLES DU VIEUX TERRIEN

Les funérailles des vieux terriens sont toujours marquées par la présence d'une escorte d'octogénaires, couronne vivante de têtes blanches, plus imposantes et plus sanctifiantes pour l'âme que les couronnes de fleurs que la sympathie fait déposer près des tombes. Il n'y a rien de plus
5 salutaire qu'une gerbe d'*Ave* ou de *De profundis*.

Un autre trait caractéristique, c'est la fidélité avec laquelle les vivants remettent aux défunts leurs politesses funéraires, en se portant nombreux vers la dépouille de ceux qui, de leur vivant, s'étaient fait remarquer par leur assistance aux funérailles... Encore un trait qui manifeste la justice et la reconnaissance qui se
10 trouvent au fond de l'âme paysanne !

Je n'ai jamais assisté aux funérailles, à la campagne, sans être vivement pénétré de la sympathie franche et de la piété réconfortante qui se dégagent de tous les gestes comme de toutes les cérémonies. Les porteurs, qui ne sont jamais des mercenaires, se meuvent lentement avec un air de componction sans égal ; le
15 chant n'est pas précipité et la flamme suppliante des cierges est plus symbolique que l'éclat des catafalques où jaillissent des flots de lumière électrique.

On vous épargne le spectacle de ces sympathies ostentatoires ou d'apparat qui ne vont pas plus loin que le seuil de l'église et qui disparaissent au moment du service.

Tous les assistants escortent le mort jusqu'au cimetière où les dernières paroles
20 de paix du pasteur descendent dans la fosse avec l'eau bénite et les larmes qui s'échappent des paupières humides.

On jette une poignée de terre sur la tombe, de cette terre que le vieux terrien a tant aimée et qui doit lui sembler légère.

Le spectacle de nos cimetières ruraux placés à proximité de nos églises est
25 symbolique de la grande foi de nos aïeux qui, après avoir associé l'Église à tous les événements importants de leur vie, ne voulaient pas s'en séparer après leur mort...

Vieilles choses... Vieilles gens. Silhouettes comparantes, Montréal,
Librairie Beauchemin, 1926.

Pistes de lecture

1. Expliquez le sens des mots « mercenaires », « componction » et « ostentatoires ».
2. Quelles sont les principales vertus morales des campagnards ?
3. Prouvez que ce texte idéalise la vie à la campagne.
4. Relevez quatre oppositions qui expriment le rejet de la vie moderne en même temps que de la ville.
5. Comment la mort est-elle présentée ?

❧ L'HÉRITAGE CONTESTÉ OU L'ANTI-TERROIR

En poésie : exotisme et universalisme

En réaction contre le chant du terroir estimé trop douceâtre, des poètes se groupent autour de la revue *Le Nigog*[1], qui dura moins d'un an, en 1918, pour revendiquer une littérature exempte de toute intention didactique, édifiante ou patriotarde. Pour ces « exotistes[2] », la poésie est un art et non un outil pouvant permettre le progrès social. L'écrivain doit donc jouir d'une totale liberté d'inspiration. C'est la théorie de l'art pour l'art chère aux Parnassiens : l'œuvre, qui vaut d'abord et avant tout par sa forme, doit se suffire à elle-même. Ces écrivains, esprits très cultivés qui se plaisent à voyager, refusent tout conformisme. Ils dénoncent l'isolement des artistes canadiens-français et revendiquent une culture moins régionale et plus universelle. Pour eux, la mère patrie est bien davantage incarnée par le Paris de l'époque que par la France d'un passé rendu glorieux à force de déformations.

Archives de La Presse

GUY DELAHAYE / GUILLAUME LAHAISE (1888-1969)

Ce poète psychiatre – Émile Nelligan a été un des patients du docteur Guillaume Lahaise – fut en proie à de nombreuses crises religieuses et certains de ses poèmes en portent la marque. Artiste exceptionnel, Guy Delahaye a manifesté le plus vif intérêt pour la poésie symboliste. On a même la surprise de trouver dans ses textes des échappées surréalistes.

> Quelqu'un avait eu un rêve trop grand...
> VISION D'HOSPICE
>
> *Au Docteur Villeneuve*
>
> Voilà l'extase, tout se fait clos ;
> Tout fait silence, voilà l'extase ;
> Le bruit meurt et le rire s'enclot.
>
> Voilà qu'on s'émeut, cris sont éclos ;
> 5 Pensée ou sentiment s'extravase ;
> Voilà qu'on s'émeut de peu ou prou.
>
> L'on rive un lien, l'on pousse un verrou,
> La tête illuminée, on la rase,
> Et l'être incompris est dit un fou.
>
> *Les Phases*, Montréal, Déom, 1910.

Pistes de lecture

1. Analysez la forme du poème : vers, rimes et strophes.
2. Commentez l'usage fait de la ponctuation.
3. Quelles sonorités sont privilégiées ?
4. Relevez les différentes figures puis trouvez leur effet.
5. Certains vers pourraient-ils être lus comme une référence à Nelligan ?
6. Quelle est l'intention de l'auteur ?

1 C'est le nom d'un harpon utilisé par les Amérindiens pour la pêche.

2 On les appelle également « le groupe des artistes », « l'école de l'exil » ou « les parisianistes ».

PAUL MORIN (1889-1963)

L'esthète Paul Morin est le poète qui s'est le plus signalé parmi les « exotistes ». Sans cesse, il s'est efforcé de cultiver le dépaysement : sujets inhabituels, images recherchées, virtuosité du vers... Grand voyageur, il voudra, dans ses vers, traduire ses impressions de voyages. Notons l'influence parnassienne de ce poème au thème oriental.

BNQ

TOKIO

La chaude ville de laque et d'or,
Comme une petite geisha lasse,
Au transparent clair de lune dort.

Un brûlant parfum d'opium, de mort,
5 De lotus, d'encens, passe et repasse ;
La claire nuit glace Hokaïdo

De bleus rayons d'étoiles et d'eau.
Ouvre ta porte secrète et basse,
Verte maison de thé d'Hirudo...

Le Paon d'émail, Paris, Alphonse Lemerre Éditeur, 1911.

Pistes de lecture

1. Quelles sonorités sont privilégiées ici ?
2. Prouvez que Paul Morin a une conception ornementale de l'art, qui fait passer la forme avant le contenu.
3. Le courant parnassien privilégie la description plutôt que le lyrisme. Qu'en est-il ici ?
4. Quelle vision le poète se fait-il de la ville de Tokyo ?
5. De quelle manière ce poème s'oppose-t-il au courant du terroir ?

Au plaisir de lire

■ *Œuvres poétiques. Le Paon d'émail, Poèmes de cendre et d'or*

En prose : nos « écrivains maudits »

Certains prosateurs réagiront à leur tour contre la censure de l'instance idéologique. Refusant les sempiternelles rengaines de l'orthodoxie pour qui tout questionnement est jugé suspect[1] et tout doute, une offense à l'autorité... et à Dieu, ces marginaux posent de troublantes questions portant, entre autres, sur la misère réelle des paysans, sur les mœurs de certains membres du clergé et, surtout, sur le sens de la vie humaine. Cette outre-cuidance vaut à quelques-uns la condamnation à vivre en marge de l'Église catholique, la pire infamie à l'époque. N'empêche que même si on retient surtout aujourd'hui le processus de démystification de ces auteurs à contre-courant, certaines de leurs œuvres arrivent encore à séduire le lecteur contemporain.

1 La terre fournissait toutes les réponses mais ne supportait aucune question.

BNQ

ALBERT LABERGE (1871-1960)

Influencé par les écrivains naturalistes, le romancier Albert Laberge décide de prendre résolument le contre-pied de l'idéologie officielle. Sous sa plume, les personnages d'une famille installée dans une ferme deviennent des monstres tant au physique qu'au moral, alors que la terre est tout juste bonne à fournir du « pain sur et amer ». Ce noircissement du monde paysan dans son roman *La Scouine* (1918) lui attire les foudres de l'évêque de Montréal. Quant à l'abbé et historien littéraire Camille Roy, il lui octroie le titre de « père de la pornographie au Canada ».

LA COMPLAINTE DE LA FAUX

Un homme à barbe inculte, la figure mangée par la petite vérole, fauchait, pieds nus, la maigre récolte. Il portait une chemise de coton et était coiffé d'un méchant chapeau de paille.

Les longues journées de labeur et la fatalité l'avaient courbé, et il se
5   déhanchait à chaque effort. Son andain fini, il s'arrêta pour aiguiser sa faux et jeta un regard indifférent sur les promeneurs qui passaient. La pierre crissa sinistrement sur l'acier. Dans la main du travailleur, elle voltigeait rapidement d'un côté à l'autre de la lame. Le froid grincement ressemblait à une plainte douloureuse et jamais entendue...

10 C'était la Complainte de la Faux, une chanson qui disait le rude travail de tous les jours, les continuelles privations, les soucis pour conserver la terre ingrate, l'avenir incertain, la vieillesse lamentable, une vie de bête de somme ; puis la fin, la mort, pauvre et nu comme en naissant, et le même lot de misères laissé en héritage aux enfants sortis de son sang, qui perpétueront la
15 race des éternels exploités de la glèbe.

La pierre crissa plus douloureusement, et ce fut dans le soir, comme le cri d'une longue agonie.

L'homme se remit à la besogne, se déhanchant davantage.

Des sauterelles aux longues pattes dansaient sur la route, comme pour se
20 moquer des efforts du paysan.

Plus loin, une pièce de sarrasin récolté mettait sur le sol comme une grande nappe rouge, sanglante.

Les feux que les fermiers allumaient régulièrement chaque printemps avant les semailles, et chaque automne après les travaux, avaient laissé çà et là de
25 grandes taches grises semblables à des plaies, et la terre paraissait comme rongée par un cancer, la lèpre, ou quelque maladie honteuse et implacable.

À de certains endroits, les clôtures avaient été consumées et des pieux calcinés dressaient leur ombre noire dans la plaine, comme une longue procession de moines.

30 Charlot et la Scouine arrivèrent enfin chez eux, et affamés, ils soupèrent voracement de pain sur et amer, marqué d'une croix.

La Scouine, Montréal, Typo, 1993.

Analyse formelle

Le lexique

1. Alors que les auteurs du terroir représentent habituellement des agriculteurs prospères dans leurs récits, Laberge insiste sur la pauvreté du paysan. Relevez dans le portrait de la condition paysanne les expressions qui suggèrent le dénuement.

2. À cette pauvreté s'ajoute le champ lexical de la souffrance physique. Repérez les mots et les expressions de ce champ lexical et classez-les selon les deux catégories suivantes :
   a) les maladies   b)   la blessure

3. Expliquez le sens des mots suivants :
   a) méchant   d)   bête de somme
   b) andain   e)   glèbe
   c) crissa

La narration

4. Bien que le récit soit écrit à la troisième personne, peut-on dire que le narrateur est objectif ?

5. Analysez les nombreuses comparaisons faites par l'auteur. En quoi sont-elles des jugements de valeur ?

Analyse thématique

Dans ce court extrait, Laberge remet en question tous les dogmes du terroir :

1. La nature « belle » et « généreuse »
   a)   Laberge vous apparaît-il comme le chantre des beautés naturelles ?
   b)   La pauvreté : elle est à la fois physique et morale. Qu'est-ce qui nous le prouve ?

2. La transmission des valeurs
   a)   Quel héritage est réellement transmis de génération en génération ?
   b)   Le conservatisme apparaît-il comme une idée positive ?

3. La religion consolatrice
   Toute sa vie, Laberge sera hostile au clergé (qui le lui rendra bien). Cet extrait ne fait pas exception à la règle.
   a)   Pourquoi le pain « marqué d'une croix » est-il « sur et amer » ?
   b)   Le destin immuable du paysan tel que décrit au troisième paragraphe tient-il compte des enseignements de la religion ou ne peut-on pas plutôt parler d'une vision athée de la vie ?

Questions d'approfondissement

1. Êtes-vous d'accord avec ce jugement de Gérard Bessette : « Il semble certain que Laberge a voulu réagir trop rigidement contre le roman à l'eau de rose qu'avaient pratiqué ses prédécesseurs[1] ».

2. Montrez que le portrait physique et moral du paysan se confond avec celui du paysage.

3. Quels reproches précis les tenants de l'idéologie du terroir auraient-ils pu faire à Laberge ?

---

1 Gérard Bessette, *Anthologie d'Albert Laberge*, Montréal, CLF Poche, 1972.

79

R é s o n a n c e

Émile Zola (1840-1902) était le chef de file du mouvement naturaliste. Ce courant littéraire, en vogue en France dans la deuxième moitié du XIXᵉ siècle, avait des prétentions scientifiques : il s'agissait d'étudier l'interaction entre le milieu social et l'hérédité. La morale religieuse était ainsi évacuée pour laisser le champ à l'observation « objective » de l'être humain. Les parallèles entre Zola et Albert Laberge sont de nature autant stylistique, thématique que biographique. Lorsqu'il publie *La Terre* en 1887, Zola est attaqué par ses jeunes disciples en des termes proches de ceux qu'emploie le clergé à l'égard de l'auteur de *La Scouine* : on reproche à Zola d'être « descendu au fond de l'immondice ». Comparez la vision du terroir véhiculée dans *La Complainte de la faux* à celle contenue dans cet extrait de *La Terre*, roman de l'écrivain naturaliste français Émile Zola. Peut-on ranger Laberge parmi les naturalistes ? Justifiez votre réponse par des exemples thématiques et stylistiques.

Alors, en quelques mots lents et pénibles, il résuma inconsciemment toute cette histoire : la terre si longtemps cultivée pour le seigneur, sous le bâton et dans la nudité de l'esclave qui n'a rien à lui, pas même sa peau ; la terre, fécondée par son effort, passionnément aimée et désirée pendant cette intimité chaude de chaque heure [...]. Combien pourtant elle était indifférente et ingrate, la terre ! On avait beau l'adorer, elle ne s'échauffait pas, ne produisait pas un grain de plus. De trop fortes pluies pourrissaient les semences, des coups de grêle hachaient le blé en herbe, un vent de foudre versait les tiges, deux mois de sécheresse maigrissaient les épis ; et c'étaient encore les insectes qui rongent, les froids qui tuent, des maladies sur le bétail, des lèpres de mauvaises plantes mangeant le sol : tout devenait une cause de ruine, la lutte restait quotidienne, au hasard de l'ignorance, en continuelle alerte. Certes, lui ne s'était pas épargné, tapant des deux poings, furieux de voir que le travail ne suffisait pas. Il y avait desséché les muscles de son corps, il s'était donné tout entier à la terre, qui, après l'avoir à peine nourri, le laissait misérable, inassouvi, honteux d'impuissance sénile, et passait aux bras d'un autre mâle, sans pitié même pour ses pauvres os, qu'elle attendait.

Émile Zola, *La Terre*, 1887.

Terre de roches.

Pour les colons devant peiner sur des terres pierreuses, la réalité est bien différente de celle du discours officiel présentant l'agriculture comme l'avenir de la collectivité. Comparez cette scène avec celle peinte par Horatio Walker (scène de labourage) et avec celle de l'ouverture du chapitre.

ANC C-31469

RODOLPHE GIRARD (1879-1956)

À la suite de la parution de sa farce clérico-villageoise *Marie Calumet* en 1904, Rodolphe Girard subit une telle vindicte de la part de l'archevêque de Montréal que son employeur, *La Presse*, se croit contraint de le congédier. Pour assurer sa subsistance, Rodolphe Girard n'a d'autre choix que de s'exiler en Ontario. C'est dire comment a pu être jugé subversif ce récit décrivant la vie d'une brave servante dans un presbytère en même temps que les mœurs cléricales à la campagne. Il est vrai que l'humour emprunte parfois les pointes d'un réalisme pour le moins piquant.

BNQ

UN CORTÈGE ÉPISCOPAL

Le cortège s'avançait avec majesté. En tête, une cavalcade rustique précédait le carrosse de Monseigneur l'évêque, traîné par deux chevaux blancs dont la queue et la crinière étaient tressées avec d'étroits rubans bleus et rouges. Des
5   cavaliers déhanchés, de chaque côté de la route, écartaient la foule.

Mœlleusement étendu sur un coussin de velours grenat, le prélat, sec, le visage glabre, esquissait un sourire mielleux et béat, alors que ses yeux réjouis derrière les verres de ses
10 lunettes cerclées d'or fin se posaient sur la foule.

Parfois, répondant aux acclamations, il daignait soulever son chapeau épiscopal orné de beaux glands que se montraient avec ébahissement les braves gens entassés le long du chemin.

15 Çà et là une bonne femme ou quelque vieillard se jetaient à genoux, le front dans la poussière.

Alors, levant la main enrichie de l'améthyste grosse comme une noix, Monseigneur traçait, dans le bleu pur du ciel, un grand signe de croix.

Marie Calumet, Montréal, Bibliothèque québécoise, 1990.

Pistes de lecture

1. Comment l'auteur s'y prend-il pour ridiculiser le faste de cette réception ?
2. Quels détails rendent peu sympathique le personnage du prélat ?
3. Comment est suggérée la naïveté des paroissiens ?
4. Relevez les nombreuses oppositions.
5. Ce texte s'oppose au courant du terroir. Prouvez-le.

BNQ

JEAN-AUBERT LORANGER (1896-1942)

L'écrivain exceptionnel que fut Jean-Aubert Loranger est aujourd'hui injustement méconnu. On est étonné par le sentiment de liberté qui se dégage tant de ses poèmes que de ses récits, où idéologie et morale brillent par leur absence. L'extrait est tiré du conte philosophique *Le Passeur*. Ce long récit poétique décrit la découverte du vide de sa vie que fait un passeur, après avoir été contraint à la retraite. Sa détresse est si vive qu'elle ne pourra être apaisée que par le suicide. Sa vision réaliste de la nature humaine le rapproche de Maupassant.

LA MACHINE HUMAINE

Ainsi donc, à toute la longue vie que l'homme reconnut avoir été, quand il en apprit la durée, vint-il s'ajouter un peu de mort avec l'inquiétude de ce qu'il allait être. Il eut peur, non pas précisément de la mort mais de ce qu'il allait être avant la mort, de ce qu'allaient devenir ses bras, ses uniques bras, ce qu'il avait toujours été. L'énergie de pomper la vie comme d'un puits

5 était encore en eux ; mais il advint que l'idée de ne pouvoir pas toute la pomper, jusqu'à ce que le trou fût tari, devint sa pensée fixe.

L'homme fut pris de l'égoïsme des travailleurs qui vivent du travail ; l'homme eut peur de ne pouvoir pas travailler, il eut peur de la vie des vieillards qui ne travaillent pas, mais qui gardent assez de bras pour repousser la mort.

10 Donc, à partir de ce jour de plus aux autres qui faisait sa quatre-vingtième année, en plus des bras qu'il avait, le passeur se découvrit une idée, quelque chose de blotti dans sa tête qui la faisait souffrir. L'homme commença de se connaître ; en plus des bras, il avait une tête ; et pour des heures de sieste il en prit contact, et on le vit se tenir péniblement la tête dans ses deux mains.

[...]

Habitué qu'il était, par sa vie d'homme qui travaille, de ne voir dans le corps humain que des

15 attributs du travail, il ne put pas concevoir l'existence en soi d'une partie qui fût inutile. Avec des bras, il tirait tout le jour des rames qui pèsent du bout d'être dans l'eau ; il traversait d'une rive à l'autre des charges qui faisaient enfoncer son bac d'un pied. Avec des jambes, il marchait au-devant de l'argent, ou se tenait debout pour l'attendre. Certes, il savait le dos nécessaire, ne fût-ce que pour se coucher dessus quand on est trop fatigué. Mais des reins, ça ne servait à

20 rien, sinon à faire souffrir, quand on les attrape.

Contes, vol. I, *Du passeur à Joë Folcu*, Montréal, Fides, 1978.

Pistes de lecture

1. Commentez l'usage de « ses uniques bras » et du dernier mot, « attrape ».
2. Pourquoi la forme passive est-elle abondamment utilisée ici ?
3. Prouvez que ce texte s'oppose à l'idéalisation propre au terroir.
4. Pourrait-on parler ici d'un récit philosophique ?
5. Comment cet extrait suggère-t-il l'idée d'une aliénation du travailleur, jusqu'à la dépossession de son corps ?
6. Ce texte peut-il annoncer la fin d'une époque centrée sur le travail manuel ?

--- **Au plaisir de lire** ---

- *Les Atmosphères* suivi de *Poëmes*   ■ *Contes* (2 vol.)   ■ *Joë Folcu* (roman)

L'HÉRITAGE À LIQUIDER : LES ROMANS RÉGIONALISTES

Paradoxalement, l'irrépressible décadence des romans de la terre commence véritablement quand l'un d'eux connaît un foudroyant succès tant en France qu'au Québec : *Maria Chapdelaine*, de Louis Hémon. Ce roman fait la preuve qu'il est possible de tirer de l'observation des mœurs d'une région des œuvres à portée universelle. D'autres romanciers le comprennent bientôt, qui produisent une séquence de romans régionalistes de fort belle tenue.

Il faut dire que les écrivains, qui gagnent en maturité et en assurance, ne peuvent qu'être stimulés par la qualité du modèle établi par Louis Hémon. Au point que la vieille thématique littéraire du destin national s'en trouve toute chamboulée, et que de l'intérieur même du courant agriculturiste naisse une implacable contestation du terroir. La fidélité au passé et l'idéalisation de la vie paysanne font place à un triste constat : agriculture et misère sont si intimement liées que la ville se fait la convergence de tous les espoirs. Ces romanciers signent donc l'échec du rêve agriculturiste en même temps qu'ils écrivent l'épilogue des romans de la terre.

Beaudet au Lac-Saint-Jean à ses débuts.

BNQ

LOUIS HÉMON (1880-1913)

Le roman le plus remarqué et remarquable de l'époque, *Maria Chapdelaine* paru en 1914, a été écrit par un Français établi au Québec pendant une période relativement brève. Son succès incita l'élite clérico-bourgeoise à s'en accaparer idéologiquement : on réussit à faire croire qu'on tenait ici « le catéchisme de la survivance nationale ». *Maria Chapdelaine* est bien plutôt une description sainement réaliste de la misère morale et physique des colons. Et la figure mythique de François Paradis incarne davantage les ancêtres coureurs de bois que les sédentaires. On est en présence d'un véritable bris dans le courant du terroir. C'est en particulier l'épisode des voix entendues par Maria qui, sorti de son contexte, a pu donner prise à la récupération idéologique.

DES VOIX PARLENT À MARIA

Alors une troisième voix plus grande que les autres s'éleva dans le silence : la voix du pays de Québec, qui était à moitié un chant de femme et à moitié un sermon de prêtre. [...]

Elle disait :

« Nous sommes venus il y a trois cents ans, et nous sommes restés... Ceux qui nous ont menés
5   ici pourraient revenir parmi nous sans amertume et sans chagrin, car s'il est vrai que nous n'ayons guère appris, assurément nous n'avons rien oublié.

« Nous avions apporté d'outre-mer nos prières et nos chansons : elles sont toujours les mêmes. Nous avions apporté dans nos poitrines le cœur des hommes de notre pays, vaillant et vif, aussi prompt à la pitié qu'au rire, le cœur le plus humain de tous les cœurs humains : il n'a pas
10 changé. Nous avons marqué un pan du continent nouveau, de Gaspé à Montréal, de Saint-Jean-d'Iberville à l'Ungava, en disant : Ici toutes les choses que nous avons apportées avec nous, notre culte, notre langue, nos vertus et jusqu'à nos faiblesses deviennent des choses sacrées, intangibles et qui devront demeurer jusqu'à la fin.

« Autour de nous des étrangers sont venus, qu'il nous plaît d'appeler les barbares ; ils ont pris
15 presque tout le pouvoir ; ils ont acquis presque tout l'argent ; mais au pays de Québec rien n'a changé. Rien ne changera, parce que nous sommes un témoignage. De nous-mêmes et de nos destinées, nous n'avons compris clairement que ce devoir-là : persister... nous maintenir... Et nous nous sommes maintenus, peut-être afin que dans plusieurs siècles encore le monde se tourne vers nous et dise : Ces gens sont d'une race qui ne sait pas mourir... Nous sommes un
20 témoignage.

« C'est pourquoi il faut rester dans la province où nos pères sont restés, et vivre comme ils ont vécu, pour obéir au commandement inexprimé qui s'est formé dans leurs cœurs, qui a passé dans les nôtres et que nous devrons transmettre à notre tour à de nombreux enfants : Au pays de Québec rien ne doit mourir et rien ne doit changer... »

Maria Chapdelaine, Montréal, Les Éditions du Boréal Express, 1980.

Pistes de lecture

1. Relevez et classez les figures de style.
2. Illustrez, à l'aide de réseaux de mots, le caractère à la fois profane et religieux de cette voix.
3. Quelle phrase illustre le mieux l'idéologie conservatrice du terroir ?
4. Certains verbes semblent indiquer la présence d'une fatalité, plus forte que les libertés individuelles. Lesquels ?
5. Quelle est la tonalité dominante de ce texte ?

Au plaisir de lire

■   *Monsieur Ripois et la Némésis*   ■   *Récits sportifs*

CLAUDE-HENRI GRIGNON (1894-1976)

Le roman *Un homme et son péché*, paru en 1933, a pour cadre les Laurentides. Mais il s'agit bien davantage du portrait d'un avare que d'un roman de la terre ; et encore bien plus de la description réaliste, avec tendances naturalistes, d'un avaricieux habité par une perversion : l'or est la véritable épouse de Séraphin, qui lui prodigue tous les réconforts. Sous le couvert de l'avarice, le héros se laisse en fait posséder par des pulsions de luxure. On est loin du terroir.

LA PASSION DE SÉRAPHIN

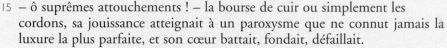

C'est encore dans cette chambre que se trouvaient les trois sacs d'avoine, toujours pleins, toujours à leur place, et dont l'épouse de Séraphin ne soupçonnait même pas l'existence. Dans un des sacs, l'usurier cachait une grande bourse de cuir ne renfermant jamais
5 moins de cinq cents à mille dollars en billets de banque, en pièces d'argent, d'or ou de cuivre. Il ne déposait pas toujours la bourse dans le même sac. Mais il savait positivement, absolument, dans lequel des trois il l'avait mise. Alors il le regardait avec amour, puis marmonnait de vagues paroles. Une curiosité immense, suivie d'une sensation
10 inexprimable, s'emparait de lui, coulait dans tout son être ainsi qu'une poussée de sang neuf et rapide. C'était trop de félicité : Séraphin ne pouvait plus se retenir. Il plongeait sa main osseuse et froide dans le sac. Avec lenteur, avec douceur, il tâtait, il palpait, il fouillait parmi les grains d'avoine, et lorsqu'il sentait enfin
15 – ô suprêmes attouchements ! – la bourse de cuir ou simplement les cordons, sa jouissance atteignait à un paroxysme que ne connut jamais la luxure la plus parfaite, et son cœur battait, fondait, défaillait.

Plusieurs fois par jour, il se vautrait dans cette volupté. La chambre mystérieuse, inépuisable source des délices de Séraphin, restait toujours, cela
20 va sans dire, barrée et même cadenassée. Seul, il pouvait y pénétrer et donner libre cours à sa passion. Elle était tantôt insinuante et silencieuse comme le pus ; tantôt elle se heurtait avec fracas à des abandons complets, à des instincts qui lui étaient contraires et qu'elle finissait cependant par anéantir. Mais, seul dans cette pièce obscure, séparé du monde, Poudrier se
25 retrouvait réellement soi-même, alors que sa passion dominante le précipitait dans des accès de rage ou de douceur infinie.

Les trois sacs d'avoine représentaient pour Séraphin le seul Dieu en trois personnes.

Un homme et son péché, Montréal, Éditions du Totem, 1933.

Pistes de lecture

1. Que vient suggérer « et dont l'épouse de Séraphin ne soupçonnait même pas l'existence » ?
2. Quel est l'effet de la gradation « battait, fondait, défaillait » ?
3. Établissez une progression dans le champ lexical du plaisir sexuel.
4. Expliquez comment la référence religieuse, à la fin de l'extrait, est à l'opposé de celle rencontrée chez Georges Bouchard.
5. Pourquoi ce texte n'est-il pas conforme à l'idéologie du terroir ?

BNQ

RINGUET/PHILIPPE PANNETON (1895-1960)

Avec *Trente arpents* publié en 1938, c'est véritablement la liquidation du mythe de la terre. Ce tableau réaliste d'un demi-siècle de vie paysanne, étalé sur deux générations, décrit un monde en train de disparaître irrémédiablement. À l'idéalisation du terroir, Ringuet oppose la dépossession et le déracinement. Pour illustrer ce roman de l'exode rural, nous retenons une page qui annonce la déchéance finale.

RÊVE PRÉMONITOIRE

Une nuit, Euchariste rêva qu'il habitait le village où se déclarait un incendie. Tous les gens, parmi lesquels il retrouvait des voisins, feu l'oncle Éphrem, l'autre Éphrem, son fils, et des vieux qu'il ne pouvait reconnaître, tous s'étaient mis à faire la chaîne et
5 tentaient d'éteindre les flammes en y versant des seaux qu'ils ignoraient vides. Il fallait le leur dire et il y courait lorsque Phydime se mit en traverse, l'empêchant de passer. Ils luttaient de toute leur force, lui hurlant, l'autre l'écrasant de son poids dans un nuage de fumée qui les suffoquait. Il étouffait au point
10 qu'il se trouva subitement assis dans son lit, tout en nage, réveillé brutalement par le cri terrible qu'il venait de pousser.

Il n'y avait pas de fumée dans la chambre et l'aurore rougeoyait. Il se réveilla tout à fait et, soudain, bondit.

Un torrent de lumière sanglante coulait de la fenêtre et
15 accrochait des reflets pourpres aux angles des meubles. À ce moment, des coups éperdus ébranlèrent la porte à l'enfoncer.

La grange brûlait magnifiquement, tout d'une pièce dans la nuit, avec un ronron sonore de bête contente et des éclatements comme des fusées. De temps à autre, un tison montait vers le ciel
20 noir et vers les étoiles éteintes par la fumée, virevoltait dans le vent et retombait pour mourir brusquement en grésillant dans la neige molle.

Trente arpents, Paris, Flammarion, 1938.

Pistes de lecture

1. Comment est construite la transition entre le rêve et la réalité ?
2. Analysez les descriptions de l'incendie au premier et au dernier paragraphe : quelle différence notez-vous au niveau lexical ?
3. Le rêve est traité avec réalisme et la réalité, de manière symbolique. Quelle pouvait être l'intention de l'auteur ?
4. Comment la dernière phrase peut-elle être interprétée comme la fin pathétique d'un rêve, de tout un courant idéologique ?

--- **Au plaisir de lire** ---

■ *L'Héritage et Autres Contes*

GERMAINE GUÈVREMONT (1896-1968)

Avec *Le Survenant* (1945) et *Marie Didace* (1947), Germaine Guèvremont signe définitivement la fin du courant du terroir. Pour la première fois, le héros d'un roman paysan vient d'ailleurs. Bien plus, cet homme essentiellement libre subjugue tous les autres personnages. Il est enfin possible de renouer avec la filiation des coureurs de bois et autres voyageurs, d'assumer cette autre partie de l'identité québécoise, gommée et engoncée dans le conservatisme terrien depuis un siècle.

SÉDENTAIRES ET NOMADES

Venant s'indigna :

— Des maldisances, tout ça, rien que des maldisances ! Comme de raison, une étrangère, c'est une méchante : elle est pas du pays.

Soudainement, il sentit le besoin de détacher sa chaise du rond familier.
5 Pendant un an, il avait pu partager leur vie, mais il n'était pas des leurs ; il ne le serait jamais. Même sa voix changea, plus grave, comme plus distante, quand il commença :

— Vous autres...

Dans un remuement des pieds, les chaises se détassèrent. De soi par la force
10 des choses, l'anneau se déjoignait.

— Vous autres, vous savez pas ce que c'est d'aimer à voir du pays, de se lever avec le jour, un beau matin, pour filer fin seul, le pas léger, le cœur allège, tout son avoir sur le dos. Non ! Vous aimez mieux piétonner toujours à la même place, pliés en deux sur vos terres de petite grandeur, plates et cordées comme des mouchoirs de poche. Sainte
15 Bénite, vous aurez donc jamais rien vu, de votre vivant ! Si un oiseau un peu dépareillé vient à passer, vous restez en extase des années de temps. Vous parlez encore du bucéphale, oui, le plongeux à grosse tête, là, que le père Didace a tué il y a autour de deux ans. Quoi c'est que ça serait si vous voyiez s'avancer vers vous, par troupeaux de milliers, les oies sauvages, blanches et frivolantes comme neige de bourrasque ? Quand elles voyagent sur neuf milles de
20 longueur formant une belle anse sur le bleu du firmament, et qu'une d'elles, de dix onze livres, épaisse de flanc, s'en détache et tombe comme une roche ? Ça c'est un vrai coup de fusil ! Si vous saviez ce que c'est de voir du pays...

Les mots titubaient sur ses lèvres. Il était ivre, ivre de distance, ivre de départ. Une fois de plus l'inlassable pèlerin voyait rutiler dans la coupe d'or le vin illusoire de la route, des grands
25 espaces, des horizons, des lointains inconnus.

Le Survenant, Montréal, Fides, coll. BCF, 1974.

Pistes de lecture

1. Trouvez les figures de style (comparaison, hyperbole, oxymore, pléonasme, etc.) et commentez-les.
2. Quels mots servent à décrire les sédentaires et quels autres, les nomades ?
3. Comment l'opposition entre les sédentaires et les nomades se retrouve-t-elle jusque dans les verbes ?
4. Peut-on trouver des allitérations dans ce texte ? Quels sont leurs effets ?
5. Quelle est l'importance de l'image de l'ivresse dans le dernier paragraphe ?

Au plaisir de lire

■ *Marie Didace* ■ *En pleine terre. Paysana*

✒ UN TERROIR POPULISTE

Dans les milieux urbains, certains artistes populistes ont l'occasion de faire écho au courant du terroir. C'est le cas de Madame Bolduc[1] et de Jean Narrache. Tout en maintenant la défense des valeurs traditionnelles, ils ne manquent cependant pas de formuler de nombreuses facettes de la réalité urbaine.

On pourrait ajouter à ces noms ceux de deux dynamiques promoteurs de « la bonne chanson[2] », les abbés Charles-Émile Gadbois et Paul-Marcel Gauthier[3], qui se signalent tous deux par leur totale soumission à l'orthodoxie du patriotisme clérico-« terroirisant ».

Enfant personnifiant saint Jean-Baptiste lors du défilé de 1869.

Musée McCord

1 Plus communément appelée « la Bolduc ». C'est le nom d'artiste de la Gaspésienne Mary Travers (1894-1941).

2 Cette expression rappelle « L'Œuvre des bons livres » fondée par Mgr Ignace Bourget en 1844 : ce n'est pas la beauté de l'œuvre littéraire qui importe, mais sa dimension morale.

3 Il se fit connaître comme chanteur sous le nom de... Jean-Baptiste Purlenne !

JEAN NARRACHE/ÉMILE CODERRE (1893-1970)

NOTRE FÊTE NATIONALE

C't'aujourd'hui la Saint-Jean-Baptiste
c'est l'jour qu'on promèn' notr' mouton :
faut qu'le peupl' canayen s'réjouisse
d'avoir un Juif pour son patron.

5 L'mouton c'est notre emblèm', bondance !
Ça nous ressembl' comm' deux goutt's d'eau.
Ça suit toujours, ça pas d'défense,
ça s'laiss' manger la lain' su' l'dos.

On fait l'élog' de nos grands-pères
10 dans des discours patriotards.
J'crois qu'si les vieux r'venaient su' terre
Y nous flanqu'raient leu pied quequ'part.

On est tout un peupl' de mitaines ;
on s'laiss' m'ner par le bout du nez.
15 On veut mêm' pas s'donner la peine
de défendr' c'qui nous ont donné.

On fait des discours magnifiques
pis des processions l'vingt-quatr' juin,
mais nos élans patriotiques
20 sont déjà oubliés l'lend'main.

[...]

C'est ça notr' grand patriotisse ;
des mots, du vent pis des drapeaux,
pis, mêm' ces drapeaux-là, torvisse !
vienn'nt d'chez Eaton de Toronto !

Quand j'parl' tout seul, Montréal, Éditions Albert Lévesque, 1932
(repris par les Éditions de l'Homme).

Le pharmacien et poète Émile Coderre est le premier monologuiste-poète à devoir son succès à la radio. Il a créé un personnage de chômeur miséreux qui sera célèbre pendant de nombreuses décennies : Jean Narrache. Il ne cesse de pourfendre l'hypocrisie des riches et de défendre les prolétaires. Ses valeurs sont celles du passé, mais sa conscience sociale est toute nouvelle. On peut voir en lui un précurseur des Raymond Lévesque et Yvon Deschamps.

Pistes de lecture

1. Relevez les expressions typiquement orales.
2. Quelle est la tonalité dominante de ce poème ?
3. Comment s'y prend l'auteur pour susciter une réaction chez les lecteurs ?
4. En quoi la troisième strophe vient-elle en contradiction avec le troisième paragraphe de l'extrait de *Maria Chapdelaine* ?
5. Comment l'auteur se moque-t-il des symboles du patriotisme tout en défendant des valeurs collectives ?

Au plaisir de lire

■ *J'parl' tout seul quand Jean Narrache*　　■ *Jean Narrache chez le diable*

LES PENSEURS ET LE TERROIR

À cette époque où le terroir inspire le meilleur de l'activité intellectuelle, de nombreux penseurs[1] prennent position sur le rôle de la littérature dans la société. Certains veulent que tout soit subordonné à la sauvegarde de la foi catholique et de la langue française ; d'autres dissocient complètement culture et religion, art et morale. Certains demandent aux écrivains de valoriser le particulier, donc le régionalisme, et d'utiliser une langue canadienne, reflet de notre réalité ; d'autres proposent au contraire une langue française exempte de nos particularités et une littérature d'intérêt universel. Dualité qui trouve encore certains échos dans la société contemporaine et qui était déjà manifeste au XIXe siècle.

ANQ

La rue Saint-Jean à Québec.

Quoi qu'en pensent les « terroiristes », l'activité de la ville exerce un attrait de plus en plus déterminant sur les gens.

---

1 Ces écrivains, que nous appellerions aujourd'hui des essayistes, étaient alors, en très grand nombre, des critiques littéraires.

CAMILLE ROY (1870-1943)

L'abbé Camille Roy est notre premier critique universitaire. On lui doit également une histoire de la littérature canadienne-française qui servira de manuel de base dans les écoles pendant de nombreuses décennies. Selon lui, la littérature doit servir sa collectivité et l'accompagner dans les différentes étapes de son évolution, sinon elle est plus ou moins inutile.

NOTRE LITTÉRATURE EN SERVICE NATIONAL

Il fallait aux Canadiens français commencer par être maîtres chez eux ; et la littérature ne pouvait ici s'animer, prendre force, vivre, qu'à la condition d'être l'expression d'un peuple libre, qu'à la condition de faire passer dans ses premières pages, et dans le rythme de ses
5 premières strophes, d'abord sans doute un sentiment d'espérance, puis un hymne, un chant de liberté !

* * *

Et ceci nous indique déjà quel fut, quel doit être dans notre histoire le rôle des lettres canadiennes.

Ce rôle est, avant tout, un rôle de service national. Servir : telle doit
10 être la mission de l'écrivain, et telle la mission d'une littérature.

C'est pourquoi l'écrivain doit rester en contact étroit avec son pays et, si l'on peut dire, exister en fonction de sa race.

L'écrivain qui n'est pas fortement enraciné au sol de son pays, ou dans son histoire, peut bien s'élever vers quelque sommet de l'art, monter vers les
15 étoiles... ou dans la lune, mais il court risque de n'être qu'un rêveur, un joueur de flûte, ou d'être inutile à sa patrie.

[...]

Il reste donc vrai de dire que la littérature pousse ses premières racines, et les plus profondes, dans la terre natale, et dans la vie spirituelle de la nation, et que, quelle que soit la fleur qu'elle produit, fleur d'humanité ou fleur du
20 terroir, cette fleur porte en son éclat un reflet nécessaire de l'esprit qui l'a fait monter dans la lumière.

Études et croquis. « *Pour faire mieux aimer la patrie* », Montréal / New York, Louis Carrier & Cie / Les Éditions du Mercure, 1928.

Pistes de lecture

1. Relevez et commentez les figures de style.
2. Quel écho de ce texte peut-on trouver dans le poème de Jean Narrache ?
3. Que viennent suggérer les verbes « falloir » et « devoir », le dernier répété trois fois ?
4. Quelle mission particulière est assignée à la littérature ? Êtes-vous d'accord ?

Au plaisir de lire

■ *Manuel d'histoire de la littérature canadienne-française*

BNQ

ÉDOUARD MONTPETIT (1881-1954)

Économiste de qualité exceptionnelle, Édouard Montpetit fut un homme de vaste culture. Ses articles nombreux abordent tous les sujets, autant la littérature que l'économie. Dans l'extrait qui suit, tout en se portant à la défense d'un marginal d'alors, Émile Nelligan, l'auteur livre ses idées sur le rôle de la critique littéraire.

POUR UNE CRITIQUE PARTIALE ET INJUSTE

Les œuvres qui forment ce que des gens complaisants appellent la littérature canadienne, constituent une bibliothèque déjà considérable. Tous les genres sont représentés dans ce fatras et particulièrement le genre ennuyeux. Mais à cause d'un certain nombre de livres supérieurs à une
5 moyenne nullité littéraire, à cause surtout du grand et si ignoré Nelligan, à cause aussi des efforts intéressants de quelques écrivains et de quelques poètes contemporains, il convient de doter enfin d'une critique qui soit sérieuse, un art où le public semble s'intéresser de plus en plus. Mais, parce que le public tend une oreille complaisante aux cadences de cet art et ouvre un œil sur les
10 visions où il incite, il importe, dès maintenant, que la critique en soit partiale et injuste. Partiale et injuste oui, car depuis trop longtemps, d'ignorants écrivailleurs et d'abrutis journaleux ont acclamé les pires limonades littéraires. Des célébrités se sont formées ainsi qui ont surélevé des noms infâmes et assis pour longtemps dans une certaine lumière les pires
15 médiocrités.

Je rêve d'une partiale et injuste critique en faveur des vrais poètes et des vrais écrivains. Certes, ce pays-ci est littérairement bien pauvre, mais il possède un royal poète plus ignoré que le plus débutant poétaillon de Patagonie ou du Transvaal. Nelligan a eu le déshonneur insigne de passer par la plus aveugle
20 critique qui inclut monsieur Louis Arnould et quelques autres, et il importe que son œuvre soit dégagée le plus tôt possible, des immondices et des vomissures que ces gens-là ont déposées dessus. Il importe aussi que ceux qui aujourd'hui tâchent à une œuvre littéraire quelconque, ne soient pas complètement aplatis dès leurs débuts par l'indifférence du public et par la
25 malveillance des journaux politiques qui régentent l'opinion même en matière d'art. Il est enfin absolument utile que les élucubrations d'un tas de demoiselles esthètes et les pondaisons immangeables de quelques périmés nourrissons des muses, soient engluées définitivement à un quelconque papier tue-mouches.

« Ayons le culte de la supériorité », dans *Le Nigog*, Montréal, septembre 1918.

Pistes de lecture

1. Expliquez le sens de « fatras », « cadences » et « pondaison ».
2. Relevez les expressions utilisées pour décrire les critiques littéraires, les mauvais poètes et les œuvres de piètre qualité.
3. Faites ressortir la contradiction entre ce texte et celui de Camille Roy. Auquel des deux écrivains vous associez-vous ?
4. « Je rêve d'une partiale et injuste critique. » Quel est le sens de cette phrase et qu'y a-t-il d'inhabituel dans cette affirmation ?
5. Qu'apprend-on de l'accueil de l'œuvre de Nelligan au début du siècle ?

CLAUDE-HENRI GRIGNON (1894-1976)

L'auteur de *Un homme et son péché* fut aussi un ardent polémiste. Homme profondément attaché au passé, il aime croire que tant notre langue que notre littérature doivent porter les marques du régionalisme et se démarquer ainsi de la France contemporaine.

BNQ

NOTRE CULTURE SERA PAYSANNE, OU NE SERA PAS

Je l'ai écrit souvent et je le répète : notre survivance reste intimement liée au sol. Le mot « sol » (trois lettres) contient tout le passé, toutes nos traditions, nos mœurs, notre foi et notre langue. Retranchez le sol de notre vie sociale, économique, politique et il n'est point de culture
5   canadienne-française.[...]

Notre culture canadienne-française sort du sol et elle viendra davantage du sol si nous le voulons. Que des grosses têtes, fauchées et faussées d'avance, nous traitent de « nationaleux » parce que nous crions à nos compatriotes : « Gardez vos terres ! » et parce que nous avons foi dans la seule mystique
10   paysanne, il reste un fait qu'aucune théorie ne peut détruire, c'est que la paysannerie du Québec ne disparaîtra pas facilement. « Le sol est invincible », a écrit Remy de Gourmont, et cette fois-là, il a dit une chose sensée. Québec restera Québec avec sa langue si savoureuse (j'entends sa langue paysanne), avec ses mœurs et sa religion.

15   Notre culture, pour vivre, n'a pas besoin d'être essentiellement française. Elle l'est déjà par ses origines, origines que nous avons bousculées quelque peu (et ce n'est pas si mal), mais elle sera une culture canadienne-française tant et aussi longtemps que nous garderons nos terres, c'est-à-dire notre foi, notre langue, nos coutumes.[...]

20   Notre littérature sera absolument paysanne ou elle ne sera pas. Si elle ne l'est pas, il ne peut être question de culture canadienne-française proprement dite. Pour la sauver, pour nous sauver, nous avons besoin d'une langue bien à nous, une langue du terroir, inconnue aujourd'hui, mais que des écrivains patients finiront par édifier mot par mot, locution par locution. Nous n'avons que
25   faire d'une langue française officielle. Et, par ailleurs, pourquoi les paysans iraient-ils s'embarrasser de la langue anglaise quand ils en possèdent une, aussi propre que n'importe laquelle et qui constitue le plus précieux héritage que nos pères nous aient laissé ?

Faites attention, je vais dire une énormité. Si nous nous obstinons à parler et
30   à écrire deux langues, nous ne saurons jamais parfaitement ni l'une ni l'autre et il n'est pas mauvais de se rappeler, ainsi que le fait remarquer Remy de Gourmont, « que les peuples bilingues sont toujours des peuples inférieurs ».

« Notre culture sera paysanne, ou ne sera pas », dans *L'Action nationale*, Montréal, vol. XXII, n° 6, juin 1941.

Pistes de lecture

1. Dressez la liste des principaux aspects passéistes contenus dans cet extrait.
2. Ce texte peut-il être complémentaire de celui de Camille Roy ?
3. Quelles idées sont aussi défendues dans l'extrait de *Maria Chapdelaine* ?
4. Comparez la langue de Grignon romancier avec les idées défendues ici. L'auteur met-il en pratique ses propres idées ?

QUESTIONS DE SYNTHÈSE

1. Analysez la description de la vie paysanne dans le poème de William Chapman et dans le récit d'Albert Laberge, puis montrez qu'elles illustrent deux points de vue opposés.

2. Les textes de Camille Roy et d'Édouard Montpetit illustrent le débat au sujet du rôle de la littérature dans la société. Expliquez les enjeux de ce débat.

3. Expliquez ce que veut dire l'expression « idéalisation de la vie rurale » à partir des textes d'Adjutor Rivard et de Georges Bouchard.

4. Le thème de la soumission à l'autorité est abordé par Rodolphe Girard et Jean Narrache. Commentez.

5. Le personnage du coureur des bois ou du nomade est-il en opposition avec l'idéologie du terroir ? Justifiez votre réponse à l'aide des textes de Germaine Guèvremont et d'Alfred DesRochers.

6. Le thème de la destinée est-il traité de façon identique par Albert Laberge et Jean-Aubert Loranger ? Justifiez votre réponse.

7. Commentez les phrases suivantes :

   ▷ Chacun à sa manière, Germaine Guèvremont, Ringuet et Claude-Henri Grignon annoncent la fin du courant du terroir.
   ▷ Les écrivains du terroir sont entravés dans leur art.
   ▷ Malgré son apparent réalisme, la littérature du terroir relève en fait du romantisme.
   ▷ Tous les écrivains « terroirisants » semblent redire, l'un à la suite de l'autre : « Ah ! C'était le bon temps ! »
   ▷ Les « terroirisants » favorisent le repliement sur soi alors que les « exotistes » prônent une attitude d'ouverture.
   ▷ Le courant du terroir est essentiellement lié à une société campagnarde ; il ne saurait germer en un sol urbain.
   ▷ Le terroir est une idéologie qui prône la soumission à l'ordre établi.
   ▷ Le terroir est une idéologie où les femmes ne peuvent avoir qu'une place fort réduite.

TABLEAU SYNTHÈSE

1. L'élite clérico-bourgeoise francophone assigne à la littérature la mission de présenter l'agriculture comme la seule voie du peuple canadien-français.

2. Le courant littéraire du terroir est au service d'une idéologie de la conservation :
   a) Attachement à la terre héritée des ancêtres.
   b) Respect des traditions et des coutumes des pionniers.
   c) Vision idéalisée de la vie rurale qui devient alors synonyme de prospérité, d'harmonie et de bonheur.
   d) La ville est représentée comme le lieu de tous les malheurs et de tous les vices.

3. La littérature du terroir nie une réalité socio-économique difficile : la terre n'arrive plus à nourrir les familles nombreuses et le mouvement d'exode vers les grandes villes prend une ampleur sans précédent.

4. Au terroir certains écrivains opposent l'exotisme, l'universalisme et la valorisation de l'art pour l'art.

Les idéalistes

Au sortir de la Première Guerre mondiale, le Québec entre dans une nouvelle phase de croissa...
palement sur les même...
américain. Au cours...
continuent à délaisser...
clergé à coloniser les...
paradis terrestre : le...
et, les conditions de...
jamais, pour l'Église,...
l'État commence à acc...
à compter des années...
répartit également...
l'organisme de charite...
crée un service d'hygie...
les collèges classiques.
volonté canadienne-fra...
ences cet effet, on cré...
l'avancement des sciences (ACFAS). L'Université Laval et

- Une poésie de la solitude :
  depuis la nuit jusqu'à l'aube
- Des romans qui en appellent à la conscience
- Les penseurs et les angoisses d'un destin collectif

chapitre

5

L'ENTRÉE DANS LE XXᵉ SIÈCLE

À compter des années 1860, le libéralisme économique, professé essentiellement par la bourgeoisie anglophone et francophone de Montréal qui profite du développement industriel et repousse tout obstacle au progrès, gagne graduellement du terrain face au discours agriculturiste. Après une dure crise économique, le libéralisme triomphe à compter de 1896, alors que la prospérité revient dans la province, comme dans l'ensemble du Canada, et se prolonge jusqu'à la Première Guerre mondiale. Les industries des pâtes et papiers et de l'énergie hydroélectrique connaissent alors une croissance marquée. Quant à la ville de Montréal, en 1900, elle génère à elle seule, grâce aux industries de la chaussure, des produits laitiers, du vêtement, du bois, du tabac et du papier, près de la moitié de la production économique totale de la province.

■ La prospérité d'après-guerre

Au sortir de la Première Guerre mondiale, le Québec entre dans une nouvelle phase de croissance économique. L'industrie repose toujours principalement sur les mêmes secteurs, mais on exporte davantage vers le marché américain. Au cours des premières décennies du XXᵉ siècle, les ruraux continuent à délaisser l'agriculture pour la ville, malgré les exhortations du clergé à coloniser les régions éloignées. La ville n'est pourtant pas le paradis terrestre : les salaires y sont généralement bas, et les conditions de vie des travailleurs demeurent précaires. Plus que jamais, pour l'Église, la ville devient un lieu de perdition.

Parallèlement, l'État commence à accroître son intervention sur divers secteurs de la société à compter des années 1920. Ainsi, en 1921, la Loi de l'assistance publique répartit également les frais d'hospitalisation des indigents entre l'organisme de charité, le gouvernement et les municipalités. En 1922, on crée un service d'hygiène publique et on subventionne pour la première fois les collèges classiques. L'époque est également marquée par une nouvelle volonté canadienne-française d'accéder à une place dans le domaine des sciences et, à cet effet, on crée, en 1923, l'Association canadienne-française pour l'avancement des sciences (ACFAS). L'Université Laval et l'Université de Montréal commencent par ailleurs à offrir un véritable enseignement supérieur. Enfin, à plusieurs égards, le monde d'aujourd'hui se laisse déjà deviner avec l'ouverture de plusieurs cinémas, l'usage croissant de l'automobile et l'entrée en scène de la radio.

■ Une crise mondiale

Malgré cette apparente prospérité, la situation économique mondiale demeure toujours précaire et, le 24 octobre 1929, la bourse de New York s'effondre, ce qui entraîne une crise économique sans précédent dans l'ensemble du monde industrialisé. Au Québec, elle affecte les exportations de bois et de papier, outre qu'elle ralentit considérablement l'activité commerciale et industrielle des villes. Malgré la mise sur pied de secours gouvernementaux, les salaires diminuent et le chômage s'accroît de façon alarmante : en 1932, une personne sur quatre est sans emploi, ce qui constitue toujours un sommet inégalé. C'est à cette époque que Montréal perd, au profit de Toronto, le statut de métropole économique du Canada qu'elle détenait depuis le début du XIXᵉ siècle.

△ Paysage de Saint-Urbain dans Charlevoix peint par Hector de Saint-Denys Garneau.

Collection particulière

Les idéalistes

Après avoir, inlassablement et à tous les modes, conjugué les gloires de Dieu et de la patrie, la littérature entreprend une lente mais systématique révision de ses valeurs, qui ne sera achevée qu'après 1960. Tout commence au tournant du siècle lorsque quelques écrivains réunis autour de l'École littéraire de Montréal, Nelligan en tête, décident de permettre à la poésie de sortir de l'ornière passéiste où elle s'enlisait. C'est la fin de la conception utilitaire de la littérature qui, dorénavant, n'obéit qu'à ses lois propres. Les écrivains cessent de décrire leurs croyances pour exprimer des sentiments ; les thèmes d'ordre religieux, champêtre et nationaliste font place à la douloureuse descente en soi, ce lieu du présent enfin assumé. Au riche humus du terroir, ces pionniers de l'imaginaire préfèrent le fragile terreau de l'être. Des portes sont maintenant ouvertes qui ne pourront plus se refermer.

Refusant la stagnation et l'immobilisme du passé, ces jeunes intellectuels, assoiffés d'air frais et d'absolu, ne manquent pas, néanmoins, d'être profondément marqués par le climat mystico-religieux de l'époque. Êtres hypersensibles, ils se font le creuset d'une intense tension spirituelle, provoquée par la valorisation excessive des choses de l'esprit au détriment du corps, lieu de vile matérialité. Pris au piège de cette dichotomie, plusieurs écrivains sont amenés à se réfugier dans le monde de la pensée, à l'écoute des seuls mouvements intérieurs, quitte à y découvrir un puits de solitude et d'angoisse où leur âme est tenue prisonnière. C'est l'idéalisme, qui préfère la réalité de l'esprit à celle proposée par les sens. Cette appropriation de la réalité présente est bien davantage celle d'un présent psychologique que réel qui, lui, demeure toujours bouché de toutes parts pour ces premiers aventuriers de l'âme. Ou, si on tient à parler du réel, il s'agirait d'un réel idéalisé, le seul qui peut arriver à satisfaire l'esprit et le cœur.

Cette quête d'absolu sera néfaste à certains. Habités par un constant sentiment d'échec, honteux d'eux-mêmes et de leur inaptitude au bonheur, ils en seront réduits à se réfugier dans un huis clos qui pourra prendre la forme du silence, de l'exil intérieur ou extérieur, voire de la mort choisie comme compagne. C'est la génération des poètes sacrifiés qui, les premiers, assument la parole afin que d'autres, plus tard, puissent en porter les fruits. De plus, dans le désert culturel de l'époque, il n'est pas étonnant que ces auteurs, voués à dresser l'inventaire de leur univers intérieur, un monde changeant et fragmenté, encourent la réprobation générale et se voient marginalisés. L'écrivain, aliéné de l'intérieur, perd la place enviable qu'il occupait dans la société à l'époque de la collaboration avec l'élite clérico-bourgeoise.

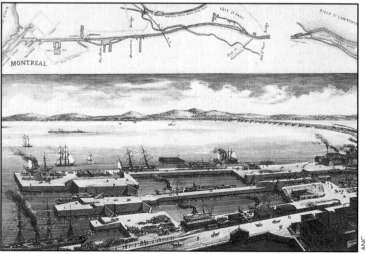

Le canal Lachine.

La construction du canal Lachine a facilité le développement industriel de Montréal.

Cet avènement d'une nouvelle vision du monde a aussi permis à notre littérature d'accéder enfin aux marches de la modernité littéraire. Car, pendant que les progrès de l'industrialisation et de l'urbanisation transforment la société, la conception même de la littérature est totalement bouleversée. Les points de repère légués par la tradition littéraire sont abandonnés : finie l'écriture de l'épopée nationale, remisés les thèmes nationalistes, abandonné le sentimentalisme facile servi par une rhétorique bouffie d'académisme et de didactisme, enterrée la grandiloquence descriptive et romantique. Place à la subjectivité, aux thèmes intimes mais plus universels, aux goûts esthétiques plus sûrs, aux innovations stylistiques et aux images plus hardies. Dorénavant la forme, à laquelle on accorde sans cesse plus de soin, se fait la manifestation extérieure de l'univers intérieur.

✒ UNE POÉSIE DE LA SOLITUDE : DEPUIS LA NUIT JUSQU'À L'AUBE

Depuis les « rêves enclos » de la nuit...

Les premiers poètes à se faire les passeurs de la poésie traditionnelle à la poésie moderne prennent parfois l'allure d'émigrés dans le monde des humains. On ne se place pas impunément en marge de l'idéologie officielle sans en payer le prix. Cette société qu'ils refusent à cause de son inaptitude à apporter des réponses à leur questionnement ne manque pas, à son tour, d'isoler ceux qui ne s'y conforment pas ou qui, pis encore, la transgressent avec intrépidité. La « société d'épiciers » dénoncée par Octave Crémazie[1] est toujours à l'œuvre.

Désespérément seuls, en quête d'une inaccessible fraternité, ces écrivains ne peuvent que constater un irrémédiable divorce entre leur langage et celui de la collectivité dont ils sont membres : c'est l'implacable solitude de l'exclu. La seule réalité abordable demeure celle procurée par le rêve dans la prison de l'exil intérieur. Nelligan, pour décrire ce suffoquant sentiment d'aliénation, parle de l'enfermement du « cœur cristallisé de givre » dans les « rêves enclos ».

1 Voir chapitre 3.

Dégel de mars dans le ravin Gosselin (1921), tableau de Marc-Aurèle de Foy Suzor-Côté.

Au tournant du XXᵉ siècle, la peinture d'ici subit l'influence de la peinture européenne de l'école de Barbizon tout d'abord, plus tard de l'école de La Haye. Puisant aux mêmes sources que l'impressionnisme et prônant un art plus intimiste laissant place au sentiment. on note l'apparition de ce mouvement tout d'abord chez Horatio Walker qui se propose, selon ses propres dires, de « peindre la poésie ». James Nelson Morrice et Ozias Leduc pousseront plus loin cette conception « subjectiviste » de l'art pictural en se faisant les spécialistes de l'expression des atmosphères.

MBAM, photo B. Merrett

ÉMILE NELLIGAN (1879-1941)

BNQ

LE VAISSEAU D'OR

Ce fut un grand Vaisseau taillé dans l'or massif.
Ses mâts touchaient l'azur sur des mers inconnues ;
La Cyprine d'amour, cheveux épars, chairs nues,
S'étalait à sa proue, au soleil excessif.

5 Mais il vint une nuit frapper le grand écueil
Dans l'Océan trompeur où chantait la Sirène,
Et le naufrage horrible inclina sa carène
Aux profondeurs du Gouffre, immuable cercueil.

Ce fut un Vaisseau d'Or, dont les flancs diaphanes
10 Révélaient des trésors que les marins profanes,
Dégoût, Haine et Névrose, ont entre eux disputés.

Que reste-t-il de lui dans la tempête brève ?
Qu'est devenu mon cœur, navire déserté ?
Hélas ! Il a sombré dans l'abîme du Rêve !

SOIR D'HIVER

Ah ! comme la neige a neigé !
Ma vitre est un jardin de givre.
Ah ! comme la neige a neigé !
Qu'est-ce que le spasme de vivre
5 À la douleur que j'ai, que j'ai !

Tous les étangs gisent gelés,
Mon âme est noire : Où vis-je ? où vais-je ?
Tous ses espoirs gisent gelés :
Je suis la nouvelle Norvège
10 D'où les blonds ciels s'en sont allés.

Pleurez, oiseaux de février,
Au sinistre frisson des choses,
Pleurez, oiseaux de février,
Pleurez mes pleurs, pleurez mes roses,
15 Aux branches du genévrier.

Ah ! comme la neige a neigé !
Ma vitre est un jardin de givre.
Ah ! comme la neige a neigé !
Qu'est-ce que le spasme de vivre
20 À tout l'ennui que j'ai, que j'ai !...

Poésies complètes, Montréal, Bibliothèque québécoise, 1992.

À une époque où ses contemporains entraient en religion ou en mariage, Nelligan décide, à 16 ans, de vivre en poésie. Mais les fulgurants espoirs de cet idéaliste mélancolique sont bientôt rappelés à la raison par la folie qui, dans les circonstances, peut être considérée comme l'attestation du génie. Au point que cet adolescent a confiné dans l'ombre tous les autres poètes de son époque. Émile Nelligan est notre premier poète moderne, tant par l'originalité de sa source d'inspiration[1] que par la nouveauté de ses images. Dans sa poétique intimement liée au psychologique, les folles ivresses sont noyées dans des douleurs extrêmes : l'émotion envahit tout, jusqu'à l'intellect, et la grandeur des attentes vient fracasser le morne quotidien.

---

1 Bien avant le Galarneau du *Salut Galarneau !* de Jacques Godbout (1967), Nelligan a écrit sa vie, il a « vécrit ».

Pistes de lecture

1. Dans le *Vaisseau d'Or*, prouvez que l'image du navire correspond à la destinée du poète.
2. Relevez les nombreuses oppositions qui traduisent l'aspect tragique de cette destinée.
3. Dans *Soir d'hiver*, une sonorité revient à vingt-trois reprises : quelle est-elle et quel est son rôle ?
4. Dans ce même poème, dressez le champ lexical de l'hiver.
5. Expliquez la troisième strophe et le symbolisme des oiseaux.

LA ROMANCE DU VIN

Tout se mêle en un vif éclat de gaîté verte.
Ô le beau soir de mai ! Tous les oiseaux en chœur,
Ainsi que les espoirs naguères à mon cœur,
Modulent leur prélude à ma croisée ouverte.

5 Ô le beau soir de mai ! le joyeux soir de mai !
Un orgue au loin éclate en froides mélopées ;
Et les rayons, ainsi que de pourpres épées,
Percent le cœur du jour qui se meurt parfumé.

Je suis gai ! je suis gai ! Dans le cristal qui chante,
10 Verse, verse le vin ! verse encore et toujours,
Que je puisse oublier la tristesse des jours,
Dans le dédain que j'ai de la foule méchante !

Je suis gai ! je suis gai ! Vive le vin et l'Art !...
J'ai le rêve de faire aussi des vers célèbres,
15 Des vers qui gémiront les musiques funèbres
Des vents d'automne au loin passant dans le brouillard.

C'est le règne du rire amer et de la rage
De se savoir poète et l'objet du mépris,
De se savoir un cœur et de n'être compris
20 Que par le clair de lune et les grands soirs d'orage !

Femmes ! je bois à vous qui riez du chemin
Où l'Idéal m'appelle en ouvrant ses bras roses ;
Je bois à vous surtout, hommes aux fronts moroses
Qui dédaignez ma vie et repoussez ma main !

25 Pendant que tout l'azur s'étoile dans la gloire,
Et qu'un hymne s'entonne au renouveau doré,
Sur le jour expirant je n'ai donc pas pleuré,
Moi qui marche à tâtons dans ma jeunesse noire !

Je suis gai ! je suis gai ! Vive le soir de mai !
30 Je suis follement gai, sans être pourtant ivre !...
Serait-ce que je suis enfin heureux de vivre ;
Enfin mon cœur est-il guéri d'avoir aimé ?

Les cloches ont chanté ; le vent du soir odore...
Et pendant que le vin ruisselle à joyeux flots,
35 Je suis si gai, si gai, dans mon rire sonore,
Oh ! si gai, que j'ai peur d'éclater en sanglots !

Poésies complètes, Montréal, Bibliothèque québécoise, 1992.

Analyse formelle

Le lexique

1. Comment l'ivresse est-elle exprimée dans ce poème ?
2. Les sentiments sont ici exacerbés. Montrez-le en relevant les expressions d'espoir ou de bonheur d'une part, de désespoir ou de malheur d'autre part.
3. La musique joue-t-elle un rôle ici ?
4. Quel effet est produit par la présence des couleurs ?
5. En quoi le dernier vers vient-il faire écho au premier ?

Les images et la musicalité

1. Repérez et classez les principales figures de style.
2. Certaines sonorités sont-elles privilégiées ?
3. De quelles rimes s'agit-il ?
4. Relevez les antithèses et montrez leur signification.
5. La cinquième strophe contient une allitération. Que sert-elle à exprimer ?
6. Quel effet produisent les nombreux points d'exclamation ?
7. Quels mots sont répétés, et dans quel but ?
8. Quels éléments servent à produire un rythme rapide ?

La structure du poème

1. Commentez le type et le nombre des strophes.
2. Identifiez les grandes divisions du poème; donnez un sous-titre à chacune d'elles.
3. Quel vers sert de refrain ? Montrez l'équivoque de sa signification.
4. Montrez que ce poème est construit autour d'une montée constante de l'ivresse jusqu'à une chute dramatique.

Analyse thématique

1. Quelle est la cause du mal qui afflige Nelligan ?
2. L'idéalisme de Nelligan est apparent dans son refus de la réalité banale.
   a) Quels passages le prouvent ?
   b) Quel idéal habite le poète ?
   c) Comment s'effectue la fuite du monde réel ?
3. Nelligan est associé à l'image du « poète maudit ».
   Quels passages indiquent que Nelligan lui-même se voyait ainsi ?
4. Énumérez les principaux thèmes contenus dans ce poème.

Questions d'approfondissement

1. À l'aide de ce poème, décrivez l'innovation principale de Nelligan par rapport à ses prédécesseurs.
2. Prouvez que ce poème dépasse la seule dimension biographique pour atteindre à l'art authentique.
3. Montrez l'influence de la poésie romantique sur la sensibilité de Nelligan.
4. Montrez, dans ce poème, l'influence de la poésie symboliste.
5. À la suite de la lecture publique de ce poème, Nelligan fut porté en triomphe jusque chez lui par ses amis. Selon vous, qu'est-ce qui a pu susciter un tel enthousiasme ?
6. À partir de ce poème, tentez d'expliquer la naissance du « mythe Nelligan ».

Le mythe Nelligan

Une dizaine d'années avant sa mort, survenue en 1941, de très nombreux visiteurs viennent déjà rencontrer Nelligan dans son asile de silence : le mythe du poète adolescent – de l'ange noir –, à jamais sacrifié sur l'autel du conformisme, a déjà pris forme. L'homme diminué par l'âge et la maladie n'existe pas. Dès la première édition de son œuvre, en 1904, on l'avait instantanément consacré grand poète, et c'est cette poésie – ou ce qu'elle promettait – liée à son destin pathétique, qui fait de Nelligan le type même du poète romantique, qu'on vient saluer dans cet homme muselé.

Depuis, génération après génération, on ne cesse de redécouvrir, de se réapproprier celui qui s'est dressé, seul, pendant près de trois ans, en face de la vieille société, de la vieille poésie. Tout un peuple se reconnaît dans ce poète polarisé par l'enfance : on le chante abondamment, on tourne sa vie au cinéma ou on en fait un opéra et, surtout, on continue de le lire abondamment, chacun y projetant ses « rêves d'artiste ».

Dans le roman *Le Nez qui voque* (1967) de Réjean Ducharme, autre écrivain illuminé et hanté par l'enfance, Nelligan sert d'inspiration aux jeunes protagonistes. Le portrait romantique du poète donne l'impression qu'il a triomphé du temps. Que Nelligan n'est jamais passé du silence dit au silence indicible, dans son exil de songe et de folie. Quelle idée se font de Nelligan les personnages du roman ? Cette idée est-elle près de la réalité ?

LA PHOTO DE NELLIGAN

Je pourrais en écrire des pages et des pages sur Nelligan. Quand nous avions sept ans, nous nous enfoncions dans les bois et, assis aux pieds des pins, nous lisions et relisions ses poèmes. Quelques-uns de ses vers, comme : « Lorsque nous lisions Werther *au fond des bois... », semblaient parler de nous. À la bibliothèque, dans une édition de ses œuvres complètes, nous avons surpris une photo de lui. Cette image, nous l'avons arrachée et nous l'avons gardée. Nous voyions notre ami le poète pour la première fois, nous risquions de ne plus jamais le revoir : nous n'avons pas hésité ; nous l'avons emmené ici de force et nous l'avons fixé à la cloison avec des clous. Chateaugué le trouve beau, dit qu'il a les cheveux comme en feu, un nez de lion et les yeux doux comme des ailes de papillon. La photo que nous avons volée le représente avec une lavallière autour du cou. La photo aurait pu le représenter avec une lavallière autour du front. Alors, il aurait eu l'air arabe. Les cheveux ardents, les yeux de femme, un nez de bête, les lèvres douces, la bouche dure ; il est tout à fait comme nous nous l'imaginions : c'est cela qui nous a le plus frappés quand nous l'avons rencontré entre deux pages.*

Réjean Ducharme, *Le Nez qui voque*, Paris, Gallimard, 1967.

JEAN-AUBERT LORANGER (1896-1942)

La poésie de Jean-Aubert Loranger étonne par sa liberté, tant thématique que formelle. Ses vers libres, contestation de l'ordre établi du langage, expriment en fait le rejet d'un certain ordre social, d'une certaine vision du monde. Par-dessus tout, ce poète exprime la marginalité et la solitude des artistes. Son originalité[1] le confine bientôt au silence. Le regard se fait ici outil de préhension de la réalité.

BNQ

JE REGARDE DEHORS PAR LA FENÊTRE

J'appuie des deux mains et du front sur la vitre.
Ainsi, je touche le paysage,
Je touche ce que je vois,
Ce que je vois donne l'équilibre
5   À tout mon être qui s'y appuie.
Je suis énorme contre ce dehors
Opposé à la poussée de tout mon corps ;
Ma main, elle seule, cache trois maisons.
Je suis énorme,
10 Énorme...
Monstrueusement énorme,
Tout mon être appuyé au dehors solidarisé.

Les Atmosphères, suivi de *Poëmes*, Montréal, HMH, 1970.

Pistes de lecture

1. Quel effet produisent les répétitions ?
2. Dites en quoi le vers libre sert bien le thème principal de ce poème.
3. De quelle manière s'opposent l'intériorité du poète et la réalité extérieure ?
4. Comment peut-on comprendre la vitre, objet transparent mais obstacle ici ?
5. Pourquoi le poète doit-il devenir « monstrueusement énorme » ?
6. En quoi le dernier vers est-il pathétique ?

Au plaisir de lire

■ *Contes*

1 Ce poète a, entre autres, composé de nombreux haïkaï comme celui-ci :
*Une « horloge grand-père »,
Ô ce cercueil debout
Et fermé sur le temps.*

HECTOR DE SAINT-DENYS GARNEAU (1912-1943)

Ce poète, profondément déchiré par sa soif d'absolu et les espoirs taris de son monde clos, a ouvert à la poésie la porte de tous les possibles. Avec Saint-Denys Garneau, les jeux formels et la liberté des images sont des outils qui tentent désespérément d'amadouer le réel. La poésie se libère définitivement des anciennes formes lyriques. La dépossession du corps est particulièrement éloquente dans le poème « Accompagnement ». Et comment ne pas reconnaître dans le drame personnel du poète celui de tout un peuple.

ACCOMPAGNEMENT

Je marche à côté d'une joie
D'une joie qui n'est pas à moi
D'une joie à moi que je ne puis pas prendre

Je marche à côté de moi en joie
5 J'entends mon pas en joie qui marche à côté de moi
Mais je ne puis changer de place sur le trottoir
Je ne puis pas mettre mes pieds dans ces pas-là
              et dire voilà c'est moi

Je me contente pour le moment de cette compagnie
10 Mais je machine en secret des échanges
Par toutes sortes d'opérations, des alchimies,
Par des transfusions de sang
Des déménagements d'atomes
              par des jeux d'équilibre

15 Afin qu'un jour, transposé,
Je sois porté par la danse de ces pas de joie
Avec le bruit décroissant de mon pas à côté de moi
Avec la perte de mon pas perdu
              s'étiolant à ma gauche
20 Sous les pieds d'un étranger
              qui prend une rue transversale.

Regards et Jeux dans l'espace, Montréal, Boréal, 1993.

Pistes de lecture

1. Établissez la distinction entre le « je » et le « moi ».
2. Peut-on établir un parallèle entre ce poème et *Cage d'oiseau* ?
3. Dans quel but le poète utilise-t-il un langage quasi quotidien ?
4. Étudiez les procédés touchés par la redondance. À quoi sert-elle ?
5. En l'absence de ponctuation, qu'est-ce qui confère du rythme au poème ?

CAGE D'OISEAU

Je suis une cage d'oiseau
Une cage d'os
Avec un oiseau

L'oiseau dans ma cage d'os
5 C'est la mort qui fait son nid

Lorsque rien n'arrive
On entend froisser ses ailes

Et quand on a ri beaucoup
Si l'on cesse tout à coup
10 On l'entend qui roucoule
Au fond
Comme un grelot

C'est un oiseau tenu captif
La mort dans ma cage d'os

15 Voudrait-il pas s'envoler
Est-ce vous qui le retiendrez
Est-ce moi
Qu'est-ce que c'est

Il ne pourra s'en aller
20 Qu'après avoir tout mangé
Mon cœur
La source du sang
Avec la vie dedans

Il aura mon âme au bec.

Regards et Jeux dans l'espace, Montréal, Boréal, 1993.

Pistes de lecture

1. Quelle est la part de réalisme contenue dans ce poème ?
2. Quel dédoublement trouve-t-on ici ?
3. Relevez les principaux symboles.
4. Analysez l'utilisation des différents pronoms personnels.
5. Quels thèmes sont présents dans ce poème ?
6. Comment le vers se libère-t-il des entraves prosodiques ?

.. jusqu'à la poésie de l'aube

Mais ces pionniers qui, dans leurs « rêves enclos », ont [fa]it sortir la poésie de son ornière passéiste n'ont pas [sa]crifié inutilement leur vie. Nelligan et sa déraison, [...]oranger et son silence, Saint-Denys Garneau et son [m]al à l'âme, autant de victimes expiatoires qui [pe]rmettent à d'autres de se réconcilier enfin avec le monde, de faire cohabiter réalité et rêve, d'exorciser la mort avec les onctions de la vie. D'émerger de la solitude et de faire autre chose de leur poésie qu'un douloureux soliloque. Selon une expression d'Alain Grandbois, les poètes ont enfin accès aux « rivages de l'homme ».

ALAIN GRANDBOIS (1900-1975)

Le pays d'Alain Grandbois a la dimension d'un univers. Ses nombreuses années de voyage lui ont permis de prendre conscience de la grande fraternité humaine : le drame des gens d'ici est également assumé ailleurs par les hommes de son temps, mais aussi de tous les temps. D'où le souffle cosmique qui traverse son œuvre. Sa poésie, remarquable pour la grande liberté de ses images et la force de son style, s'approprie le présent en surmontant l'angoisse de l'homme de ce temps.

PRIS ET PROTÉGÉ

Pris et protégé et condamné par la mer
Je flotte au creux des houles
Les colonnes du ciel pressent mes épaules
Mes yeux fermés refusent l'archange bleu
5 Les poids des profondeurs frissonnent sous moi
Je suis seul et nu
Je suis seul et sel
Je flotte à la dérive sur la mer
J'entends l'aspiration géante des dieux noyés
10 J'écoute les derniers silences
Au delà des horizons morts

* * *

LES GLAÏEULS...

Les glaïeuls blessaient le bleu
Le souvenir des jardins cernait les remords
Et des hommes penchaient leurs épaules

Il y avait quelque part sur une île
5 Des pas d'ombres et de paons

Avec un léger bruit elle venait
Elle venait dans un silence d'absence

C'était l'heure des mondes inanimés
Les astres tous se taisaient

10 Le soleil était fermé

Les Îles de la nuit, Montréal, Typo Poésie, 1994.

Pistes de lecture

1. Dans *Pris et protégé*, expliquez le sens du premier vers.
2. Quelle est, ici, la symbolique de la mer ?
3. Analysez les associations de mots.
4. À la lumière de ce poème, pouvez-vous expliquer le titre du recueil *Les Îles de la nuit* ?
5. Dans *Les Glaïeuls*, de quelle manière le regard objectif se transforme-t-il en vision poétique ?
6. L'île évoquée dans le 4e vers peut-elle être considérée comme imaginaire ?
7. Expliquez le sens du 9e vers : « Les astres tous se taisaient ».
8. Commentez : Grandbois se confie au mouvement des images et du rêve plutôt que de faire appel à la pensée consciente.

Au plaisir de lire

- *Poésie I, Poésie II*
- *Les Voyages de Marco Polo*
- *Né à Québec... Louis Jolliet, Récit*

RINA LASNIER (1915-1997)

Rina Lasnier parvient à terrasser la solitude et l'angoisse grâce à une réconciliation avec l'au-delà. Ses poèmes, d'inspiration fortement religieuse, se nourrissent abondamment de mots recherchés, ce qui leur confère souvent une allure savante. Notons la grande sérénité de ce texte, voire son intemporalité.

L'ARBRE DE VIE

Nous aurons pour surdité la rivière
Et nous n'entendrons plus d'affres et de corps
Les passeurs du temps crier haut à la mort,
Nous aurons pour fuite l'arbre lié de ciel.

5 Nous prendrons la sente palmée de fougère
Quand le baumier embaume à soleil ouvert,
Nous serons l'odeur endormie au brasier,
Une paix vive à peine remuée.

Nous ne verrons plus, face contre terre,
10 La mort et l'ombre jalouses de disparaître,
Nous saurons que le baume garde le baumier
Et l'amour en fuite, la verte éternité.

Mémoire sans jours. Poèmes, Montréal, Éditions de l'Atelier, 1960
(réédition Bibliothèque québécoise, 1995).

BNQ

Pistes de lecture

1. Analyser la signification du « nous ».
2. Quelle est la symbolique de l'arbre, et comment s'oppose-t-elle à celle de la rivière ?
3. Montrez que chaque strophe est associée à un des cinq sens.
4. En quoi la verdure et l'amour de la seconde strophe répondent-ils à la rivière et à l'arbre de la première ?
5. De quelle manière l'auteure arrive-t-elle à réconcilier le réel et l'idéal, la chair et l'esprit ?

─────── **Au plaisir de lire** ───────

■ *Poèmes* (2 volumes)

ANNE HÉBERT (née en 1916)

Photo Ulf Anderson

Tout chez Anne Hébert contribue à rompre l'immobilité du silence. Son « je » n'est plus celui de la confession intime : il prend une nouvelle dimension en se distançant de la poétique strictement psychologique. Sa poésie se fait parole partagée, « solitude rompue ».

LA FILLE MAIGRE

Je suis une fille maigre
Et j'ai de beaux os.

J'ai pour eux des soins attentifs
Et d'étranges pitiés

5 Je les polis sans cesse
Comme de vieux métaux.

Les bijoux et les fleurs
Sont hors de saison.

Un jour je saisirai mon amant
10 Pour m'en faire un reliquaire d'argent.

Je me pendrai
À la place de son cœur absent.

Espace comblé,
Quel est soudain en toi cet hôte sans fièvre ?

15 Tu marches
Tu remues ;
Chacun de tes gestes
Pare d'effroi la mort enclose.

Je reçois ton tremblement
20 Comme un don.

Et parfois
En ta poitrine, fixée,
J'entrouvre
Mes prunelles liquides

25 Et bougent
Comme une eau verte
Des songes bizarres et enfantins.

Poèmes, Paris, Éditions du Seuil, 1960.

Pistes de lecture

1. Quelle symbolique est associée aux os ?
2. Commentez la structure des vers.
3. Comment l'auteure exprime-t-elle son sentiment de dépossession ?
4. Le thème de l'amour est-il présent ici ?
5. De quelle manière l'expérience de la mort débouche-t-elle sur la vie ?

POÉSIE, SOLITUDE ROMPUE

La poésie colore les êtres, les objets, les paysages, les sensations, d'une espèce de clarté nouvelle, particulière, qui est celle même de l'émotion du poète. Elle transplante la réalité dans une autre terre vivante qui est le cœur du poète, et cela devient une autre réalité, aussi vraie que la première. La vérité qui était éparse dans
5 le monde prend un virage net et précis, celui d'une incarnation singulière.

Poème, musique, peinture ou sculpture, autant de moyens de donner naissance et maturité, forme et élan à cette part du monde qui vit en nous. Et je crois qu'il n'y a que la véhémence d'un très grand amour, lié à la source même du don créateur, qui puisse permettre l'œuvre d'art, la rendre efficace et durable.

10 Tout art, à un certain niveau, devient poésie. La poésie ne s'explique pas, elle se vit. Elle est et elle remplit. Elle prend sa place comme une créature vivante et ne se rencontre que, face à face, dans le silence et la pauvreté originelle. Et le lecteur de poésie doit également demeurer attentif et démuni en face du poème, comme un tout petit enfant qui apprend sa langue maternelle. Celui qui aborde cette terre
15 inconnue qui est l'œuvre d'un poète nouveau ne se sent-il pas dépaysé, désarmé, tel un voyageur qui, après avoir marché longtemps sur des routes sèches, aveuglantes de soleil, tout à coup, entre en forêt ?

[...]

Toute facilité est un piège. Celui qui se contente de jouer par oreille, n'ira pas très loin dans la connaissance de la musique. Et celui qui écrit des poèmes, comme on
20 brode des mouchoirs, risque fort d'en rester là.

La poésie n'est pas le repos du septième jour. Elle agit au cœur des six premiers jours du monde, dans le tumulte de la terre et de l'eau confondus, dans l'effort de la vie qui cherche sa nourriture et son nom. Elle est soif et faim, pain et vin.

Notre pays est à l'âge des premiers jours du monde. La vie ici est à découvrir et à
25 nommer ; ce visage obscur que nous avons, ce cœur silencieux qui est le nôtre, tous ces paysages d'avant l'homme, qui attendent d'être habités et possédés par nous, et cette parole confuse qui s'ébauche dans la nuit, tout cela appelle le jour et la lumière.

Pourtant, les premières voix de notre poésie s'élèvent déjà parmi nous. Elles nous
30 parlent surtout de malheur et de solitude. Mais Camus n'a-t-il pas dit : « Le vrai désespoir est agonie, tombeau ou abîme, s'il parle, s'il raisonne, s'il écrit surtout, aussitôt le frère nous tend la main, l'arbre est justifié, l'amour né. Une littérature désespérée est une contradiction dans les termes. »

Et moi, je crois à la vertu de la poésie, je crois au salut qui vient de toute parole
35 juste, vécue et exprimée. Je crois à la solitude rompue comme du pain par la poésie.

Poèmes, Paris, Éditions du Seuil, 1960.

Pistes de lecture

1. Pourrait-on parler ici de « sacralisation » de l'écriture ?
2. Relevez les marques exprimant la subjectivité de l'auteure.
3. En quoi sont associés ici le processus créateur et la fonction de la poésie ?
4. Reliez ce poème au courant idéaliste.

Résonance

Dans une lettre écrite en 1871, le poète français Arthur Rimbaud définit sa propre conception du rôle du poète. Retrouvez-vous des échos de la pensée de Rimbaud dans le texte *Poésie, solitude rompue* d'Anne Hébert ? De quelle façon ?

[...] Le Poète se fait voyant *par un long, immense et raisonné,* dérèglement *de tous les sens. Toutes les formes d'amour, de souffrance, de folie ; il cherche lui-même, il épuise en lui tous les poisons, pour n'en garder que les quintessences. Ineffable torture où il a besoin de toute la foi, de toute la force surhumaine, où il devient entre tous le grand malade, le grand criminel, le grand maudit, – et le suprême Savant ! – Car il arrive à l'* inconnu *! Puisqu'il a cultivé son âme, déjà riche, plus qu'aucun ! Il arrive à l'inconnu, et quand, affolé, il finirait par perdre l'intelligence de ses visions, il les a vues ! [...] il devra faire sentir, palper, écouter ses inventions ; si ce qu'il rapporte de* là-bas *a forme, il donne forme ; si c'est informe, il donne de l'informe. [...] Le poète définirait la quantité d'inconnu s'éveillant en son temps dans l'âme universelle. [...]*

Arthur Rimbaud, *Correspondance* (1871).

Vieilles maisons à Montréal
(1908), tableau de Maurice Cullen.

🌾 DES ROMANS QUI EN APPELLENT À LA CONSCIENCE

On peut trouver discutable la présence des romanciers retenus dans ce courant idéaliste. C'est qu'il s'agit de deux auteurs qui ont pris leur distance à l'égard de leur époque et amorcé une prise de conscience qui ne va réellement porter ses fruits qu'au moment de la Révolution tranquille, après 1960.

Dans ces deux romans se trouve un héros animé par l'indignation, la révolte et le refus des valeurs d'une société conformiste et retardataire. Jean-Charles Harvey donne naissance à un héros

motivé par des aspirations strictement individuelles. Félix-Antoine Savard permet à son récit de largement déborder des cadres du roman de la terre, au point de pouvoir revendiquer le titre de premier véritable roman de la tourmente nationale.

Ces romanciers dénoncent une aliénation et favorisent un nouvel ordre des valeurs où l'homme n'est plus au centre d'une idéologie mais, tout au contraire, bien ancré dans une réalité. Que l'on voudrait voir autre.

La drave au temps de Menaud

BNQ

FÉLIX-ANTOINE SAVARD (1896-1982)

Ne voir en *Menaud, maître-draveur* (1937) qu'un roman du terroir serait faire preuve de myopie. On ne peut négliger la portée prophétique de ce roman-poème, considéré tantôt comme le roman de l'indépendance possible, tantôt comme la métaphore d'un peuple qui va à la mort. Amplification des personnages et de la trame de *Maria Chapdelaine*, ce chant fougueux et tragique lance un véritable cri d'alarme : au pays du Québec, il faut changer ou se résigner à disparaître. L'extrait précède de peu la mort de Menaud, déjà en proie à la déraison. Et ce n'est sans doute pas la seule ressemblance que l'on pourrait trouver entre le personnage de Savard et Nelligan...

LA FOLIE DE MENAUD

Raquettes aux pieds, Menaud reprenait enfin le sentier de sa jeunesse. Sa fête était grande au milieu des souvenirs qui, par les chemins de soleil, affluaient de partout à travers le bois de la coupe enneigée.

5 Il faisait de grands gestes, fredonnait des rengaines de l'ancien temps, s'arrêtait à ses vieilles plaques, joyeux de frapper sur les arbres pour signifier sa présence de maître à la forêt inquiète.

Puis, il repartait à grands pas, la tête haute, les orteils piqués dans ses brides de raquettes, tandis que, derrière lui, brillait le
10 sillage de ses pistes héroïques.

« Nous sommes venus... et nous sommes restés ! »

Ces mots-là détendaient les ressorts de ses vieilles jambes.

« Nous sommes venus... et nous sommes restés ! »

Les traîtres le verraient bien lorsque lui, Menaud, aurait soulevé,
15 d'un bout à l'autre du pays, tout le clan des libres chasseurs. Alors, à toutes les portes du domaine, il y aurait, contre les empiétements de l'étranger, une garde tenace, infranchissable.

Ah ! yah ! Ah ! yah !

Menaud marchait, marchait en tempête, escaladait les raidillons,
20 s'agriffait aux branches, sans trève ; tout son vieux corps était invinciblement halé par un désir qui grimpait en avant de lui.

Menaud, maître-draveur, Montréal, Bibliothèque québécoise, 1990.

Pistes de lecture

1. Commentez le rythme de la composition : comment le style simule-t-il la fébrilité de Menaud ?
2. Pourquoi ce texte est-il au passé ? Quelle est la valeur de cet emploi ?
3. Relevez les signes de la folie de Menaud.
4. Qu'ajoute à cet extrait la citation répétée tirée de *Maria Chapdelaine*?
5. Brossez un portrait psychologique de Menaud.
6. Pourriez-vous relier le « désir » de Menaud à une idéologie politique précise ?

JEAN-CHARLES HARVEY (1891-1967)

Autre anticonformiste et individualiste forcené, le héros des *Demi-civilisés* (1934) élève un cri de protestation contre la médiocrité et l'ignorance érigées en système. Ce roman est frappé d'interdit dans l'archidiocèse de Québec. Récit de mœurs et d'idées, il amorce un virage capital : le ferment de la libre pensée et du modernisme est inoculé dans une société que l'on croyait à jamais immunisée, et tout un monde est en train de basculer. L'extrait oppose deux univers : l'un en train de s'écrouler, l'autre en devenir.

LES DEMI-CIVILISÉS

Une crise de mysticisme suit parfois une déception sentimentale. Je n'y échappai pas. Bien qu'à peine adolescent, j'entrai dans un ordre religieux. Les années qui suivirent m'apparaissent comme un songe : un grand jardin
5 plein de fleurs, de fruits, d'oiseaux et de calme, des moines, un livre à la main ou égrenant d'interminables chapelets, parmi les chants des cigales et les parfums des pommiers ; des religieux à cheveux blancs dirigeant des jeunes gens en proie à des tentations dignes d'illustrer la vie de saint Jérôme ; de
10 vieux enfants à la fois graves et naïfs pour qui un rien est un événement extraordinaire et dont la candeur charme et séduit ; des nostalgies de novices se retournant, comme la femme de Loth, vers le monde abandonné, le foyer déserté, la jeune fille autrefois aimée et troublant les nuits sans
15 sommeil, les flagellations qui chassent les démons des corps brûlés d'ardeurs charnelles, les bracelets aux pointes de fer sur des épidermes douloureux ; enfin, le retour de ma pensée à l'humanité, à la terre ferme, la belle et bonne terre où l'on ne vient qu'une fois et où l'on veut mordre au fruit
20 de la vie avant de boire au calice de la mort.

Les Demi-civilisés, Montréal, Typo Roman, 1993.

BNQ

Pistes de lecture

1. Qu'y a-t-il de naïf dans le portrait de la vie religieuse ?
2. Quels champs lexicaux s'opposent dans cet extrait ?
3. Quelle part de critique renferme cette page ?
4. Comment le conflit entre l'idéal et la réalité est-il exprimé ? Quelles images illustrent ce conflit ?

LES PENSEURS ET LES ANGOISSES D'UN DESTIN COLLECTIF

Les critiques, historiens et autres penseurs ont, eux aussi, porté leur attention sur le mal-être collectif vécu, décrit et dénoncé par les écrivains de fiction. Et, une fois encore, des problèmes d'ordre historique et politique ont été soulevés pour expliquer les constants émois et multiples tensions que connaît la société canadienne-française.

On constate que la langue française est en perte de vitalité et l'économie, aliénée aux mains de capitaux étrangers ; quant à la culture, son anémie est criante. Dans un tel contexte, nombreux sont ceux qui, à la suite de Menaud, perçoivent l'existence même de la nation politiquement menacée. Aussi la volonté de survie s'exprime-t-elle dans une ferveur nationaliste centrée sur la langue – et la culture – française, qui mobilise toutes les énergies.

Université Laval à Montréal.

Dorénavant, les Canadiens français auront accès à l'enseignement supérieur dans leur langue.

LIONEL GROULX (1878-1967)

L'historien Lionel Groulx a attisé la fierté nationaliste chez de nombreuses générations, qui firent de lui leur maître à penser. Il a exploité avec grande habileté les méandres de notre destin collectif. Pour lui, le passé n'est valable que dans la mesure où il est générateur de la grandeur du présent. Une idée que partage sans doute le personnage de Menaud de Félix-Antoine Savard.

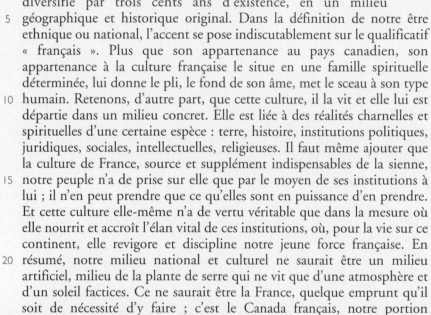

NOTRE DESTIN FRANÇAIS

« Le sang et les traditions qui courent en nos veines ! » Qu'est-ce qu'un Canadien français ? Son nom le définit : un Français canadianisé. Un Français, d'origine et de culture, mais modifié, diversifié par trois cents ans d'existence, en un milieu
5 géographique et historique original. Dans la définition de notre être ethnique ou national, l'accent se pose indiscutablement sur le qualificatif « français ». Plus que son appartenance au pays canadien, son appartenance à la culture française le situe en une famille spirituelle déterminée, lui donne le pli, le fond de son âme, met le sceau à son type
10 humain. Retenons, d'autre part, que cette culture, il la vit et elle lui est départie dans un milieu concret. Elle est liée à des réalités charnelles et spirituelles d'une certaine espèce : terre, histoire, institutions politiques, juridiques, sociales, intellectuelles, religieuses. Il faut même ajouter que la culture de France, source et supplément indispensables de la sienne,
15 notre peuple n'a de prise sur elle que par le moyen de ses institutions à lui ; il n'en peut prendre que ce qu'elles sont en puissance d'en prendre. Et cette culture elle-même n'a de vertu véritable que dans la mesure où elle nourrit et accroît l'élan vital de ces institutions, où, pour la vie sur ce continent, elle revigore et discipline notre jeune force française. En
20 résumé, notre milieu national et culturel ne saurait être un milieu artificiel, milieu de la plante de serre qui ne vit que d'une atmosphère et d'un soleil factices. Ce ne saurait être la France, quelque emprunt qu'il soit de nécessité d'y faire ; c'est le Canada français, notre portion d'univers et son potentiel de civilisation.

Directives, Montréal, Éditions du Zodiaque, 1937.

Pistes de lecture

1. Expliquez les mots « réalités charnelles et spirituelles ».
2. « Canadiens français » et « Français canadianisés » : quelles différences voyez-vous entre ces deux expressions ?
3. Faites un schéma illustrant, phrase après phrase, la logique de l'argumentation du raisonnement de l'auteur.
4. Montrez de quelle manière et par quels procédés stylistiques Lionel Groulx déborde ici les cadres habituellement imposés à l'historien.
5. Trouvez cinq arguments qui vous permettent de partager la vision de l'auteur ou, au contraire, de la rejeter.

Au plaisir de lire

- *Notre maître le passé* (3 volumes)
- *Histoire du Canada depuis la découverte*
- *Mes Mémoires* (4 tomes)

QUESTIONS DE SYNTHÈSE

1. Après avoir lu les poèmes de Nelligan ainsi que l'hommage que lui rend Réjean Ducharme, relisez au chapitre précédent ce qu'ont écrit à son sujet Guy Delahaye et Édouard Montpetit, puis tracez, à votre tour, un portrait d'Émile Nelligan.

2. Pourrait-on établir un parallèle entre les deux extraits de Jean-Aubert Loranger : le passeur réduit au silence (chapitre 4) et le poète muselé devant sa fenêtre ?

3. Prouvez que la poésie de Jean-Aubert Loranger est un maillon important entre l'œuvre de Nelligan et celle de Saint-Denys Garneau.

4. Prouvez que Lionel Groulx, Félix-Antoine Savard et Louis Hémon véhiculent la même pensée, les deux derniers constituant une illustration métaphorique du premier.

5. Illustrez comment Anne Hébert refait la même démarche que Nelligan et que Saint-Denys Garneau, mais en la poussant plus loin.

6. Commentez ces phrases tirées de *Menaud, maître draveur* où il est question de la folie de Menaud : « C'est pas une folie comme une autre ! Ça me dit, à moi, que c'est un avertissement. »

7. Commentez :
   ▷ Chez les poètes idéalistes, le moi est le lieu de l'emprisonnement.
   ▷ Tous les poètes idéalistes se rejoignent par le thème de la solitude.
   ▷ Les poètes et les romanciers idéalistes quêtent la lumière, mais ne trouvent que des ombres.
   ▷ La dépossession du corps est un thème important chez les idéalistes.
   ▷ Les poètes exotistes (4ᵉ chapitre) se caractérisent par la quête formelle alors que les idéalistes privilégient la thématique.
   ▷ Les idéalistes nous proposent les premières œuvres véritablement de qualité de notre littérature.
   ▷ Les écrivains du terroir voulaient situer l'homme au centre d'une idéologie alors que les idéalistes sentent le besoin de l'ancrer au centre de la vie réelle.
   ▷ Les idéalistes sont les prophètes des temps à venir.

TABLEAU SYNTHÈSE

1. Au tournant du siècle, un groupe d'écrivains refusent la conception utilitaire de la littérature pour se pencher sur leur vie intérieure.

2. Sous l'influence du climat religieux de l'époque, leur littérature sera le reflet d'une intense tension intérieure entre l'élévation de l'esprit et l'appel des sens. C'est l'idéalisme, qui préfère le spirituel au détriment du sensuel.

3. Cette quête d'absolu se traduit chez certains par un constant sentiment d'échec, de honte de soi qui mènera à l'exil intérieur ou extérieur et même à la mort.

4. La conception de la littérature en sera profondément bouleversée : la littérature devient le lieu de la subjectivité, de l'intimisme, des innovations stylistiques.

Réalité
et surréalité

des Québécois dans leur propre économie demeure cependant
limité et les francoph...
proportion des poste...
gouvernement fédéra...
des programmes de l...
secteurs de compéten...
s'efforce de garantir...
adopter le drapeau q...
provincial sur le r...
le pouvoir de taxat...
Duplessis, l'Église...
québécoise. Ses effec...
dirige le réseau d'ens...
versité. Elle adminis...
francophones. Proche...
discrétionnaires de...
et, en échange, elle...
Dans ce contexte, l'...
oppressante. À com...
de plus en plus n...
intellectuels pour ap...
secteurs de compétence provinciale. En réaction, Duplessis e...

- Littérature et constat de la réalité
- Automatisme et surréalité

1939-1945   **1940**   **1944-1959**   **1948**   **1954**

Deuxième Guerre
mondiale

Maurice Duplessis, premier
ministre du Québec

Création d'un impôt
provincial du Québec

Instruction obligatoire

Droit de vote aux femmes

Refus global

Adoption du drapeau du Québec

L'ÈRE DUPLESSIS

En 1936, Maurice Duplessis, personnage complexe déchiré entre sa volonté de moderniser l'économie et sa fidélité aux valeurs traditionnelles, devient premier ministre du Québec. Le nouveau gouvernement de l'Union nationale trouve avant tout ses appuis dans le monde rural. Férocement anti-communiste et anti-syndical, ce qui lui vaut l'appui inconditionnel du clergé québécois, Duplessis fait voter en 1937 une loi permettant de cadenasser tout édifice utilisé aux fins de propagande communiste. En vertu de cette loi, la police censure arbitrairement la liberté d'expression. Le nouveau gouvernement adopte également certaines mesures sociales, comme la Loi des pensions de vieillesse et l'Assistance aux mères nécessiteuses.

L'Union nationale est battue en 1939 par le Parti libéral d'Adélard Godbout, dont le gouvernement accorde le droit de vote aux femmes (malgré l'opposition du clergé), reconnaît le droit des travailleurs à adhérer à un syndicat et rend l'instruction obligatoire pour les enfants de six à quatorze ans. Il crée également la société Hydro-Québec, qui deviendra une des pierres d'assise de la Révolution tranquille au début des années 1960.

■ Quinze ans de duplessisme

Alors que la victoire des Alliés se confirme en Europe, Duplessis tire parti du ressentiment des Canadiens français à l'égard de la conscription qui avait été décrétée par le gouvernement fédéral en 1942, et l'Union nationale revient au pouvoir en 1944. Pour les quinze années suivantes, le Québec vivra sous la férule conjointe de Duplessis et de l'Église.

C'est à cette époque que l'économie québécoise atteint sa maturité, et le revenu moyen des Québécois triple entre 1939 et 1959. Le rôle des Québécois dans leur propre économie demeure cependant limité, et les francophones continuent d'occuper une très faible proportion des postes de direction.

Sur le plan politique, le gouvernement fédéral prend l'initiative pour mettre en place des programmes de l'État-providence qui empiètent sur divers secteurs de compétence provinciale. En réaction, Duplessis s'efforce de garantir l'autonomie du Québec. En 1948, il fait adopter le drapeau québécois et, en 1954, il établit un impôt provincial sur le revenu des particuliers afin de défier le pouvoir de taxation exclusif du fédéral.

Sous le régime Duplessis, l'Église maintient son pouvoir sur la société québécoise. Ses effectifs sont plus nombreux que jamais, elle dirige le réseau d'enseignement, depuis le primaire jusqu'à l'université. Elle administre la plupart des établissements de santé francophones. Proche du pouvoir, elle profite de subventions discrétionnaires de l'État aux institutions qu'elle gère et, en échange, elle appuie publiquement le gouvernement.

Dans ce contexte, l'atmosphère générale du Québec demeure oppressante. À compter de la fin des années 1940, des voix de plus en plus nombreuses s'élèvent dans les milieux intellectuels pour appeler au changement. En 1948, le peintre Paul-Émile Borduas rédige un manifeste intitulé *Refus global*, dans lequel il dénonce un pays sclérosé et critique l'influence de l'Église. De plus en plus, on s'oppose au nationalisme tel que le pratique Duplessis, que l'on perçoit comme stérile et sans ambition.

MBAM

△ *L'Étoile noire* (1957),
huile sur toile de
Paul-Émile Borduas.

Réalité et surréalité

Entre la crise économique de 1929 et la Révolution tranquille de 1960, et de manière plus accélérée à partir de la fin de la Deuxième Guerre mondiale, le monolithisme apparent de la société canadienne-française va se désintégrant toujours davantage. Le Québec, à l'instar d'autres communautés occidentales, connaît une véritable mutation. L'industrialisation si longtemps retardée draine dans les villes un nouveau prolétariat qui découvre une multitude de produits de consommation susceptibles de chambouler son sens des valeurs. Le syndicalisme se fait aussi plus virulent : la grève de l'amiante, en 1949, lui permet d'entrevoir toutes ses possibilités. Maurice Duplessis, qui se présente comme le défenseur du catholicisme et de la vocation terrienne de sa province, a beau déguiser la stagnation en stabilité, l'heure des grands changements est sur le point de sonner.

Une société en mutation

Sans préparation, les paysans d'hier sont transplantés massivement dans les centres urbains. Le passage de la campagne à la ville s'effectue si rapidement que leur adaptation au nouveau milieu ne peut pas s'effectuer sans heurts : ils se retrouvent égarés dans un univers impersonnel, où les vieilles valeurs liées au conservatisme ne sont plus de mise. La ville est globalement perçue comme hostile en raison de la place considérable qu'elle réserve à l'autre communauté linguistique, qui détient tous les leviers le moindrement importants de l'activité économique et qui ne consent aux francophones que des emplois à salaire dérisoire, comme manœuvres ou dans les services. Des êtres démunis donc, tant psychologiquement que pécuniairement, qui se voient aux prises avec des situations tout à fait nouvelles, aux antipodes des certitudes dont on les avait gavés. On a l'impression d'une mutation sociale, comme si un monde nouveau s'apprêtait à naître.

Sur le plan culturel, de nombreuses revues – entre autres, *La Relève, Cité libre* et *Liberté* – dénoncent le contexte sociopolitique et appellent au changement. De nouvelles maisons d'édition sont fondées, notamment l'Hexagone, alors que l'arrivée de la télévision, en 1952, ouvre le Québec sur le monde et appelle infailliblement un changement des mentalités. Enfin, fait capital, des artistes, en particulier des peintres, osent prendre la parole pour s'élever contre toutes les censures : ils tracent, à coups de pinceaux, de spatules et de plumes, un sentier qui ne peut que mener à la lumière au bout du tunnel.

Renaissance culturelle

Cette période est aussi celle, selon l'expression d'un critique, d'« une littérature qui se fait[1] ». C'est que nous sommes en présence de la génération fondatrice de la parole, où le roman, le théâtre et l'essai arrivent au seuil de la maturité[2]. Les écrivains ne peuvent demeurer insensibles à la nouvelle réalité sociale. La thématique autant que la forme de leurs œuvres en sont profondément renouvelées. La ville fait son entrée définitive dans les romans, qui s'attachent à décrire, avec réalisme, la situation précaire des Canadiens français nouvellement transplantés dans les centres urbains. Puis, les romanciers analysent bientôt, de l'intérieur, le mal de l'âme des nouveaux citadins. Les thèmes de la solitude, de la culpabilité et de l'aliénation s'y font récurrents.

Jusqu'à la manière d'écrire qui a bien peu en commun avec les formes d'écriture traditionnelles. La linéarité du récit n'est plus de mise, pas plus que la vieille rhétorique boursouflée. L'auteur se permet dorénavant de juxtaposer scènes descriptives, lettres, extraits de journal intime et soliloques. Le narrateur, très souvent le personnage principal, ne prétend plus à l'objectivité. Et d'ailleurs le rôle même de ce narrateur est souvent transformé : les récits peuvent en comprendre plusieurs, qui multiplient les points de vue et les éclairages.

1 Gilles Marcotte, *Une littérature qui se fait, Essais critiques sur la littérature canadienne-française*, Montréal, Éditions HMH, 1962.

2 Jusqu'à maintenant, seule la poésie avait véritablement accepté de se remettre en question (voir chapitre précédent).

C'est aussi l'époque où le Québec s'ouvre de plus en plus aux influences étrangères. Le personnalisme de Mounier, le catholicisme de Péguy et Maritain, et, bien davantage encore, celui des Bernanos, Green et Mauriac exercent un attrait particulier sur les écrivains d'ici. Après la guerre de 1939-1945, l'existentialisme de Sartre et celui de Camus ne manquent pas de fasciner. Par-dessus tout, le surréalisme, lui-même largement redevable aux découvertes de Freud, connaît un engouement exceptionnel. Un surréalisme adapté aux particularités du Québec – on parle ici d'automatisme –, qui culmine avec le manifeste du *Refus global*, virulente attaque contre l'atmosphère du Québec de 1948, coincé entre Duplessis et un clergé tout-puissant. Le pouvoir de l'intuition y dame le pion à celui de la raison et permet d'accéder à une réalité transfigurée, une « surréalité », fusion du réel et des désirs de l'homme, où les possibilités infinies de l'être humain sont pleinement

reconnues et célébrées. On ne peut plus en douter, le Québec vient d'entrer dans l'ère des temps modernes.

Cette époque charnière remet donc en question le discours nationaliste traditionnel. Elle dénonce même comme autant d'instruments de servitude les anciennes valeurs-refuges collectives (passé, famille, religion). L'idéologie de survivance y est abandonnée au profit d'un questionnement portant sur une lointaine mais possible renaissance collective. C'est dire que les relents du terroir sont en train de se dissiper et que le territoire mythique de la patrie est abandonné au profit de l'espace intérieur, lieu de toutes les frustrations et de tous les doutes. Mais, surtout, cet espace est le seul territoire de la vie réelle. Ce tournant historique est propice à la germination de nouvelles valeurs qui écloront bientôt dans ce qu'on appellera la Révolution tranquille.

❦ LITTÉRATURE ET CONSTAT DE LA RÉALITÉ

La réalité sociale : entre la mémoire et l'oubli

Finie l'époque de l'apologie obligée de la campagne comme milieu de vie et de la dénonciation des leurres de la ville. L'écrivain – romancier autant que dramaturge –, témoin privilégié des récents bouleversements sociaux, observe avec un vif souci de réalisme la détresse morale autant que la misère matérielle des ruraux transplantés dans les quartiers de la ville, écartelés entre leurs vieilles croyances et la vie nouvelle. Leur sort est bien peu enviable : état de chômage endémique ou, pour ceux qui réussissent à dénicher du travail, emplois de subalternes, logements exigus, difficultés pécuniaires sans nombre et, surtout, profonde scission entre les rêves des parents et les idéaux de leurs enfants. Une nouvelle valeur émerge qui, veut-on croire, contient une réponse à tous les problèmes : l'argent, qui manque dramatiquement.

Yves Thériault donne une coloration particulière à ce réalisme social en peignant les effets de cette même crise des valeurs non pas dans une ville, mais dans des communautés marginalisées.

Des romans de mœurs : la ville et les petites communautés

Bien davantage qu'un simple décor littéraire, la ville devient un personnage dans ces romans. La répartition de l'espace géographique y compte pour beaucoup dans l'explication des rapports sociaux. À Montréal, la rue Saint-Laurent divise la ville en une zone francophone à l'est et anglophone à l'ouest, les défavorisées et les riches, de même que le mont Royal, avec Westmount, appartient à ceux-ci, alors que le bas de la ville, avec Saint-Henri, appartient à ceux-là. À Québec, la haute-ville huppée jette son ombre sur la basse-ville ouvrière. L'espace y est ensuite morcelé en quartiers, qui prennent la relève des paroisses rurales.

Les romanciers adoptent des approches différentes dans leur constat de la nouvelle réalité sociale : le réalisme et l'ironie. Ainsi, Gabrielle Roy décrit avec un luxe de détails la vie des ruraux établis dans les paroisses urbaines. Elle observe la manière dont ils s'y prennent pour y transplanter leurs institutions vétustes et préserver leurs vieilles valeurs. Elle pousse son réalisme jusqu'au naturalisme, en démontrant l'influence du milieu ambiant présent et passé sur l'agir quotidien de ces inadaptés sociaux.

Quant à Roger Lemelin, il propose une vision plutôt caricaturale des milieux populaires. Mais, chez lui également, on prend conscience de l'état dégradé d'une culture, même si son récit, qui privilégie de nombreux épisodes secondaires à caractère ironique, dominés généralement par les personnages de la mère et du curé, semble parfois tendre à atténuer la critique sociale.

Tant chez Gabrielle Roy que chez Roger Lemelin, reconnus comme les deux initiateurs du roman de la ville, apparaît en toile de fond ce qu'on nomme aujourd'hui la question nationale : le francophone se perçoit comme un immigrant dans son milieu, comme faisant partie d'une classe sociale défavorisée, dominée. Il doit composer avec une autre collectivité, prospère et parlant une autre langue. Dans cette première prise de conscience de l'aliénation, les questions politiques sont réduites à un affrontement linguistique.

Dans leur prise de conscience, les écrivains ont généralement gommé l'aspect pluraliste de la société québécoise. Comme si notre mosaïque sociale n'était pas formée, parmi d'autres, de Loyalistes, d'Irlandais, de Juifs venus de l'Europe de l'Est, d'Italiens et, surtout, de peuples autochtones. Au contraire, on a présenté le Québec comme une société homogène, de foi catholique et de culture francophone.

On doit à Yves Thériault d'avoir, le premier, posé le regard sur nos minorités nationales : *Aaron* (1954) met en scène des Juifs orthodoxes de Montréal, *Agaguk* (1958) présente les rapports tendus entre les Blancs et les Inuits alors qu'*Ashini* peint le désarroi de l'Amérindien rejeté par le colonisateur blanc. Dans chacun de ces cas, le drame de petites collectivités abandonnées par l'histoire, en conflit avec des valeurs extérieures nouvelles qui minent leurs idéaux séculaires, s'apparente, de manière aussi poignante, à celui du rural francophone immigré et minorisé dans la ville.

ANC PA-51745

Enfants dans la rue Sous-le-Cap, à Québec.

Chômage endémique, emplois de subalternes, logements exigus et pauvreté sont le lot d'un grand nombre de nouveaux citadins.

GABRIELLE ROY (1909-1983)

Cette romancière compte parmi nos plus illustres écrivains. Nul mieux que Gabrielle Roy n'est parvenu à traduire les sentiments des humbles. Sans peine, sa plume transforme la détresse en enchantement. L'extrait, tiré de *Bonheur d'occasion* (1945), rapporte les pensées partagées de la mère, Rose-Anna, qui vient d'apprendre l'enrôlement volontaire de son fils Eugène : il est décidé à risquer sa vie à la guerre pour mettre fin à la pauvreté chronique de sa famille.

LE VENT DANS LA NUIT

Un sanglot lui vint aux lèvres. Elle tira sur son tablier. Et, soudain, toute sa rancune de l'argent, sa misère à cause de l'argent, son effroi et sa grande nécessité de l'argent tout à la fois s'exprimèrent dans une protestation pitoyable.

— Vingt belles piasses par mois ! Se reprit-elle à murmurer à travers ses hoquets. Pense donc
5 si c'est beau : vingt piasses par mois !

Sur ses joues amaigries coulaient des larmes vertes comme son visage et ses doigts noués qui paraissaient se refuser à l'argent.

Elle vit Eugène secouer la tête ainsi qu'autrefois quand on le contrariait et s'éloigner dans la cuisine. Elle l'entendit déplacer le petit lit de camp qu'on allait chercher tous les soirs derrière
10 la porte et qu'on installait entre la table et l'évier.

S'essuyant les yeux, elle gagna le fond de la pièce double et se jeta tout habillée sur son lit. Il lui fallait encore attendre Florentine et Azarius, puis verrouiller les portes et s'assurer que tous dormaient avant de se dévêtir et d'essayer de chercher un peu le sommeil.

Dans l'ombre, directement au pied du lit, la figure ensanglantée d'un *Ecce Homo* meublait la
15 muraille d'une vague tache sombre. À côté, faisant pendant, une *Mère des Douleurs* offrait son cœur transpercé au rayon blafard qui se jouait entre les rideaux.

Rose-Anna chercha les mots de prière qu'elle récitait tous les soirs, seule, mais l'esprit n'y était point. Elle voyait, au lieu de cette statuette de son enfance qui, mystérieusement, venait souvent se placer devant sa vision intérieure quand elle se recueillait, elle voyait des billets, tout
20 un rouleau de billets qui se détachaient les uns des autres, s'envolaient, roulaient, tombaient dans la nuit, le vent soufflant très fort sur eux. Les billets. Le vent dans la nuit...

Bonheur d'occasion, Montréal, Boréal Compact, 1993.

Pistes de lecture

1. Dans quel but les substantifs « argent », « piasses » et « billets » sont-ils répétés ?
2. Expliquez le symbolisme des figures religieuses au sixième paragraphe.
3. D'où vient le réalisme de cet extrait ?
4. Analysez le dernier paragraphe, en montrant comment la rêverie vient s'opposer à la réalité.

--- **Au plaisir de lire** ---

- ■ *Ces enfants de ma vie* (nouvelles)
- ■ *De quoi t'ennuies-tu Éveline ?* suivi de *Ély ! Ély Ély !*
- ■ *La Détresse et l'Enchantement* (autobiographie)

ROGER LEMELIN (1919-1992)

BNQ

LA VILLE S'AGENOUILLAIT

Une intense atmosphère dominicale s'abattait sur cette soirée de vendredi où cent mille personnes sortirent d'une table de semaine pour entrer dans un après-souper solennel.

Il faisait une chaleur humide, amortissante, et la ville, sous un lourd baldaquin
5 de nuages, semblait condamnée à un orage certain auquel personne pourtant ne croyait à cause de la puissance du Sacré-Cœur.

À mesure que l'heure de la cérémonie approchait, la ville subissait une curieuse transformation. La circulation cessa, ou presque, et les quelques voitures ou tramways qui avançaient encore avaient l'air de véhicules sacrilèges
10 égarés sur des pavés inutiles.

Car une nouvelle hiérarchie des rues s'installait. La Foi déjouait les règles de la topographie : de grands boulevards se transformaient en culs-de-sac et des ruelles devenaient des voies royales. Les rues élues par le défilé serpentaient triomphalement de l'église Saint-Roch à l'Hôtel de Ville, flamboyantes de
15 drapeaux et de banderoles, laissant dans l'ombre la multitude des chemins qui drainaient jusqu'à elles la population vibrante.

À sept heures les cloches sonnèrent la mobilisation des croyants et des patriotes, et l'exode vers le point de départ du défilé, l'église Saint-Roch, commença. Les hommes, les femmes, les jeunes filles, les enfants surgissaient de partout, grossissant les cohortes attirées par le
20 tracé lumineux. [...]

Même le bourdonnement sourd qui, à l'ordinaire, monte de la ville, et que l'on perçoit mieux le soir quand les rues et les édifices s'enluminent, s'était métamorphosé en un immense murmure coupé de cantiques et voilé par le brouillard d'encens coloré des réverbères et des enseignes au néon. La ville s'agenouillait et commençait à prier pour empêcher le fléau de
25 l'atteindre.

Les haut-parleurs installés aux points stratégiques du parcours, les radios lançaient avec des sifflements et des craquements de mécanique blessée, deux cris tragiques qui zébraient comme des éclairs la complainte qui débordait les rues par-dessus les toits : « Vive le Sacré-Cœur ! », « Sacré-Cœur, sauvez l'Europe, éloignez de nous le spectre de la guerre ! »

Les Plouffe, Montréal, Cercle du Livre de France, « Poche canadien », 1968.

Roger Lemelin est un satiriste de grand talent. Son œuvre se fait l'observation minutieuse de la vie quotidienne des milieux pauvres afin d'en explorer l'âme collective. Cet extrait des *Plouffe*, roman paru en 1948, décrit les préparatifs d'une procession : on veut demander à Dieu de parer aux sombres desseins du gouvernement qui s'apprête à voter la conscription. Patriotisme et foi sont inextricablement mêlés.

Pistes de lecture

1. Relevez les mots qui appartiennent au champ lexical de la religion et trouvez leur effet.
2. Comment s'exprime ici la solidarité ?
3. Peut-on parler de neutralité de la part du narrateur ?
4. Comment la ville de Québec devient-elle elle-même un personnage ?
5. Est-il possible de voir une satire dans cet extrait ?

Au plaisir de lire

- *Au pied de la pente douce*
- *Pierre le magnifique*
- *Le Crime d'Ovide Plouffe*

YVES THÉRIAULT (1915-1983)

Conteur au talent inégalé, Yves Thériault a toujours excellé à produire un émouvant plaidoyer en faveur des collectivités défavorisées. Comment demeurer insensible devant le désarroi du vieux Montagnais Ashini[1] (*Ashini*, 1960) et sa liberté perdue ?

J'HABITAIS LA GRANDE CAGE

J'ai grandi libre. Mais ma liberté était celle de l'oiseau en cage. Il est des cages qui sont des volières où un oiseau peut conserver en lui l'illusion du grand ciel et des plongées infinies. Il est aussi des cages étroites comme des prisons.

5 J'habitais la grande cage, volière immense pour le libre faucon que j'étais. Mais c'était en me mentant à moi-même que je me sentais libre. Aurais-je pu, à ma guise, avironner le canot de l'ensablure de Natashquouanne jusque vers les hauts du fleuve, libre de tuer la viande fraîche, de pêcher le poisson à mon gré, d'aborder quelque endroit qui me plaise ?

Ou bien trouverais-je en bordure de ce fleuve autrefois ma voie royale, toutes les villes des Blancs, les lois des Blancs, les clôtures et les contraintes des Blancs ? Étais-je encore, sur ce 10 parcours d'eau, le roi visitant son royaume ?

N'entendrais-je pas, à chaque tournant, à chaque accostage, à chaque tuée nécessaire le même cri que nous connaissons bien maintenant : « Va-t'en, maudit sauvage ! »

Il est des langues pures que l'usage aux colonies déforme. Je comprends qu'il existe là un phénomène d'accord. Aux peuples d'éloignement qui ont fait de la langue mère une douceur 15 et une joie appartiennent le cœur doux et la pitié sereine.

Aux usurpateurs, aux intolérants, la rêcheur d'une langue enlaidie et corrompue.

« Va-t'en maudit sauvage ! »

Il n'est point de langue douce qui sache prononcer de tels mots envers ceux mêmes qui montrèrent durant des millénaires la figure de l'homme aux forces instinctives de la nature, 20 qui parcoururent en maîtres bienveillants ces forêts sans jamais en décimer la faune, sans jamais en incendier les arbres, sans jamais en violer les versants d'eau. Maîtres bons, adaptés à la nature, incapables d'en déséquilibrer le rythme.

En ma langue, si étonnant que cela puisse paraître, il n'est pas de mot pour crier aux intrus : « Va-t'en, maudit Blanc ! » Peut-être aurait-il fallu inventer ces mots avant qu'il ne soit trop tard ?

25 Je ne les ai pas inventés, ni mes frères, et mes fils pas davantage.

Nous avons donc vécu en notre cage immense, contenus tout en nous imaginant être libres.

Ashini, Montréal, Bibliothèque québécoise, 1988.

Pistes de lecture

1. Quelles caractéristiques Ashini donne-t-il de sa langue ?
2. De quel drame Ashini prend-il conscience ?
3. Analysez le portrait peu flatteur de la civilisation européenne dans cet extrait.
4. Montrez que cet extrait comporte des tonalités d'ordre intimiste et didactique.
5. Comparez le présent symbole de l'oiseau en cage à celui utilisé par Saint-Denys Garneau dans *Cage d'oiseau*, au chapitre précédent. A-t-il la même portée ?

1 Ne serait-il pas possible de trouver un fort lien de parenté entre les personnages d'Ashini et de Menaud ?

Au plaisir de lire

■ *Contes pour un homme seul* ■ *La Fille laide* ■ *Aaron* ■ *Agaguk* ■ *Tayout, fils d'Agaguk*

Le théâtre entre en scène

En raison d'un interdit moral qui l'avait frappé en 1694, le théâtre a mis beaucoup de temps à se faire reconnaître. À vrai dire, on considère *Tit-Coq* (1948) comme la première véritable pièce de la dramaturgie québécoise. Ce genre littéraire sort donc de sa longue nuit en accompagnant le roman sur la voie de la contestation des antiques structures sociales. Comme chez Gabrielle Roy, le réalisme s'y fait saisissant, d'autant plus qu'il dispose d'un outil de choix pour décrire les contours de la réalité, une langue populaire qui ne dédaigne ni les juteuses expressions familières ni les anglicismes.

Chez Gratien Gélinas comme chez Marcel Dubé, la famille québécoise et le prolétariat urbain sont dissséqués dans tous leurs comportements traditionnels. Ces auteurs dénoncent, en particulier, les mentalités religieuses et morales superficielles, qui exilent les gens d'eux-mêmes. Dans ce contexte, l'amour est une quête bien davantage qu'une réalité accessible. On notera la portée symbolique des pièces retenues : Tit-Coq de Gratien Gélinas est un orphelin à la recherche désespérée d'une famille, alors que le « simple soldat » de Marcel Dubé fut traumatisé quand, très jeune, il perdit sa mère et fut contraint de composer avec une « usurpatrice » qui imposait sa loi. Situations qui ne manquent pas de faire écho à un certain contexte politique d'après 1760...

La Presse

Scène de *Tit-Coq*, pièce de Gratien Gélinas.

Tit-Coq est présenté aux parents de Marie-Ange. Cet orphelin pensait enfin trouver une famille. La guerre allait en décider autrement.

BNQ

GRATIEN GÉLINAS (1909-1999)

Le personnage central de *Tit-Coq* est un jeune soldat revenant de la guerre. Avant de partir au combat, ce fils naturel élevé dans un orphelinat avait cru trouver en Marie-Ange l'amour qui allait remédier aux lacunes de son enfance. Surtout, il allait enfin appartenir à une famille. Mais le rêve était trop beau. La jeune fille fut contrainte à en épouser un autre. L'extrait présente un dialogue entre l'aumônier, dit « le padre », et Tit-Coq qui se sent, plus que jamais, en marge de la société.

C'ÉTAIT CONTRE LES RÈGLEMENTS

TIT-COQ : Hé ! Pourquoi tu me tournes autour, toi ? Si c'est pour faire la charité et ramasser des mérites pour le ciel, sacre-moi la paix ! Parce que moi, vois-tu, j'ai été élevé par charité, nourri par charité, changé de couches pour l'amour du bon Dieu pendant trois ans, par des sœurs qui n'avaient même pas le droit de nous montrer de l'affection : c'é-
5 tait contre les règlements. Et, pour comble de malheur, quand j'ai été aimé, ça été par charité. *(L'œil méchant.)* Ça fait que j'en ai plein le dos et deux pieds par-dessus la tête, de la charité, comprends-tu ? Si c'est pour ça que tu t'occupes de moi, décolle ! Ton âme, on te la sauvera une autre fois.

LE PADRE : Il n'est pas question de ça. Je suis venu te voir par amitié.

10 TIT-COQ : Dans ce cas-là, passe au salon, t'es le bienvenu ! Qu'est-ce que c'est, ton nom de baptême, toi, déjà ?

LE PADRE : Louis.

TIT-COQ : Eh ben ! Tit-Louis, vire ton collet de bord et viens prendre un coup avec moi. Tu m'as connu dans le temps où je tâchais de faire le bon petit garçon ; seulement c'est fini, ça.
15 Et tu vas te rendre compte que je peux être aussi amusant que n'importe qui. Ah oui ! Parce que, un moment, j'ai essayé d'avoir de l'idéal, figure-toi. J'en avais de l'idéal, que j'en dégouttais ! Prenais pas un verre, ramassais mon argent pour m'acheter une couchette de noces. Je voulais être un homme comme tout le monde, moi, le petit maudit bâtard ! *(Il chante à tue-tête.)* « Mais j'en reviens ben, d'ces affaires-là ! » *(Au Padre.)* Parce que l'amour, Tit-Louis, l'amour
20 jusqu'au trognon comme dans les romans, ça vaut pas de la chiure de mouches ! Les filles à tant de l'heure, c'est encore ce qui se fait de plus sûr. Au moins, avec elles, tu sais à quoi t'en tenir. *(Il vide son verre au nez du Padre, qui l'écoute, navré.)* Sais pas ce que je vais faire de mon corps, maintenant... À moins que j'entre en religion. Ça se porte beaucoup, après les grandes déceptions. *(La voix pleine d'une onction cléricale.)* « Révérend frère Tit-Coq, vos parents vous
25 demandent au parloir. » *(Il s'esclaffe, puis se verse un coup.)* Hé ! Trinque donc, toi. Ah oui ! C'est vrai, t'as pas de verre... *(Il appelle.)* Waiter ! Où est-ce qu'il est fourré, lui ?

Tit-Coq, Montréal, Typo, 1995.

Pistes de lecture

1. Prouvez que tendresse et désenchantement sont ici indissociables.
2. Quelle est la dominante tonale de cet extrait ?
3. Précisez la nature du comique utilisé ici.
4. En quoi l'utilisation du langage populaire est-elle un outil approprié pour l'analyse des mœurs ?

Au plaisir de lire

- *Bousille et les Justes*
- *Hier, les enfants dansaient*
- *Les Fridolinades*

MARCEL DUBÉ (né en 1930)

La pièce de Marcel Dubé, *Un simple soldat*, créée à la télé en 1957 puis à la scène en 1958, décrit, elle aussi, la révolte et le défaitisme d'un soldat démobilisé qui estime n'avoir de place nulle part, pas plus dans sa famille que dans la société. Comme si une fatalité s'acharnait contre lui, le condamnait au malheur. Joseph Latour, le simple soldat, discute ici avec Émile, un ami d'enfance encore plus démuni que lui, car il n'a même pas accès à la conscience de son malheur.

CE QUI JOUE CONTRE MOI

JOSEPH : Regarde-moi, Émile, regarde-moi ! J'ai jamais rien fait de bon dans ma vie. J'ai jamais été autre chose qu'un voyou. J'avais une chance devant moi tout à coup, ma première chance, je l'ai manquée. Je suis resté ce que j'étais : un voyou, un bon-à-rien.

5 ÉMILE : Y a tellement de contradictions dans ta vie, Joseph... En quarante-deux, rappelle-toi, t'étais contre la conscription, tu voulais pas te battre pour le Roi d'Angleterre et puis t'as été pris dans une émeute au marché Saint-Jacques, t'as passé une semaine en prison... Quand t'entendais parler du monde libre, ça te faisait rire, tu jurais que tu serais déserteur, je t'ai vu provoquer des gars de la gendarmerie royale, et puis tout à coup, personne a su pourquoi, tu 10 t'es enrôlé.

JOSEPH : J'étais contre la conscription, Émile, parce que le Québec avait voté contre au plébiscite. Puis après, quand je me suis enrôlé, c'est pas pour le roi d'Angleterre que je serais allé me battre, c'est pour moi-même, pour moi tout seul. Mais depuis que je suis haut comme ça, je sais pas ce qui joue contre moi, je réussis jamais rien.

15 ÉMILE : Un gars comme toi, Joseph, un gars qui gagne sa vie comme soldat, un gars qui tue du monde par métier, on appelle ça un mercenaire.

JOSEPH : Fais-moi rire avec tes grands mots. Moi, je savais ce que je voulais, c'est tout !... Ah ! Puis je me sacre de tout ça maintenant, je vis au jour le jour et puis je me sacre de tout le monde. Ce soir, je m'amuse, Émile, et puis j'aime autant plus penser à rien.

[...]

20 JOSEPH : Moi, je cherche rien. Du moment qu'un gars est logé-nourri, il a tout ce qu'il faut... Il se débrouille pour se trouver quelques piastres de temps en temps et puis il prend son coup quand ça fait son affaire... L'assurance-chômage c'est pas là pour rien !... Un jour, peut-être que je me placerai les pieds une fois pour toutes, on sait jamais.

Un simple soldat, Montréal, Typo Théâtre, 1993.

Pistes de lecture

1. Montrez la double dimension du personnage de Joseph.
2. Commentez : « C'est pas pour le roi d'Angleterre que je serais allé me battre, c'est pour moi-même. »
3. Peut-on affirmer que les deux personnages sont prisonniers de leur solitude ?
4. Comparez le réalisme de langage avec celui de Gratien Gélinas.
5. Le drame de Joseph peut-il prendre une dimension collective ?

Au plaisir de lire

- *Zone*
- *Florence*
- *Les Beaux Dimanches*
- *Le Temps des lilas*

La réalité psychologique

Après avoir observé le cadre social dans lequel évoluent leurs personnages, les écrivains tournent bientôt le regard sur les conflits intérieurs qui assaillent ces derniers, soumis aux multiples tensions de la vie urbaine. Ils prennent plus habituellement pour point de mire un personnage privilégié, ce qui est le propre du récit psychologique. On note donc ici un passage du public au privé, de la collectivité à l'individu. Un individu qui n'arrive pas à composer avec la société, empêché qu'il est par les filtres familiaux et religieux. En quête néanmoins de son authenticité, même si elle se dérobe derrière des conflits moraux ou métaphysiques.

Les récits de l'intériorité

Ces romans d'analyse psychologique portent de manière très présente l'empreinte de la religion. Au point qu'on pourrait parler d'une esthétique du péché. Une religion mal enseignée et mal comprise, où domine la peur, peur de la faute et peur du jugement des autres. Surtout, peur de la sexualité, qu'on a été incité à réprimer depuis toujours, au point d'en arriver à considérer son corps comme son plus dangereux ennemi. Dans ces romans du tourment intérieur, du mal-être en soi et en société, la quête de la rédemption et de la grâce cède bientôt la place à une révolte anticléricale où, dans le bilan qu'il fait de sa vie, le héros constate surtout des empêchements à vivre. À cause, surtout, de la castration imposée par l'éducation familiale et religieuse.

Dans de nombreux récits, le héros – ou l'anti-héros – est un adolescent qui constate le vide de sa vie en même temps que la fissure entre lui-même et les autres. Enfermé dans la solitude depuis l'enfance, aux prises avec une crise intérieure qui ne semble pas devoir trouver d'issue, il met en question les vieilles valeurs qu'on lui a inculquées et qui l'ont acculé à l'angoisse existentielle et à la haine de soi. Empêtrés dans l'impasse de leurs contradictions, ces personnages sont autant de reflets d'une société dégradée jusque dans sa culture, et qui n'arrive pas à sortir de sa « grande noirceur ». On a parfois l'impression d'assister à un interminable procès, dont le verdict va se faire attendre jusque dans les années 1960.

Par ailleurs, au début de la seconde moitié du XXe siècle, l'homme occidental interroge de manière pressante sa présence au monde. Après l'écroulement des anciennes structures morales et sociales et l'effritement de ce qui, hier encore, comptait pour les certitudes les plus assurées, après surtout, à la suite de la Deuxième Guerre mondiale, la découverte de la cruauté dont son semblable était capable, il en vient à douter du sens de la condition humaine. Doutes par ailleurs nourris par les récentes découvertes de la psychanalyse, qui semblent prétendre que l'individu est inapte à saisir l'intégrité de sa propre identité, ainsi que par des écrivains dits existentialistes qui répètent que « l'existence est absurde, sans raison, sans cause et sans nécessité[1] ».

Cette perception de la perte de l'homogénéité individuelle a des échos dans la production littéraire d'ici. Dans l'univers romanesque, André Langevin, par ailleurs un de nos meilleurs romanciers d'analyse psychologique, est sans doute celui qui a poussé le plus loin le processus d'illustration du drame existentiel qui affecte l'humain : quoi que ce dernier entreprenne pour communiquer avec ses semblables, il sera immanquablement, et tragiquement, ramené à sa solitude originelle.

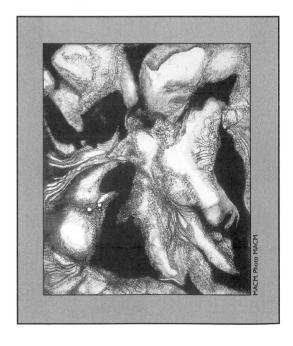

Rédemption des saisons (1965), eau-forte (manière noire) de Janine Leroux Guillaume.

1 Dans *L'Être et le Néant* de Jean-Paul Sartre.

FRANÇOISE LORANGER (1913-1995)

Mathieu (1949), le seul roman de la dramaturge Françoise Loranger, propose le cas exceptionnel d'une conscience malheureuse qui arrive à exorciser ses empêchements à vivre. C'est aussi l'entrée du sport dans la littérature : ce souci du corps n'est sans doute pas étranger à l'heureuse métamorphose de l'âme de Mathieu. Dans l'extrait, ce dernier n'a cependant pas encore échappé à son destin. Il doit subir la vindicte de sa propre mère, Lucienne, qui veut faire expier par le fils les fautes du père. Il s'agit d'un des nombreux récits qui remettent en cause le rôle jusque-là intouchable de la mère.

Photo Marie Fournier

LA COLÈRE ET LA HAINE

Ses yeux hagards errèrent dans la pièce et se posèrent sur Mathieu ; sur Mathieu, fils de Jules ; sur Mathieu à qui elle n'avait jamais pardonné de ne pas ressembler à son père.

La vue de ce visage détesté souleva en elle un accès de rage
5 qui la précipita sur le jeune homme. Le secouant violemment elle le força à se lever et le traîna devant le miroir suspendu au pied du crucifix de Papineau. La colère et la haine décuplaient ses forces. Mathieu n'avait pas prévu cette attaque. La tête pleine encore des supplications que ce
10 genre de scène lui avait fait pousser dans son enfance, il s'abandonna.

— Regarde-la ta sale face ! cria Lucienne, regarde-la bien. Crois-tu qu'avec une tête semblable tu trouveras jamais une femme pour te faire vivre !

15 Brusquement, afin qu'il pût mieux contempler ses traits, elle lui arracha ses lunettes noires qu'elle lança sur le tapis et courut allumer le plafonnier. Ébloui par la lumière, Mathieu ferma les yeux, mettant dans ce geste tout ce qui lui restait d'énergie.

20 — Regarde-toi ! Regarde-toi donc ! ricanait Lucienne en le maintenant devant la glace. Admire un peu ce que ton père m'a laissé en échange de ma fortune ! Trouves-tu que j'ai gagné au change ?

Elle desserra enfin son étreinte et s'éloigna.

25 Cherchant à contrôler le tremblement nerveux de ses mains, Mathieu ramassa ses lunettes et reprit sa place. Cette scène épuisante l'avait au moins réveillé, lui rendant une lucidité qui lui suggéra aussitôt des vengeances.

— Mon père a fait ce que tout homme intelligent aurait fait
30 à sa place. Il a pris ce que vous aviez de meilleur et il a rejeté le reste.

Lucienne pâlit. Sans lui donner le temps de répondre, il poursuivit :

— Pourquoi les citrons sont-ils faits, sinon pour être pressés,
35 vidés de leur jus, et jetés à la poubelle ?

Elle s'avança vers lui, à nouveau menaçante. Mais loin de reculer, il leva son visage vers elle, grimaçant, la voix sifflante.

— À votre tour de me regarder ! Ne vous gênez pas ; vous
40 verrez ce que mon père voyait en vous. Je suis la réplique exacte des sentiments mesquins, bas et vils qui vous animaient à cette époque aussi bien qu'aujourd'hui. Hein ! Comprenez-vous maintenant pourquoi il vous a plaquée, le beau Jules ? Comprenez-vous pourquoi n'importe quel
45 homme en aurait fait autant à sa place ?

Elle le repoussa durement, se contraignant au silence, tant elle redoutait de laisser échapper des mots qui révéleraient la place que son mari tenait encore dans sa vie. Cela, personne ne devait le savoir ; Mathieu moins que tout autre.

Mathieu, Montréal, Boréal Compact, 1990.

Pistes de lecture

1. Quel effet produisent les nombreux changements de narrateurs ?
2. Étudiez la relation mère-fils : la violence verbale est-elle à sens unique ?
3. Pour quelles raisons la mère déteste-t-elle son fils ?
4. Quelle était l'attitude de Mathieu pour sa mère lorsqu'il était enfant? A-t-elle changé ?
5. Commentez le pluriel du mot « vengeances » à la ligne 28.

Mort du pécheur.

Une religion où domine la peur, peur de la faute, peur du jugement des autres. Tirée du *Grand Cathéchisme* étudié par des générations d'élèves, l'illustration rappelle le sort qui attend le pécheur : les âmes damnées de l'Enfer l'entraînent vers le feu éternel.

ANNE HÉBERT (née en 1916)

J'ÉTAIS UN ENFANT DÉPOSSÉDÉ DU MONDE

J'étais un enfant dépossédé du monde. Par le décret d'une volonté antérieure à la mienne, je devais renoncer à toute possession en cette vie. Je touchais au monde par fragments, ceux-là seuls qui m'étaient immédiatement indispensables, et enlevés aussitôt leur utilité terminée ; le cahier que je devais ouvrir, pas
5 même la table sur laquelle il se trouvait ; le coin d'étable à nettoyer, non la poule qui se perchait sur la fenêtre ; et jamais, jamais, la campagne offerte par la fenêtre. Je voyais la grande main de ma mère quand elle se levait sur moi, mais je n'apercevais pas ma mère en entier, de pied en cap. J'avais seulement le sentiment de sa terrible grandeur qui me glaçait.

10 Je n'ai pas eu d'enfance. Je ne me souviens d'aucun loisir avant cette singulière aventure de ma surdité. Ma mère travaillait sans relâche et je participais de ma mère, tel un outil dans ses mains. Levées avec le soleil, les heures de sa journée s'emboîtaient les unes dans les autres avec une justesse qui ne laissait aucune détente possible.

15 En dehors des leçons qu'elle me donna jusqu'à mon entrée au collège, ma mère ne parlait pas. La parole n'entrait pas dans son ordre. Pour qu'elle dérogeât à cet ordre, il fallait que le premier j'eusse commis une transgression quelconque. C'est-à-dire que ma mère ne m'adressait la parole que pour me réprimander avant de me punir.

Au sujet de l'étude, là encore tout était compté, calculé, sans un jour de congé, ni de vacances.
20 L'heure des leçons terminée, un mutisme total envahissait à nouveau le visage de ma mère. Sa bouche se fermait durement, hermétiquement, comme tenue par un verrou tiré de l'intérieur.

Moi, je baissais les yeux, soulagé de n'avoir plus à suivre le fonctionnement des puissantes mâchoires et des lèvres minces qui prononçaient, en détachant chaque syllabe, les mots de « châtiment », « justice de Dieu », « damnation », « enfer », « discipline », « péché mortel »,
25 et surtout cette phrase précise qui revenait comme un leitmotiv :

— Il faut se dompter jusqu'aux os. On n'a pas idée de la force mauvaise qui est en nous ! Tu m'entends, François ? Je te dompterai bien, moi...[...]

J'ai trouvé, l'autre jour, dans la remise, sur une poutre, derrière un vieux fanal, un petit calepin ayant appartenu à ma mère. L'horaire de ses journées était soigneusement inscrit. Un certain
30 lundi, elle devait mettre des draps à blanchir sur l'herbe ; et, je me souviens que brusquement il s'était mis à pleuvoir. En date de ce même lundi, j'ai donc vu dans son carnet que cette étrange femme avait rayé : « Blanchir les draps », et ajouté dans la marge : « Battre François ».

Le Torrent, Montréal, Hurtubise HMH, 1989.

Photo Ulf Anderson

L'allégorie de la société écrasée sous l'absolutisme de l'idéologie religieuse est récurrente dans l'œuvre d'Anne Hébert depuis son tout premier ouvrage en prose, *Le Torrent*, recueil de récits paru en 1950. L'extrait reprend le début de la nouvelle éponyme. Le narrateur, François, y dresse le lourd inventaire des causes de sa détresse. La mère est encore visée.

Pistes de lecture

1. Quels mots et quelles attitudes expriment le mieux la « dépossession » de François, son impuissance ?
2. Expliquez les expressions « Je touchais au monde par fragments » et « je participais de ma mère ».
3. Pourquoi, selon vous, l'auteure a-t-elle voulu que François soit atteint de surdité ?
4. « Il faut se dompter jusqu'aux os. » Peut-on établir un lien entre cette phrase et le poème *La fille maigre* de la même auteure, au chapitre précédent ?

Au plaisir de lire

■ *Kamouraska* ■ *Les Enfants du sabbat* ■ *Héloïse* ■ *Les Fous de Bassan*

MACQ

ANDRÉ LANGEVIN (né en 1927)

Le roman *Poussière sur la ville* (1953) d'André Langevin, met en scène un médecin « camusien » aux prises avec une irrémédiable solitude. Quelque effort qu'il fasse, quelque engagement qu'il prenne, son drame demeure toujours le même. C'est un écho québécois à l'existentialisme français : le personnage est contraint à assumer les épisodes d'un quotidien peu glorieux dans une vie où le sens se dérobe. Dans l'extrait, le médecin vient d'être éveillé après une nuit particulièrement éprouvante. Au petit matin, il observe la servante Thérèse, puis songe à sa femme Madeleine avec qui plus rien n'est possible sauf la pitié, tout en se mettant à l'écoute de ses sensations.

LE CORPS ET L'ÂME TROP LAS

Thérèse m'apporte un jus de fruit. Je la regarde comme le malade l'infirmière, en me disant qu'il doit être bon d'habiter ce corps jeune et frais, sans aucune ride, sans flétrissure. Ses soins, elle les prodigue à Madeleine avec plus d'enthousiasme, mais elle me panse discrètement,
5 ne m'abandonne pas. Elle ne me demande pas pourquoi je me suis couché dans le salon, mais elle m'a préparé un bain et elle m'offre sa bonne humeur comme si Madeleine et moi ne côtoyions pas l'abîme, comme si la maison allait se remettre à vivre dans le calme et la paix.

J'ai le corps et l'âme trop las pour m'interroger, pour penser à ce qui a été.
10 Je bénéficie du demi-engourdissement de l'opéré qui émerge de l'anesthésie par paliers. Ce que sera mon mal ensuite ne m'intéresse pas. Passé un certain degré d'épuisement, le corps seul nous occupe. J'économise mes gestes et mes pensées. Je me contente de regarder vivre Thérèse et d'exister moins qu'elle. Madeleine serait devant moi que
15 j'aurais peut-être la même indifférence profonde, que je connaîtrais la même incapacité physique d'établir entre elle et moi d'autres rapports que ceux de l'œil avec l'objet incolore qu'il regarde. Je vis au ralenti, terriblement. Je ne tiens aucunement à faire tomber la poussière qui me couvre et cela exige une quasi-immobilité. Le bain chaud m'engourdit
20 davantage. Je deviens très indulgent pour mon corps. Il suffit peut-être d'un peu de faiblesse physique pour considérer l'univers dans une optique différente, dans un éloignement qui nous le rend anodin et mollet.

Poussière sur la ville, Montréal, Cercle du livre de France, 1953.

Pistes de lecture

1. Expliquez l'importance du regard.
2. Quel sens apporte l'utilisation du présent dans la narration ?
3. Quelle symbolique est associée au mot « poussière » dans « Je ne tiens aucunement à faire tomber la poussière qui me couvre » ? Quelle peut être la signification du titre du roman ?
4. Expliquez le sens de la dernière phrase.
5. Quelle rupture s'établit entre le personnage de cet extrait et les autres personnages romanesques rencontrés dans ce chapitre ?

Au plaisir de lire

- *Évadé de la nuit*
- *L'Élan d'Amérique*
- *Le Temps des hommes*
- *Une chaîne dans le parc*

Le théâtre de l'absurde réalité

Au théâtre, après Ionesco et Beckett en Europe, Jacques Languirand peint à son tour des êtres envahis par le néant, déconcertés et, pour certains lecteurs des années 1950, déconcertants. C'est l'occasion, pour le public d'ici, de découvrir de nouveaux moyens d'expression dramatique.

JACQUES LANGUIRAND (né en 1931)

La Presse

Jacques Languirand est le représentant québécois des nouvelles tendances théâtrales appelées en France le « théâtre d'avant-garde » ou le « nouveau théâtre ». Dans *Les Grands Départs*, pièce créée à la télé en 1957 et jouée par la suite un peu partout dans le monde, l'auteur pose un regard lucide et satirique sur des gens qui préfèrent la stagnante sécurité à l'inconnu où pourrait mener l'action. L'extrait propose un dialogue entre Hector, le personnage central de la pièce, et sa fille Sophie. Notons le sort particulier réservé au langage, comme gangrené par les désillusions nées de la nouvelle conscience de l'homme de ce temps. Cette remise en question qui bouscule la logique, le réalisme et la psychologie chers au théâtre conventionnel se veut le rejet d'une vision du monde jugée vétuste.

JOUER UNE SYMPHONIE

HECTOR : Et où irais-tu ?

SOPHIE : Je ne sais pas.

HECTOR : Moi aussi, c'est là que je voulais aller... Si tout le monde partait, tout le monde se retrouverait là. Mais comme personne ne part jamais, on ne saura jamais
5   où c'est...

SOPHIE : Tu te moques de moi.

HECTOR : Non.

SOPHIE : Parce que tu n'as pas eu le courage de partir, tu t'imagines que personne ne l'aura jamais.

10 HECTOR : Un jour, j'ai compris que je n'aurais jamais le courage de partir.

SOPHIE : Et tu n'as pas voulu en finir ?

HECTOR : J'ai commencé à espérer secrètement que les autres le trouveraient, eux, le courage de partir ! Ce qui aurait eu le même résultat pour moi...

SOPHIE : Aide-moi à partir.

15 HECTOR : Pars !

SOPHIE, *hésite, puis elle répond à l'appel d'Eulalie*

HECTOR: Pars, Sophie, pars !

EULALIE : *Voix en coulisse* Sophie ! Sophie ! Sophie ! Sophie !

Un temps, puis plus fort Sophie ! Sophie ! Sophie !

20 SOPHIE, *hésite, puis elle répond à l'appel d'Eulalie*

HECTOR *demeure seul*

Il se ronge un ongle un moment. Puis, sentencieux, s'adresse au grand-père.

Quand je pense que demain matin le soleil va se lever ! Quelle dérision ! Il est

sûr de lui, le soleil – il est au-dessus de tout... Et quand je pense que l'homme
25 n'a même pas une paire d'ailes ! J'ai l'impression qu'on se moque de nous...
Qu'en dites-vous grand-père ? Oh ! N'essayez pas de m'attendrir avec votre
paralysie. Nous sommes tous paralytiques – un peu plus, un peu moins, quelle
différence ? Je me sens rigide. La vie grouille autour de moi : le règne végétal, le
règne animal – et vous et moi, nous appartenons au règne minéral. Nous
30 sommes des os – essentiellement des os rigides. Je voudrais être un orchestre pour
jouer une symphonie... Plus je vous regarde, plus je trouve que vous avez l'air
d'un violoncelle. Mais ça ne suffit pas ! Vous entendez ! Ça ne suffit pas pour
jouer une symphonie ! Et moi, de quoi ai-je l'air dans tout ça ? Je vous le
demande...

35 *Un temps*

J'ai l'air d'un trombone. D'un trombone à coulisse, bien glissant, bien braillard...
Et ça ne suffit pas non plus...

Margot entre en coup de vent

MARGOT : Et alors ? Monsieur parle tout seul.

40 HECTOR, *solennel*, Et toi, tu as l'air d'une trompette bouchée !

Les Grands Départs, Ottawa, Montréal, Cercle du livre de France, 1970.

Pistes de lecture

1. Prouvez, par l'analyse des associations libres et des jeux de mots, que le langage est ici une fin en soi.
2. Quel genre de comique est exprimé dans cet extrait ?
3. Qualifiez le type de vision du monde proposé par l'auteur.
4. Quelles ressemblances et quelles différences peut-on trouver entre Hector et le « simple soldat » de Marcel Dubé ?

Au plaisir de lire

- *Le Gibet*
- *Les Insolites et les Violons de l'automne*

Le noyé assassiné (1963),
huile sur toile de Kittie Bruneau.

Coll. Lavalin du MACM

❧ AUTOMATISME[1] ET SURRÉALITÉ

Il revient aux automatistes d'avoir effectué le grand balayage des valeurs périmées. Manifestée d'abord en peinture, autour de Paul-Émile Borduas, Fernand Leduc et Jean-Paul Riopelle, cette nouvelle esthétique redevable au surréalisme français déborde bientôt en littérature. L'écrivain cesse ici de se percevoir comme l'âme malheureuse de la société : il devient, au contraire, un initié qui a pour rôle d'exprimer la nature fondamentale de l'humain. Il la débusque du côté de l'intuition et de la passion, dans l'acte créateur « surrationnel », effectué au hasard, idéalement de manière tout à fait libre, dégagé des intentions et des servitudes de la raison.

Pratiquer l'automatisme, c'est laisser les mots jaillir de la pensée et se livrer totalement à leur pouvoir. Cette confiance inébranlable dans la liberté du langage et des mots ainsi que l'abondant recours à l'écriture automatique, à des jeux divers, aux rêves, au hasard et à un humour souvent noir mènent à une réinvention de la littérature. Désormais, les mots jouissent d'une suprématie totale par rapport à la réalité, car les mots ne sauraient mentir. Et le poète Éluard a raison quand il écrit :

« La terre est bleue comme une orange / Jamais une erreur, les mots ne mentent pas » puisqu'ici la réalité est ramenée au niveau des mots.

Cette esthétique du risque, née dans la plus complète liberté d'expression, appelle l'avènement d'un temps nouveau, d'une liberté nouvelle, où l'homme sera au centre du monde autant que de lui-même. Le peintre Fernand Leduc a bien dessiné les horizons de cette nouvelle utopie, articulée autour des mots « désir, amour et vertige » :

« Qu'on le veuille ou non...
>   notre justification : le désir
>   notre méthode : l'amour
>   notre état : le vertige
[ce qui préfigure]
l'avènement prochain d'une nouvelle civilisation qui se justifiera par : le désir sauvage
>   s'édifiera par : l'amour retrouvé
>   s'épanouira dans : le vertige qui procure l'ivresse[2]. »

La poésie

En littérature, la révolution automatiste a surtout été le fait des poètes, pour qui la création du monde importe bien davantage que sa représentation. À l'aide de libres associations, de jeux et de fantaisies multiples, des procédés de l'humour également, ils ont voulu renouveler les voies de la poésie pour lui faire dire l'indicible. Le poème n'est donc plus le fruit d'une préméditation, d'une réflexion, mais le surgissement imprévisible de mots, l'évocation de l'« automatisme psychique » prôné par André Breton. Surgissement où le sens importe moins que la sonorité, les parentés sonores engendrant des parentés d'images. L'œuvre automatiste ruse avec le langage pour le détourner de son cours normal, pour en délivrer un sens jusqu'alors prisonnier. C'est l'éclatement de la matérialité du mot et le surgissement d'une image imprévisible, voix de la surréalité et de l'authenticité. On se trouve à des lieues du lamento compatissant de notre poésie de naguère.

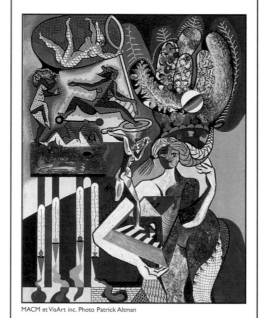

MACM et VisArt inc. Photo Patrick Altman

1 Automatisme : caractéristique de tout geste, de toute production spontanée, non préméditée.

2 *Refus global*, Montréal, Mithra-Mythe (Maurice Perron), 1948.

Météore 7 (vers 1954), huile sur panneau d'Alfred Pellan.

En moins de dix ans, et sous l'impulsion principalement d'Alfred Pellan et de Paul-Émile Borduas qui reviennent de Paris, la peinture québécoise se met au diapason des grands courants de l'art qui ont profondément influencé la peinture européenne et américaine depuis le début du siècle. Avec la publication en 1948 des manifestes *Prisme d'yeux* et *Refus global*, c'est le triomphe du surréalisme et de l'art non figuratif qui se veulent, non plus les témoins de la réalité et de la raison, mais plutôt le rejet de tout académisme par la spontanéité, l'émotion, l'impulsion créatrice, l'imagination et l'intuition.

GILLES HÉNAULT (1920-1996)

Les préoccupations sociales de Gilles Hénault l'amènent à faire de la justice un de ses thèmes majeurs. Aussi, constamment, tente-t-il de donner une forme à ce qui n'est qu'espoirs diffus. À cette fin, il aime voyager au pays de la mémoire, question d'établir des assises au point de départ, à la naissance de toutes les virtualités. Comme dans le recueil *Totems* (1953), où il recourt au mythe primitif de l'Amérindien pour envisager un retour à une enfance du monde. La poésie de Gilles Hénault entend davantage faire éclater le récit et le langage que produire, comme chez Claude Gauvreau, un authentique vertige verbal. Le poète livre ici une des premières images du thème du pays, qui deviendra bientôt un vaste courant littéraire.

JE TE SALUE

1

Peaux-Rouges
Peuplades disparues
dans la conflagration de l'eau-de-feu et des tuberculoses
Traquées par la pâleur de la mort et des Visages-Pâles
5   Emportant vos rêves de mânes et de manitou
Vos rêves éclatés au feu des arquebuses
Vous nous avez légué vos espoirs totémiques
Et notre ciel a maintenant la couleur
des fumées de vos calumets de paix.

2

10   Nous sommes sans limites
Et l'abondance est notre mère.
Pays ceinturé d'acier
Aux grands yeux de lacs
À la bruissante barbe résineuse
15   Je te salue et je salue ton rire de chutes.
Pays casqué de glaces polaires
Auréolé d'aurores boréales
Et tendant aux générations futures
L'étincelante gerbe de tes feux d'uranium.
20   Nous lançons contre ceux qui te pillent et t'épuisent
Contre ceux qui parasitent sur ton grand corps d'humus et de neige
Les imprécations foudroyantes
Qui naissent aux gorges des orages.

3

J'entends déjà le chant de ceux qui chantent :
25   Je te salue la vie pleine de grâces
le semeur est avec toi
tu es bénie par toutes les femmes
et l'enfant fou de sa trouvaille

te tient dans sa main
30 comme le caillou multicolore de la réalité.

Belle vie, mère de nos yeux
vêtue de pluie et de beau temps
que ton règne arrive
sur les routes et sur les champs
35 Belle vie
Vive l'amour et le printemps.

Totems, 1953, dans *Signaux pour les voyants*, Montréal, Typo, 1994.

1. Trouvez les expressions empruntées à une prière connue.
   Quel sens leur donnez-vous en les situant dans le contexte des années 1950 ?
2. Relevez les allusions poétiques au territoire québécois et expliquez-les.
3. Quelles sont les principales images? Commentez-en trois que vous trouvez plus belles.
4. Donnez un titre à chacune des trois strophes et montrez l'évolution du poème.
5. On a dit de ce poème qu'il avait réinventé le sens des origines. Commentez.
6. Quelle est la portée sociale et politique de ce poème ?

Au plaisir de lire

■ *À l'orée de l'œil*

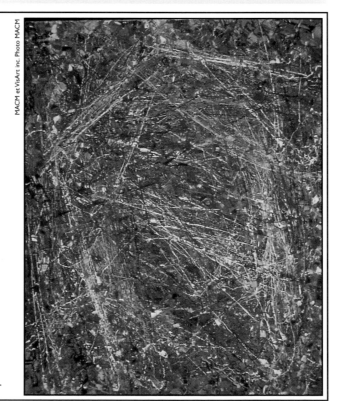

Sans titre (1950), huile sur toile de Jean-Paul Riopelle.

BNQ

ROLAND GIGUÈRE (né en 1929)

Poète, peintre et graveur, Roland Giguère aime s'abandonner aux mots, laissant les parentés sonores engendrer des parentés d'images. Il se plaît à détourner le langage de son cours normal, à ruser avec lui, à le prendre au mot, pour le mieux saisir et renouer avec sa transparence première. Sa poésie se fait souvent conscience sociale jusqu'à la révolte, comme dans *La main du bourreau finit toujours par pourrir*, où l'oppression politique d'une époque est dénoncée par la force des images.

LA MAIN DU BOURREAU FINIT TOUJOURS PAR POURRIR

Grande main qui pèse sur nous
grande main qui nous aplatit contre terre
grande main qui nous brise les ailes
      grande main de plomb chaud
5   grande main de fer rouge

grands ongles qui nous scient les os
grands ongles qui nous ouvrent les yeux
      comme des huîtres
grands ongles qui nous cousent les lèvres
10   grands ongles d'étain rouillé
       grands ongles d'émail brûlé

mais viendront les panaris
panaris
panaris

15 la grande main qui nous cloue au sol
finira par pourrir
les jointures éclateront comme des verres de cristal
les ongles tomberont

la grande main pourrira
20 et nous pourrons nous lever pour aller ailleurs.

L'Âge de la parole, Montréal, Typo, 1991.

Pistes de lecture

1. Cherchez la dénotation et la connotation du mot « panaris ».
2. Relevez tous les termes appartenant au champ lexical de la main.
3. Rendez explicite tous les aspects du symbolisme de la main dans le contexte de ce poème.
4. Relevez les assonances et les allitérations, puis commentez leur effet.
5. Faites le plan de ce poème et décrivez son évolution ?

--- **Au plaisir de lire** ---

- *Forêt vierge folle* - *La Main au feu*

PAUL-MARIE LAPOINTE (né en 1929)

ARBRES

J'écris arbre
arbre d'orbe en cône et de sève en lumière
racines de la pluie et du beau temps terre animée

pins blancs pins argentés pins rouges et gris
5   pins durs à bois lourd pins à feuilles tordues
potirons et baliveaux
pins résineux chétifs et des rochers pins du lord
       pins aux tendres pores pins roulés dans leur
       neige traversent les années mâts fiers voiles
10   tendues sans remords et sans larmes
       équipages armés
pins des calmes armoires et des maisons pauvres
bois de table et de lit
bois d'avirons de dormants et de poutres portant
15   le pain des hommes dans tes paumes carrées
cèdres de l'est thuyas et balais cèdres blancs
       bras polis cyprès jaunes aiguilles couturières
       emportées genévriers cèdres rouges cèdres
       bardeaux parfumeurs coffres des fiançailles
20   lambris des chaleurs

[...]

j'écris arbre
arbre pour l'arbre

bouleau merisier jaune et ondé bouleau flexible
       acajou sucré bouleau merisier odorant
25   rouge bouleau rameau de couleuvre feuille-
       engrenage vidé bouleau cambrioleur à feuilles
       de peuplier passe les bras dans les cages du
       temps captant l'oiseau captant le vent

bouleau à l'écorce fendant l'eau des fleuves
30 bouleau fontinal fontaine d'hiver jet figé
bouleau des parquets cheminée du soir
       galbe des tours et des bals
       albatros dormeur
aubier entre chien et loup
35 aubier de l'aube aux fanaux

j'écris arbre
arbre pour le thorax et ses feuilles
arbre pour la fougère d'un soldat mort sa mémoire
       de calcaire et l'oiseau qui s'en échappe avec
40   un cri [...]

Le Réel absolu, poèmes de 1948-1965, Montréal, Éditions de l'Hexagone, 1974.

Le Devoir

Se démarquant de toute esthétique de la description, Paul-Marie Lapointe use d'un nominalisme extrême : il nomme les choses, les énumère, pour le plus grand plaisir des mots et leur signification. Sa technique d'écriture est celle de l'association des idées, chère aux automatistes, où la progression du poème s'apparente au procédé de la prolifération. Cette approche de la poésie n'est pas sans présenter des similitudes avec l'improvisation musicale du jazzman.

Réalité et surréalité 6

Pistes de lecture

1. Étudiez la structure du poème : quel procédé de construction remarque-t-on ici ?
2. Dans la première partie (vers 1 à 20), étudiez le procédé de progression et d'association des idées.
3. Quel effet produit l'absence des verbes ?
4. Relevez les éléments réalistes et ceux plus poétiques.
5. Peut-on affirmer que le poète tente « d'inventorier » le réel ? Quelle intention pourrait-on prêter à une telle démarche ?
6. Comment peut-on dire qu'ici c'est la réalité elle-même qui est surréalité ?

Au plaisir de lire

■ *Arbres*

Le théâtre

Le théâtre, en particulier avec Claude Gauvreau, voudra lui aussi secouer l'imaginaire de sa torpeur et participer au nouveau foisonnement créateur. Son tissu verbal revendiquera une liberté dans le langage et dans les mots aussi grande qu'en poésie. Contre le contexte social, on oppose l'énergie créatrice, et pour dénoncer les idées reçues, on oblige les mots à laisser tomber le masque de leur apparence.

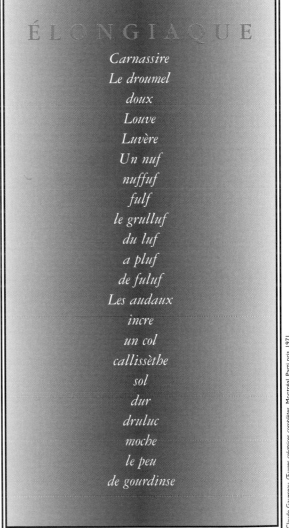

ÉLONGIAQUE

Carnassire
Le droumel
doux
Louve
Luvère
Un nuf
nuffuf
fulf
le grulluf
du luf
a pluf
de fuluf
Les audaux
incre
un col
callissèthe
sol
dur
druluc
moche
le peu
de gourdinse

Claude Gauvreau, *Œuvres créatrices complètes*, Montréal, Parti pris, 1971.

CLAUDE GAUVREAU (1925-1971)

L'œuvre immense, atypique et visionnaire, de Claude Gauvreau n'a cessé de grandir depuis le jour où il a décidé de mourir de sa propre main. Tellement que et l'homme et ses écrits prennent la figure d'un mythe. Comme pour Nelligan, dont il est si différent mais avec qui il partage un destin étonnamment semblable. Par l'intermédiaire de Yvirning, personnage du drame poétique aux accents tragiques *Les Oranges sont vertes*, pièce écrite entre 1958 et 1970 et créée en 1971, Claude Gauvreau dit, au moyen d'images éloquentes et d'un style incisif, son impossibilité de composer avec la bêtise.

LE HACHAGE EN PERSIL DE L'UNIQUE

La censure ? La censure ! La censure, c'est la gargouille qui vomit hideusement son plomb liquide sur la chair vive de la poésie ! La censure, c'est l'acéphale aux mille bras aveugles qui abat comme un sacrifice sans défense chaque érection de sensibilité délicate
5 au moyen de ses moulinets vandales ! La censure, c'est l'apothéose de la bêtise ! La censure, c'est le rasoir gigantesque rasant au niveau du médiocre toute tête qui dépasse ! La censure, c'est la camisole de force imposée au vital ! La censure, c'est la défiguration imprégnée sur la grâce par un sourcil froncé
10 saugrenu ! La censure, c'est le saccage du rythme ! La censure, c'est le crime à l'état pur ! La censure, c'est l'enfoncement du cerveau dans un moulin à viande dont il surgit effilochement ! La censure, c'est la castration de tout ce qu'il y a de viril ! La censure, c'est la chasse obtuse à la fantaisie et à l'audace
15 illuminatrice ! La censure, c'est la ceinture de chasteté appliquée à tout con florissant ! La censure, c'est l'interdiction de la joie à poivre ! La censure, c'est le morose enduisant tout ! La censure, c'est l'abdication du rare et du fin ! La censure, c'est la maculation et le hachage en persil de l'unique toujours gaillard !
20 La censure, c'est l'abdication de la liberté ! La censure, c'est le règne ignorantiste du totalitarisme intolérant envers tout objet qui n'est pas monstruosité rétractile ! La censure, c'est l'injure homicide à la loyauté des sens ! La censure, c'est le pet par-dessus l'encens ! La censure, c'est l'éteignement de l'esprit ! Où il y a
25 censure, serait-elle la plus bénigne du monde, il n'y a plus qu'avortement généralisé. La censure, c'est la barbarie arrogante. La censure, c'est le broiement du cœur palpitant dans un gros étau brutal ! Oui, mille fois la censure, c'est la négation de la pensée !

Œuvres créatrices complètes, Montréal, Parti pris, coll. « Chien d'Or », 1971.

Le Devoir

Pistes de lecture

1. Quel effet produit la constante répétition des mots « la censure » ?
2. Cet extrait est-il une réplique théâtrale ou un pamphlet ?
3. Analysez l'émotivité de cette tirade : violence verbale, rythme et force des images.
4. Quelles expressions soulignent la médiocrité résultant de la censure ?
5. Quelle est la principale victime de la censure ?
6. Définissez « l'automatisme » de ce texte.

Le manifeste

Le manifeste, comme genre littéraire, est un écrit généralement suscité par des remous sociaux. Son auteur, porte-parole d'un groupe solidaire, réagit à un aspect qu'il estime inacceptable de la réalité. Il tente ainsi d'inciter une collectivité à l'action : au moins à une prise de conscience, mieux, à un geste susceptible de transformer la réalité. Ici la persuasion importe davantage que l'esthétisme. Aussi le ton se veut-il exacerbé, exalté même, allant souvent jusqu'à la violence verbale.

Tel est le *Refus global* (1948), œuvre collective produite sous la direction du peintre Paul-Émile Borduas et portant, entre autres, la signature de Claude Gauvreau où une parole révolutionnaire oppose la spontanéité à toutes les contraintes, afin de changer l'ordre des valeurs de la vieille société. Ce texte incendiaire qui s'attire une vive répression exerce pendant longtemps une influence considérable sur l'élite québécoise et instaure, dans la littérature québécoise, la thématique de la révolte. Il dit l'urgence d'une révolution culturelle : elle fleurira dans le prochain courant.

LE MANIFESTE DU REFUS GLOBAL

Rejetons de modestes familles canadiennes-françaises, ouvrières ou petites bourgeoises, de l'arrivée au pays à nos jours restées françaises et catholiques par résistance au vainqueur, par attachement arbitraire au passé, par plaisir et orgueil sentimental et autres nécessités.

5 Colonie précipitée dès 1760 dans les murs lisses de la peur, refuge habituel des vaincus : là, une première fois abandonnée. L'élite reprend la mer ou se vend au plus fort. Elle ne manquera plus de le faire chaque fois qu'une occasion sera belle.

Un petit peuple serré de près aux soutanes restées les seules dépositaires de la
10 foi, du savoir, de la vérité et de la richesse nationale. Tenu à l'écart de l'évolution universelle de la pensée pleine de risques et de dangers, éduqué sans mauvaise volonté, mais sans contrôle, dans le faux jugement des grands faits de l'histoire quand l'ignorance complète est impraticable.

Petit peuple issu d'une colonie janséniste, isolé, vaincu, sans défense contre
15 l'invasion de toutes les congrégations de France et de Navarre, en mal de perpétuer en ces lieux bénis de la peur (c'est-le-commencement-de-la-sagesse !) le prestige et les bénéfices du catholicisme malmené en Europe. Héritières de l'autorité papale, mécanique, sans réplique, grands maîtres des méthodes obscurantistes, nos maisons d'enseignement ont dès lors les
20 moyens d'organiser en monopole le règne de la mémoire exploiteuse, de la raison immobile, de l'intention néfaste.

Petit peuple qui malgré tout se multiplie dans la générosité de la chair sinon dans celle de l'esprit, au nord de l'immense Amérique au corps sémillant de la jeunesse au cœur d'or, mais à la morale simiesque, envoûtée par le prestige
25 annihilant du souvenir des chefs-d'œuvre d'Europe, dédaigneuse des authentiques créations de ses classes opprimées.

Notre destin sembla durement fixé.

[...]

Rompre définitivement avec toutes les habitudes de la société, se désolidariser de son esprit utilitaire. Refus d'être sciemment au-dessous de nos possibilités
30 psychiques et physiques. Refus de fermer les yeux sur les vices, les duperies perpétrées sous le couvert du savoir, du service rendu, de la reconnaissance due. Refus d'un cantonnement dans la seule bourgade plastique, place forti-fiée mais trop facile d'évitement. Refus de se taire – faites de nous ce qu'il vous plaira mais vous devez nous entendre – refus de la gloire, des honneurs
35 (le premier consenti) : stigmates de la nuisance, de l'inconscience, de la servilité. Refus de servir, d'être utilisables pour de telles fins. Refus de toute INTENTION, arme néfaste de la RAISON. À bas toutes deux, au second rang !

PLACE À LA MAGIE ! PLACE AUX MYSTÈRES OBJECTIFS !

PLACE À L'AMOUR !

40 PLACE AUX NÉCESSITÉS !

Au refus global nous opposons la responsabilité entière.

L'action intéressée reste attachée à son auteur, elle est mort-née.

Les actes passionnels nous fuient en raison de leur propre dynamisme.

Nous prenons allègrement l'entière responsabilité de demain. L'effort
45 rationnel, une fois retourné en arrière, il lui revient de dégager le présent des limbes du passé.

Nos passions façonnent spontanément, imprévisiblement, nécessairement le futur.

Le passé dut être accepté avec la naissance, il ne saurait être sacré. Nous
50 sommes toujours quittes envers lui.

Il est naïf et malsain de considérer les hommes et les choses de l'histoire dans l'angle amplificateur de la renommée qui leur prête des qualités inaccessibles à l'homme présent. Certes, ces qualités sont hors d'atteinte aux habiles singeries académiques, mais elles le sont automatiquement chaque fois qu'un
55 homme obéit aux nécessités profondes de son être ; chaque fois qu'un homme consent à être un homme neuf dans un temps nouveau. Définition de tout homme, de tout temps.

Fini l'assassinat massif du présent et du futur à coups redoublés du passé.

Il suffit de dégager d'hier les nécessités d'aujourd'hui. Au meilleur demain ne
60 sera que la conséquence imprévisible du présent.

Nous n'avons pas à nous en soucier avant qu'il ne soit.

[...]

Refus global, Montréal, Typo, 1990.

Analyse formelle

Le lexique

1. Identifiez les principaux champs lexicaux du texte. Lequel vous semble le plus important ?

2. Expliquez la présence des traits d'union dans la phrase « c'est-le-commencement-de-la-sagesse ! ».

3. Quelle connotation voyez-vous dans l'expression « petit peuple » ?

4. Que remarquez-vous de récurrent au tout début de chacun des cinq premiers paragraphes ?

5. Étudiez les adverbes de la deuxième partie et montrez leur importance par rapport à l'ensemble du texte.

Le style

6. La violence s'exprime par deux moyens linguistiques : le vocabulaire et la construction des phrases.

   a) Le vocabulaire. Relevez les mots les plus intenses.

   b) La construction des phrases. Quels procédés donnent un caractère percutant au texte ?

7. Comparez le ton de la première et de la deuxième partie. Remarquez-vous des différences importantes ?

Analyse thématique

Le mot « global » décrit bien l'ampleur de la révolte exprimée. C'est littéralement une nouvelle société que les automatistes proposent.

1. Dégagez le thème de chaque partie du texte.

2. Étudiez la description du peuple québécois dans la première partie.

   a) Quelles institutions sont dénoncées ?

   b) Quelles sont les caractéristiques morales des Québécois ?

3. La vénération du passé : quelles sont ses conséquences ?

4. De quelle manière sont opposées l'intuition et la raison ?

5. Le *Refus global* demande qu'on fasse place aux « nécessités ». Identifiez-les. Dites en quoi elles consistent.

6. En quoi ce « refus global » est-il, en fait, un appel à une action positive ?

Questions d'approfondissement

1. Selon vous, le Québec a-t-il changé depuis la publication du *Refus global* ? Si oui, le changement s'est-il effectué de la manière préconisée par les automatistes ?

2. Montrez que le *Refus global* exalte l'individu au détriment de la collectivité.

3. Pourquoi les automatistes rejettent-ils le passé de façon si virulente ?

4. Ce manifeste relève-t-il de l'utopie ou, au contraire, est-il applicable ?

Le mouvement surréaliste apparaît en France au début des années 1920 sous l'impulsion d'un groupe de poètes et d'artistes. À l'origine de ce mouvement, une remise en question de la société bourgeoise par une jeunesse que la Première Guerre mondiale a fortement marquée. Les liens entre le surréalisme et l'automatisme ont toujours frappé les critiques. Comparez le texte du *Refus global* avec cette définition du surréalisme extraite du *Premier Manifeste du surréalisme*. Est-on justifié de rapprocher les idéologies de ces deux mouvements ?

SURRÉALISME, n. m. Automatisme psychique pur par lequel on se propose d'exprimer, soit verbalement, soit par écrit, soit de toute autre manière, le fonctionnement réel de la pensée. Dictée de la pensée, en l'absence de tout contrôle exercé par la raison, en dehors de toute préoccupation esthétique ou morale.
[...] Le surréalisme repose sur la croyance à la réalité supérieure de certaines formes d'associations négligées jusqu'à lui, à la toute-puissance du rêve, au jeu désintéressé de la pensée. Il tend à ruiner définitivement tous les autres mécanismes psychiques et à se substituer à eux dans la résolution des principaux problèmes de la vie.

André Breton, *Premier Manifeste du surréalisme*, Société nouvelle des Éditions Pauvert, 1979.

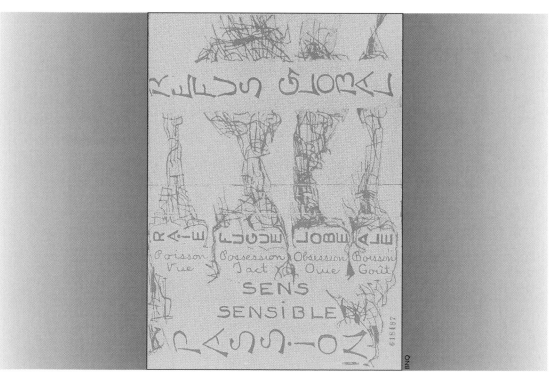

QUESTIONS DE SYNTHÈSE

1. Comparez le réalisme des textes de Roger Lemelin et de Gabrielle Roy : peut-on parler de techniques narratives identiques ?

2. Le thème du conflit mère-fils chez Françoise Loranger et Anne Hébert est-il traité de façon identique ? Quel texte vous semble le plus violent ?

3. Comparez la figure de l'Amérindien chez Gilles Hénault et chez Yves Thériault.

4. Le monologue contre la censure de Claude Gauvreau vous semble-t-il encore d'actualité ?

5. Comparez l'utilisation de la prière dans le poème de Gilles Hénault et celle qu'en fait Jacques Prévert dans son adaptation du « Notre père ».

6. Comparez les techniques de poètes et de peintres automatistes.

7. Comparez la situation de l'Amérindien dans le texte d'Yves Thériault à celle décrite au premier chapitre.

8. Commentez :
   ▷ Les héros de *Tit-Coq* et d'*Un simple soldat* ressentent le même désespoir.
   ▷ La vérité des personnages est mieux rendue si les auteurs ont recours à la langue populaire.
   ▷ On peut facilement rapprocher le poème de Roland Giguère et l'essai du *Refus global*.
   ▷ Le reproche fait aux Blancs dans *Ashini* s'apparente à celui que les francophones adressent aux anglophones dans *Menaud, maître draveur*.
   ▷ Les œuvres de ce courant ont toutes une portée sociale et politique.
   ▷ Dans ce courant, les poètes « surréalisants » dénoncent le thème de l'humiliation, omniprésent chez les auteurs identifiés à la tendance « sociale et psychologique ».
   ▷ Les œuvres des écrivains de la section « Littérature et constat de la réalité » appellent implicitement la naissance du manifeste du *Refus global*.
   ▷ Les écrivains sont la prise de conscience des malaises d'une époque.
   ▷ Les écrivains automatistes ont tous voué leur œuvre à la conquête de la liberté.
   ▷ L'écriture automatiste est celle qui met le plus en opposition l'intuition et la raison.
   ▷ Le courant automatiste (ou surréaliste) est le prolongement, jusque dans ses extrêmes limites, du romantisme.

TABLEAU SYNTHÈSE

1. Entre la Deuxième Guerre mondiale et la Révolution tranquille de 1960, le Québec connaît une véritable mutation. L'industrialisation, l'urbanisation et le syndicalisme annoncent l'heure des grands changements à venir, en dépit des efforts du gouvernement qui prône toujours les valeurs du passé.

2. Mais ces changements ne sont pas sans causer un malaise au sein du prolétariat canadien-français, défavorisé économiquement et socialement.

3. Les transformations de la société se répercutent dans la littérature. Le roman devient urbain et psychologique. La forme se diversifie, ose et innove.

4. En s'ouvrant aux influences étrangères (existentialisme, surréalisme), la littérature remet en question les valeurs traditionnelles (passé-famille-religion). La Révolution tranquille n'est plus loin.

Le pays convergent

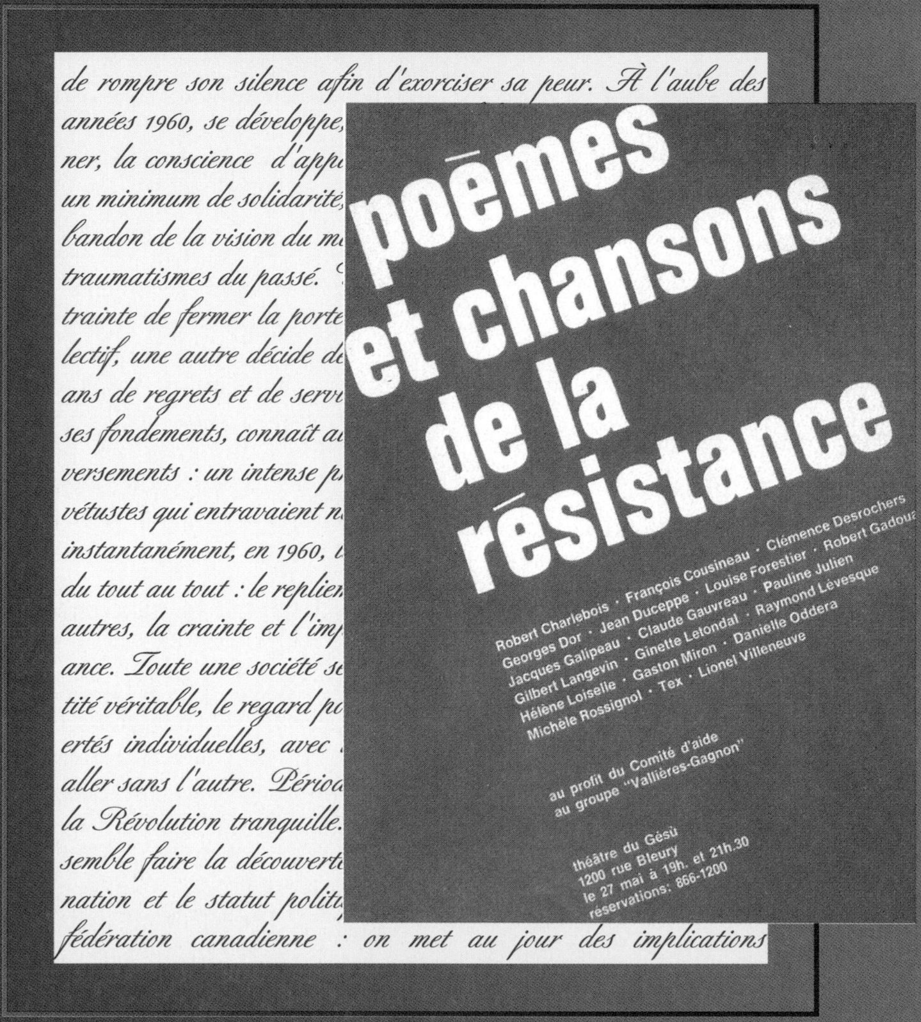

de rompre son silence afin d'exorciser sa peur. À l'aube des
années 1960, se développe,
ner, la conscience d'appa
un minimum de solidarité,
bandon de la vision du m
traumatismes du passé.
trainte de fermer la porte
lectif, une autre décide de
ans de regrets et de serv
ses fondements, connaît a
versements : un intense p
vétustes qui entravaient n
instantanément, en 1960, t
du tout au tout : le replien
autres, la crainte et l'imp
ance. Toute une société se
tité véritable, le regard po
ertés individuelles, avec
aller sans l'autre. Périod
la Révolution tranquille.
semble faire la découverte
nation et le statut polit
fédération canadienne : on met au jour des implications

poèmes
et chansons
de la
résistance

Robert Charlebois · François Cousineau · Clémence Desrochers
Georges Dor · Jean Duceppe · Louise Forestier · Robert Gadoua
Jacques Galipeau · Claude Gauvreau · Pauline Julien
Gilbert Langevin · Ginette Letondal · Raymond Lévesque
Hélène Loiselle · Gaston Miron · Danielle Oddera
Michèle Rossignol · Tex · Lionel Villeneuve

au profit du Comité d'aide
au groupe "Vallières-Gagnon"

théâtre du Gèsù
1200 rue Bleury
le 27 mai à 19h. et 21h.30
réservations: 866-1200

- La poésie et la quête de l'identité
- Les récits de la révolte et de la rupture
- Le théâtre de la contestation
- L'essai : creuset du changement
- Le chant du pays

chapitre

7

1960 **1963** **1967** **1969** **1970** **1974** **1976**

Nationalisation de l'électricité

Début de la Révolution
tranquille avec Jean Lesage

Création de
l'Université du Québec

Création du Parti québécois

Le français langue
officielle du Québec

Arrivée au pouvoir
du Parti québécois

Loi de l'assurance-maladie

Création des cégeps

Crise d'Octobre

LA CRÉATION D'UN ÉTAT MODERNE

Le Québec d'aujourd'hui prend forme à une vitesse vertigineuse à partir de 1960. Avec le « C'est le temps que ça change » des libéraux de Jean Lesage s'amorce, sur un fond de nationalisme, ce que l'histoire a désigné comme la « Révolution tranquille », au cours de laquelle on érige l'État providence qui donne au Québec les moyens de se construire à sa guise.

■ Le mouvement indépendantiste

Des partis tels le Rassemblement pour l'indépendance nationale (RIN) et le Ralliement national (RN) font leur apparition au début des années 1960. En 1968, René Lévesque fonde le Mouvement Souveraineté-Association. En 1969, la fusion de ces trois partis donne naissance au Parti québécois, qui accédera au pouvoir en 1976.

D'autres éléments indépendantistes choisissent la voie du marxisme. Pierre Vallières, entre autres, dans son livre *Nègres blancs d'Amérique*, cherche à sensibiliser les Québécois à ce qu'il perçoit comme un statut de colonisés. L'activité révolutionnaire qui marque cette tendance culmine dans la crise d'Octobre 1970, lorsque des membres du Front de libération du Québec (FLQ) enlèvent l'attaché commercial britannique James Richard Cross et le ministre du Travail du Québec Pierre Laporte, qui sera assassiné.

■ La naissance de l'État providence

C'est dans ce contexte d'ébullition idéologique que l'État accroît graduellement son rôle dans de nombreux secteurs de la société. Il prend ainsi la relève du clergé et des communautés religieuses dans les domaines de la santé et de l'éducation. Il cherche également à procurer aux francophones un plus grand pouvoir économique en créant diverses sociétés d'État vouées au développement économique et à l'exploitation des ressources naturelles. Enfin, en ce qui concerne la politique sociale, on adopte en 1964 la loi établissant le régime des rentes qui, à compter de son entrée en vigueur en 1966, permet aux cotisants de toucher une pension de retraite. Les dépenses de l'État croissent rapidement et, dès 1963, les dépenses de la province franchissent le cap du milliard de dollars.

■ Culture et patrimoine

Le Québec se donne aussi les outils nécessaires à la promotion de sa culture, en commençant par la langue française que l'on perçoit comme de plus en plus menacée par la dénatalité et l'assimilation. En 1961, on crée le ministère des Affaires culturelles, dont relèveront l'Office de la langue française et le Conseil des arts du Québec. En 1974, le projet de loi 22 du gouvernement Bourassa proclame le français langue officielle. Graduellement, l'État en vient à financer directement les institutions culturelles, qui cessent de dépendre de la philanthropie. Animés d'un nouveau sentiment d'identité, les ethnologues recensent méthodiquement le patrimoine matériel québécois, que l'on craint de voir disparaître chez les antiquaires américains. Sur ce fond d'affirmation et de nationalisme, le milieu des arts et de la culture fait preuve, au cours des années 1960-1970, d'un dynamisme remarquable centré sur l'expression de l'identité québécoise.

Le pays convergent

Après avoir vécu pendant deux siècles dans l'incertitude quant à son destin, dans la crainte constante de l'assimilation – qui aurait dû logiquement faire suite à la conquête anglaise de 1760 –, la collectivité canadienne-française manifeste enfin la volonté de sortir de sa passivité, de rompre son silence afin d'exorciser sa peur. À l'aube des années 1960, se développe, avec une fébrilité qui ne cesse d'étonner, la conscience d'appartenir à un groupe qui pourrait, avec un minimum de solidarité, prendre en mains son destin.

C'est l'abandon de la vision du monde séculaire basée sur la mémoire des traumatismes du passé. Une génération lointaine avait été contrainte de fermer la porte de notre fierté et de notre devenir collectif, une autre décide de la rouvrir, de mettre fin à deux cents ans de regrets et de servitudes. La société, secouée jusque dans ses fondements, connaît alors de très nombreux et profonds bouleversements : un intense processus de démythification des valeurs vétustes qui entravaient notre liberté d'être et de penser. Presque instantanément[1], en 1960, le climat social du Québec se transforme du tout au tout : le repliement sur soi fait place à l'ouverture aux autres, la crainte et l'impuissance ataviques se muent en confiance. Toute une société se surprend à s'interroger sur son identité véritable, le regard porté sur la libération collective et les libertés individuelles, avec la conscience que les unes ne peuvent aller sans l'autre. Période d'impatience nationale qu'on appelle la Révolution tranquille.

Aliénation et statut politique

Chacun semble faire la découverte du lien étroit existant entre son aliénation et le statut politique colonial du Québec dans la confédération canadienne : on met au jour des implications économiques, politiques, sociales, culturelles et linguistiques. On dénonce ce statut comme le principal responsable de nos comportements sclérosants et de notre complexe d'infériorité collectif autant que de notre mal-être individuel, de celui qui a muselé, parmi tant d'autres, les Nelligan et les Saint-Denys Garneau. Tant que le Québec demeurera dans ce régime politique, il se condamnera à connaître la même « vie agonique » (Gaston Miron) dans un « pays incertain » (Jacques Ferron), en constant danger d'assimilation. La question nationale polarise donc les débats : le désir d'être s'empare de tout un peuple qui cherche la voie de sa libération, le « pays » de son identité reconquise.

Une intense fièvre autonomiste se répand sur le Québec : après s'être perçus comme une colonie, une province ou une diaspora canadienne, les francophones du nord de l'Amérique désignent le territoire du Québec comme leur espace géographique, le lieu de leur expression politique. La vieille dénomination de « Canadiens français », qui avait surtout servi à nous marginaliser par rapport aux Canadiens anglais, est supplantée par celle de « Québécois ». Les Canadiens français furent jadis évacués de l'Histoire, les Québécois décident de réintégrer la place abandonnée.

Il devient urgent d'extirper le colonisé en soi afin de mettre fin aux vieux réflexes de dépendance. Et on se rend compte que les obstacles à surmonter n'ont plus guère à voir avec l'Autre, le vainqueur historique. Il s'agit bien plutôt d'entraves intérieures, qui empêchent de penser par et pour soi-même. Cette nouvelle conscience de soi, qui vise le saccage des réflexes de colonisé, connaît des échos pour ce qui est des slogans. Depuis *Maria Chapdelaine*[2], l'élite clérico-bourgeoise

1 En réalité, il s'agit de la brusque éclosion de thèmes idéologiques élaborés depuis plus d'une quinzaine d'années.

2 Voir le quatrième chapitre.

René Lévesque, Jean Lesage et Paul Gérin-Lajoie, artisans de la Révolution tranquille.

La Presse

149

répétait qu' « au pays du Québec, rien ne doit changer ». Dès 1960, l' « équipe du tonnerre » du Parti libéral propose « C'est l'temps qu'ça change », bientôt clamé par des foules délirantes. L'élection de 1962 propose « Maîtres chez nous »; deux ans plus tard, le Rassemblement pour l'indépendance nationale (RIN) fait vibrer la fibre nationaliste avec « On est capable! ». Et dire qu'on s'était cru « né pour un p'tit pain »...

Maîtres chez nous

Avec enthousiasme, la collectivité québécoise décide de sortir de sa longue torpeur et de se mettre à l'heure de la modernité. En quelques années, les vieilles structures sociales et politiques sont transformées, les institutions de l'État, qui intervient de plus en plus dans l'économie, sont ajustées à la réalité industrielle et urbaine, le clergé se voit contraint d'abandonner presque tous ses pouvoirs non religieux, les intellectuels, qui ont pris d'assaut la télévision, mettent en question les idées reçues, les artistes permettent à la culture de connaître un essor considérable tant en chanson, au cinéma, au théâtre qu'en littérature, et, surtout, le système d'enseignement est transformé radicalement, depuis la fermeture des petites « écoles de rang » jusqu'à la création du réseau de l'Université du Québec[1]. Ce grand balayage, qui s'accompagne d'une libération morale et religieuse, permet l'éclatement en même temps que le renouvellement de toutes les valeurs. Si longtemps société monolithique, le Québec se révolutionne et passe enfin au pluralisme de pensée. Il semble que, dorénavant, toutes les attentes, même les plus folles, peuvent se réaliser.

La langue française, notre particularité culturelle la plus évidente, se retrouve au centre de la question nationale. C'est qu'on a découvert les incidences idéologiques, démographiques, scolaires, économiques et politiques de la question linguistique. Le français parlé au Québec, langue agressée et minée par l'anglais, apparaît bientôt comme le reflet de la colonisation des mentalités. S'ensuit un débat long et fort animé sur le « joual[2] », l'instrument le plus apte à témoigner de notre aliénation, celle d'un peuple si démuni qu'il en est arrivé à considérer comme normale l'altération de son parler sous l'influence de la langue du conquérant de 1760 - celui là même qui ne visait rien d'autre que son assimilation –, celle

d'un peuple, qui a accepté de vivre en exil de sa propre langue. Pas étonnant qu'il ait été acculé à un silence séculaire, indice le plus révélateur d'une démission collective. Aussi, après le constat d'une langue aussi incertaine que le pays lui-même, tout un peuple se met à la parole, afin de dire et de dissoudre les entraves héritées du passé, afin de s'approprier le réel et le possible. Le « pays » devient donc le lieu fondamental de la parole.

Écriture et engagement

Durant les décennies allant de la prise du pouvoir, en 1960, par le Parti libéral, jusqu'au référendum de 1980, le pays – ou la question nationale – se retrouve au centre des préoccupations des différentes couches sociales. Et les écrivains sont parmi les plus sensibilisés au sujet. Après avoir systématiquement mis en question les causes du mal-être collectif et individuel depuis les premiers romans de la ville[3], ils se rendent compte très tôt que la solution à un problème collectif ne peut être d'ordre individuel. Ce constat incite une majorité d'entre eux à se servir de leurs écrits pour illustrer les aléas du pays inachevé, du non-pays, afin d'aviver la conscience des Québécois et d'orienter ainsi le destin du pays. Pour lui permettre de quitter l'errance et de s'inscrire dans l'Histoire, à titre de pays souverain. Ces écrivains engagés, se reconnaissant un rôle social, acceptent donc de mêler poétique et politique. Ils explorent le territoire réel de l'homme québécois dans toute sa diversité et dressent l'inventaire[4] de tout ce qui nous caractérise : ainsi se constitue la fiche d'identité du Québécois, condition essentielle pour qu'advienne le pays.

Le pays convergent, tel que le dépeignent les écrivains, est donc bien plus qu'un simple thème littéraire : il s'agit d'un mode d'être. C'est la terre promise de la rencontre avec soi, l'accueil de soi-même individuellement et collectivement. C'est célébrer le pays à venir et l'enraciner dans l'imaginaire collectif, dans une nouvelle vision de soi et du monde. Ce qu'on ne dit pas, c'est qu'il s'agit là d'une étape à franchir avant le nécessaire désengagement des écrivains : il est contre nature que la littérature soit au service d'une cause, fût-ce la cause nationale. Trop d'énergie créatrice lui a été sacrifiée depuis des siècles, alors que l'œuvre littéraire ne peut aspirer qu'à une totale indépendance.

1 C'est à ce moment que les mots « cégep» et « cégépien » s'inscrivent dans le lexique.

2 Dénomination dérisoire constituée de la déformation du mot « cheval ».

3 Voir le chapitre précédent.

4 Le cinéma-vérité, entre autres de Pierre Perrault, relève de la même intention.

LA POÉSIE ET LA QUÊTE DE L'IDENTITÉ COLLECTIVE

La poésie surréalisante avait déjà sonné le temps des ruptures et de la revanche sur le passé. Les poètes bâillonnés de naguère, prisonniers de leur tonitruant silence, sont maintenant remplacés par des hérauts, à la suite de qui tout un peuple s'initie à la parole. Tellement que cette période allant de la création de la maison d'édition L'Hexagone, en 1953, à la fin des années 1960 est désignée aujourd'hui par l'expression « l'âge de la parole ». Après avoir été longtemps centrée sur le moi et la solitude, dans ce qui peut sembler un long lamento où les poètes paraissaient condamnés à ne voir que l'obscurité du monde, la poésie se fait plus revendicatrice, consciente de la dégradation de l'univers culturel québécois.

Se reconnaissant une responsabilité sociale, les poètes entament un minutieux processus d'identification et d'appropriation de soi. S'il leur faut, dans un premier temps, dénoncer l'aliénation qui brime un peuple et sa parole, dénoncer notre condition de colonisés comme la principale responsable de cette situation, rappeler nos peurs héritées d'un passé stérilisant dominé par le clergé, très tôt ils désignent ce que nous nous devons de conquérir pour recouvrer notre identité véritable : le pays. Ce dernier leur apparaît comme la nouvelle réalité convergente des aspirations collectives, phare guidant vers la terre promise de la solidarité et de la fraternité, mieux, de l'amour. Car le pays, très souvent comparé à une fiancée, une épouse, une amante ou une mère, se fait le lieu privilégié d'une rencontre amoureuse.

L'Hexagone et l'« Âge de la parole »

Fondée en 1953, la maison d'édition L'Hexagone regroupe de nombreux écrivains de tendances diverses, certes, mais généralement convaincus de la mission sociale du poète et de la poésie. Leur parole, romantico-lyrique, dévouée à la cause nationale, privilégie certains thèmes, selon une démarche entreprise dans l'intime mais débouchant sur le collectif : le pays et la liberté, la femme et l'amour, la fraternité et la solidarité,

l'appartenance et l'espérance, l'oralité et la mémoire... Ces poètes hérauts disent l'impérieuse nécessité d'accéder à une nouvelle vision de la réalité. Leur importance sociale est si considérable qu'on les tient en grande partie responsables de la création d'un parti politique, celui qui accédera au pouvoir en 1976, promettant de combler toutes les attentes quant au pays à naître, attentes nourries par leur poésie.

Ces artistes tentent d'abord d'exorciser les carcans et les entraves du passé. Condition essentielle pour l'assumer et, surtout, pour s'assumer et échapper à l'étouffement. Aussi rappellent-ils les peurs et les carences, l'aliénation qui pèsent sur tout un peuple, les contradictions culturelles, jusqu'à la déperdition de la parole et de l'idendité. Sont pourfendus les multiples envahissements, auxquels on n'a pu résister et qui ont mené à la pauvreté, à l'absence à soi-même. Est mise en question la place de l'individu dans la société, qu'on a laissée constamment se dégrader.

Puis sonne l'heure du réveil, celle de l'identité à recouvrer, du pays innommé à identifier, de la libération. C'est l'inventaire des réalités visibles, individuelles et collectives, et la revendication de la reconnaissance territoriale du Québec, l'appartenance et l'identification au pays se révélant l'assise de notre propre identité. C'est la parole investie pour forcer les mots à cerner notre identité nationale, évacuée de l'Histoire depuis deux siècles. C'est la parole pour se dire et se découvrir, pour mieux être.

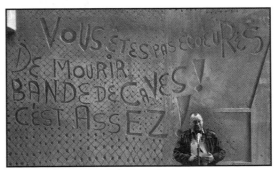

Grand théâtre de Québec.

Murale de Jordi Bonet.

Tant par son utilisation de la phrase de Claude Péloquin que par sa conception, cette murale fait réfléchir et appelle à la liberté.

Photo Josée Lambert

Pierre Perrault a acquis une renommée internationale grâce au cinéma où, film après film, il est parvenu à associer la parole d'une nation aux images de son pays. Le cinéaste-documentariste a su nourrir la trame de ses films de la parole même des gens sur lesquels s'attardait sa caméra, des hommes et des femmes à la mémoire et à l'imaginaire féconds, frères et sœurs des chantres des grands espaces des écrits coloniaux. Ce talent exceptionnel, Pierre Perrault le tient de sa poésie, qu'il a voulue au service de la parole vraie et quotidienne du peuple québécois. Dans son recueil *Toutes Isles* (1963), suite de poèmes en prose qui réconcilient le temps, l'espace et l'histoire d'un « pays sans bon sens » , le poète reprend une des plus anciennes thématiques de notre littérature, celle du fleuve et des îles, introduite par Jacques Cartier. Il refait, île par île, le voyage du découvreur, parfaisant par la parole la prise de possession du pays par l'occupation.

PIERRE PERRAULT (né en 1927)

des ouaiseaulx desqueulx y a si grant numbre
que c'est une chose incréable qui ne le voyt　　　　　Jacques Cartier

C'est sur les bords du St-Laurent une grande réserve de paysages et de découvrances où nous allons ancrer nos barques et notre connaissance.

5 D'abord un relief horizontal, fortement ridé, creusé de sillons, bercé de sablons, ébloui de pierres à fleur d'eau, d'arbres nains et de mousses géantes...

Mais pour tromper la vigilance des marins le grand arbre exorbitant des oiseaux de plein vol, et surtout la foule obscure des oiseaux posés sur la pierre comme une assemblée. [...]

10 Et Cartier vit ce que nous ne verrons plus... oiseaux qui ne s'envolent pas et presque viennent à la rencontre, prenant des allures significatives et hospitalières, faisant croire à leur humanité. Cartier les raconte avec la précision de ses étonnements : *Iceulx ouaiseaulx sont grans comme oies, noirs et blancs, et ont le bec comme ung corbin. Et sont toujours en la mer, sans* 15 *jamais povair voller en l'air pource qu'ils ont petites aesles, comme la moitié d'une main de quoy ilz vollent aussi fort dedans la mer, comme les aultres ouaiseaulx font en l'air. Et sont iceulx ouaiseaulx si gras, que c'est une chose merveilleuse.*

Oiseaux merveilleux et par trop humains les grands pingouins noirs et 20 blancs, gras et bruyants, sans ailes ni dents, abondaient dans ces parages d'îles et de glaces.

Mais ils n'avaient pas prévu l'arrivée de trois navires qui estoient de Saint-Malo, les grands pingouins sans ailes du temps des découvrances.

Nous descendismes au bas de la plus petite isle, et en prinmes, en noz 25 *barques, ce que nous en voullinmes. L'on y eust chargé, en une heure, trente icelle barques. Icelle ysle étant si très plaine d'oiseaulx que tous les navires de France y pourroient facilement charger sans que on s'apperceust que l'on en eust tiré.*

Le conseil fut bientôt suivi et tous navires de France et de Navarre ou bien 30 d'ailleurs passant par là s'arrêtaient sur l'île des oiseaux pour ravitailler de frais les provisions de viande et continuer la pêche ou les découvrances.

Car les oiseaux ne suffisent pas à peupler la terre !

Toutes Isles, Chroniques de terre et de mer, Fides, Montréal, 1963.

Pistes de lecture

1. Quel effet produit le présentatif « C'est » dans la première phrase ?
2. Trouvez la tonalité principale de ce texte.
3. Comment s'exprime le lyrisme ? Et le merveilleux ?
4. Comparez l'écriture de Pierre Perrault à celle de Jacques Cartier (chapitre 1) et montrez que les deux auteurs éprouvent le même enthousiasme.
5. Peut-on affirmer que Pierre Perrault cherche ici les composantes originelles de l'âme québécoise ?

Au plaisir de lire

■ *Toutes Isles, Chroniques de terre et de mer*　　　　■ *Chouennes* (Poèmes, 1961-1971)

GASTON MIRON (1928-1996)

En tant qu'éditeur et poète, Gaston Miron a grandement contribué à sortir notre littérature de son provincialisme. Véritable « poète national » sans le titre, il se fait le porte-voix d'une collectivité pour sans cesse redire le pays possible et l'enraciner dans l'imaginaire des Québécois. Aussi sa poésie effectue-t-elle d'importantes plongées dans les racines de l'errance historique autant que dans les contrées inconscientes du rêve, afin d'y repérer le sentier bien réel qui débouche sur la liberté. Même s'il accueille tous les vocabulaires, il se plaît à employer des mots répétés génération après génération, ceux qui portent le poids de l'histoire. Quant à son langage poétique, il se nourrit de l'ambiguïté, dans un perpétuel glissement métaphorique.

Photo Josée Lambert

LES SIÈCLES DE L'HIVER

Le gris, l'agacé, le brun, le farouche
tu craques dans la beauté fantôme du froid
dans les marées de bouleaux, les confréries
d'épinettes, de sapins et autres compères
5   parmi les rocs occultes et parmi l'hostilité

pays chauve d'ancêtres, pays
tu déferles sur des milles de patience à bout
en une campagne affolée de désolement
en des villes où ta maigreur calcine ton visage
10   nous nos amours vidées de leurs meubles
nous comme empesés d'humiliation et de mort

et tu ne peux rien dans l'abondance captive
et tu frissonnes à petit feu dans notre dos

L'Homme rapaillé, Montréal, Typo, 1993.

Pistes de lecture

1. Les épithètes composant l'énumération du premier vers désignent-elles un personnage ou la terre ?
2. Le second vers s'applique-t-il à des arbres ou à des hommes ?
3. Peut-on affirmer que la poésie a ici le pouvoir de réconcilier les contraires ?
4. Quel effet produit le dernier mot de la première strophe, « hostilité » ?
5. Quelle est l'intention de l'auteur ?

L'OCTOBRE

L'homme de ce temps porte le visage de la flagellation
et toi, Terre de Québec, Mère Courage
dans ta longue marche, tu es grosse
de nos rêves charbonneux douloureux
5 de l'innombrable épuisement des corps et des âmes

je suis né ton fils par en-haut là-bas
dans les vieilles montagnes râpées du nord
j'ai mal et peine ô morsure de naissance
cependant qu'en mes bras ma jeunesse rougeoie

10 voici mes genoux que les hommes nous pardonnent
nous avons laissé humilier l'intelligence des pères
nous avons laissé la lumière du verbe s'avilir
jusqu'à la honte et au mépris de soi dans nos frères
nous n'avons pas su lier nos racines de souffrance
15 à la douleur universelle dans chaque homme ravalé

je vais rejoindre les brûlants compagnons
dont la lutte partage et rompt le pain du sort commun
dans les sables mouvants des détresses grégaires

nous te ferons, Terre de Québec
20 lit des résurrections
et des mille fulgurances de nos métamorphoses
de nos levains où lève le futur
de nos volontés sans concessions
les hommes entendront battre ton pouls dans l'histoire
25 c'est nous ondulant dans l'automne d'octobre
c'est le bruit roux de chevreuils dans la lumière
l'avenir dégagé
                     l'avenir engagé

L'Homme rapaillé, Montréal, Typo, 1993.

Pistes de lecture

1. Relevez et commentez le champ lexical d'ordre religieux.
2. Deux champs lexicaux se répondent. Lesquels ?
3. Expliquez « Mère Courage ».
4. Commentez le passage du « je » au « nous ».
5. Quelle peut être la signification du titre ?

---   A u   p l a i s i r   d e   l i r e ---

■ *Courtepointes*

Résonance

Poète africain d'expression française, Léopold Sédar Senghor (né en 1906) s'est illustré autant en littérature (membre de l'Académie française) qu'en politique (président de la République du Sénégal de 1960 à 1980). Sa poésie s'inscrit dans le mouvement de la « Négritude » qui, dès les années 1930, dénonce la colonisation de l'Afrique par les puissances européennes. Le mouvement de décolonisation du Tiers-Monde qui s'amorce dans les années 1960 impressionnera vivement certains penseurs nationalistes du Québec, notamment ceux qui gravitent autour de la revue *Parti pris*. Après lecture de ce poème de Senghor, quels parallèles (thématiques, stylistiques, etc.) pouvez-vous établir entre le chant de la « négritude » africaine et le mouvement de repossession du pays tel qu'il s'exprime dans *L'Octobre* de Gaston Miron ?

À l'appel de la race de Saba
(woï pour deux koras)

. . . .

Mère, sois bénie !

J'ai vu – dans le sommeil léger de quelle aube gazouillée ? – le jour de libération.

C'était un jour pavoisé de lumière claquante, comme de drapeaux et d'oriflammes aux hautes couleurs.

Nous étions là tous réunis, mes camarades les forts en thème et moi, tels aux premiers jours de guerre les nationaux débarqués de l'étranger

Et mes premiers camarades de jeu, et d'autres et d'autres encore que je ne connaissais même pas de visage que je reconnaissais à la fièvre de leur regard.

Pour le dernier assaut contre les Conseils d'administration qui gouvernent les gouverneurs des colonies.

Comme aux dernières minutes avant l'attaque – les cartouchières sont bien garnies, le coup de pinard avalé; les musulmans ont du lait et tous les grigris de leur foi.

La mort nous attend peut-être sur la colline ; la vie y pousse sur la mort dans le soleil chantant

Et la victoire ; sur la colline à l'air pur où les banquiers bedonnants ont bâti leurs villas, blanches et roses

Loin des faubourgs, loin des misères des quartiers indigènes.

Mère, sois bénie !

Reconnais ton fils parmi ses camarades comme autrefois ton champion, Kor-sanou ! parmi les athlètes antagonistes [...]

Car nous sommes là tous réunis, divers de teint – il y en a qui sont couleur de café grillé, d'autres bananes d'or et d'autres terre des rizières

Divers de traits de costumes de coutumes de langues ; mais au fond des yeux la même mélopée de souffrances à l'ombre des longs cils fiévreux

Mère, sois bénie ! [...]

Reconnais ton fils à l'authenticité de son regard, qui est celle de son cœur et de son lignage
Reconnais ses camarades reconnais les combattants, et salue dans le soir rouge de ta vieillesse

L'AUBE TRANSPARENTE D'UN JOUR NOUVEAU.

Tours, 1936
Léopold Sédar Senghor, *Hosties Noires*, Paris, Seuil, 1948.

JEAN-GUY PILON (né en 1930)

Le poète Jean-Guy Pilon, aussi éditeur et directeur de revue littéraire, tente constamment d'exprimer l'homme et son cœur, l'homme et son espoir; toujours chez lui la conscience apparaît comme un devoir personnel autant que collectif. Dans *Je murmure le nom de mon pays* (1963), il dessine les espoirs d'un peuple en marche vers la reconquête de son pays et de sa parole. Dans un style laconique et d'une grande sobriété, il appelle le grand jour de la réconciliation du pays avec son peuple.

La Presse

JE MURMURE LE NOM DE MON PAYS

Je murmure le nom de mon pays
Comme un secret obscène
Ou une plaie cachée
Sur mon âme
5 Et je ne sais plus
La provenance des vents
Le dessin des frontières
Ni l'amorce des villes

Mais je sais le nom des camarades
10 Je sais la désespérance de leur cœur
Et la lente macération
De leur vengeance accumulée

Nous sommes frères dans l'humiliation
Des années et des sourires
15 Nous avons été complices
Dans le silence
Dans la peur
Dans la détresse
Mais nous commençons à naître

20 À nos paroles mutuelles
À nos horizons distincts
À nos greniers
Et nos héritages

Oui
25 Nous sommes nus
Devant ce pays
Mais il y a en nous
Tant de paroles amères
Qui ont été notre pâture
30 Qu'au fond de l'humiliation
Nous allons retrouver la joie
Après la haine
Et le goût de laver à notre tour
Notre dure jeunesse
35 Dans un fleuve ouvert au jour
Dont on ne connaît pas encore
Les rives innombrables

Nous avons eu honte de nous

Nous avons des haut-le-cœur
40 Nous avons pitié de nous

Mais l'enfer des élégants esclaves
S'achèvera un jour de soleil et de grand vent

Je le dis comme je l'espère
Je le dis parce que j'ai le désir de mon pays
45 Parce qu'il faut comprendre
La vertu des paroles retenues

Aurions-nous seulement le droit
De serrer dans nos bras
Nos fragiles enfants
50 Si nous allions les ensevelir
Dans ces dédales sournois
Où la mort est la récompense
Au bout du chemin et de la misère

Aurions-nous seulement le droit
55 De prétendre aimer ce pays
Si nous n'en assumions pas
Ses aubes et ses crépuscules
Ses lenteurs et ses gaucheries
Ses appels de fleuves et de montagnes

60 Et la longue patience
Des mots et des morts
Deviendra parole
Deviendra fleur et fleuve
Deviendra salut

65 Un matin comme un enfant
À la fin d'un trop long voyage
Nous ouvrirons des bras nouveaux
Sur une terre habitable
Sans avoir honte d'en dire le nom
70 Qui ne sera plus murmuré
Mais proclamé

Pour saluer une ville, Paris / Montréal, Seghers / HMH, 1963.

Un pays « Qui ne sera plus murmuré... mais proclamé ».

Pistes de lecture

1. Nous sommes en présence d'un style laconique. Commentez.
2. Comment le poète exprime-t-il la non-réalité du pays ?
3. Trouvez le plan de ce poème.
4. La tonalité dominante en est-elle une de certitude ou de doute ?
5. Quels procédés permettent à la fierté de supplanter la honte ?
6. Relevez les références à la parole.
7. Peut-on lire dans ce poème la métaphore d'un peuple en marche ?

———————————— **Au plaisir de lire** ————————————

■ *Comme eau retenue*

GATIEN LAPOINTE (1931-1983)

Le pays est omniprésent dans l'œuvre de Gatien Lapointe, servant de lien vital entre la terre et l'homme qui l'habite. Il s'agit ici d'un pays à valeur universelle qui ne saurait se confiner dans un nationalisme étroit : en témoigne son *Ode au Saint-Laurent* (1963), qui a été traduit en plus de quinze langues. Toujours située dans les replis de l'angoisse et de l'essentiel, près de la révolte débouchant sur l'espoir, cette poésie simple mais inspirée s'approprie les éléments naturels et le monde par la puissance de la parole, qui enferme l'identité des choses dans les mots. Ici, le « je » à valeur de « nous » permet de circonscrire le lien entre l'homme et la terre, entre l'homme et son idéal.

ODE AU SAINT-LAURENT

Ma langue est celle d'un homme qui naît
J'accepte la très brûlante contradiction
Verte la nuit s'allonge en travers de mes yeux
Et le matin très bleu se dresse dans ma main
5 Je suis le temps je suis l'espace
Je suis le signe et je suis la demeure
Je contemple la rive opposée de mon âge
Et tous mes souvenirs sont des présences

Je parle de tout ce qui est terrestre
10 Je fais alliance avec tout ce qui vit

Le monde naît en moi

Je suis la première enfance du monde
Je crée mot à mot le bonheur de l'homme
Et pas à pas j'efface la souffrance
15 Je suis une source en marche vers la mer
Et la mer remonte en moi comme un fleuve
Une tige étend son ombre d'oiseau sur ma poitrine
Cinq grands lacs ouvrent leurs doigts en fleurs
Mon pays chante dans toutes les langues

20 Je vois le monde entier dans un visage
Je pèse dans un mot le poids du monde

Je balise le premier jour de l'homme

L'homme de mon pays pousse et grandit
Telle une jeune plante dans la terre
25 Tous les chemins se croisent sur son front
Toutes les saisons s'accrochent à ses épaules
Flammes et flots se heurtent sur sa tempe
Et cela oscille dans le vent violent
Et cela pleure et rit dans l'éphémère
30 Et cela parle d'un jour infini

Je définirai l'homme en un pas quotidien

Dans mon pays il y a un grand fleuve
Qui oriente la journée des montagnes

Je dis les eaux et tout ce qui commence
35 Dans ma chair dans mon cœur
Je dis ce mot qui s'éveille en mes paumes
Je lancerai un chant dans l'univers
J'entre dans le temps je borne l'espace
Je dispose couleurs et formes

40 J'unis et j'agrandis j'abrège et je dénude
Je me construis un abri ici-bas

Ode au Saint-Laurent précédé de *J'appartiens à la terre*, Montréal, Éditions du Jour, 1963.

Pistes de lecture

1. Relevez les images de l'eau et de la nature, puis commentez-les.
2. Comment s'exprime le lyrisme ? Est-il servi par l'amplitude des vers ?
3. Étudiez le thème de la parole : sa puissance et son pouvoir.
4. La juxtaposition et la répétition sont des procédés importants ici. Précisez.
5. Prouvez que ce poème propose la vision grandiose d'un monde à construire.
6. En quoi ce texte se rapproche-t-il de celui de Pierre Perrault ?

Au plaisir de lire

- *Arbre-Radar*
- *Le Premier Paysage : 15 pièces / 15 dessins*

Rue du Patrimoine, Les Éboulements,
huile sur toile de Claude Descôteaux (collection Serge Leduc et Diane Laflamme).

MCQ

JACQUES BRAULT (né en 1933)

Même s'il a signé des recueils de poèmes et de nouvelles, un roman, des pièces dramatiques, des essais et des critiques, Jacques Brault est d'abord et avant tout un poète polyvalent. Son œuvre, traversée par un souffle puissant, a grandement influencé les écrivains de la génération de *Parti pris*. Dans un poème qui compte parmi les plus importants des années 1960, *Suite fraternelle* (1965), le récit personnel lutte corps à corps avec le drame collectif, la perte d'un frère faisant écho à la cassure du pays. Un texte d'une grande sensibilité à la violence contenue, canalisée par le lyrisme, où la mémoire se fait ciment entre la tendresse et la colère, la haine et la réconciliation.

SUITE FRATERNELLE

Je me souviens de toi   Gilles   mon frère oublié dans la
        terre de Sicile   je me souviens d'un matin d'été
        à Montréal   je suivais ton cercueil vide   j'avais
        dix ans   je ne savais pas encore

5 Ils disent que tu es mort pour l'Honneur   ils disent   et
        flattent leur bedaine flasque ils disent que tu
        es mort pour la Paix   ils disent   et sucent leur
        cigare long comme un fusil

Maintenant je sais que tu es mort avec une petite bête
10   froide dans la gorge   avec une sale peur aux
        tripes   j'entends toujours tes vingt ans qui
        plient dans les herbes crissantes de juillet

Et nous   nous demeurons pareils à nous-mêmes rauques
        comme la rengaine de nos misères

15 Nous
        les bâtards sans nom
        les déracinés d'aucune terre
        les boutonneux sans âge
        les demi-révoltés confortables
20   les clochards nantis
        les tapettes de la grande tuerie
        les entretenus de la Saint-Jean-Baptiste

Gilles   mon frère cadet par la mort ô Gilles dont le sang
        épouse la poussière

25 Suaires et sueurs nous sommes délavés de grésil et de peur
La petitesse nous habille de gourmandises flottantes

Nous
        les croisés criards du Nord
nous qui râlons de fièvre blanche sous la tente de la
30   Transfiguration
nos amours ombreuses ne font jamais que des orphelins
nous sommes dans notre corps comme dans un hôtel
nous murmurons une laurentie pleine de cormorans châtrés
nous léchons le silence d'une papille rêche
35 et les bottes du remords

Nous
les seuls nègres aux belles certitudes blanches
        ô caravelles et grands appareillages des enfants-messies
nous les sauvages cravatés
40 nous attendons depuis trois siècles pêle-mêle

la revanche de l'histoire
la fée de l'occident
la fonte des glaciers

[...]

Il n'a pas de nom ce pays que j'affirme et renie au long
45   de mes jours

mon pays scalpé de sa jeunesse
mon pays né dans l'orphelinat de la neige
mon pays sans maisons ni légendes où bercer ses enfançons
mon pays s'invente des ballades et s'endort l'œil tourné
50   vers des amours étrangères

Je te reconnais bien sur les bords du fleuve superbe où se
      noient mes haines maigrelettes
des Deux-Montagnes aux Trois-Pistoles
mais je t'ai fouillé en vain de l'Atlantique à l'Outaouais
55   de l'Ungava aux Appalaches
je n'ai pas trouvé ton nom
je n'ai rencontré que des fatigues innommables qui traînent
      la nuit entre le port et la montagne rue Sainte-
      Catherine la mal fardée

60 Je n'ai qu'un nom à la bouche et c'est ton nom Gilles
ton nom sur une croix de bois quelque part en Sicile
c'est le nom de mon pays un matricule un chiffre de misère
      une petite mort sans importance un cheveu sur
      une page d'histoire

65 Emperlé des embruns de la peur tu grelottes en cette
      Amérique trop vaste   comme un pensionnat comme un
      musée de bonnes intentions
Mais tu es nôtre tu es notre sang tu es la patrie et qu'importe
      l'usure des mots
70 Tu es beau mon pays   tu es vrai avec ta chevelure de
      fougères et ce grand bras d'eau qui enlace la solitude
      des îles
Tu es sauvage et net de silex et de soleil
Tu sais mourir tout nu dans ton orgueil d'orignal roulé dans
75   les poudreries aux longs cris de sorcières

Tu n'es pas mort en vain Gilles et tu persistes en nos saisons
      remueuses
Et nous aussi nous persistons comme le rire des vagues au
      fond de chaque anse pleureuse

80 Paix sur mon pays recommencé dans nos nuits bruissantes
      d'enfants
Le matin va venir il va venir comme la tiédeur soudaine

d'avril et son parfum de lait bouilli
Il fait lumière dans ta mort Gilles il fait lumière dans
85   ma fraternelle souvenance
La mort n'est qu'une petite fille à soulever de terre je
       la porte dans mes bras comme le pays nous porte
       Gilles

Voici l'heure où le temps feutre ses pas
90 Voici l'heure où personne ne va mourir
Sous la crue de l'aube   une main à la taille fine des ajoncs
Il paraît
Sanglant
Et plus nu que le bœuf écorché
95 Le soleil de la toundra
Il regarde le blanc corps ovale des mares sous la neige
Et de son œil mesure le pays à pétrir

       Ô glaise des hommes et de la terre comme une seule pâte qui
              lève et craquelle

100 Lorsque l'amande tiédit au creux de la main et songeuse en
              sa pâte se replie
Lorsque le museau des pierres s'enfouit plus profond dans
              le ventre de la terre
Lorsque la rivière étire ses membres dans le lit de la savane
105 Et frileuse écoute le biceps des glaces étreindre le pays
              sauvage

       Voici qu'un peuple apprend à se mettre debout
Debout et tourné vers la magie du pôle   debout entre trois
              océans
110 Debout face aux chacals de l'histoire face aux pygmées de
              la peur
Un peuple aux genoux cagneux aux mains noueuses tant il a
              rampé dans la honte
Un peuple ivre de vents et de femmes s'essaie à sa nouveauté

115 L'herbe pousse sur ta tombe Gilles et le sable remue
Et la mer n'est pas loin qui répond au ressac de ta mort

       Tu vis en nous et plus sûrement qu'en toi seul
Là où tu es nous serons   tu nous ouvres le chemin

       Je crois Gilles je crois que tu vas renaître   tu es mes
120   camarades au poing dur à la paume douce tu es
              notre secrète naissance au bonheur de nous-mêmes
              tu es l'enfant que je modèle dans l'amour de ma
              femme tu es la promesse qui gonfle les collines
              de mon pays ma femme ma patrie étendue au flanc
125   de l'Amérique

Mémoire, Montréal, Librairie Déom, 1965.

Analyse formelle

Le lexique

1. Jacques Brault se fait le chantre du paysage. Relevez les adjectifs qui qualifient le Québec. Quelle image du pays émerge de l'ensemble ?

2. Identifiez les noms communs qui expriment l'aliénation du peuple québécois.

3. Identifiez les mots qui appartiennent au champ lexical de la terre, du sol. Comment la terre devient-elle le symbole de la renaissance d'un peuple ? Quelle image renvoie explicitement au récit de la création du monde dans la *Genèse* ?

4. L'auteur construit plusieurs images à partir des parties du corps. Relevez ces images et expliquez-les.

5. Relevez les mots qui livrent des renseignements sur le frère du poète.

La structure du poème

6. Analysez la cinquième strophe. Quel procédé stylistique est utilisé par l'auteur ? Quel effet est ainsi créé ?

7. Identifiez un autre procédé stylistique fréquemment employé par Jacques Brault. Justifiez votre réponse par deux exemples.

8. Le rythme du poème est-il toujours le même ? Répondez à cette question en analysant la construction des vers et des strophes.

9. Quel vers indique un changement, une rupture dans le destin collectif des Québécois ?

Analyse thématique

Le destin du frère mort à la guerre se confond avec celui du pays.

1. Comment l'auteur met-il en parallèle la mort de son frère et celle de son pays ?

2. Comment transforme-t-il la mort de son frère en sacrifice héroïque ?

3. Comment Jacques Brault explique-t-il l'aliénation des Québécois ? Illustrez votre réponse par des extraits du texte.

4. Le poème est animé d'un grand espoir : lequel ? Quelle métaphore illustre cet espoir ?

Questions d'approfondissement

1. Peut-on affirmer que la mémoire tient directement son souffle de la mort comme l'espoir, de la défaite ?

2. Quelle tonalité vous semble dominer ce texte : celle du lyrisme ou de la proclamation ? de la tendresse ou de la colère ?

3. Quel lien peut-on établir entre ce poème et le *Testament politique* de Chevalier de Lorimier (chapitre 3) ?

4. Montrez que ce poème est une bonne illustration de la poésie du pays convergent.

Parti pris et l'écriture militante

Autour de Parti pris, nom d'une revue littéraire (1963-1968) et d'une maison d'édition, se sont regroupés des militants de gauche – poètes, romanciers et essayistes –, engagés pour obtenir l'émancipation des Québécois. Essentiellement, ces écrivains associés aux luttes des classes ouvrières s'efforcent, dans un souci de démocratisation et d'égalité, de promouvoir l'indépendance du Québec, d'établir un pays socialiste, d'où serait exclu le cléricalisme sous toutes ses formes. C'est à ces auteurs, qui sont parvenus à aiguillonner une génération complète, celle des moins de trente ans, que l'on doit, précisément en 1964, l'abandon systématique de l'appellation « Canadien français » au profit de « Québécois ».

Pour les principaux animateurs de cette tendance, les poètes Paul Chamberland et Gérald Godin, la poésie se fait résolument militante. Il importe d'exorciser le malheur historique de la domination anglo-saxonne, qui a exilé le peuple de son destin, l'incitant à vivre en marge de l'Histoire et à l'ombre de l'Autre. Cet autre, dans la honte de soi, on l'a démesurément grandi, au point de devenir totalement dépendant de ce regard qu'on lui porte, et de ne plus se définir que par rapport à cet usurpateur ou, pis, de lui permettre de définir

notre propre identité. Jugement que, par la suite, on intériorisa.

> Le plus grand succès de l'autre c'est d'avoir réussi à nous imposer une présence tellement con-traignante que nous l'avons assimilée pour en faire une moitié de notre surmoi collectif.[...] Nous avons délivré l'autre de l'odieux, nous nous sommes faits nos propres bourreaux[1].

Ce qui peut aisément expliquer le silence et la solitude de nos écrivains, contraints à d'impitoyables soliloques. Et qui éclaire notre fascination pour les mythes compensateurs de toutes sortes. Sans oublier l'attrait qu'exercent sur nos auteurs les thèmes de l'errance et de l'ailleurs. Ni le goût prononcé que nous avons acquis pour les légendes, jusque dans le sport où nous prenons plaisir à nous identifier à d'autres plutôt qu'à nous assumer. Et comment oublier la place que, dans nos vies, nous réservons à l'humour et à son détournement de la réalité. Autant de rassurantes passivités et de modes de refus de vivre l'ici et maintenant. Dotés d'une vive conscience socio-politique, les artisans de Parti pris s'engagent, au contraire, à affronter la réalité, à assumer l'histoire au présent.

1 Paul Chamberland, *Un parti pris anthropologique*, Montréal, Éditions Parti pris, 1983.

Le visage anglais de Montréal en 1961.

Une présence de l'autre très visible. Pour assurer la survie de la langue française, l'État québécois, poussé par la pression populaire, adoptera des mesures pour protéger le français. Ce qui ne sera pas sans provoquer de douloureux heurts.

ANC PA-133218

GÉRALD GODIN (1938-1994)

Déjà poète, romancier, essayiste, journaliste et fondateur d'une maison d'édition, Gérald Godin a réussi en plus un exploit rarissime : concilier la politique et la littérature, en demeurant un politicien et un poète au-dessus de tout soupçon. Dans sa vie comme dans son œuvre, cet homme fougueux et chaleureux a osé être simple, modeste et familier : il n'en est que plus émouvant. Sa poésie excelle à dire le quotidien dans une langue d'une étonnante verdeur ; elle a redonné aux Québécois une langue maternelle qu'ils étaient venus à considérer avec honte. Les mots quotidiens, avec leur bagage d'archaïsmes, de néologismes et d'anglicismes, accèdent ici à la dignité du langage, et le « joual » se retrouve bientôt en habit d'apparat.

La Presse

CANTOUQUE D'AMOUR

C'est sans bagages sans armes
qu'on partira mon steamer à seins
ô migrations ô voyages
ne resteront à mes épouses
5 que les ripes de mon cœur
par mes amours gossé

je viendrai chez vous un soir tu ne m'attendras pas
je serai dressé dans la porte comme une armure
haletant je soulèverai tes jupes pour te voir avec mes mains
10 tu pleureras comme jamais
ton cœur retontira sur la table
on passera comme des icebergs dans le vin de gadelle et de mûre
pour aller mourir à jamais paquetés
dans des affaires catchop de cœur et de foin

15 quand la mort viendra
entre deux brasses de cœur
à l'heure du contrôle
on trichera comme des sourds
ta dernière carte sera la reine de pique
20 que tu me donneras comme un baiser dans le cou
et c'est tiré par mille spanes de sacres
que je partirai retrouver mes pères et mères
à l'éternelle
chasse aux snelles

25 quand je prendrai la quille de l'air
un soir d'automne ou d'ailleurs
j'aurai laissé dans ton cou à l'heure du carcan
un plein casso de baisers blancs moutons
quand je caillerai comme du vieux lait
30 à gauche du poêle à bois
à l'heure où la messe a vidé la maison
allant d'venant dans ma barçante en merisier
c'est pour toi seule ma petite noire
que ma barçante criera encore

35 comme un cœur
quand de longtemps j'aurai rejoint mes pères et mères
à l'éternelle
chasse aux snelles

mon casso de moutons te roulera dans le cou
40 comme une gamme
tous les soirs après souper
à l'heure où d'ordinaire chez vous j'ai ressoud
comme un jaloux

chnaille chnaille que la mort me dira
45 une dernière fois j'aurai vu ta vie
comme un oiseau enfermé mes yeux courant fous du cygne
au poêle
voyageur pressé par la fin je te ramasserai partout
à pleines poignées
50 et c'est dans mille spanes de sacres que je partirai
trop tôt crevé trop tard venu
mais heureux comme le bleu de ma vareuse
les soirs de soleil

c'est entre les pages de mon seaman's handbook
55 que tu me reverras fleur noire et séchée
qu'on soupera encore ensemble
au vin de gadelle et de mûre
entre deux cassos de baisers fins comme ton châle
les soirs de bonne veillée

Les Cantouques, poèmes en langue verte, populaire et quelquefois française, Montréal, Éditions Parti pris, 1967.

Pistes de lecture

1. Le sous-titre affirme que ce recueil se compose de « poèmes en langue verte, populaire et quelquefois française ». Commentez.
2. Comment l'oralité se manifeste-t-elle dans l'écriture ?
3. Quelle est la tonalité dominante ?
4. Relevez les images et commentez-les.
5. La gravité des thèmes vient faire contraste à l'apparente insouciance du style. Commentez.

──────────────── **Au plaisir de lire** ────────────────

■ *Ils ne demandaient qu'à brûler* (Poèmes, 1960 - 1986)

PAUL CHAMBERLAND (né en 1939)

Deux grands courants traversent la poésie de Paul Chamberland : la ferveur nationaliste, qui dénonce les bâillons d'un peuple pour mieux l'amener à la parole, et la contre-culture, qui se plaît à observer le chaos et la beauté du monde, faisant éclater tous les tabous pour que l'homme retrouve son identité et son harmonie perdues. Toujours, l'être humain – et son quotidien – est au centre de cette poésie, qui préfère proposer une action plutôt que de se livrer à des épanchements lyriques. Ainsi, dans *L'Afficheur hurle* (1964), Paul Chamberland décrit la poésie comme un privilège à dénoncer : cette écriture, qui est ici autant poème que manifeste, située à la frontière de la prose et de la poésie, doit s'effacer devant l'acte politique, celui qui détient la clé de la libération collective autant qu'individuelle.

L'AFFICHEUR HURLE

j'écris à la circonstance de ma vie et de la tienne et
        de la vôtre ma femme mes camarades
j'écris le poème d'une circonstance mortelle inéluctable
ne m'en veuillez pas de ce ton familier de ce langage
5   parfois gagné par des marais de silence
je ne sais plus parler
je ne sais plus que dire
la poésie n'existe plus
que dans des livres anciens tout enluminés belles voix
10   d'orchidées aux antres d'origine parfums de dieux
        naissants
moi je suis pauvre et de mon nom et de ma vie
je ne sais plus que faire sur la terre
comment saurais-je parler dans les formes   avec les
15   intonations qu'il faut les rimes les grands rythmes
        ensorceleurs de choses et de peuples

je ne veux rien dire que moi-même
cette vérité sans poésie moi-même
ce sort que je me fais cette mort que je me donne
20 parce que je ne veux pas vivre à moitié dans
        ce demi-pays

dans ce monde à moitié balancé dans le charnier
        des mondes
            (et l'image où je me serais brûlé « dans la
25   corrida des étoiles » la belle image instauratrice
            du poème
je la rature parce qu'elle n'existe pas qu'elle
        n'est pas moi)
et tant pis si j'assassine la poésie
30 ce que vous appelleriez vous la poésie
et qui pour moi n'est qu'un hochet
car je renonce à tout mensonge
dans ce présent sans poésie
pour cette vérité sans poésie

35 moi-même

Photo Josée Lambert

[...]

j'habite en une terre de crachats de matins haves et
    de rousseurs malsaines les poètes s'y suicident et
    les femmes s'y anémient les paysages s'y lézardent et
    la rancœur purulle aux lèvres de ses habitants

40 non non je n'invente pas je n'invente rien   je sais
    je cherche à nommer sans bavure tel que c'est
    de mourir à petit feu tel que c'est de mourir poliment
    dans l'abjection et dans l'indignité tel que c'est
    de vivre ainsi

45 tel que c'est de tourner retourner sans fin dans
    un novembre perpétuel dans un délire de poète fou
    de poète d'un peuple crétinisé décervelé
vivre cela le dire et le hurler en un seul long cri
    de détresse qui déchire la terre du lit des fleuves

50   à la cime des pins
vivre à partir d'un cri d'où seul vivre sera possible

L'Afficheur hurle, Montréal, Éditions Parti pris, 1964

Pistes de lecture

1. Comment le poète peut-il affirmer : « La poésie n'existe pas » ?
2. Quelle image exprime le caractère factice de la poésie ?
3. Relevez et commentez les envolées lyriques.
4. Quelle est la tonalité dominante ?
5. Nous sommes moins en présence de la parole que d'un cri exacerbé. Commentez.

Au plaisir de lire

■ *Terre Québec*, suivi de *L'Afficheur hurle*, de *L'Inavouable et d'Autres Poèmes*
■ *Compagnons chercheurs*

Cette période de prise de conscience nationale voit l'apparition de groupes politiquement organisés qui prônent l'indépendance du Québec. Ici, Pierre Bourgault s'adresse à la foule lors d'une manifestation du Rassemblement pour l'indépendance nationale (RIN).
En 1969, la fusion du RIN, du RN et du Mouvement souveraineté-association donnera naissance au Parti Québécois.

ANQ (Fonds Québec-Presse)

LES RÉCITS DE LA RÉVOLTE ET DE LA RUPTURE

À l'image de la société, le roman connaît sa révolution. Depuis une vingtaine d'années, la production romanesque était une littérature de constat et de prise de conscience : dans les romans de mœurs urbaines et ceux d'interrogation psychologique[1], les romanciers portaient majoritairement leur regard sur la problématique sociale, peignant la domination socio-économique dont était victime la collectivité canadienne-française, puis scrutant les moindres replis de la conscience pour illustrer l'aliénation tant sociale que culturelle qui en découlait. Voici que, dans la période de grande effervescence qui débute en 1960, il y a une rupture radicale avec ce qui a précédé. Les romanciers passent du constat au combat, exprimant leur révolte contre les conditions qui ont rendu incertaine l'identité tant individuelle que collective.

Leurs personnages sont généralement des gens qui ont des comptes à régler avec les diverses institutions sociales qui empêchent d'accéder à l'autonomie et à la liberté. Ils contestent avec virulence les vieilles valeurs qui ont mené tout un peuple au silence et au cul-de-sac culturel ; ils appellent surtout une nouvelle vision du monde basée sur une identité retrouvée. Dans ces romans, une focalisation sur l'individu remplace l'ancien cadre familial ou paroissial. Alors que jadis et naguère le héros devait se sacrifier pour sa collectivité, on peut maintenant parler de problématique individuelle où chacun tente, très péniblement il est vrai, de s'assumer.

Le projet collectif du pays étant d'abord porté par le rêve de chacun, chaque romancier vient inscrire sa réponse partielle et partiale à cette quête de l'identité nationale en devenir. Métaphore du pays, le roman se fait le laboratoire des expériences et des architectures les plus diverses. On parle de « romans-poèmes » ou de « romans-symboles », construits selon une forme qui leur est propre, comme les poèmes. Parallèlement à la peinture qui est devenue un art de moins en moins figuratif, le roman abandonne, lui aussi, toute notion d'objectivité, conscient de n'exprimer qu'une vision personnelle et parcellaire. Des romans parfois déroutants, certains parlent d'anti-romans,

des récits à la forme éclatée, à l'image de l'ancienne vision du monde que l'on voudrait voir désintégrée. Des romans peut-être difficiles à lire, mais combien riches, qui disent au lecteur attentif le tourment de vivre l'ici et maintenant.

De même que la vieille société est remise en cause, de même les procédés, techniques, styles, langages et autres sentiers battus de l'art du romancier sont abandonnés. Terminée l'époque où le roman racontait une histoire linéaire, où les mots s'interdisaient de dépasser le contour d'une réalité connue. Dorénavant, le roman ne raconte plus : sa trame discontinue se fait elle-même remise en question et son écriture mutante permet au langage de supplanter l'intrigue. Écriture incertaine qui s'épuise à expliquer l'homme québécois, à traduire une individualité confuse au sein d'une collectivité incertaine. Le travail du romancier consiste à faire l'inventaire de nouvelles formes – de nouvelles valeurs – qui arriveront à réconcilier son héros ou son anti-héros (et son lecteur) avec lui-même et avec le destin de sa collectivité.

Parmi les nouveaux procédés abondamment utilisés par les romanciers, retenons l'usage généralisé de la première personne du singulier et l'emploi abondant du niveau de langue populaire. Le JE – parfois une intervention impromptue de l'auteur – vient mettre fin au corset idéologique prétendant qu'il n'y avait qu'une seule vérité. Quant au langage de la rue, le joual, il témoigne d'un peuple dépossédé de tout, même de sa langue. Un roman écrit en joual, c'est l'image d'un peuple en conflit avec ses vérités, y compris celles de la grammaire. Et utiliser le joual, c'est aussi faire le procès, dans les mots de ceux qui furent dépossédés de tout y compris de la parole, des bien-pensants et de leur langage châtié, les responsables du monolithisme idéologique. On est loin de l'époque où le roman se satisfaisait de plier les mots à l'expression de la réalité.

Haine et violence à l'égard de la famille et sexualité débridée semblent deux thèmes particulièrement récurrents. Les adolescents sont les personnages les plus riches, qui revendiquent leur place au soleil.

---

1 Mais également dans des romans du terroir, comme *Trente arpents*, et dans des romans dits idéalistes, comme *Les Demi-Civilisés*.

Ils contestent la famille, qui étouffe et empêche d'accéder à l'autonomie. De plus, on profite de toutes les occasions pour remettre le clergé, et son étroitesse d'esprit, à sa place. On le tient responsable de la honte éprouvée à l'égard de son propre corps, héritage d'une religion abusive où la notion de péché prenait une importance excessive. Il importe maintenant de s'accepter inconditionnellement, d'où le sort particulier réservé à l'érotisme. Parmi les autres thèmes qui ont un certain poids, citons celui de la ville, considérée comme une sorte d'enfer.

Le défilé de la Saint-Jean-Baptiste de 1968.

Le climat est propice à la critique. Un vaste mouvement de transgression se profile peu à peu (voir chapitre 8). En 1968, le premier ministre du Canada, Pierre Elliot Trudeau, assiste au défilé de la Saint-Jean-Baptiste. Il sera pris à partie par la foule et les célébrations tourneront à l'émeute.

JACQUES FERRON (1921-1985)

Ce conteur, romancier, dramaturge[1] et essayiste compte parmi nos plus grands écrivains. Le mot clé de son œuvre est sans doute « dialogue ». Ce peintre de la chaleur humaine affirme sans cesse que la vie se situe toujours au niveau de l'échange, entre les humains, entre artistes et société, parents et enfants, rire et sérieux, ville et campagne, passé et présent, raison et folie... Dans cet extrait de son conte « Le paysagiste » tiré des *Contes du pays incertain* (1962), le paysagiste du Québec qu'est Ferron précise le rôle de l'artiste à l'égard du pays. Son personnage, qui doit son nom au prophète Jérémie, exerce son art en Gaspésie ; il y a conclu une entente – « un concordat » : on subvient à ses besoins matériels et lui éclaire les gens de ses paysages.

BNQ

LE PAYSAGISTE

Tout au long du jour, il bâillait, pris par l'espace qui bâillait plus grand, par les couleurs, les lignes, le mouvement et les harmoniques sonores du tableau. Lorsqu'il faisait beau, il peignait en plein air, autrement derrière un carreau sur une
5   vitre dont il prenait grand soin qu'elle adhérât à l'espace. Le soir il était libre ; on venait causer avec lui. Comme il peignait par projection, en direct, pourrait-on dire, suivant à la perfection la réalité qu'il épousait, les badauds étaient déjà renseignés sur son dernier paysage, l'un pour y avoir
10   flâné, l'autre pêché, tous pour l'avoir vu. Cette participation grandissait l'œuvre, édifice d'autant plus étonnant qu'il était la cathédrale d'un jour que la mer engloutissait, la nuit, édifice d'air et d'eau dont la fluidité périssable était justement la merveille. Jérémie savait se mettre à la portée
15   de ces comparses qui n'avaient retenu de l'œuvre que les cristallisations croustillantes la tapissant, les détails, des riens, des accidents ; l'inspiration de l'artiste les laissait-elle indifférents, du moins ils n'en parlaient jamais. « Pas mal, disaient-ils, cette ondée ! Bien réussi, ton vent ! Pas
20   fameuse, ta bruine du matin ! » Appréciation, compliment ou reproche, Jérémie écoutait tout humblement car tout de son œuvre le touchait, même le reflet fugace dans des yeux indifférents. Ces menus bavardages occupaient la soirée, puis un à un les amateurs se retiraient et Jérémie
25   allait se coucher le dernier, seul.

Naguère maigre, mangeant du bout des lèvres, inquiet le jour mais dormant bien la nuit, il avait épaissi, ne se gênait plus pour manger à sa faim et devenait bel homme mais, la nuit, se tourmentait. Le vent de terre qui le soir se met à
30   ruisseler le long des montagnes et peu à peu grossit, torrents d'oiseaux stridents déployant leurs ailes pour éviter le toit des maisons, ce vent lui semblait lugubre. Ce n'étaient plus les ailes blanches du jour couronnant sa création. La malice de la nuit le troublait. Ses terreurs dataient du concordat :
35   l'acceptation des siens l'avait banni de soi, mais ne pouvant

1 Voir ailleurs dans ce chapitre.

s'exprimer en eux selon les coutumes de l'espèce, il restait en peine et ne trouvait de repos que sous le soleil. Il dormait peu, mal ou pas du tout; parfois alors il se levait, sortait de la maison et que rencontrait-il ? Des décombres, des noirs
40 amas, le vide, la plainte profonde du vent. Et jusqu'à l'aube il errait sur le rivage, dans les ruines de son œuvre; une de ces nuits-là, il se noya.

Le lendemain et toute la semaine qui suivit, il y eut brume. Puis le paysage reparut ; désormais il se succéda jour après
45 jour, saison après saison. C'était le paysage que Jérémie avait peint jour après jour, saison après saison, depuis des années et dont il laissait provision pour toujours. Personne ne le reconnut. L'artiste avait oublié de signer.

Contes, Montréal, Hurtubise HMH, 1968.

Pistes de lecture

1. Le paysagiste doit son nom à un personnage biblique. Qui était Jérémie ?
2. Pourquoi Jérémie va-t-il se coucher « le dernier, seul » ?
3. Expliquez : « Ses terreurs dataient du concordat ».
4. Pourquoi l'artiste a-t-il oublié de signer ?
5. Si Jérémie symbolisait le rôle de l'artiste dans l'édification d'un pays, quel serait ce rôle ?

─────────────── **A u   p l a i s i r   d e   l i r e** ───────────────

- ■ *Contes* (édition intégrale)
- ■ *Le Ciel de Québec*
- ■ *La Nuit*   ■ *La Charette*
- ■ *Escarmouche, la longue passe*
- ■ *L'Amélanchier*

Une simple histoire de peintre,
huile sur toile de Jean-Pierre Janie|

GÉRARD BESSETTE (né en 1920)

Le Libraire (1960) de Gérard Bessette est une œuvre marquante de la littérature québécoise des années 1960. Ce roman réaliste, qui tient à la fois du *Tartuffe* de Molière et de *L'Étranger* de Camus, fait le triste constat d'une société où n'importent que les apparences. Où les éléments normalement les plus actifs, tel le lucide Hervé Jodoin, personnage central de l'ouvrage et narrateur de l'extrait, sont privés de leurs moyens. Jodoin est amené au désœuvrement le plus complet, dans un milieu sclérosé, vivant toujours sous la férule d'un clergé tatillon.

LA TAVERNE

Je m'installe d'ordinaire dans un coin, contre une bouche d'air chaud, près des latrines. Il y flotte naturellement une odeur douteuse quand la porte s'ouvre ; mais c'est l'endroit le plus chaud et celui qui me demande le moins de déplacement quand je dois aller me soulager. D'ailleurs je commence à
5 m'habituer à cette odeur. Je fume un peu plus de cigares, voilà tout. En somme je ne me plains pas de mes séances à la taverne.

Le seul inconvénient sérieux, c'est que mon organisme supporte difficilement la bière. Je m'explique : ce n'est pas l'absorption qui me gêne, mais l'élimination. À partir du septième ou huitième bock, j'éprouve des brûlements dans la
10 vessie. Pendant quelques jours, j'ai cru vraiment qu'il me faudrait renoncer à la bière. Mais, en parcourant le journal, j'ai découvert l'annonce d'un sel anti-acide vraiment remarquable, le sel *Safe-All*. J'en ai acheté une bouteille. Une bonne dose entre le troisième et le cinquième verre, et mon malaise se limite à un échauffement fort bénin.

15 À première vue, il pourrait sembler plus simple de ne pas boire, ou de boire moins. Car je ne suis nullement alcoolique. Avant de m'installer ici, je buvais en somme très peu, sauf quand j'assistais à des réunions d'anciens confrères. Elles n'avaient lieu heureusement qu'une fois par année. Peu importe. Je n'ai pas commencé ce journal pour ressasser des souvenirs. Je l'ai entrepris pour tuer le temps le dimanche quand les tavernes sont fermées...

20 [...] J'occupe toujours une table à moi seul. J'ai averti les garçons que je voulais la paix. De plus, il ne faut pas oublier que je passe en moyenne sept heures par jour *Chez Trefflé*. Cela crée tout de même une certaine obligation morale de consommer raisonnablement.

De toute façon, j'en suis arrivé à une moyenne de vingt bocks par soirée sans autre malaise que celui ci-dessus mentionné. Naturellement, je n'ai pas atteint cette quantité le premier soir.
25 Parti de six ou huit verres, j'ai mis trois semaines pour grimper progressivement au niveau actuel.

Le Libraire, Montréal, Cercle du Livre de France, 1968.

Pistes de lecture

1. Quels passages illustrent la misanthropie de Jodoin ?
2. Commentez la longueur des phrases et le rythme qui en découle.
3. La rédaction de ce journal n'a pas été faite pour communiquer mais pour tuer le temps. Prouvez-le.
4. Quelle importance prennent les gestes quotidiens ? Dans quel but ?
5. Quelle part de satire peut être contenue dans cet extrait ?

Au plaisir de lire

- *La Bagarre*
- *L'Incubation*
- *Le Cycle*
- *Le Semestre*

JACQUES RENAUD (né en 1943)

La Presse

Le Cassé (1964) de Jacques Renaud est le premier ouvrage publié aux Éditions Parti pris et le premier texte paru en langue populaire. C'est le cri désespéré d'un jeune chômeur montréalais, Ti-Jean, dépossédé de tout, qui entend régler son compte à la société. Pendant longtemps, ce court récit[1] souleva une vive polémique, au point que des enseignants de cégep – et ce jusqu'en 1983 – furent contraints de le retirer de leurs cours. On préférait encore se scandaliser de la violence physique et langagière du récit, plutôt que de s'interroger sur les causes du désespoir et de la laideur sociale.

LE DÉSESPOIR COMME DROGUE

Philomène, c'est plus une image dans sa tête comme tout à l'heure. Non. C'est devenu simplement quelqu'un qu'il attend, qu'il n'a pratiquement jamais connu... Mais c'est l'obsession qui est bonne... Y en démord pas, Ti-Jean... Il se sent vivre... Ça enfle aux aines, son goût du massacre... Ça enfle le ventre,
5 ça dilate la gorge, il plisse le front, baisse la tête, sippe le café... Ça s'en vient... Tout à l'heure, Philomène, ma Mémène, ma charogne, ma chienne...

Ti-Jean méprise avec hargne les gens autour de lui, surtout la féfille. Ils n'ont pas comme lui, une idée qui les mène, une obsession qui les hante, une bonne obsession, compacte, palpable... Ils n'ont pas de passion... Et c'est Ti-Jean le
10 seul habitant de ce monde écœurant... Il prend les décisions qu'il veut bien...

Il fait ce qu'il veut... Personne ne peut venir l'en empêcher... Ils sont trop médiocres...

Gagne de crosseurs !

Ils dissertent, ils s'amusent. Ils ne sont pas désespérés, ceux-là, comme lui,
15 Ti-Jean, désespérés au point de s'en saouler, d'en vivre, du désespoir, le désespoir comme une drogue et la haine comme une soupape, un barbiturique qui vaut toutes les gouffes à Bouboule... Tout le monde parle de tout le monde, peu leur importe la haine, la folie à leurs côtés, un bonhomme poussé à bout, bourré d'explosifs, une bombe humaine avec un cœur qui fait un tic-tac gras,
20 rouge, nerveux, une bombe qui va leur sauter dans les pattes comme un rat égaré... Qui va mordre et déchirer les tendons... Gruger les restes de sandouitches comme un affamé du port, déchiqueter les piasses, les dix, les vingt, les cinq, tout ça est chronométré, prêt à sauter, à bondir à la face des imbéciles... Comme un rat égaré, comme un chat aussi... Comme n'importe quoi d'affolé,
25 d'éperdu ; comme un homme...

Le Cassé, Montréal, Typo Nouvelles, 1990.

Pistes de lecture

1. Quelle peut être la signification du titre *Le Cassé* ?
2. Pourquoi l'auteur a-t-il voulu privilégier le réalisme linguistique ?
3. Montrez que la narration, au premier paragraphe, suggère la montée de l'instinct de violence chez Ti-Jean.
4. En quoi le personnage de Ti-Jean semble-t-il pathétique ?
5. On a dit de ce récit que son terrorisme littéraire faisait écho à l'action terroriste du FLQ. Commentez.

1 Il s'agit en fait d'un recueil de nouvelles.

ANDRÉ MAJOR (né en 1942)

DES DOMESTIQUES MESQUINS

La journée a passé, comme d'habitude ; et Antoine n'a pas encore décidé ce qu'il ferait. La seule chose qui est certaine, c'est qu'il n'appellera pas Lise. Il n'a pas le goût de discuter, ni surtout celui de se justifier. « Je lui écrirai. Pour qu'elle sache au moins que je suis parti... Si je pars... » Partir ou rester, tel est
5 donc son seul et grand problème ce mardi soir du mois d'avril dans sa petite chambre de la rue Ontario à Montréal dans la belle province. Il lui reste quatre piastres et cinquante ; il a dépensé cinquante cennes pour dîner, parce qu'il ne pouvait vraiment pas faire autrement.

C'est le soir, et il écrit. Une lettre d'adieu... « Ma chère Lise... » Non, pas ça.
10 Il rature et prend une autre feuille. « Ma Lise... » Il contemple les mots, les rature. Une autre feuille. « Chère Lise... » Là, c'est bien. Plus simple. « Chère Lise, écrit-il, j'ai hésité longtemps avant de prendre la plume, mais me voilà, puisqu'il le faut bien, en train de t'annoncer la décision que j'ai cru devoir prendre ». Il rature « que j'ai cru devoir prendre », et continue : « que j'ai prise.
15 Tu te demanderas sans doute quel démon me possède et me pousse à agir comme un insensé ; c'est normal, étant donné que pour toi vivre c'est s'adapter à la société. Et que pour moi c'est tout le contraire : je crois, et cette conviction est de plus en plus profonde, que pour s'affirmer et développer son aptitude à la liberté, il est nécessaire de se soustraire aux impératifs et conventions de la société et même de leur opposer un refus
20 absolu. Comment t'expliquer ? Regarde autour de toi : notre misère sociale, notre misère morale, nos chefs... Rien que de la médiocrité. Pas d'hommes libres dans notre pays. Nous n'avons pas d'Histoire, mais une suite de défaites. Menacés et affaiblis, nous n'avons même pas la volonté de résister, la volonté de devenir des hommes. Serons-nous toujours des domestiques mesquins et satisfaits ? Ce sont là, Lise, des questions vitales, et j'aimerais que tu
25 en tiennes compte. Parce que ça te concerne, toi aussi. Tu vas me dire que tu m'aimes, et que je devrais t'aimer simplement, sans histoires, avec mon cœur, en oubliant ce qui se passe autour de moi. M'occuper des Loisirs avec toi, selon toi, ce serait une manière d'échapper à l'égoïsme ; mais justement, ces Loisirs, c'est peut-être une manière de ne pas voir plus loin que la paroisse. Amuser les jeunes quand notre pays n'a même pas les moyens de leur fournir du
30 travail. Quand le gouvernement de notre pays ne nous appartient même pas...

Comprends-tu ma colère ? Comprends-tu que je n'aspire pas, moi, à une bonne petite vie tranquille, comme celle que tu me proposes. [...] »

Le Cabochon, Montréal, Typo Roman, 1989.

Le premier roman d'André Major, *Le Cabochon* (1964), donne la parole à des marginaux qui viennent témoigner de leur dépossession du réel. Des adolescents y clament leur droit à l'existence et au rêve. Y sont dénoncées les idées reçues, qu'elles relèvent du monde de l'éducation, de la culture ou de la politique. La langue fruste mais vraie permet une première prise en charge du pays.

Photo Josée Lambert

Pistes de lecture

1. Comment pouvez-vous comprendre qu'Antoine préfère s'expliquer par écrit ?
2. Pourrait-on affirmer qu'Antoine est un idéaliste ?
3. Qualifiez le style. Qu'est-ce qui le distingue de celui de l'extrait précédent ?
4. Quel lien pourriez-vous voir entre ce texte et la repossession du pays ?

Au plaisir de lire

■ *La Chair de poule*   ■ *Le Vent du diable*   ■ *L'Épouvantail*

HUBERT AQUIN (1929-1977)

Avec Hubert Aquin, la littérature jouxte la réalité. Ainsi, des épisodes de la vie de l'auteur abondent dans *Prochain épisode* (1965), roman à l'écriture éminemment personnelle et d'une richesse structurale et symbolique exceptionnelle. Le romancier dit la difficulté de s'assumer et de s'aimer tant comme individu que comme peuple. D'où le constant report à plus tard – à un « prochain épisode » – de la libération. Le lecteur ne peut qu'être ému par l'aliénation du narrateur, « symbole fracturé de la révolution du Québec », et par sa quête, à dimension politique mais utilisant les techniques du roman d'espionnage.

UNE NÉVROSE ETHNIQUE

[...] Je suis le symbole fracturé de la révolution du Québec, mais aussi son reflet désordonné et son incarnation suicidaire. Depuis l'âge de quinze ans, je n'ai pas cessé de vouloir un beau suicide : sous la glace enneigée du Lac du Diable, dans l'eau boréale de l'estuaire du Saint-Laurent, dans une chambre de l'hôtel Windsor avec
5   une femme que j'ai aimée, dans l'auto broyée l'autre hiver, dans le flacon de Beta-Chlor 500 mg, dans le lit du Totem, dans les ravins de la Grande-Casse et de Tour d'Aï, dans ma cellule CG19, dans mes mots appris à l'école, dans ma gorge émue, dans ma jugulaire insaisie et jaillissante de sang ! Me suicider partout et sans relâche, c'est là ma mission. En moi, déprimé explosif, toute une nation s'aplatit historiquement et raconte son enfance perdue, par bouffées
10   de mots bégayés et de délires scripturaires et, sous le choc noir de la lucidité, se met soudain à pleurer devant l'immensité du désastre et l'envergure quasi sublime de son échec. Arrive un moment, après deux siècles de conquêtes et 34 ans de tristesse confusionnelle, où l'on n'a plus la force d'aller au-delà de l'abominable vision. Encastré dans les murs de l'Institut et muni d'un dossier de terroriste à phases maniaco-spectrales, je cède au vertige d'écrire mes mémoires
15   et j'entreprends de dresser un procès-verbal précis et minutieux d'un suicide qui n'en finit plus. Vient un temps où la fatigue effrite les projets pourtant irréductibles et où le roman qu'on a commencé d'écrire sans système se dilue dans l'équanitrate. Le salaire du guerrier défait, c'est la dépression. Le salaire de la dépression nationale, c'est mon échec ; c'est mon enfance dans une banquise, c'est aussi les années d'hibernation à Paris et ma chute en ski au
20   fond du Totem dans quatre bras successifs. Le salaire de ma névrose ethnique, c'est l'impact de la monocoque et des feuilles d'acier lancées contre une tonne inébranlable d'obstacle. Désormais, je suis dispensé d'agir de façon cohérente et exempté, une fois pour toutes, de faire un succès de ma vie. Je pourrais, pour peu que j'y consente, finir mes jours dans la torpeur feutrée d'un institut anhistorique, m'asseoir indéfiniment devant dix fenêtres qui déploient
25   devant mes yeux dix portions équaniles d'un pays conquis et attendre le jugement dernier où, étant donné l'expertise psychiatrique et les circonstances atténuantes, je serai sûrement acquitté.

Prochain épisode, Montréal, Leméac, 1992.

Pistes de lecture

1. Quels parallèles le héros de *Prochain épisode* établit-il entre sa propre vie et celle du pays ?
2. Démontrez comment l'écriture d'Hubert Aquin oscille constamment entre le réel et l'onirique, entre la cohérence et l'incohérence.
3. Peut-on affirmer que ce texte est un cri d'amour d'un écrivain pour son pays ?
4. Un pays meurtri ne peut produire que des artistes meurtris. Commentez.

Au plaisir de lire

- *Trou de mémoire*
- *L'Antiphonaire*
- *Neige noire*
- *Blocs erratiques*

RÉJEAN DUCHARME (né en 1941)

Les mots de Réjean Ducharme décapent la réalité, masquée par des couches de compromis et de conventions accumulées depuis l'enfance. Pas étonnant alors que ses personnages importants, surtout de jeunes déserteurs sociaux, se situent du côté de la révolte, s'opposant à tout ce qui détruit l'être humain, à toutes les valeurs de la vieille société. La narratrice de *L'Avalée des avalés* (1966), Bérénice, fillette amorale et révoltée, mais encore bien plus désespérée d'être mal aimée, laisse délirer son imaginaire, laissant les mots donner vie à une nouvelle réalité, la seule qui importe. Celui qui occupe ses pensées, Christian, est son frère.

L'AVALÉE DE L'AVALÉ

Il ne faut pas souffrir. Mais il faut prendre le risque de souffrir beaucoup. Mais j'aime trop les victoires pour ne pas courir après toutes les batailles, pour ne pas risquer de tout perdre. Va te coucher. Vacherie de vacherie !

Cette semaine, être l'amie de Christian est facile, va tout seul, entraîne même. C'est si facile
5 que ça n'en vaut presque pas la peine. Mais plus tard, ce sera dur, épuisant, presque impossible. J'ai des plans. Nous ne nous inspirerons rien, comme deux cailloux. Il faudra que nous nous construisions de l'amitié au fur et à mesure. Nous ne serons amis que par orgueil, que pour la beauté de construire quelque chose, de créer, de mener le bal. Je veux qu'à la longue Christian en vienne à me répugner et à me mépriser. Alors il sera mon ami envers et contre nous. Alors
10 les efforts d'âme que nous déploierons pour rester amis nous feront suer à grosses gouttes, nous feront saigner les yeux, nous brûleront. La vie ne se passe pas sur la terre, mais dans ma tête. La vie est dans ma tête et ma tête est dans la vie. Je suis englobante et englobée. Je suis l'avalée de l'avalé.

Christian a une façon d'aimer qui désarme. Il aime les petites choses, les choses qui n'ont ni
15 force, ni forme, ni poids, ni beauté. Il se penche sur elles et, sous mes yeux, je les vois bientôt rayonner du meilleur de l'homme. Il les fouille, les découvre. Il n'a qu'à les désigner du doigt ou les prendre dans sa main pour qu'aussitôt, sous l'effet de son amour, elles deviennent merveilleuses. Il rendrait un barreau de chaise irrésistible à un boa constrictor. Quand je suis seule et que je vois courir des araignées sur l'eau du marais, ça ne me fait rien. Quand je suis
20 avec Christian, les araignées emplissent mes yeux comme autant de navires, elles s'allument pour que je les voie et j'ouvre mon regard pour les laisser entrer. Les bouts de jonc qu'il ramasse sont des maisons. Il les ouvre et on voit s'enfuir un insecte, un petit animal, une sorte de minuscule être humain, un rhinocéros pas plus gros qu'une tête d'épingle.

L'Avalée des avalés, Paris, Folio, n° 1393.

Pistes de lecture

1. « Je suis l'avalée de l'avalé. » Expliquez.
2. L'intérêt de ce texte réside-t-il dans les mots ou dans les personnages ?
3. Qualifiez le style et démontrez son adéquation au propos du texte.
4. Décrivez l'ambivalence du personnage de Bérénice, qui charme malgré sa démesure.
5. Que représente Christian pour Bérénice ?
6. Qu'est-ce qui permet de relier ce texte au courant du « pays convergent » ?

Au plaisir de lire

- Le Nez qui voque
- L'Hiver de force
- L'Océantume
- Les Enfantômes
- La Fille de Christophe Colomb

MARIE-CLAIRE BLAIS (née en 1939)

DES PIEDS COMME DES BÊTES

Les pieds de Grand-Mère Antoinette dominaient la chambre. Ils étaient là, tranquilles et sournois comme deux bêtes couchées, frémissant à peine dans leurs bottines noires, toujours prêts à se lever : c'étaient des pieds meurtris par de longues années de travail aux champs, (lui qui ouvrait les yeux pour la
5 première fois dans la poussière du matin ne les voyait pas encore, il ne connaissait pas encore la blessure secrète à la jambe, sous le bas de laine, la cheville gonflée sous la prison de lacets et de cuir...) des pieds nobles et pieux, (n'allaient-ils pas à l'église chaque matin en l'hiver ?) des pieds vivants qui gravaient pour toujours dans la mémoire de ceux qui les voyaient une seule
10 fois – l'image sombre de l'autorité et de la patience.

Né sans bruit par un matin d'hiver, Emmanuel écoutait la voix de sa grand-mère. Immense, souveraine, elle semblait diriger le monde de son fauteuil. (Ne crie pas, de quoi te plains-tu donc ? Ta mère est retournée à la ferme. Tais-toi jusqu'à ce qu'elle revienne. Ah ! Déjà tu es égoïste et méchant, déjà
15 tu me mets en colère !) Il appela sa mère. (C'est un bien mauvais temps pour naître, nous n'avons jamais été aussi pauvres, une saison dure pour tout le monde, la guerre, la faim, et puis tu es le seizième...) Elle se plaignait à voix basse, elle égrenait un chapelet gris accroché à sa taille. Moi aussi j'ai mes rhumatismes, mais personne n'en parle. Moi aussi, je souffre. Et puis, je
20 déteste les nouveau-nés ; des insectes dans la poussière ! Tu feras comme les autres, tu seras ignorant, cruel et amer... (Tu n'as pas pensé à tous ces ennuis que tu m'apportes, il faut que je pense à tout, ton nom, le baptême...)

Il faisait froid dans la maison. Des visages l'entouraient, des silhouettes apparaissaient. Il les regardait mais ne les reconnaissait pas encore. Grand-Mère Antoinette était si immense qu'il
25 ne la voyait pas en entier. Il avait peur. Il diminuait, il se refermait comme un coquillage. (Assez, dit la vieille femme, regarde autour de toi, ouvre les yeux, je suis là, c'est moi qui commande ici ! Regarde-moi bien, je suis la seule personne digne de la maison. C'est moi qui habite la chambre parfumée, j'ai rangé les savons sous le lit...) Nous aurons beaucoup de temps, dit Grand-Mère, rien ne presse pour aujourd'hui...(Sa grand-mère avait une vaste
30 poitrine, il ne voyait pas ses jambes sous les jupes lourdes mais il les imaginait, bâtons secs, genoux cruels, de quels vêtements étranges avait-elle enveloppé son corps frissonnant de froid ?)

Une saison dans la vie d'Emmanuel, Montréal, Boréal compact, 1991.

Le plus grand succès de Marie-Claire Blais, auteure très prolifique, est sans contredit *Une saison dans la vie d'Emmanuel* (1965), traduit en une quinzaine de langues, dont le chinois. Ce roman noir et touffu se fait le miroir de la société québécoise d'avant la Révolution tranquille. Le personnage de la grand-mère, qui incarne toute la rigidité du passé, domine le récit. Elle est perçue à travers le regard de son petit-fils Emmanuel. L'extrait contient un procédé cher à Marie-Claire Blais, la confrontation : entre vieillesse et jeunesse, dureté et tendresse, réalité et rêve, laideur et beauté... On notera l'usage particulier des parenthèses, qui recèlent le plus souvent des propos d'une dureté sans pareille, implacable.

Pistes de lecture

1. Quel effet produit la première phrase ? Quelle symbolique pourrait-on associer aux pieds ?
2. Aux 2ᵉ et 3ᵉ paragraphes, qui s'exprime principalement dans les passages entre parenthèses ? Quelle signification peut-on donner à ces propos ?
3. Relevez les éléments du récit qui évoquent le Québec à l'époque du terroir. Pourquoi ne peut-on pas parler de roman de la terre ?

Au plaisir de lire

■ *La Belle Bête* ■ *Manuscrits de Pauline Archange* ■ *Les Nuits de l'Underground* ■ *Soifs*

JACQUES GODBOUT (né en 1933)

VÉCRIRE

Le soleil aujourd'hui est plus cru encore qu'hier. Un soleil cru qui cuit. Je ne vois pas comment j'ai pu me passer aussi longtemps d'écrire, je veux dire je faisais des poèmes bien sûr, mais sans forcer... j'attendais que vienne l'inspiration. Des fois, je patientais trois semaines, c'était de la chasse à l'arc...
5 Noircir ces cahiers, c'est autre chose : ils sont là, ouverts, derrière le poêle, ou pliés proprement dans la poche de mon veston, ou empilés sur le dessus du poste de télévision, dans la toilette, au grenier. Ils me suivent, me rattrapent, me sollicitent, chaque être humain devrait être forcé de remplir des cahiers : au bout de l'instruction obligatoire, il devrait y avoir l'écriture obligatoire,
10 il y aurait moins de méchancetés, vu qu'on aurait tous le nez dans des cahiers. C'est peut-être d'ailleurs ce qu'ils appellent l'éducation permanente, une éducation frisée, comme si on ne passait pas sa vie à s'instruire, à se faire beau, à dévorer ce qui se présente.

À la radio, il y a Gilles Vigneault qui chante, le cœur dans la gorge, ça lui
15 donne une drôle de voix. Papa chantait mieux que lui, il avait aussi mal au pays, comme on dit j'ai mal au ventre, je vais prendre un Eno's fruit salt; je n'ai pas digéré les Anglais ni les curés, je vais sucer des Tums, ça va passer. Si ça ne passe pas, je vais dégueuler, renvoyer comme on fait dans la neige, à la porte des tavernes.

20 Ils avaient probablement tout prévu : dès ma naissance, ils savaient que je glisserais dans un trou sans demander mon dû, ma joie, ma place. Je ne suis pas de ceux qui clouent des oiseaux aux érables. Mais j'en ai une folle envie. Mon frère Jacques a bien tourné : il les amuse. Mon frère Arthur a bien tourné : il a fait de la charité un système économiquement rentable. Moi aussi, j'ai bien tourné : je suis là au bord de la route, prêt à les nourrir de mon mieux s'ils
25 daignent s'arrêter, je suis le cuisinier du pays, leur fidèle serviteur. Mais ça commence à m'ennuyer. Bien sûr, si je faisais fortune je pourrais m'acheter une automobile et tuer le temps ou quelques passants, mais au bout d'un réservoir d'essence, qu'est-ce qu'il reste ? Le vide. Tu remplis à nouveau : donnez-moi de l'Esso extra. Toute ta vie tu remplis un réservoir qui continue de se vider. Un jour, tu dois avoir envie d'aller à pied, et quand t'es à pied tu peux ruer, t'abandonnes
30 ta *Toronado* sur le bord de la route, tu te couches dans un champ de chiendent, la tête vers le ciel, tu te dis : celui qui mérite le plus gros coup de pied au cul c'est celui qui m'a créé.

Salut Galarneau !, Paris, Éditions du Seuil, 1967.

Ponopresse

François Galarneau, le protagoniste de *Salut Galarneau!*[1] (1967), tient un snack-bar – le « Roi du hot dog » – dans un vieil autobus. Pour occuper ses loisirs entre deux fritures, il écrit sa réalité quotidienne (il « vécrit »), depuis l'imaginaire vécu jusqu'à la vie imaginée. Une histoire simple, à la mesure des aspirations des Québécois. La prise en main de sa réalité par l'écriture où transparaît, par-delà un réquisitoire moqueur contre la société de consommation, une facette importante de notre identité : l'américanité.

Pistes de lecture

1. Que représente l'écriture pour le narrateur ?
2. Quelle métaphore exprime l'absurdité de l'existence ?
3. Relevez les jeux de mots : à quel registre appartiennent-ils ?
4. De quelle manière Galarneau exprime-t-il son rapport au pays ?
5. La route de Galarneau ne mène nulle part ailleurs qu'à soi-même. Commentez.
6. Comparez le désabusement de Galarneau avec celui d'Hubert Aquin.

Au plaisir de lire

- *L'Aquarium*   - *Le Couteau sur la table*   - *Salut Galarneau !*   - *D'Amour P.Q.*

1 L'auteur a fait vivre un autre épisode à son héros et donné une suite à ce roman : *Le Temps de Galarneau*, Paris, Seuil, 1993.

❧ LE THÉÂTRE ET LA CONTESTATION

À l'instar des autres genres littéraires, le théâtre participe à la remise en question générale qui secoue toutes les couches de la société et il connaît un essor remarquable. Étant de par sa forme même un outil privilégié de contestation, il poursuit en l'amplifiant la dénonciation de la famille[1], courroie de transmission de tous les conservatismes. La famille apparaît bientôt comme la pire entrave à l'épanouissement collectif, de plus en plus présent comme toile de fond. Dès lors, les préoccupations sociales des dramaturges se font plus prononcées : démasquer l'imposture de la famille, c'est lutter contre tous les abus de pouvoir, c'est dénoncer une conception de l'amour qui s'appelle bien plutôt dépendance, c'est condamner un héritage de peur et de résignation qui mène à l'impuissance.

Après avoir dénoncé ce qui semble le dépositaire de la source de toutes les aliénations, certains dramaturges se donnent comme rôle de faire évoluer la société et invitent à poser des gestes pour arriver à s'assumer individuellement, condition indispensable pour parvenir à une conscience collective, voire nationale. Françoise Loranger excelle en ce domaine : ses pièces servent le plus souvent d'exorcisme à la peur qui nous tenaille depuis la petite enfance, legs transmis et amplifié génération après génération. D'autres auteurs, nombreux, font revivre certaines pages de notre histoire, question d'établir un nouveau pacte entre le passé et le présent. Certains arrivent même à mettre en scène les deux grandes options politiques qui divisent notre société, les partisans d'un pays québécois à construire et les tenants d'un pouvoir fédéral fort. Tous les moyens sont donc mis en branle pour susciter le sentiment d'appartenance.

1 Ce thème était déjà présent dans *Tit-Coq* et *Un simple soldat*.

C'est sur le terrain de l'éducation que s'amorce la bataille pour protéger le français. L'assimilation des immigrants récents à la communauté anglophone provoque un débat public sur la possibilité de restreindre l'accès à l'école anglaise pour les enfants de ces nouveaux arrivants. En 1969, l'adoption de la loi 63 autorisant le libre choix de la langue d'enseignement donne lieu à un vaste mouvement d'opposition.

La Presse

JACQUES FERRON (1921-1985)

Pour Jacques Ferron, la date capitale de notre histoire nationale n'est pas 1760 mais 1838, année de la défaite des Patriotes, qui mit en berne tous nos espoirs. Dans *Les Grands Soleils* (1958), « grand cérémonial » qui confond le Saint-Eustache de 1838 et le parc Viger de la fin des années 1950, le dramaturge évoque justement, en l'actualisant, le glorieux épisode de Chénier qui signa la fin de la rébellion. La défaite d'hier y porte le germe d'une victoire future. Dans l'extrait, Mithridate, un poète populaire, rappelle au jeune François Poutré, mercenaire revenu depuis peu de la Corée, la fin sanglante de la bataille de Saint-Eustache.

MORT TRIOMPHALE DE CHÉNIER

Mithridate
Les vitraux s'étaient mis à bouger et les saints à danser. De la voûte, des piliers, de la cascade des jubés rouges, l'illumination convergeait vers le chœur.

5 *François*
Hé ! Tu mets les voiles, grand-père!

Mithridate
Comme un tison qui s'entoure de ses cendres, l'église se concentrait sur elle-même. L'ostensoir comme un grand soleil, Dieu dans la
10 fleur des sauvages.

François
(*debout sur son banc*) Cependant, au-dehors, une épaisse fumée obscurcissait l'église. La cérémonie s'achevait, les saints ont cassé le vitrail et les patriotes, à la file indienne, se sont mis à sauter par la
15 fenêtre, du côté du cimetière.

Mithridate
Chénier est sorti le dernier. Quand il s'est relevé, il a retombé; il avait la cheville brisée. Alors, il s'est agenouillé, il a épaulé son fusil, cent coups partirent avant le sien.

20 *François*
Tu nous avais dit : « prenez votre temps, visez bien, ne manquez pas votre coup ».

Mithridate
Il ne le manqua pas : il mourut en criant : Vive la liberté !

25 *François*
La belle légende!

Mithridate
Elle s'empara de son pauvre corps, criblé de balles. C'est le grand cérémonial qui commençait. Écoute, petit, le cochon des avents
30 qu'on égorge. On ouvrit le corps de Chénier : le cœur on lui arracha pour le mettre au bout d'un bâton.

François
J'imagine que les Chinois, ils s'en racontent, eux aussi, des choses invraisemblables sur les morts de la pagode.

35 *Mithridate*
La vérité est qu'il n'y a pas de bombe si rapide qu'elle empêche de

parler ceux qu'elle tue. Le peuple, qui s'est conçu dans ce cérémonial, attend désormais son heure. Étrange destinée et suprême honneur, c'est le premier peuple blanc qui cède au métissage et se lève avec
40   le Tiers-Monde ! Voilà des siècles que la force cherchait à s'imposer à la faiblesse : elle a obtenu pour résultat que le faible s'impose au fort. Le général Colborne marchait à la défaite. C'est Chénier qui triomphe et avec lui le Fils contre le Père. Petit, enlève ton battle dress : c'est la livrée de Barabas.

Théâtre I, Montréal, Librairie Déom, 1968.

Pistes de lecture

1. Comparez les niveaux de langue et la psychologie des deux personnages.
2. Relevez les images, groupez-les et commentez-les.
3. Comment lumière et obscurité s'opposent-elles dans les premières répliques ?
4. Expliquez : « Le peuple, qui s'est conçu dans ce cérémonial ».
5. Qu'ont en commun de Lorimier (chapitre 3) et Chénier ?

─────────────────── **Au plaisir de lire** ───────────────────

■ *Théâtre II*

Œuvre d'Henri Julien.

FRANÇOISE LORANGER (1913-1995)

Photo Marie Fournier

TU ES LE PAYS

L'arpenteur

Ce pays je le connais dans toutes ses dimensions ! Cette rive et l'autre, et toutes les forêts et les rivières et tous les villages et toutes les villes. Pas un coin que je n'aie exploré, arpenté, prospecté, sondé, fouillé ! Pas une seule de ses richesses
5 ou de ses misères qui me soit inconnue. J'ai découvert des mines dont personne ne soupçonnait l'existence. Je sais même un endroit où le fer jaillit du roc presqu'à l'état pur. Une montagne de fer.

Par ailleurs, j'ai vu... J'ai vu des villages croupir dans l'ignorance et la pauvreté, j'ai vu des familles entières lutter à cœur d'années, même pas pour vivre, mais
10 pour survivre. Pour survivre, dans ce pays si riche ! Oui, ce pays, je le connais. Assumer ce pays est aussi difficile que de s'assumer soi-même.

La jeune fille

Je ne sais pas de quoi tu parles...

L'arpenteur

15 Hé ! Non, tu ne le sais pas...

Vous êtes des milliers à ne pas le savoir et tout le problème est là ! C'est de toi que je parle !

La jeune fille

De moi ?

20 *L'arpenteur*

Oui, de toi ! Oui, réveille-toi ! Ce pays, c'est toi, qu'est-ce que tu attends pour t'en apercevoir ? C'est toi, c'est moi, tes frères, ta famille... la mienne !... Aussi les milliers d'Indiens qu'on a parqués dans des réserves. Je parle de l'air que tu respires, de la terre qui te porte, de la rivière que tu viens de traverser, des chansons que tu chantes, de la langue que tu parles, d'une
25 certaine façon d'être qui ne se retrouve nulle part ailleurs dans le monde... Je te parle de ce qui est la réalité, je te parle de toi !

Double jeu, Montréal, Leméac, coll. « Théâtre Leméac », 1969.

La recherche de l'identité personnelle en même temps que nationale est au cœur de la dizaine de pièces de théâtre écrites par Françoise Loranger au cours des années 1960. Ainsi, *Double jeu* (1969), pièce audacieuse pour l'époque qui défraya la chronique judiciaire, s'adresse expressément à « la génération sacrifiée, celle qui n'a jamais rien reçu et qui ne savait même pas demander ». L'extrait laisse la parole à « l'arpenteur », un des cinq personnages importants de ce psychodrame, qui tente de faire prendre conscience à « la jeune fille », le personnage central, que le pays n'est aucunement une notion abstraite.

Pistes de lecture

1. Dans sa première réplique, l'arpenteur décrit une situation absurde : laquelle ?
2. Quel effet produisent les énumérations ?
3. Quelle phrase pourrait à elle seule résumer la pensée des auteurs de ce chapitre ?
4. Montrez la portée symbolique de la profession d'arpenteur.

Au plaisir de lire

■ *Une maison... Un jour...*
■ *Le Chemin du Roy*

■ *Encore cinq minutes* suivi de *Un cri qui vient de loin*
■ *Médium Saignant*

Ponopresse

JEAN-CLAUDE GERMAIN (né en 1939)

Auteur prolifique, metteur en scène, directeur et animateur de troupes, conteur et historien populaire, Jean-Claude Germain se sert du théâtre comme d'un exorcisme. Il n'hésite pas à revoir l'histoire avec pittoresque, le rire servant de moyen de distanciation à l'égard de l'aliénation du passé. Dans la « grande gigue épique » qu'est *Un pays dont la devise est je m'oublie* (1976), l'auteur tourne en dérision le mercantilisme de la religion. L'extrait met en scène le curé d'une paroisse et « le monsignor », émissaire de l'évêque.

ÉGLISE ET SEX-APPEAL

le Monsignor fait un sourire pincé, referme le livre des comptes de la fabrique et laisse échapper un long soupir

LE MONSIGNOR
Ouais !... Ouais, ben, le bon vieux temps, c'est fini ! J'y peux rien mais... mais y va falloir
5 prendre les mesures qui s'imposent... pour rendre l'opération REN-TA-BLE !

il se tourne vers le curé dparoisse qui l'écoute avec un air d'innocence amusée et incrédule

Y FAUT CHANGER, MONSIEUR LCURÉ !...Pis squ'y faut changer... çé NOTTE IMAGE !

d'un geste qui englobe toute la scène, il désigne l'église où ils se trouvent

10
Parce que pour la clientèle...L'IMAGE... çé squi compte ! Ça peut représenter 50 pour 100 de l'achalandage !

LE CURÉ DPAROISSE
Ah bon ! Mais... eh... ça va garder lmême nom ?

15 LE MONSIGNOR
La paroisse ?

LE CURÉ DPAROISSE
Non, non... jveux dire l'édifice ici... ça va toujours s'appler une église ?

LE MONSIGNOR
20 On s'est posé la question... au Co-mi-té... parsque pour ête franc avec vous... de nos jours...
É-G-L-I-S-E... ça manque un peu de...

il jette un coup d'œil vers ce qu'on présume être les murs et la décoration intérieure de l'église

... ça manque définitivement de sexxe-appille... À côté dla génération Pepsi, la génération Paul
25 Sisse... ça fait pas lpoids !

à l'instar d'un gérant des ventes qui s'apprête à démolir les idées reçues de ses vendeurs, il fait un temps

Monsieur lcuré, chsais pas si vous avez djà pris conscience de l'ampleur de notte problême !

LE CURÉ DPAROISSE
30 Sûrement pas !

LE MONSIGNOR
On a un produit à vendre ! LE CIEL !... Pis on l'offre à nos clients ! LES FIDÈLES !... Jusqucs là !

Ça va ! On est COM-PÉ-TI-TIFS !... Mais après... on dmande à nos clients... LES FIDÈLES... de payer cash un produit... LE CIEL... dont on peut pas leu-z-assurer la livraison... ni même leu garantir que lproduit E-X-I-S-S-E !

35

> *avant de conclure par un effet bœuf, il s'arrête un instant pour ménager sa chute*

Çé pas... travel now, pay later ça... ni même... pay now, travel later !... CÉ PAY NOW... IN CASE... YOU TRAVEL ! Payez tou-suitte AU CAS où vous auriez à voyager !

40

> *l'œil ironique, le curé dparoisse joue à être plus naïf qu'il ne l'est*

LE CURÉ DPAROISSE

Dans ltemps... y-z-applaient ça... la foi ?

> *appréciant fort peu d'être rappelé à l'ordre théologique, le Monsignor répond sur un ton glacial*

45

LE MONSIGNOR

Ben y dvaient être des meilleurs vendeurs que nous-z-auttes, monsieur lcuré ! Pis lsecret s'est pardu !

Un pays dont la devise est je m'oublie, Montréal, VLB éditeur, 1976.

Pistes de lecture

1. En quoi le langage est-il anachronique ?
2. Relevez les mots du vocabulaire du commerce et montrez leur portée satirique.
3. Comparez les répliques du curé et du monsignor : quelle partie du clergé est surtout critiquée ?

— **Au plaisir de lire** —

- *Diguidi, diguidi, ha ! ha ! ha !*
- *Les Hauts et les Bas d'la vie d'une diva : ...*
- *A Canadian Play / Une plaie Canadienne*
- *Les Nuits de l'Indiva. Une mascapade*

- *Le Roi des mises à bas prix*
- *Mamours et Conjugat. Scènes de la vie amoureuse québécoise*

Collection particulière. Photo Patrick Fuyet

Et du Très-Haut, Il te regarde sans relâche (1981), huile sur toile de Normand Hudon.

L'ESSAI : CREUSET DU CHANGEMENT

L'essai est assurément le genre littéraire le plus propice pour exprimer et expliquer le climat social et intellectuel d'une société. Ainsi le voit-on, jusqu'à l'époque du *Refus global*, faire écho au monolithisme idéologique d'une communauté à l'esprit doctrinal, qui se permet de contrôler jusqu'au contenu des essais. Puis, quand la collectivité canadienne-française entame son processus de remise en question, sa marche vers la pluralité et la libre expression des idées, les essayistes cessent d'être simplement des témoins, pour se permettre de soulever des débats et, même, d'amener leurs lecteurs à des prises de position. C'est le moment de l'émergence de l'essai québécois comme genre majeur qui, dès lors, connaît une floraison qui n'a de cesse depuis.

De 1960 à 1975, le destin collectif accapare toutes les énergies. Les essayistes s'interrogent sur la réalité sociale, littéraire, linguistique, historique, politique et intellectuelle des Québécois ; ils se questionnent sur notre identité véritable et élaborent une nouvelle fiche signalétique nationale où le Québécois peut trouver l'accord avec lui-même par suite de la réappropriation de ses libertés collectives, qu'il a laissées filer dans le passé. Ici comme partout ailleurs, le lecteur est confronté au projet de libération, basé sur des préoccupations identitaires ; il est invité à reprendre son évolution, laissée en friche depuis deux siècles. Bien plus qu'un thème, le pays monopolise toutes les énergies.

Soulignons que, comme dans les autres genres littéraires, l'usage de la première personne du singulier s'affirme de plus en plus, même s'il n'est pas encore généralisé. Mais un fait est acquis : alors qu'hier le JE était étouffé dans un NOUS dépressif qu'il fallait promouvoir envers et contre tout, aujourd'hui, le NOUS est formé d'une multitude de JE autonomes qu'il importe de préserver.

JEAN-PAUL DESBIENS / FRÈRE UNTEL[1]
(né en 1927)

UNE LANGUE DÉSOSSÉE

Nos élèves parlent joual, écrivent joual et ne veulent pas parler ni écrire autrement. Le joual est leur langue. Les choses se sont détériorées à tel point qu'ils ne savent même plus déceler une faute qu'on leur pointe du bout du crayon en circulant entre les bureaux. « L'homme que je parle » – « Nous allons
5 se déshabiller » – etc. ne les hérisse pas. Cela leur semble même élégant. Pour les fautes d'orthographe, c'est un peu différent; si on leur signale du bout du crayon une faute d'accord ou l'omission d'un *s*, ils savent encore identifier la faute. Le vice est donc profond : il est au niveau de la syntaxe. Il est aussi au niveau de la prononciation : sur vingt élèves à qui vous demandez leur nom,
10 au début d'une classe, il ne s'en trouvera pas plus de deux ou trois dont vous saisirez le nom du premier coup. Vous devrez faire répéter les autres. Ils disent leur nom comme on avoue une impureté.

Le joual est une langue désossée : les consonnes sont toutes escamotées, un peu comme dans les langues que parlent (je suppose, d'après certains disques) les
15 danseuses des Îles-sous-le-Vent : oula-oula-alao-alao. [...]

Cette absence de langue qu'est le joual est un cas de notre inexistence à nous, les Canadiens français. On n'étudiera jamais assez le langage. Le langage est le lieu de toutes les significations. Notre inaptitude à nous affirmer, notre refus de l'avenir, notre obsession du passé, tout cela se reflète dans le joual, qui est vraiment notre langue. Je signale, en passant, l'abondance, dans
20 notre parler, des locutions négatives. [...]

Bien sûr qu'entre jouaux, ils se comprennent. La question est de savoir si on peut faire sa vie entre jouaux. Aussi longtemps qu'il ne s'agit que d'échanger des remarques sur la température ou le sport ; aussi longtemps qu'il ne s'agit de parler que du cul, le joual suffit amplement. Pour échanger entre primitifs, une langue de primitif suffit ; les animaux se contentent de
25 quelques cris. Mais si l'on veut accéder au dialogue humain, le joual ne suffit plus. Pour peinturer une grange, on peut se contenter, à la rigueur, d'un bout de planche trempé dans de la chaux ; mais pour peindre la Joconde, il faut des instruments plus fins.

On est amené ainsi au cœur du problème, qui est un problème de civilisation. Nos élèves parlent joual parce qu'ils pensent joual et ils pensent joual parce qu'ils vivent joual, comme
30 tout le monde par ici.

Les Insolences du Frère Untel, Montréal, Éditions de l'Homme, 1988.

La Presse

Jean-Paul Desbiens, sous son pseudonyme de Frère Untel, ouvre véritablement la Révolution tranquille avec *Les Insolences du Frère Untel* (1960) : il y attaque tous nos tabous et dénonce le vide de notre pensée. Étonnant mais rassurant que ce soit un membre du clergé – qui a si longtemps tenu le Québec en tutelle – qui sonne le début d'un temps nouveau. Ce texte douloureux dit notre mal-être collectif, jusque dans notre langue.

Pistes de lecture

1. Identifiez les principales caractéristiques du joual.
2. Pourrait-on parler ici d'un manifeste ?
3. Pour l'auteur, la langue est à l'image du peuple qui la parle. Quelle image des Québécois peut-on voir dans le joual ?
4. La situation décrite est celle de 1960. Comparez-la à celle d'aujourd'hui.

Au plaisir de lire

■ *Sous le soleil de la pitié*

[1] L'auteur est frère mariste.

Ponopresse

PIERRE VALLIÈRES (1937-1998)

L'écrivain politique Pierre Vallières s'est surtout fait connaître lors de sa participation aux activités du Front de libération du Québec (FLQ). Ce socialiste impénitent a composé, entre autres, un essai percutant où il précise sa pensée révolutionnaire et indépendantiste : *Nègres blancs d'Amérique* (1968) ; ces nègres blancs, ce sont les Québécois francophones, les assujettis, les floués.

NÈGRES BLANCS

Être un « nègre » , ce n'est pas être un homme en Amérique, mais être l'esclave de quelqu'un. Pour le riche Blanc de l'Amérique yankee, le « nègre » est un sous-homme. Même les pauvres Blancs considèrent le « nègre » comme inférieur à eux. Ils disent : « travailler dur comme un nègre », « sentir mauvais comme
5 un nègre », « être dangereux comme un nègre », « être ignorant comme un nègre »... Très souvent, ils ne se doutent même pas qu'ils sont, eux aussi, des nègres, des esclaves, des « nègres blancs ». Le racisme blanc leur cache la réalité, en leur donnant l'occasion de mépriser un inférieur, de l'écraser mentalement, ou de le prendre en pitié. Mais les pauvres blancs qui méprisent ainsi le Noir sont doublement nègres car
10 ils sont victimes d'une aliénation de plus, le racisme, qui, loin de les libérer, les emprisonne dans un filet de haines ou les paralyse dans la peur d'avoir un jour, à affronter le Noir dans une guerre civile.

Au Québec, les Canadiens français ne connaissent pas ce racisme irrationnel qui a causé tant de tort aux travailleurs blancs et aux travailleurs noirs des États-Unis. Ils
15 n'ont aucun mérite à cela, puisqu'il n'y a pas, au Québec, de « problème noir ». La lutte de libération entreprise par les Noirs américains n'en suscite pas moins un intérêt croissant parmi la population canadienne-française, car les travailleurs du Québec ont conscience de leur condition de nègres, d'exploités, de citoyens de seconde classe. Ne sont-ils pas, depuis l'établissement de la Nouvelle-France, au XVIIe siècle, les valets
20 des impérialistes, les « nègres blancs d'Amérique » ? N'ont-ils pas, tout comme les Noirs américains, été importés pour servir de main-d'œuvre à bon marché dans le Nouveau Monde ? Ce qui les différencie : uniquement la couleur de la peau et le continent d'origine. Après trois siècles, leur condition est demeurée la même. Ils constituent toujours un réservoir de main-d'œuvre à bon marché que les détenteurs
25 de capitaux ont toute liberté de faire travailler ou de réduire au chômage, au gré de leurs intérêts financiers, qu'ils ont toute liberté de mal payer, de maltraiter et de fouler aux pieds, qu'ils ont toute liberté, selon la loi, de faire matraquer par la police et emprisonner par les juges « dans l'intérêt public », quand leurs profits semblent en danger.

Nègres blancs d'Amérique, Montréal, Typo, 1994.

Pistes de lecture

1. Qu'est-ce qu'un « nègre blanc » ?
2. Comment l'auteur décrit-t-il le racisme ?
3. Quelle doctrine politique a inspiré Pierre Vallières ?

─────────────────────── **Au plaisir de lire** ───────────────────────

■ *L'Urgence de choisir*

PIERRE VADEBONCŒUR (né en 1920)

UN PEUPLE PARADOXAL

À René Lévesque

La situation des Canadiens français dans l'histoire fut un paradoxe constant. Ce peuple, depuis le début, semble posséder une curieuse permanence, malgré les conditions extérieures qui le menacent et parfois le condamnent, et malgré l'insignifiance de ses moyens, qui ne l'a jamais empêché de prétendre à
5 persister dans l'histoire. Il s'agit d'un peuple bizarrement posé dans la durée et comme installé dans l'histoire une fois pour toutes, en dépit de tous les aléas et de la vraisemblance. Il ne s'agit pas, autant qu'on pourrait penser, d'un peuple inexistant à l'origine, plus tard menacé mais s'affirmant, puis à d'autres moments sur le point de vaincre ou de périr, et dont la courbe historique
10 aurait quelque lien serré avec les événements et les situations. Son sentiment de permanence n'a jamais eu qu'un rapport assez lointain avec sa position réelle et avec ses virtualités. On ne trouve pas pour ainsi dire de fin ni de commencement dans cette histoire. Les Canadiens français, d'une certaine façon, dirait-on, ne sont pas dans l'histoire. [...]

15 Nous ne possédons pas les moyens du pays ; c'est l'étranger qui, en quelque sorte, les possède ; mais, contrairement à lui, nous *avons un pays*. Nous sommes un peuple ; il n'est qu'une caste. Le langage ne s'y trompe pas, qui appelle les conquérants les Anglais et réserve aux seuls Français le nom de Canadiens. Nous sommes un peuple, mais qui n'a même pas pour lui le nombre. Nous ne sommes encore rien que déjà, et comme par nature, par une assurance et
20 une conviction sans rapport avec notre peu de pouvoir, nous nous comportons d'une manière instinctivement souveraine, mais sans posséder les attributs de la souveraineté, ou comme une nation, mais sans gouvernement qui nous soit propre, sans protection du droit des gens, sans ambassadeurs, sans armée, sans affaires, sans constitution à nous, sans alliances, sans projets, bref sans les mille instruments, les perspectives et les rôles multiples qui font qu'un peuple non
25 seulement existe mais agit et s'affirme. C'est là une position très fausse.

Voilà donc le paradoxe : constituer très profondément un peuple, mais un peuple dépouillé, investi, et qui dure et veut durer comme s'il possédait effectivement ce qu'il faut pour se compter comme une nation. La colonisation, ici, a si bien réussi qu'elle a donné très tôt naissance à un pays distinct, mais gouverné par d'autres et privé, en nous, de presque tout ce
30 qui peut en faire un pays véritable. [...] La question est de savoir si nous pourrons encore vivre dans cette condition paradoxale. Ma réponse est négative. La contradiction, il faut maintenant la résoudre ou se résigner à périr. Il n'y a plus de milieu.

La Dernière Heure et la Première, Montréal, L'Hexagone / Parti pris, 1970.

La Presse

Pierre Vadeboncœur compte parmi les essayistes les plus importants du Québec. Il se fait un devoir de dire l'urgence d'une décision aussi radicale que définitive pour les Québécois : agir maintenant « ou se résigner à périr. Il n'y a plus de milieu. » Ce que rappelle *La Dernière Heure et la Première* (1970) : l'heure est venue pour un peuple d'actualiser ses possibles.

Pistes de lecture

1. Résumez l'argumentation de Pierre Vadeboncœur et critiquez-la.
2. Quelle est la tonalité dominante ? Quel but vise l'auteur ?
3. Expliquez le titre *La Dernière Heure et la Première*.
4. Comparez la langue de Pierre Vadeboncœur à celle de Pierre Vallières.

Au plaisir de lire

- *La Ligne du risque*
- *L'Autorité du peuple*
- *Un génocide en douce*

LE CHANT DU PAYS

La fin des années 1950 voit la naissance de ceux que l'on appelle les chansonniers, des auteurs-compositeurs qui interprètent leurs propres créations dans des « boîtes à chanson » qui vont se multipliant et auxquelles fait fête la jeunesse québécoise. La chanson suscite une véritable passion, tant auprès du public que des créateurs[1]. Cette fascination, qui n'a guère cessé depuis, marque la première relation vitale entre les artistes et le public, entre les intellectuels et la masse. Chacun se passionne pour ce lyrisme chanté, avec nos mots et avec notre âme, qui invite au partage des joies et des angoisses, des émotions et des rêves. Sans souci d'imiter ce qui se fait ailleurs, car nulle part la chanson n'aura tenu un rôle si important dans l'Histoire. La chanson réussit ainsi à nous identifier comme distincts; avec elle, naît la certitude d'une culture qui nous est propre. En ce sens, elle ne peut être qu'éminemment nationaliste.

Ce sont très majoritairement des jeunes, d'abord des étudiants puis bientôt de jeunes travailleurs, qui permettent l'épanouissement de cette faste période de la chanson poétique. Hier encore, les aînés et leurs certitudes – qui ont bien pâli depuis – monopolisaient la société ; aujourd'hui, la jeunesse trouve dans la chanson le dernier refuge de la tendresse, du lyrisme et de l'espoir, et elle lui demande de traduire ses aspirations quant à la place qu'elle pourrait occuper dans la nouvelle société. La chanson, dont ils se sont saisis comme s'il s'agissait de leur culture propre, leur paraît un moyen de s'approprier le pays, dont ils se sentent particulièrement dépossédés. Elle fut donc un instrument de libération nationale.

Les thèmes des chansons sont fort nombreux, allant de la célébration des premiers émois de l'amour jusqu'aux rêves de mer et d'îles lointaines. Sans négliger l'évocation de la difficulté d'être soi dans la ville. Mais il est un thème qui, ici aussi, se fait particulièrement récurrent, celui de l'enracinement au pays, un pays qu'il presse de construire. La chanson situe donc le public aux premières loges de la conscience politique.

1 Dans les années 1960, le tirage moyen d'un roman est d'environ 2000 exemplaires. Pour leur part, Vigneault, Léveillée et Ferland vendent chacun jusqu'à 30 000 microsillons. C'est dire que les chansonniers sont pratiquement les seuls artistes à pouvoir vivre de leur art.

Éditeur officiel du Québec

FÉLIX LECLERC (1914-1988)

Félix Leclerc est le chef de file de tous nos chansonniers. Après avoir incarné pendant longtemps la sagesse du paysan qui trouve la sérénité dans l'attachement aux réalités quotidiennes, le chanteur manifeste, après la crise d'Octobre 1970, une conscience nettement plus militante, qui lui confère une aura de prophète. *Le Tour de l'île*, composée en 1975, parle du pays idéal, toujours fidèle à ses origines.

LE TOUR DE L'ÎLE

Pour supporter   le difficile   et l'inutile
Y a l'tour de l'île   quarante-deux milles   de choses tranquilles
Pour oublier   grande blessure   dessous l'armure
Été hiver   y a l'tour de l'île   l'île d'Orléans
5   L'île c'est comme Chartres   c'est haut et propre   avec des nefs
Avec des arcs   des corridors   et des falaises
En février   la neige est rose   comme chair de femme
Et en juillet   le fleuve est tiède   sur les battures...

Au mois de mai   à marée basse   voilà les oies
10   Depuis des siècles   au mois de juin   parties les oies
Mais nous les gens   les descendants   de La Rochelle
Présents tout l'temps   surtout l'hiver   comme les arbres
Mais c'est pas vrai   mais oui c'est vrai   écoute encore...

Maisons de bois   maisons de pierre   clochers pointus
15   Et dans les fonds   des pâturages   tout est silence
Les enfants blonds   nourris d'azur   comme les anges
Jouent à la guerre   imaginez...   imaginons

L'île d'Orléans   un dépotoir   un cimetière
Parc à vidanges   boîte à déchets   U. S. Parking
20   On veut la mettre   en mini-jupe   and speak English
Faire ça à elle   l'île d'Orléans   notre fleurdelise
Mais c'est pas vrai   mais oui c'est vrai   raconte encore...

Sous un nuage   près d'un cours d'eau   c'est un berceau
Et un grand-père   au regard bleu   qui monte la garde
25   I'sait pas trop   ce qu'on dit   dans les capitales
L'œil vers le golfe   ou Montréal   guette le signal
Pour célébrer   l'indépendance   quand on y pense
C'est-i en France   c'est comme en France   le tour de l'île
Quarante-deux milles   comme des vagues   et des montagnes
30   Les fruits sont mûrs   dans les vergers   de mon pays
Ça signifie   l'heure est venue   si t'as compris...

Le Tour de l'île, [Montréal], disque Philips 6325-242, 1975.

Ponopresse

Pistes de lecture

1. Les vers sont construits de manière elliptique. Expliquez.
2. Relevez les différents symboles associés à l'île.
3. Étudiez la construction du poème : le thème associé à chaque strophe.
4. Quels éléments de la première strophe trouvent un écho dans la dernière ?
5. Qu'est-ce qui confère de la solennité à cette chanson ?

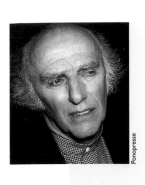

Ponopresse

Toutes les chansons de Gilles Vigneault sont pénétrées de l'esprit du pays. On lui doit, notamment, une galerie d'« hommes forts » où le chansonnier chante, en le poétisant et en le magnifiant, l'homme québécois. L'enracinement dans le pays passé se fait ici gage de confiance et de réussite dans le présent. Cet auteur a même composé une chanson qui, pendant un certain temps, a pris figure d'hymne national auprès des nationalistes : *Gens du pays*. Le pays, chez Vigneault, qu'il s'agisse d'une réalité physique ou sociale, est toujours considéré comme une terre d'accueil, de solidarité. La chanson *Mon pays* le rappelle.

GILLES VIGNEAULT (né en 1928)

MON PAYS

Mon pays ce n'est pas un pays c'est l'hiver
Mon jardin ce n'est pas un jardin c'est la plaine
Mon chemin ce n'est pas un chemin c'est la neige
Mon pays ce n'est pas un pays c'est l'hiver

5   Dans la blanche cérémonie
Où la neige au vent se marie
Dans ce pays de poudrerie
Mon père a fait bâtir maison
Et je m'en vais être fidèle
10 À sa manière à son modèle
La chambre d'amis sera telle
Qu'on viendra des autres saisons
Pour se bâtir à côté d'elle

Mon pays ce n'est pas un pays c'est l'hiver
15 Mon refrain ce n'est pas un refrain c'est rafale
Ma maison ce n'est pas ma maison c'est froidure
Mon pays ce n'est pas un pays c'est l'hiver

De mon grand pays solitaire
Je crie avant que de me taire
20 À tous les hommes de la terre
Ma maison c'est votre maison
Entre mes quatre murs de glace
Je mets mon temps et mon espace
À préparer le feu la place
25 Pour les humains de l'horizon
Et les humains sont de ma race

Mon pays ce n'est pas un pays c'est l'hiver
Mon jardin ce n'est pas un jardin c'est la plaine
Mon chemin ce n'est pas un chemin c'est la neige
30 Mon pays ce n'est pas un pays c'est l'hiver

Mon pays ce n'est pas un pays c'est l'envers
D'un pays qui n'était ni pays ni patrie
Ma chanson ce n'est pas une chanson c'est ma vie
C'est pour toi que je veux posséder mes hivers...

Avec les vieux mots, Québec, Éditions de l'Arc, 1964.

Pistes de lecture

1. Quel est le rôle du refrain et quelle modification lui fait subir l'auteur ?
2. Faites l'étude formelle : vers, rimes et rythme.
3. Quelles figures de style sont utilisées ici ?
4. Expliquez le sens de la dernière strophe.

RAYMOND LÉVESQUE (né en 1928)

Généralement, les chansons de Raymond Lévesque sont socialement engagées. Ce chansonnier se situe du côté des petites gens, des humbles, des sacrifiés. Dans *Bozo-les-culottes*, qui fait écho à l'action d'un groupuscule, les felquistes (FLQ), qui avait cru pouvoir accélérer la venue du pays par des moyens radicaux (les bombes), l'auteur dit sa sympathie pour ces personnes qui assument la solitude de tout un peuple.

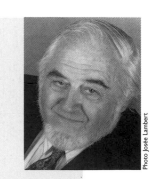

Photo Josée Lambert

BOZO-LES-CULOTTES

Il flottait dans ses pantalons
De là lui venait son surnom :
Bozo-les-culottes,
I' avait qu'une cinquième année
5 Il savait à peine compter,
Bozo-les-culottes,
Comme il baragouinait l'anglais
Comme gardien d'nuit il travaillait,
Bozo-les-culottes,
10 Même s'il était un peu dingue
I' avait compris qu' faut être bilingue,
Bozo-les-culottes,
Un jour quelqu'un lui avait dit
Qu'on l'exploitait dans son pays
15 Bozo-les-culottes,
I' a pas cherché à connaître
Le vrai fond de toute cette affaire
Bozo-les-culottes,
Si son élite, si son clergé
20 Depuis toujours l'avaient trompé,
Bozo-les-culottes,
I'a volé de la dynamite
Et dans un quartier plein d'hypocrites,
Bozo-les-culottes !
25 A fait sauter un monument
À la mémoire des conquérants

Bozo-les-culottes.
Tout le pays s'est réveillé
Et puis la police l'a poigné,
30 Bozo-les-culottes.
On l'a vite entré en dedans
On l'a oublié depuis ce temps,
Bozo-les-culottes.
Mais depuis que tu t'es fâché,
35 Dans le pays ç'a bien changé,
Bozo-les-culottes.
Nos politiciens à gogo
Font les braves, font les farauds,
Bozo-les-culottes.
40 Ils réclament enfin nos droits
Et puis les autres refusent pas
Bozo-les-culottes.
De peur qu'il y en aurait d'autres comme
[toi,
45 Qu'aient le goût de recommencer ça,
Bozo-les-culottes.
Quand tu sortiras de prison
Personne voudra savoir ton nom,
Bozo-les-culottes,
50 Quand on est de la race des pionniers
On est fait pour être oublié,
Bozo-les-culottes.

Quand les hommes vivront d'amour, Québec, Éditions de l'Arc, 1967.

Pistes de lecture

1. Quels éléments appartiennent à la langue orale ?
2. Relevez les signes de l'aliénation du personnage central.
3. Peut-on établir des liens entre le style de l'auteur et le personnage de Bozo ?
4. Quelles sont les deux idées contenues dans la dernière strophe ?
5. Le pays de Raymond Lévesque est-il le même que celui de Gilles Vigneault ?

Claude Léveillée, dont l'apport à la chanson québécoise est remarquable sur le plan de la musique, excelle à chanter l'amour et la nostalgie, à créer des atmosphères où le quotidien est rehaussé au niveau de la poésie. Un des premiers chantres de la ville et des citadins, Claude Léveillée a aussi composé des chansons nationalistes, certaines évoluant au gré de l'actualité politique, comme *Les Patriotes*.

CLAUDE LÉVEILLÉE (né en 1932)

LES PATRIOTES

Ils étaient peu vers 1640
Une poignée de braves venus en Nouvelle-France
Pourquoi partaient-ils de si loin naguère
Pourquoi traverser une si grande mer
5 C'était pour apporter une vie nouvelle
En ces lieux superbes de mon grand pays
Âme de géant courage immortel
Vous nous avez permis de survivre ici
Ici

10 Ici l'on se bagarre depuis 300 ans
Déportation grand-mère n'avez-vous rien dit
Je sais que la vie d'antan n'était pas bien rose
Faut croire que les enfants
Ça réclame autre chose
15 Autre chose que des canons liberté de presse
Autre chose que des canons liberté française
Autre chose que des canons liberté chez soi
Autre chose que des canons c'est fini les rois...

Mon amour si tu le veux
20 Nous irons dans une île
Non loin des côtes
Y comprendre quelque chose

Ils étaient peu vers 1640
Une poignée de braves morts en Nouvelle-France
25 Nous sommes très nombreux en ce soir d'attente
Nous sommes trop nombreux faut se faire entendre

Portez très haut votre drapeau
Nous n'en avons pas nous n'en avons guère
Alors portez très haut vos oripeaux
30 Ceux que vous aurez au prix d'une guerre

En 1971, la finale est modifiée :

Portez très haut votre drapeau
Nous n'en avons pas nous n'en avons guère
Alors portez très haut votre pays
Celui que nous sommes en train de refaire

Les Patriotes, Montréal, Éditions de l'Aube, 1971.

Pistes de lecture

1. Quel effet produit l'anaphore des vers 15 à 18 ?
2. Quel est le rôle assigné à la 3e strophe ?
3. Dans « Nous sommes trop nombreux faut se faire entendre », commentez les pronoms personnels.
4. En quoi les ancêtres sont-ils idéalisés ?
5. Expliquez le sens de la modification à la dernière strophe.

CLAUDE GAUTHIER (né en 1939)

Au milieu de chansons traitant de l'amour ou de la mer et des voyages, très tôt, chez Claude Gauthier, la thèse nationaliste s'est développée, au point de devenir prédominante. Plusieurs de ses chansons excellent à dresser la fiche identitaire des Québécois : depuis *Le Grand Six-Pieds*, dont un vers s'est modifié au rythme de l'évolution de notre conscience collective

> *Je suis de nationalité canadienne-française* (1960)
> *Je suis de nationalité québécoise-française* (1965)
> *Je suis de nationalité québécoise* (1970)

jusqu'à *Le plus beau voyage*, qui figure parmi les plus belles chansons de notre répertoire.

La Presse

LE PLUS BEAU VOYAGE

J'ai refait le plus beau voyage
de mon enfance à aujourd'hui
sans un adieu sans un bagage
sans un regret ou nostalgie

5   J'ai revu mes appartenances
mes trente-trois ans et la vie
et c'est de toutes mes partances
le plus heureux flash de ma vie

Je suis de lacs et de rivières
10 je suis de gibier de poissons
je suis de roches et de poussière
je ne suis pas des grandes moissons
je suis de sucre et d'eau d'érable
de pater noster de credo
15 je suis de dix enfants à table
je suis de janvier sous zéro...

Je suis d'Amérique et de France
je suis de chômage et d'exil
je suis d'octobre et d'espérance
20 je suis une race en péril
je suis prévu pour l'an deux mille
je suis notre libération
comme des millions de gens fragiles
à des promesses d'élection
25 je suis l'énergie qui s'empile
d'Ungava à Manicouagan

je suis Québec mort ou vivant...

La Collection Québec Love, Montréal, Éditions Gamma, 1993.

Pistes de lecture

1. Quels mots expriment la fierté et quels autres, la fragilité de l'espoir ?
2. Quel effet produisent les nombreuses répétitions ?
3. Quel est, selon vous, le sens du dernier vers ?
4. Comment expliquez-vous le grand succès de cette chanson ?

QUESTIONS DE SYNTHÈSE

1. À partir des poèmes de Gatien Lapointe et de Gaston Miron, montrez que le pays est décrit comme une figure maternelle.

2. L'affirmation nationaliste est synonyme de solidarité. Commentez cette assertion en vous basant sur les chansons de ce courant.

3. Est-il juste d'affirmer que les extraits de Jacques Renaud et de Pierre Vallières dépeignent le même portrait du colonisé ?

4. La contribution de l'artiste à la redéfinition du pays est-elle identique dans le conte de Jacques Ferron et dans le poème de Paul Chamberland ?

5. Prouvez que la poésie de Jacques Brault, avec sa tendresse et sa fragilité, celle de Paul Chamberland, avec sa colère, et celle de Gaston Miron, avec sa véhémence revendicatrice, sont trois aspects d'une même quête.

6. Les figures du pouvoir dans le théâtre de Jean-Claude Germain et le roman de Marie-Claire Blais se rejoignent-elles ?

7. Qu'ont en commun les jeunes personnages de Réjean Ducharme, Jacques Renaud et André Major ?

8. Pourrait-on affirmer que le Jérémie de Jacques Ferron est l'antagoniste du Hervé Jodoin de Gérard Bessette ?

9. Quelles sont les caractéristiques du « héros » de ce courant littéraire ?

10. Gilles Vigneault a déjà écrit : « Comme peuple, nous avons le tragique honneur de ne pouvoir compter que sur nous. » Les personnages de fiction de ce courant vous semblent-ils correspondre à cet énoncé ?

11. Décrivez et expliquez le lien de parenté entre le médecin d'André Langevin (chapitre 6), Hervé Jodoin de Gérard Bessette et Meursault d'Albert Camus.

12. Faites la preuve qu'à partir de ce courant, notre littérature a enfin cessé de recommencer. C'est maintenant le temps de la reconnaissance et de la consolidation.

13. Commentez :
    ▷ Les écrivains de ce courant décrivent l'être déchiré par un contexte sociopolitique.
    ▷ Les écrivains tendent ici à enraciner la parole dans l'espace national.
    ▷ Le thème de l'échec est récurrent dans ce courant littéraire.
    ▷ La poésie de Gatien Lapointe est moins déchirante que celle de Gaston Miron.
    ▷ La poésie de Jacques Brault constitue une mise en forme poétique des idées contenues dans *L'Afficheur hurle* de Paul Chamberland.
    ▷ Jusqu'à ce courant, la poésie avait été le moyen d'expression le plus efficace ; c'est maintenant au tour du roman.

TABLEAU SYNTHÈSE

1. À l'aube des années 1960 se développe au Québec un nouveau sentiment d'appartenance au territoire. Les Québécois constatent le lien entre leur aliénation personnelle et le statut colonial du Québec au sein de la confédération canadienne.

2. Ce désir d'autonomie, d'affirmation, donne naissance à la Révolution tranquille, vaste mouvement de modernisation et de transformation des institutions et des valeurs.

3. La parole devient l'instrument privilégié de repossession du pays. La langue française se retrouve alors au centre de la question nationale et suscite des débats passionnés.

4. L'écrivain accepte alors l'engagement politique, esquissant un portrait du Québécois et dessinant le territoire de ses possibles.

Esthétique
de la **transgression**

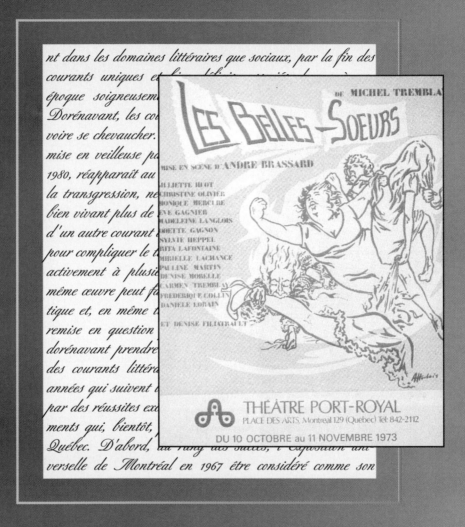

- 🌿 Une poésie qui se remet en question
- 🌿 Les romans de la modernité
- 🌿 Un théâtre qui s'éclate
- 🌿 L'essai, un genre littéraire qui ne se reconnaît plus
- 🌿 Des chansons pour secouer la torpeur

chapitre

8

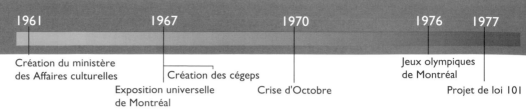

contexte
historique

| 1961 | 1967 | 1970 | 1976 | 1977 |

Création du ministère
des Affaires culturelles

Création des cégeps

Exposition universelle
de Montréal

Crise d'Octobre

Jeux olympiques
de Montréal

Projet de loi 101

Les Belles-Sœurs, une rupture
avec tout ce qui s'était fait
dans le domaine théâtral.

UNE SOCIÉTÉ MODERNE

Au même titre qu'elle voit le Québec atteindre sa maturité politique et économique, la période allant de 1960 au début des années 1980 est marquée par d'importantes mutations sociales.

■ Une société sécularisée

Au cours de cette période, l'Église perd définitivement l'ascendant moral qui était le sien depuis plus d'un siècle. Durant les décennies 1960-1970, en effet, la diminution massive des vocations et le retour de plusieurs religieux à la vie laïque font que les effectifs du clergé et des communautés religieuses fondent littéralement. Les églises se vident de leurs fidèles et ce recul de la pratique religieuse et de l'influence du clergé a pour résultat que l'institution du mariage ne régit plus rigoureusement la vie de couple. Dans une société dorénavant sécularisée, la proportion d'unions libres s'accroît substantiellement, le divorce devient chose plus courante et les familles monoparentales se font plus nombreuses. La disponibilité des moyens de contraception entraîne une baisse spectaculaire de la natalité, ce qui explique la diminution de la population d'âge scolaire et le vieillissement général de la population que l'on observe aujourd'hui.

■ Le statut de la femme

La période est également marquée par la montée du mouvement féministe et l'arrivée massive des femmes sur le marché du travail. Alors qu'un quart des femmes occupaient un emploi en 1950, plus de la moitié le font aujourd'hui, mais la majorité se concentre encore dans des emplois peu spécialisés, plus vulnérables aux changements technologiques et au travail à temps partiel. De même, l'écart entre les salaires masculin et féminin moyens, s'il a diminué depuis vingt ans, est encore important. Bien qu'ayant connu une amélioration notable, le statut des femmes demeure précaire malgré la volonté gouvernementale de garantir leurs droits : les problèmes reliés à l'insuffisance des garderies, à l'obtention de pensions alimentaires en cas de divorce et à la violence faite aux femmes demeurent entiers.

Dix ans après *Les Belles-Sœurs* de Michel Tremblay, une autre pièce de théâtre fera parler d'elle : *Les Fées ont soif* de Denise Boucher.

198

Esthétique de la transgression

On s'en souvient, le Québec francophone d'avant la Révolution tranquille formait une société monolithique, à la remorque d'une élite proposant une idéologie très fortement majoritaire, axée sur le devenir de la collectivité canadienne-française. Mais, à partir de 1960, la situation change : les oppositions multiples, si longtemps bâillonnées, arrivent enfin à s'exprimer. On parle dès lors d'une société pluraliste. Ce qui se traduit, tant dans les domaines littéraires que sociaux, par la fin des courants uniques et bien définis, associés chacun à une époque soigneusement délimitée et aisément repérable. Dorénavant, les courants littéraires peuvent se juxtaposer, voire se chevaucher. Ainsi, le courant du pays, après une mise en veilleuse partielle dans les années 1970 et surtout 1980, réapparaît au début de la décennie suivante ; celui de la transgression, né à la fin des années 1960, est toujours bien vivant plus de vingt ans plus tard, malgré la présence d'un autre courant dominant, celui de l'intimité. Ajoutons, pour compliquer le tableau, que certains auteurs participent activement à plusieurs courants différents. Mieux, une même œuvre peut faire partie d'un courant par sa thématique et, en même temps, se fondre dans un autre par sa remise en question formelle[1]. Nouvelle réalité qu'il faut dorénavant prendre en considération dans notre approche des courants littéraires.

Une société en changement

Les années qui suivent la Révolution tranquille sont marquées par des réussites exceptionnelles, mais également des événements qui, bientôt, pèseront lourd sur le climat social du Québec. D'abord, au rang des succès, l'Exposition universelle de Montréal en 1967 et, ce qui peut être considéré comme son épiphénomène, les Jeux olympiques de 1976, attisent la fierté des Québécois et semblent déraciner les préjugés séculaires voulant qu'ils soient « nés pour un petit pain ». Il faut reconnaître toutefois que le succès des Jeux n'est pas sans ombre : si fiers d'avoir été choisis pour cette manifestation d'envergure internationale, les hôtes arrivent difficilement à détourner les yeux de l'installation du toit du stade olympique, la pensée absorbée par le trou béant de la dette. Mais qu'importe, la société québécoise est en pleine transformation, et rien ne semble devoir entraver sa marche vers la réussite. Autre événement qui a l'effet d'une thérapie collective : l'élection du Parti québécois en novembre 1976. Les francophones sont maintenant rassurés sur leur devenir. Et comme les politiciens prennent la relève de l'idéologie nationaliste, les écrivains peuvent enfin, après deux siècles d'engagement politique, déserter le politique pour le poétique.

Mais les perturbations sociales, aussi nombreuses que menaçantes, ne manquent pas de faire contre-poids à ces embellies. Elles commencent, à la fin des années 1960, avec la contestation étudiante, écho en terre d'Amérique des turbulences de Mai 1968 en France. La transgression de l'ordre social se fait encore plus virulente quand, en 1970, un groupuscule croit pouvoir libérer le Québec de son joug politique par le terrorisme. C'est le Front de libération du Québec (FLQ) et la crise d'Octobre, bientôt suivie de la Loi canadienne des mesures de guerre. Cette dernière entraîne l'arrestation arbitraire de plus de 500 nationalistes et amène l'armée canadienne à occuper le territoire québécois. Deux ans plus tard, le mouvement syndical brave le pouvoir législatif : c'est la grève illimitée du Front commun intersyndical des secteurs publics et parapublics et l'emprisonnement des trois présidents syndicaux. Ajoutons les incidences particulières au Québec de la crise économique de l'énergie des années 1970 : une industrie durement touchée, une hausse des prix vertigineuse et un taux de chômage très élevé, particulièrement chez les jeunes qui arrivent sur le marché du travail. Rappelons enfin la victoire du NON au referendum de mai 1980. L'époque est à la morosité et à la démobilisation.

1 C'est le cas, entre autres, des pièces de théâtre de Jean-Claude Germain.

La somme de ces différents événements semble le symptôme d'un profond malaise au sein de la collectivité québécoise. L'optimisme tranquille de naguère n'est vraiment plus de mise. On a même l'impression d'une cassure avec le passé. Comme si on se sentait profondément déstabilisé par une mutation trop rapide, que deux siècles de peur et d'inaction n'avaient pas préparé à assimiler. Transformation des institutions autant que des mœurs, modification des structures sociales et des mentalités, société religieuse qui se laïcise abruptement, le Québec ne s'est pas simplement modernisé : il a sauté à pieds joints dans la modernité. Dorénavant, les sentiers perdent toutes leurs balises, et toutes les attitudes deviennent possibles : depuis la quête nostalgique du passé jusqu'à l'exploration boulimique du présent, avec une insistance à transgresser tout ce qui subsiste de tabous.

Littérature et contre-culture

Comment réagit le monde des lettres à ce nouveau climat social ? À l'heure où notre existence collective semble légitimée, les écrivains du courant précédent ayant permis un rattrapage idéologique et créé une nouvelle mythologie de temps présent, ceux de maintenant refusent dorénavant de situer l'acte créateur dans les sphères d'influence des idéologies sociopolitiques et abandonnent l'interrogation inquiète sur le pays comme principal référent à l'œuvre littéraire. Le nationalisme est maintenant réduit au rang des autres valeurs, dont celle des enjeux plus proprement esthétiques. Ce qui permet à une problématique de l'écriture de prendre le relais de « l'âge de la parole ». Après l'exploration du territoire du pays, l'époque est maintenant à l'inventaire des territoires de la page d'écriture et des possibles pouvoirs de la langue, le texte se faisant le nouveau lieu de l'engagement de l'écrivain. C'est l'occasion des expérimentations et des transgressions. Il importe de rompre avec la culture des générations antérieures, basée sur la mémoire, et de trouver, grâce au tracé de nouvelles avenues artistiques, une prise directe sur le présent, lui-même porteur des germes du futur. En découle une véritable esthétique de la transgression, qui fait éclater les unes après les autres de vieilles frontières que l'on croyait immuables.

Ces années effervescentes voient d'abord fleurir la contre-culture. La jeunesse remet en question une société qui la privilégie (sans doute plus qu'aucune génération avant elle et peut-être même après), qui lui procure tout le bien-être matériel qu'on peut désirer posséder, mais qui semble la priver de l'essentiel qui ne peut être trouvé dans l'accumulation de biens. Ce qui amène quantité de jeunes à se laisser séduire par un vaste mouvement contestataire venu du Sud : les valeurs hippies de la « beat generation » débordent bientôt sur le territoire québécois et ses ténors, qu'il s'agisse des chanteurs Bob Dylan, Jimmy Hendrix, Janis Joplin, des écrivains Allen Ginsberg, William Burroughs, Jack Kerouac ou même d'un apôtre des paradis artificiels comme Timothy Leary, connaissent ici une influence certaine. Il importe de résister aux pouvoirs établis, aux codes sociaux et aux vieilles valeurs. De plus en plus de jeunes — et parmi eux des écrivains — se font des drop-out sociaux et cultivent la marginalité. Rock, drogue, sexe et alcool, tout est appelé à contribution pour lutter contre l'uniformisation de la pensée, pour sortir du troupeau et découvrir son âme. Par-delà ses abus, ce nouveau romantisme, qui promet une société idyllique basée sur la non-violence, les instincts grégaires et l'écologie, apparaît surtout comme une première ouverture au monde, le Québec cessant d'être obsessivement narcissique, comme l'affirmation d'une nouvelle maturité collective.

La remise en question du passé n'épargne pas les normes de l'écriture ni les codes linguistiques. Ici encore les écrivains se font perméables à des courants de pensée ayant cours à l'extérieur des frontières québécoises : les théories psychanalytiques, marxistes, linguistiques et structuralistes autant que les écritures dites d'avant-garde. Et la littérature québécoise élargit ainsi le champ de ses interrogations depuis le fond jusqu'à la forme. Il s'agit d'un véritable détournement de l'ancienne conception de la littérature, où le monde est dorénavant moins remis en question que l'écriture elle-même. La littérature devient un univers de signes qu'il importe de décoder, le matériau de l'écriture portant en lui-même une vision du monde.

Comme si, pendant que le désir frénétique de posséder et d'accumuler gomme toutes les autres valeurs, nous assistions à une véritable chosification du langage, le mot se faisant objet, se laissant observer et manipuler. Comme si, dans un monde sans certitudes, les écrivains décidaient de briser la rassurante assurance des lecteurs, la déchirure de l'écriture traditionnelle appelant une déchirure des consciences bourgeoises.

Littérature et féminisme

Cette contestation globale du passé et de ses valeurs entend permettre l'émergence d'une femme et d'un homme nouveaux. Aussi toutes les ressources de l'écriture sont-elles mises à contribution pour conscientiser le prolétariat et, surtout, puisqu'il y a péril en la demeure, pour lever l'interdit posé sur le féminin depuis des millénaires, pour mettre au jour tout ce que l'Histoire a censuré du féminin, nouveau territoire qu'il est urgent de conquérir. Ce phénomène prend une telle ampleur que bientôt tout le visage littéraire du Québec s'en trouve transformé. Dans un premier temps, la démarche féministe se fait radicale : il presse de mettre fin à la domination phallocrate et de libérer les femmes du carcan millénaire où elles ont été réduites par les hommes. Avec un ton souvent acerbe, sont dénoncées les injustices passées et présentes, les pratiques inégalitaires, et on tente d'instaurer de nouveaux rapports entre les sexes. La révolution se fait autant dans les corps que dans la tête : la femme sexuée dit enfin sa passion de vivre. Puis,

une seconde étape porte le combat sur un terrain plus proprement littéraire. Après avoir reconquis une langue qui s'écrivait strictement au masculin, les écrivaines et les auteures tentent de renouveler leurs rapports à l'écriture.

Littérature et modernité

Le Québec et sa littérature viennent d'entrer de plain-pied dans ce qu'il est convenu d'appeler la modernité[1]. Les artistes s'efforcent, avec une dose certaine de risque, de dépasser les frontières traditionnelles de leur discipline. Toutes les normes et tous les codes, littéraires ou autres, sont repoussés et subvertis. On peut donc parler d'une esthétique de la rupture et de la transgression, où la précarité du texte vient faire écho à la fragilité des valeurs, à moins que ce ne soit au vide existentiel de chacun. Ce temps de quête est un temps d'exploration, où il importe d'aller « au boutte de toutte », comme l'a écrit et chanté Raôul Duguay. Nous sommes en présence d'une dynamique de l'avant, où la nouveauté tient lieu de valeur et l'avant-garde, de pratique. Une quête effrénée d'inédit, de moderne, qui gomme toutes les résistances, toutes les censures. On peut déjà imaginer les désillusions qui attendent l'individu dans le prochain courant.

UNE POÉSIE QUI SE REMET EN QUESTION

Arme de transgression par excellence, la poésie sort définitivement de la clandestinité pour se donner en spectacle et renouer avec l'oralité, lieu premier de la culture et de la littérature québécoises[2]. De 1968 à 1973, les trois méga-représentations de « Poèmes et chants de la résistance » ont un impact considérable sur le public. En 1970, on célèbre la première Nuit de la poésie, qui sera reprise tous les dix ans et imitée à de nombreuses occasions. Janou Saint-Denis instaure, en 1975, ses premières soirées hebdomadaires de Place aux poètes, qui sont toujours aussi populaires deux décennies plus tard. Sans oublier les nombreux poètes, tel Raôul Duguay, Claude Péloquin et Pierre Léger, dit Pierrot le fou, qui animent et donnent des spectacles de poésie. Outre qu'elle se fait événement, la poésie voit la transformation matérielle de ses recueils, rejoints eux aussi par la société de consommation : certains deviennent de véritables objets artistiques

alors que d'autres se contentent de faire une place aux dessins, photos, collages, autographies, etc. Le poème lui-même occupe fréquemment une disposition spatiale particulière dans la page.

Mais la poésie de l'après-Révolution tranquille ne s'émancipe pas uniquement dans son approche extérieure. D'autant plus qu'ici, de Nelligan à Miron, les poètes ont toujours servi de catalyseurs, d'éclaireurs ; en symbiose avec la vie du Québec, ils ont su faire de leur poésie le plus sûr reflet de l'inconscient collectif. Aussi, à un moment où les Québécois se sentent de plus en plus écartelés entre leurs rêves d'authenticité et la morne réalité qui leur propose de s'oublier dans un univers de consommation excessive, n'est-il pas étonnant de voir la poésie faire écho à ce questionnement, tout en se remettant elle-même en question et en s'interrogeant sur son pouvoir véritable.

1 Certains préfèrent plutôt parler de post-modernité.

2 Voir le deuxième chapitre.

Poésie et transgression des valeurs

Ainsi les poètes de la contre-culture remettent en question les valeurs du temps présent et y recherchent ce qui semble en être évacué : le bonheur d'exister. Sans racines, animés par la seule impulsion du désir de changement, dans une langue spontanée et souvent provocante, ces rebelles rappellent les urgences du quotidien. Leur poésie se fait nomade et abolit les frontières, géographiques autant que psychiques. Jusqu'aux titres des recueils qui portent en eux le germe de la transgression : de *Drive-in* à *Empire State Coca Blues*, de *Irish Coffees au no Name Bar & vin rouge Valley of the Moon* à *Pornographic Delicatessen, Lesbiennes d'acid*, *Le Clitoris de la fée des étoiles* ou *Filles-commandos bandées*. L'éclatement des rassurantes certitudes se teinte des couleurs psychédéliques dans l'espoir d'une régénération de la société.

Poésie et transgression du code linguistique

D'autres, poètes dits formalistes, partent à l'aventure du texte. La poésie se fait alors exploration des mécanismes de la machinerie textuelle, devenue le nouveau référent pour le sens. On observe et analyse les audacieuses constructions formées par les mots, leurs jeux et leurs tensions. Le temps est aux bonheurs lexicaux imprimés dans le tissu textuel. La poésie cesse d'être poétique pour devenir narrative. À la forme traditionnelle de la poésie, ces « poèmes textués » opposent des syntagmes désarticulés, fragmentés, souvent en prose, une syntaxe généralement éclatée, des tracés narratifs déroutés par des parenthèses, des tirets ou des blancs dans le texte, la fusion de divers univers discursifs et de jeux formels aussi nombreux que déroutants. C'est un parti pris pour l'aventure, l'exploration de zones inconnues, afin de lutter contre les mensonges de la transparence, fissurer le mur des vieilles certitudes et combattre l'engourdissement de l'imaginaire. Les deux thèmes privilégiés sont l'écriture elle-même ainsi que le corps sexué et libéré. Considérés l'un et l'autre comme les sources premières de la connaissance et du plaisir, le désir sexuel et le plaisir textuel fusionnent dans l'homophonie et dans une célébration de la vie.

Poésie et transgression idéologique

La poésie se fait enfin lieu de contestation idéologique afin de permettre la naissance de l'homme et de la femme libérés. Alors que certains poètes prônent des valeurs marxistes, d'autres s'engagent résolument dans une démarche féministe. Dans cette dernière optique, où « le privé devient politique » , l'émancipation souhaitée impose des transformations tant dans la vie quotidienne que dans l'imaginaire, et dans la façon même d'écrire. Ce qui nécessite une émancipation des anciens canons esthétiques et thématiques. Ainsi les écrivaines établissent-elles un dialogue – une intertextualité – entre la poésie et la théorie (philosophique, psychanalytique, etc.) ; elles transgressent allègrement les genres littéraires, la fusion des genres permettant l'expression des multiples voix intérieures et témoignant du foisonnement de la vie; elles enfreignent la syntaxe, permettent aux rythmes et aux tons les plus divers d'exprimer les pulsions et l'irrationnel, laissent la truculence et la trivialité des mots et des tournures refléter la richesse insondable des désirs du corps.

Au début des années 1970, la transgression de l'ordre social se fait plus virulente. Le Front de libération du Québec (FLQ) privilégie l'action terroriste. Avec la mort du ministre Pierre Laporte en 1970, il perd toute la sympathie d'une population foncièrement pacifiste. Quant au Parti rhinocéros, il choisit plutôt la voie de la dérision pour s'attaquer au système politique canadien.

La Presse

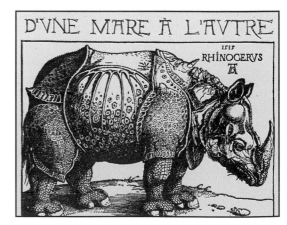

DENIS VANIER (né en 1949)

Denis Vanier est le poète québécois le plus identifié à la contre-culture. Auteur iconoclaste, il puise son inspiration dans l'exaspération des sens. Aussi, drogue, sexualité et violence sont-elles souvent des thèmes de sa poésie d'écorché vif, qui ne dédaigne ni la laideur ni le vulgaire. Cet extrait du recueil autobiographique *Hôtel Putama* (1991) – troublante relation des suites d'une crise d' « épilepsie toxicomaniaque » où Vanier fut déclaré cliniquement mort – témoigne d'une poésie de la tension, située entre le désir et le délire, la raison et la déraison, la solitude et l'instinct grégaire.

ENTOURÉ DE CEUX QUI N'Y SONT PAS

On guérit seul
on guérit pauvre de sa naissance,
mais surtout seul.

Je ne regrette pas l'isolement.
5   C'est une identité morale.
On ne meurt qu'entouré
de ceux qui n'y sont pas.
La solitude est toujours la faute des absents,
        ceux qui n'ont pas de voix
10 pour murmurer au chevet de personne.

Même les jours sont seuls,
pleurant dans les ruelles de gazoline,
les matins de nuits blanches immaculées
qui ne tacheront pas les draps
15 ni plus tard les mouchoirs.

Des vautours sont cloués
aux portes épaisses
de celles qui pleurent le long des jambes
les larmes de race prisonnière,
20 en criant que même les enfants ont peur
des ténèbres de leurs ventres,
encore trop innocents pour savoir
que la mort est le contraire de la solitude.

Je le sais, qu'on est seul,
25 comme de ne pas bander au Paradis
avec les panthères de fudge,
enfermées avec personne
dans les armoires de la garderie.

Hôtel Putama, Textes croisés (Longueuil - New York, 1965-1990), Éditions de la Huit, 1991.

Pistes de lecture

1. Quel thème est développé ici ?
2. Pourquoi l'auteur recourt-il fréquemment à la négation ?
3. Relevez les différentes figures de style.
4. Quelle vous semble être l'intention de l'auteur ?
5. Comment le poète exprime-t-il sa marginalité ?

Au plaisir de lire

- *Pornographic delicatessen*
- *Lesbiennes d'acid*
- *Le Clitoris de la fée des étoiles*

LUCIEN FRANCŒUR (né en 1948)

Ponopresse

Le poète et rocker Lucien Francœur a inscrit l'Amérique dans une problématique québécoise. Ses écrits, situés hors des sentiers battus, tentent de concilier des univers avant lui jugés disparates voire opposés, la chanson et la poésie. Ce qu'il a d'ailleurs fort bien réussi, son recueil éclaté *Les Rockers sanctifiés* lui ayant mérité le prix de poésie Émile-Nelligan en 1983. L'appropriation de l'américanité comme territoire de son errance permet un voyage initiatique au pays d'une nouvelle mythologie contemporaine. Beaucoup d'autres auteurs d'une tendance plus intimiste reprendront bientôt ce thème.

L'AMÉRIQUE INAVOUABLE

Et sur les merveilleux highways
Les enfants de la pensée sauvage
Poursuivent d'obstinés itinéraires :
Routes décousues, cafés de routiers
5 Fêtes foraines, tombolas d'antan

Périples wagnériens en Amérique
Où les jeux de reptiles sont des rituels
Pour les rockeurs nietzschéens
Les superbes cobras-cracheurs

10 Nous sommes à tous les rendez-vous interdits
Depuis toujours et jusqu'à la fin des temps
Un spleen bleu denim au fond des yeux
Pour mieux signifier notre addiction existentielle

L'Amérique est le territoire absolu de notre errance

Exit pour nomades (1985), dans Lise Gauvin et Gaston Miron,
Écrivains contemporains du Québec, Paris, Seghers, 1989.

Pistes de lecture

1. Faites ressortir l'aspect narratif de ce texte. Quel effet produit-il ?
2. Nommez les créateurs auxquels Lucien Francœur fait référence.
3. Comment s'exprime l'américanité sur le plan du lexique ?
4. Quelle valeur est associée au thème de l'errance ?
5. Comment chaque strophe annonce-t-elle le dernier vers du poème ?

Au plaisir de lire

■ *Minibrixes réactés*   ■ *Les Rockeurs sanctifiés*

CLAUDE PÉLOQUIN (né en 1942)

Poète en marge des différentes écoles, Claude Péloquin est considéré comme un fumiste par certains, un poète de grand talent par d'autres. Mais les générations futures retiendront au moins de lui une phrase choc qui a fait couler beaucoup d'encre et de salive, inscrite dans le béton de la murale du Grand Théâtre de Québec[1]. «Vous êtes pas écœurés de mourir bande de caves ! C'est assez ! » Ce mot, tiré de *Pour la grandeur de l'homme* (1969), rappelle le combat mené par le poète contre la mort multiforme. Certaines images de l'extrait témoignent de la filiation de Péloquin avec les automatistes.

ÉCRIRE

ÉCRIRE c'est reconnaître c'est com-prendre ce qui se perd
c'est voir passer et retenir un peu
Écrire c'est pelleter de l'engrais
Écrire c'est être démentiel au point de mettre une surface
5 de différente couleur sur une autre surface pour rendre la
première intellisible

[...]

ET ÉCRRRRIRE

c'est un travail de tous
où tous formuleraient
10 Écriture n'est pas vraie tant que tous ne se la sont pas appropriée
pour sortir le mot « auteur » du dictionnaire et du même coup
l'auteur de son isolement pour qu'il retrouve sa fonction de moule...
ce sont ceux qui n'ont jamais vraiment écrit qui ont inventé
les auteurs et les poètes...
15 il est vertigineux de penser et de calculer combien il va falloir
de publications et de poètes pour faire disparaître les deux...
viendront des temps où tous formuleront ÉMETTRONT...
où tout ira merveilleusement vite
ce sera des temps de nouvelles écritures sur l'air par tous
20 ce sera ma plus grande joie ma seule et plus imprenable
patience...
publier en ces temps-ci est tout simplement le reflet d'un
respect de l'auteur qui tisse un silence...

Pour la grandeur de l'homme, Montréal, Éditions de l'Homme, 1971.

Ponopresse

Pistes de lecture

1. À quoi peut correspondre l'utilisation des majuscules ?
2. Quel effet est produit par l'anaphore ?
3. Pourrait-on parler d'image « surréelle » ici ?
4. À quel niveau se situe la révolte chez Claude Péloquin ?

--- **Au plaisir de lire** ---

■ *Manifeste infra*   ■ *Œuvres complètes*

1 Œuvre de Jordi Bonet, voir p. 151

La Presse

JOSÉE YVON (1950-1994)

Amoureuse de la démesure et du délire, Josée Yvon a érigé la révolte en art de vivre. Marginale impénitente, elle s'est plu à peindre des bas-fonds où abondent prostituées, nymphomanes et travestis. Cette esthétique de la perversion est en fait une poignante dénonciation de l'agression du conformisme, qui vient terroriser les forces vives de chacun.

CIVILISATION DE LA TERREUR

le terroriste n'est pas celui qu'on pense
quel est celui qui sévit par la panique, le manque, le
gel, la comparaison, la différence ?
on cherche à être admiré par ses voisins apathiques
5 qui paient une brosse à leur maladie nerveuse :
compulsion de hits, de scores, de cigarettes, de boire,
de dormir, de se mettre.
quand l'ennui prend la forme d'un horaire.
la performance tient lieu d'identité :
10 on a besoin d'un peuple débandé pour la routine

                      *

nous ne prendrons pas de juste milieu.
nous sommes des éventreuses, nous ne prendrons rien
de moins que la Démesure.
jusqu'à se défoncer, démolir, exploser.
15 nous ne mourrons pas, notre soif grandit
nous sommes des consommatrices affamées dans cet
immense marketing où rien n'est oublié.
Dans un siècle-continent où sévit la loi de la jungle la
plus féroce,
20 les blessées d'hiver seront sans pitié.

Filles-commandos bandées, Montréal, Les Herbes rouges, 1976.

Pistes de lecture

1. Comment peut-on interpréter l'absence des majuscules malgré l'usage de la ponctuation ?
2. Relevez les expressions qui expriment la recherche de l'excès.
3. Quelle est la tonalité dominante ?
4. Expliquez le passage du « on » au « nous ».
5. Par delà la dénonciation, quelle idée veut défendre l'auteure ?

Au plaisir de lire

- *Travesties-karnikaze*
- *Danseuses-mamelouk*
- *Maîtresses-cherokees*

GILBERT LANGEVIN (1938-1995)

Gilbert Langevin a participé à de nombreux courants littéraires, mais la révolte constante qu'il a menée contre la bêtise de toutes les forces répressives le situe dans la tendance contre-culturelle. Mieux que tout autre, cette figure nocturne de la bohème montréalaise a su incarner l'image du poète itinérant et rebelle, sorte de « clochard céleste ». Passant de la plus vive tendresse au lyrisme le plus noir, ce poète[1] aux phrases lapidaires rappelle sans cesse que la poésie est le lieu de la subversion du quotidien.

DES HEURES TÉNÉBREUSES

Des heures ténébreuses
des faces longues
des bruits démoniaques sous la veilleuse
des fenêtres hurlant l'angoisse des murs

5 notre vie se traînait frileuse
à travers les décès
une odeur de hold-up heureusement flottait
sur l'avoir des notables

et même les étoiles avaient du noir au ventre

Mon refuge est un volcan, Montréal, Éditions de l'Hexagone, 1977.

JE SUIS LE PRODUIT DE VOTRE FIASCO

Je suis un produit de votre fiasco
une page brûlée de votre intimité

j'ai du néant dans le sang
et le futur noyé au préalable

5 Je me fais crieur assez souvent
pour une clef qui brille
mais ne peux oublier que je représente
l'écho d'un rendez-vous qui tourna mal

Stress, Montréal, Éditions du Jour, 1971.

Pistes de lecture

1. Analysez la structure syntaxique du poème *Des heures ténébreuses*.
2. Quelles associations de mots vous semblent audacieuses ?
3. Quel est le thème dominant ?
4. Dans *Je suis le produit de votre fiasco*, qui est désigné par l'adjectif possessif « votre » ?
5. Quelle est l'intention du poète ici ?
6. Dans ces deux poèmes, où se situe la transgression ?

Au plaisir de lire

■ *Origines 1959-1967*   ■ *Stress*   ■ *Entre l'inerte et les clameurs*

[1] Ce poète est aussi parolier : il a composé les textes de quelque 300 chansons, interprétées par les Pauline Julien, Marjo, Gerry Boulet, Dan Bigras, etc.

CLAUDE BEAUSOLEIL (né en 1948)

Photo Josée Lambert

Depuis son premier recueil en 1972, Claude Beausoleil est considéré comme un des plus importants poètes québécois. Si son œuvre participe à différentes tendances littéraires, c'est toujours en s'inscrivant résolument dans la modernité. Aussi le lecteur doit-il souvent fournir un effort particulier pour trouver le sens de cette poésie qui déjoue la linéarité. Dans *Le jeu chaotique des messages* (1975), le poème bouscule sa structure et l'anecdote se dérobe sous les jeux formels et la disposition graphique du texte.

LE JEU CHAOTIQUE DES MESSAGES
enfiévré

    / la ruse se dactylogra-
    phie (au creusage de
    l'effort – la décon-
5   traction des aléas –)

une couverture
(bafoué :
le signal)
tract anarchisant
10 (il saute l'heure du)

           *

choisir un terme
le bruit   métallique
– superposition(s) –
observer des bandes-images
15 phalliquement
               /d'autres intermédiaires
(les veinules, l'écriture, la peau,
la respiration
– surfaces formelles –
20 effets :
écrire la délectation des lieux manuscrits
modulation   perçue / reçue
le son s'enfonce
          / dans son
25   signifiant
VIOL MODERNE

Motilité, Montréal, Éditions de l'Aurore, 1975, dans Lucien Francœur, *Vingt-cinq poètes québécois 1968-1978*, Montréal, L'Hexagone, 1990.

Pistes de lecture

1. Relevez les références à l'écriture.
2. Quelles sont les références au corps ? Pourrait-on établir un lien entre ces deux réseaux ?
3. Que vous semble être l'intention thématique et formelle de l'auteur ?
4. Gaston Miron a écrit que, dans les années 1970, les poètes ont tué la poésie. Pourriez-vous établir un lien entre cette affirmation et le présent poème ?

Au plaisir de lire

■ *Au milieu du corps l'attraction s'insinue*   ■ *Une certaine fin de siècle*

MADELEINE GAGNON (née en 1938)

Madeleine Gagnon est une figure de proue parmi les écrivaines féministes. Constamment, ses textes denses et concentrés, prose poétique ou poésie narrative, portent les marques d'une exploration formelle, conceptuelle ou charnelle et tentent de restaurer la place abîmée de la féminité. Dans cet extrait du recueil *Antre* (1978), l'auteure cherche chez sa mère la filiation du sang aussi bien que de la parole. Le travail syntaxique vise ici à déranger le lecteur dans ses vieilles habitudes.

La Presse

ELLE ÉTAIT UNE FOIS

Elle m'a parlé de son sang et du mien

Elle était une fois, ma mère. Elle savait tout de ce qui me quittait. M'échappait, du sang. Face à ma mort qui m'éprend sous cette forme que je refuse, pourquoi. Ma mère morte en moi
5   m'instruit de ses labeurs, de ses malheurs. Mes mots d'elle qui m'étreignent à mon tour. À ses maux, à ses heures, je m'attarde. M'attache de toutes mes fibres à ses meurtrissures. Me meurs d'elle qui. De celle qui s'allonge en moi. Se longe et se coule sur mes parois. Palpite et nous méprend, du lait au sang, du sang au sel à
10 l'eau. Quand l'utérus rond se perd, mamelles du dedans, ma mémoire en allée, suinte mère à moi. Ma mort précoce, mon ombre gravée, cette plaie vive, mais refermée. Ma mie si belle, ma mi-pleine, mon abyssale peine, mamour de toi. Ma parole réveillée, par toi, ce jour où tu parlais. Tu me pris dans tes mots comme alors
15 dans tes bras. Tu m'appelas dans ton vertige et je reconnus ta voix du dedans. Dans ta coupure sanglante, je me suis glissée. Dans ta rupture d'âge, cet entre-deux de toi, à mon tour, je parlai.

Autographie 1. Fictions, Montréal, VLB éditeur, 1982.

Pistes de lecture

1. Quelles phrases ne sont pas conformes au code de la syntaxe ?
   Quel but est visé par ce procédé ?
2. Relevez une allitération et expliquez son effet.
3. Comment le corps et la parole se rejoignent-ils ?
4. Quel lien y a-t-il entre le début et la fin du poème ?
5. Quel sens trouvez-vous à l'ensemble ?

Au plaisir de lire

- *Retailles, complaintes politiques*
- *Antre*
- *Les Fleurs de catalpa*

LES ROMANS DE LA MODERNITÉ

Genre littéraire majeur des années 1970, le roman est en continuité avec la discontinuité amorcée dans la décennie précédente, poussant toujours plus loin la dissolution de l'orthodoxie romanesque traditionnelle. Qu'il s'agisse du style, du langage ou de la thématique, les frontières du roman éclatent de toutes parts. Déconstruction de l'intrigue linéaire, hétérogénéité des styles et des tons, fusion des genres narratifs, superposition des époques, désaffection à l'égard de l'analyse psychologique, profonde mutation des personnages, tout contribue à clamer la fin des règles canoniques du roman.

Comme en poésie, il est possible de parler ici de « l'aventure textuelle », où il importe de brouiller les pistes de l'ancienne lisibilité. Certains romanciers font de l'écriture elle-même l'origine et le but du texte. Ces recherches formelles confient au travail sur la langue le rôle autrefois dévolu à l'intrigue, l'aventure de l'écriture prenant la place des péripéties et aventures des romans de jadis. On trouve généralement dans ces récits multiformes une pluralité de voix narratrices, symbole de l'éclatement de l'autorité du narrateur, une narration fragmentée, un humour propre à désamorcer le sérieux du récit – et du réel –, la suppression de la syntaxe traditionnelle et une ponctuation libéralisée, sans oublier un ton pouvant allier le lyrisme et la bouffonnerie.

La forme y tyrannise le fond, l'esthétique se substitue à l'éthique, pendant que dans la société le paraître a préséance sur l'être : cet intérêt pour la forme tenterait-il de voiler la confusion, le vide du temps présent ? De détourner le regard d'un réel devenu désolant et guère habitable, d'où les valeurs se sont retirées ?

La narration, fréquemment à la première personne du singulier, peut être l'occasion, pour le romancier, de laisser la parole à un de ses doubles, un personnage d'écrivain lui aussi, en situation d'écriture. Dans ce processus d'autoreprésentation, l'auteur devient le premier de ses personnages, son propre narrateur. Ce dernier s'exprime au moyen d'un « JE » multiforme, situé tantôt dans la mémoire tantôt dans le présent, prenant parfois les contours de l'imaginaire et à d'autres moments ceux du réel. Le roman a cessé d'être une habile construction de la raison pour se faire la voix de l'inconscient.

On assiste véritablement à la mutation du genre romanesque. Le roman nouveau peut aussi bien prendre l'aspect d'un conte, d'une longue lettre, d'un journal personnel qu'amalgamer tout ensemble roman, poème et conte. Le recours à l'intertextualité y est répandu, qui permet au roman de se faire biographie, autobiographie ou critique littéraire ou psychanalytique. Cette appropriation de l'œuvre d'un autre que permet l'intertextualité rappelle que tout texte s'élabore dans le sillage des écrits qui l'ont précédé.

Cette époque qui voit l'éclatement généralisé des modèles culturels cultive les fuites de toutes sortes, projections en avant comme dans le passé. Ce qui permet à la littérature des marges, telle une vaste contre-culture, d'acquérir une honorabilité aux dépens de la littérature classique et dominante. C'est l'occasion d'un retour en force du fantastique, avec des thèmes complètement renouvelés, de la naissance de la science-fiction québécoise, du roman policier et du récit parodique, autant de moyens qui permettent de dénoncer les formes traditionnelles de l'aliénation et la déroute du temps présent.

Cette transformation du roman s'accompagne du renouvellement de la langue romanesque, qui emprunte beaucoup à l'oralité. Alors qu'hier encore on opposait la langue québécoise à la norme parisienne, la langue écrite et savante à la langue orale, voici que le français québécois cesse de se questionner pour s'affirmer et s'imposer. La nouvelle langue romanesque, en prise directe sur la réalité quotidienne, se ressource à la parole de ses personnages, au point de procéder à une fusion entre la langue parlée et les passages narrés. Il importe maintenant de parler comme tout le monde pour suggérer à tout le monde de prendre possession de sa parole et de s'assumer. Avec humour et impertinence, la langue des romanciers se fait donc délinquante, usant abondamment d'expressions du terroir et de mots anglais, se jouant des codes et des puristes.

Autre particularité de ces romans : si le Québec demeure leur espace privilégié, on assiste cependant à une désertion du thème séculaire de la quête du pays. Dorénavant, le référent principal du pays n'est plus l'histoire ni le passé mais un pays de mots et de papier, imaginé ou rêvé par chaque écrivain. Le courant précédent a décrit le pays comme « incertain » et « équivoque » ; l'écrivain d'aujourd'hui, conscient d'habiter un pays improbable, un pays littéralement dépaysé, en propose sa propre vision, dont la réalité est confinée dans l'écriture de chacun. Un pays qui n'existe que le temps de l'écriture et de la lecture, dans un territoire subjectif où se rencontrent la vision personnelle du romancier et celle du lecteur. Il n'est pas étonnant que ces récits soient le plus souvent sombres et désespérés.

À joual sur la langue, caricature de Girerd.

YOLANDE VILLEMAIRE (née en 1949)

Photo Josée Lambert

L'œuvre de Yolande Villemaire est aussi abondante que diverse : poésie, roman policier, romans initiatiques, écriture radiophonique, etc. C'est son roman *La Vie en prose* (1980) qui la fit véritablement connaître du public. Ce récit, joyeux et passionné, nourri des événements prosaïques du quotidien, tente d'abolir la distinction entre l'élaboration d'une œuvre et son résultat, entre le pré-texte et le texte. Ce qui vaut une synthèse fictive du processus de l'écriture, où le roman semble une réalité parallèle. C'est écrire la vie pour la vivre ou vivre la vie en l'écrivant. Pas étonnant que l'écriture porte les marques de l'oralité.

JE SUIS RENDUE À LA PAGE CENT

Je suis rendue à la page cent. Ça commence à avoir l'air d'un roman quand t'es rendue à la page cent ! Leila, qu'est-ce que tu veux encore ? Pourquoi est-ce que tu brailles tout le temps, hein, ma belle minoune lilas ? T'aimes pas ça le bruit du dactylo hein ?

5 Le téléphone sonne. C'est Solange. Elle dit qu'elle a peur. Je dis : ben non Solange, c'est pas dangereux. C'est-tu comme l'autre fois ? Elle dit que non non, c'est pas ça. Que c'est moins pire que ça mais qu'a sait pas trop quoi faire. Je dis que y a rien à faire, qu'il faut juste pas avoir peur. Qu'elle a bien fait de me téléphoner.

Elle dit : non, tu comprends pas. C'est parce qu'y a quelqu'un ici qui me fait peur. Je
10 dis : qui ça ? A dit : tu le connais pas. Y s'appelle Bryan. Y est ben le fun, mais c'est un fou. Je dis : c'est fini avec ton jumeau comme ça ? Solange dit : je sais pas, j'aime mieux pas y penser, je comprends pus rien. Je lui demande de quoi elle a peur. Elle dit que ben là, y est tranquille, mais que tout à l'heure y s'est fait attaquer par les soleils pis que ça y a fait peur. Je dis : comment ça « attaqué par les soleils » ? Elle dit :
15 ben, je sais pas. C'est peut-être à cause des électro-chocs. Y dit qu'y en a eu pendant quatre ans. Je demande : y a quel âge ce gars-là ? Solange dit : vingt-deux ans. Je dis : ouen, tu te spécialises dans les petits jeunes ma vieille ! Solange dit : arrête donc, j'ai rien que vingt-six ans, c'est pas si vieux que ça. Je dis : écoute, tu penses pas que tu pourrais le mettre à porte si y te fait peur tant que ça ? Solange dit : ben, y est deux
20 heures du matin... Je dis, pis ? Elle dit : ben, c'est parce qu'il reste nulle part, chus quand même pas pour le mettre à porte pendant une tempête de neige ! Je dis : comment ça « y reste nulle part » ?

Solange dit qu'elle n'a pas trop compris, parce qu'a comprend pas la moitié de ce qu'il dit ; mais qu'elle en a déduit qu'il vit dans la rue, que c'est une sorte de clochard. Je
25 demande : pis, où est-ce que t'as pêché ça cet agrès-là ? Elle dit : à la Place Desjardins.

La Vie en prose, Montréal, Typo roman, 1993.

Pistes de lecture

1. Relevez les marques de la langue orale.
2. Montrez que l'auteure veut donner l'impression que son roman s'écrit spontanément, au hasard des circonstances.
3. Comment l'auteure transcrit-elle les dialogues ? Quelle convention est éliminée ?
4. Que pensez-vous de cette approche romanesque ?

Au plaisir de lire

- Meurtres à blanc
- La Constellation du cygne
- Le Dieu dansant

MADELEINE OUELLETTE-MICHALSKA
(née en 1930)

LA GOUTTE DE SANG A GERMÉ

Depuis une semaine, le téléphone sonne peu. J'en profite pour écrire. Le roman Trestler allonge. J'en jette des bouts et je recommence, tandis que Catherine court dans les herbes et les ajoncs, sa robe me faisant signe à distance comme une trace à saisir malgré les mots qui se refusent. À ne pas servir, la langue
5 s'affadit. Le corps trahi par la bouche, c'est la première des inexactitudes.

Je consulte souvent le dictionnaire afin de trouver l'expression juste. Ce souci m'importe d'autant plus que Catherine n'est pas née du sexe de ses parents. Elle est une création de mon esprit. Elle est n'importe quelle phrase à qui je peux faire dire n'importe quoi. Bientôt elle prendra corps et vivra des hasards
10 qui l'ont tirée de l'oubli. L'émigration de son père en terre québécoise, l'achat de la maison Trestler par Benjamin et Eva, le reportage d'un magazine, la curiosité portée à la visite de Monsieur B.

Quinze jours plus tard, je retourne à la maison Trestler comme on revient sur les lieux du crime. La goutte de sang recueillie dans mon rêve a germé. Ma
15 taille n'a pas bougé, mais Catherine mûrit dans mes flancs et ma tête. Portant jour et nuit l'enfant de ma chair et de mes mots, je vis une grossesse de rêve pour laquelle je me cherche des témoins.

À peine entrée, je dépose les deux premiers chapitres du roman Trestler sur la table de la cuisine, mais Eva y jette à peine un coup d'œil. Cette gestation me concerne.
20 Lorsque j'essaie de reconstituer la vie et les traits de Catherine Trestler à partir des indices fournis par les actes notariés du père, l'essentiel m'échappe toujours. Son visage, sa démarche, sa voix, la couleur de ses yeux et de ses cheveux me sont toujours un mystère. Eva me ramène sur terre chaque fois que je m'emballe à propos d'une hypothèse farfelue. Ma méfiance à l'égard des dates et de la chronique la scandalise. Elle ne sait pas que les écrivains mentent
25 pour mieux dire la vérité. Elle ne sait pas que les mots trahissent le réel aussi sûrement que le réel trahit les mots et les chiffres.

Elle ignore également les motifs qui m'ont conduite à prendre parti pour Catherine. J'ai aussi des comptes à régler avec mon père, ma famille, et une famille qui ne s'arrête pas à la troisième ou quatrième génération. Quand je porte des douleurs vieilles de trois siècles, je deviens
30 dangereuse. Quand je suis malade de l'Amérique, je cherche des coupables.

La Maison Trestler ou le 8e jour d'Amérique, Montréal, Éditions Québec / Amérique, 1984.

Poète, essayiste, critique littéraire et romancière, Madeleine Ouellette-Michalska a écrit un remarquable roman à caractère historique, dont la trame est centrée sur la maison Trestler, qui existe encore à Dorion, et ceux qui l'habitèrent au XIXᵉ siècle. Constant va-et-vient entre le passé et le présent, ce récit à la forme éclatée laisse la parole à la narratrice et à Catherine Tresler, deux femmes qui partagent les mêmes angoisses et la même féminité malgré les distances temporelles. *La Maison Trestler ou le 8e jour d'Amérique* (1984) tente de subvertir l'Histoire et de réécrire la littérature. Les valeurs de *Maria Chapdelaine* sont décidément bien périmées.

Pistes de lecture

1. À quelles difficultés est confrontée la narratrice ?
2. Quel rapport unit Catherine à l'auteure ?
3. Commentez : « Les écrivains mentent pour mieux dire la vérité. »
4. Tentez de trouver, dans la narration, le point de vue qui se veut autobiographique et celui relevant uniquement de la fiction.
5. Quel rôle, relié à la transgression, est attribué à l'écriture ?

Au plaisir de lire

- *La Femme de sable*
- *L'Échappée du discours de l'Œil*
- *L'Amour de la carte postale*

Photo Josée Lambert

VICTOR-LÉVY BEAULIEU (né en 1945)

Déjà proche parent de Louis Fréchette et de Jacques Ferron, Victor-Lévy Beaulieu s'est trouvé un frère jumeau en la personne de l'Américain Herman Melville. Cette lumineuse rencontre entre Beaulieu et Melville nous vaut le très beau *Monsieur Melville* (1978), roman hybride en trois tomes où fusionnent, dans un somptueux délire, le récit, la biographie, l'autobiographie, la chronique, la critique et l'essai. Roman de l'intertextualité où la réalité se dérobe dans la fiction pendant que le fictif se pare des atours du réel. Comme toujours chez Victor-Lévy Beaulieu, le roman se fait prodigieuse aventure du langage, où le lyrisme devient un fil conducteur avec lequel l'auteur tente d'arrimer au réel le pays, défaillant, peu vraisemblable et en dérive.

CETTE PRODIGIEUSE IMPOSSIBILITÉ

Dans mon petit pays, ce qui ne cesse pas de venir mais n'arrive jamais, tout ce qui se refuse à n'être que québécois comme, en Melville, tout ce qui se refusait à n'être qu'américain. Par ma race, je suis en retard. Par ma race, je suis cette course désespérée vers ce qui, partout ailleurs, a été aboli. Je suis finitude avant même
5 que de commencer – cette prodigieuse impossibilité qui m'a tant fasciné chez Melville parce que, tout simplement, elle se trouve à être inscrite en moi, depuis les commencements équivoques de mon pays. Toute écriture n'est rien de plus que de la mort. Mort de soi-même parce que mort de toutes les images de soi-même. Mort de tout avenir linéaire parce que mort de tout ce qui en moi me
10 possède. Bientôt, je le sens, il ne restera plus rien – plus de Melville. Toute lecture est abandon et par cela même je suis vaincu, à la limite de ma désastreuse schizophrénie. Ce que je cherche en Melville, c'est ce que je ne trouve pas en moi, c'est cette vie pitoyable, c'est cet échec fabuleux. Mais moi je n'ai jamais commencé. Mais moi je suis comme mon pays, je suis la demi-mesure même de
15 mon pays – un grand fleuve pollué marchant vers sa mort de fleuve. Même si le fleuve devait continuer, ce ne serait plus ce fleuve auquel je pense, et qui m'habite comme ce n'est pas possible, qui me boxe et me laisse étrangément mou, sans possibilité de défense. Je sombre et je n'arrive plus à nager. Je sombre et ce ne sera toujours que cela, une chute sans fin dans les eaux du non-être : il n'y a ni temps
20 ni espace québécois, que de la présence américaine, ce par quoi je suis annihilé, ce par quoi je suis bâillonné, et ligoté, et torturé. Américain mais sans l'Amérique, consommateur mais sans capital, esclave de l'Empire et sans d'autres armes que ce pitoyable livre pour me continuer dans ma pâle énergie.

Monsieur Melville, tome 3, *L'Après Moby-Dick ou la souveraine poésie*, Montréal, VLB éditeur, 1978.

Pistes de lecture

1. Décrivez le procédé d'intertextualité.
2. Commentez la syntaxe de la première phrase. Quel effet est produit ?
3. Analysez le lyrisme du narrateur.
4. Quelle est la tonalité dominante ?
5. Comment l'auteur décrit-il le paradoxe qu'est l'existence du Québec en Amérique ?
6. Ce texte pourrait-il être associé au courant précédent ? Qu'est-ce qui le rattache à celui-ci ?

Au plaisir de lire

- *Race de monde*
- *Les Grands-Pères*
- *Jack Kérouac. Essai-poulet*
- *L'Héritage*

MICHEL TREMBLAY (né en 1942)

Après avoir connu la célébrité au théâtre, Michel Tremblay, devenu personnage public et consacré écrivain « superstar » , effectue un voyage romanesque à rebours dans le passé des personnages de ses pièces. Et la réussite est tout aussi phénoménale. À l'aide de sa mémoire, mais bien davantage de la mémoire collective, il parvient à mettre le passé sur le chantier du présent. Dans ce tableau tiré du deuxième roman de la chronique du Plateau Mont-Royal, *Thérèse et Pierrette à l'école des Saints-Anges* (1980), retenons le souci du détail et le réalisme de la langue.

Photo Yves Renaud

J'ARAIS JAMAIS OSÉ RÊVER ÇA

« La Sainte Vierge ! Toé ? » Rita Guérin retira du feu la poêlée de baloney qu'elle était en train de faire rissoler – un des mets favoris de Pierrette : le baloney en petits chapeaux – et s'essuya la figure avec son tablier. « Comment ça, la Sainte Vierge ! » Pierrette était appuyée contre le chambranle de la porte, rose d'émotion. « Ben oui... J'ai dû arriver la première en religion ou quequ'chose,
5 mais en tout cas j'ai été élue Sainte Vierge pour c't'année ! » « Pour la parade ? » « C'est pas une parade, moman, c'est une procession ! Pis tu sais ben que la Sainte Vierge, a' reste dans le parterre tout le temps... » Rita Guérin s'était approchée de sa fille qu'elle n'osait pas toucher tant elle était impressionnée. « Ma p'tite fille
10 qui va faire la Sainte Vierge ! J'arais jamais osé rêver ça ! Faut que j'appelle les autres ! » « Tu les appelleras plus tard, moman, j'ai faim ! » Rita Guérin se tourna brusquement vers son poêle. « Mon Dieu ! La Sainte Vierge va t'être pognée pour manger du béloney ! Ça l'a pas de bon sens ! Veux-tu du jambon ? Y m'en reste... Veux-tu que j'te fasse cuire du steak haché ? Hon... j'en n'ai pas ! » Pierrette
15 furetait maintenant autour du poêle de fonte. « Des p'tits chapeaux c'est parfait, moman; tu sais comment c'que j'aime ça ! » Rita remit la poêle sur le feu. « C'est vrai qu'avec des p'tites patates pilées c'est pas bête... » Pierrette s'empara d'un bout de carotte qu'elle trouva au fond de l'égouttoir. « La sœur, a' te fait dire de me laver les cheveux, aussi... A' dit qu'y sont raides comme un nid d'oiseau... »
20 Rita Guérin esquissa un geste d'impatience. « Est ben bête, c'te sœur-là ! » « Est pas bête, moman, a' m'a élue Sainte Vierge ! » « Sainte Vierge tant que tu voudras, a'l'a pas d'affaire à me dire quand c'est laver la tête de mes enfants ! Chus pas une cochonne, j'le sais quand laver la tête de mes enfants ! » « Pompe-toé pas, là, moman... »

Thérèse et Pierrette à l'école des Saints-Anges, Montréal, Bibliothèque québécoise, 1991.

Pistes de lecture

1. Quelle réplique ramène Rita Guérin à la réalité ? Étudiez le changement de ton.
2. Comparez la langue utilisée pour la narration à la langue des dialogues.
3. Comment l'auteur traduit-il la misère morale du personnage de la mère ?
4. Étudiez l'humour de cet extrait.
5. Quelle semble être l'intention de l'auteur ?

Au plaisir de lire

- *Contes pour buveurs attardés*
- *Le Cœur découvert*
- *La grosse femme d'à côté est enceinte*
- *Douze coups de théâtre*

Photo Joseph Geranio

MARIE JOSÉ THÉRIAULT (née en 1945)

Marie José Thériault est poète, chansonnière, critique littéraire, nouvelliste et romancière. Son premier roman, *Les Demoiselles de Numidie* (1984), permet la rencontre de deux navires : un cargo de la marine marchande italienne et une nef construite « il y a sept fois septante années » , le vaisseau-fantôme éponyme. On est cependant loin du simple rapatriement d'un thème ancien. Ici le navire merveilleux, « plein de filles dextres en plaisements et de croupe dévouée » , de sirènes ayant pour mission d'ensorceler les marins rencontrés, devient un des trois narrateurs du récit et, qui plus est, il s'exprime dans sa langue d'origine. Laissons la parole à ce contemporain de Rabelais, dont il emprunte la verve et la gauloiserie, au moment où il aperçoit le navire italien, au large de Terre-Neuve. L'écriture de Marie José Thériault est une des plus ouvragées de notre littérature.

SUSSUREMENTS D'AMOUR ET GEIGNEMENTS DE JOÏANCE

Et à présent, un bâtiment à fort belle membrure, tout près de l'embouchement d'un fleuve d'Amérique. Il vogue libre, comme volant, son pavillon de poupe claquant au ventelet. Pour manœuvrer, deux fois douze gaillards jeunots à belle carrure et à braguette bien garnie, et un commandement d'amiraux en bon âge et bonnes facultés naturelles, ardents à la noce et au
5 déduit. Outre, un voyagier fort laid (mais il est de tout temps des femeles capricieuses qu'eschauffent plus les tares que la belleté), item fort friand de pucelles qui, plus jeunettes sont, plus icelui les veut, item fort crédule et domptable, si bien qu'ébloui par chaton d'enfançonne et cuisses muliebres, icelui en eut lard tant dressé et fumant que transbordage fut fait vitement et sans heurt. Outre, bête de race dite chienine, pouilleuse, baveuse, fielleuse,
10 compagne du susnommé. Outre, petiote de nos gens, doulcette et joliette, fanfrelucheuse, précoce, et de cropet enjoué. Outre, ma Dame elle-même, pour ensorcer, amignarder, brandonner, amiraux du commandement par grande habileté et belle intelligence, et faire qu'iceux l'amourent et la veuillent accoler.

Ainsi donc, équipage apte et ardent s'esbat encore en liberté sur mer Océane, mais pour fort
15 peu de temps. Car maquerelles miennes courtoisement titillent leur esprit, les tastent, les brasent et les enflambent, si bien qu'iceux, de désir enfoletés, promptement voudront chatons d'icelles besogner de leurs lèvres et labourer de leur hampe, et vitement transborderont. Lors, nef élégante du royaume d'Italie, s'ira dériver seulette sur la mer Océane, déserte d'hommes, à l'abandon, tandis que moi, sombrerai sans sombrer, naufragerai sans naufrager, avec ma
20 charge ancienne de maquerelles, mais surtout charge neuve et très précieuse de galiots, d'amiraux, de puceaux et d'hommes faits, sans doliances ni laments, sans pleurs ni grincements, dans sussurements d'amour et geignements de joïance, jusques-en profondités marines et Terre promise, où ils iront – bel adieu – donner doulce confortance à nos femmes.

Les Demoiselles de Numidie, Montréal, Boréal Express, 1984.

Pistes de lecture

1. Relevez les archaïsmes et tentez d'en deviner le sens.
2. Quels termes sont associés à la marine ?
3. Quels autres sont reliés à la volupté ?
4. Quelle est la tonalité dominante ?
5. Justifiez la raison d'être de cet extrait dans le présent courant.

Au plaisir de lire

■ *L'Envoleur de chevaux et Autres Contes*, 1986

DANIEL GAGNON (né en 1946)

Dans les récits de Daniel Gagnon, la prose s'approprie toutes les ressources de la poésie, portant toujours le poids d'une très intense émotion. Ainsi, dans *Les Filles à marier* (1985), roman formé par une série de lettres qu'une jeune fille de douze ans adresse à une sœur imaginaire – qui traduisent autant le désarroi que la soif d'absolu de la jeune génération –, le lecteur prend conscience du fait que le regard de l'enfance est le seul qui importe, celui qu'il s'est pourtant empressé de remiser aux oubliettes de la bonne conscience dès qu'a pointé l'âge adulte. Le style télescopé est ici produit à partir des associations d'idées pendant que l'écriture se moule dans la langue orale de la jeune narratrice.

La Presse

UN PINCEAU DE LUMIÈRE

Il y a des milliers de choses à dire et il n'y aura pas assez de temps pour qu'on parle de la plupart d'entre elles, c'est difficile de savoir par où commencer, je suis presque complètement plongée dans le noir, connais-tu la poétesse Anne Hébert ?, elle écrit :

Une petite morte
5   *s'est couchée en travers de la porte.*

Nous l'avons trouvée au matin, abattue
        sur notre seuil
Comme un arbre de fougère plein de gel.

c'est beau, Phyllis, la petite morte en travers de la porte, l'arbre de fougère plein
10 de gel... ainsi est la vie, aimes-tu la vie, Phyllis ?, tu es une obstructionniste, une flibustière, a dit mister Paragraph my english professor, je demeure obstinément en retard dans la vie, je veux faire un mariage d'amour, il n'y a point de laides amours, mains froides, cœur chaud, je vis parmi les cannibales aux antipodes de mes sentiments profonds, dans une salle d'attente, je suis sur le pas de la porte, pas de pas
15 de valse, pour céder les pas aux bêtes immondes, leur permettre de passer, allez, allez, papiers buvards, imbuvables lourdauds, marquez vos points, écrasant des fleurs alors que je marque le pas en cueillant le pollen, un jour dans les buissons ardents, allez bulldozers, ayez des relations sexuelles, pour briser nos espoirs !, que penses-tu, Phyllis, de la cigarette ?, son nom je vais te le dire, son nom c'est Nicolas Champagne,
20 il fume en secret avec moi, nous avons une cachette, il n'y a pas que faire l'amour dans l'amour, il y a l'amour aussi, l'amour qui doit être conduit, initié, il est le petit thaumaturge de mon imagination, un pinceau de lumière, est-ce qu'un garçon ne t'a jamais fait des touchers quelque part sur le corps, Phyllis ?

La Fille à marier, Montréal, Éditions Leméac, 1985.

Pistes de lecture

1. Relevez les marques de la langue orale.
2. Quelle est la raison d'être des digressions ?
3. De quelle manière l'auteur traduit-il la naïveté de son personnage ?
4. Pouvez-vous établir un lien entre la citation d'Anne Hébert et la narratrice ?
5. Comment s'exprime le rejet du monde adulte ?

Au plaisir de lire

- *Le Péril amoureux*
- *La Fée calcinée*
- *Rendez-moi ma mère*

UN THÉÂTRE QUI S'ÉCLATE

En même temps que la poésie et le roman, le théâtre, genre plus naturellement contestataire, prend ses distances à l'égard de ce qu'il fut, jusqu'à vouloir se démarquer de la littérature. Toute la culture théâtrale est en redéfinition ; elle tend à minimiser, voire à abolir, les frontières entre l'auteur et les acteurs, entre les artistes et le public, entre la scène et la salle. Un théâtre où le geste tente de s'approprier les prérogatives du mot. Un parti pris pour l'inédit et le spontané, pour le vécu quotidien, pour le plastique bien davantage que pour le psychologique. Ici aussi il importe de déstabiliser le spectateur, de l'attirer hors du conformisme de ses attentes. À cette fin, dans une langue qui ne souffre plus aucune retenue, où la liberté d'expression ne connaît plus de limites, le risible et le loufoque sont abondamment exploités.

Michel Tremblay est le grand détonateur de cette émancipation du genre théâtral. Cet écrivain, à n'en pas douter le plus marquant de sa génération, s'octroie une liberté de langage devant laquelle plus aucune entrave ne subsiste. Et cette parole libérée, il la confie à des couches prolétariennes, en très grande partie féminines et marginales, qui ne savaient même pas qu'elle pouvait leur être accessible. Ce faisant, Michel Tremblay renouvelle les structures dramatiques : le monologue prend la place du dialogue, pour traduire la solitude de chacun et l'impossibilité de communiquer ; le chœur et les récitatifs, procédés antiques, sont réintroduits, afin de mettre en valeur certaines aliénations collectives.

Puis, désireux de dénouer tous les bâillons qui pèsent sur l'identité féminine, le théâtre n'hésite pas à porter la bannière féministe. Il s'agit moins de militer pour l'égalité entre les sexes que de revendiquer, pour les femmes, le droit de pleinement s'assumer dans leurs différences. Bien terminée l'époque où les droits et les rôles féminins étaient définis à travers les fantasmes masculins. Cette tendance culmine dans *La Nef des sorcières* (1976), un collectif qui invite à la subversion des rôles traditionnels, et surtout *Les Fées ont soif* (1978), pièce qui soulève une telle controverse qu'elle s'attire les foudres de la censure ecclésiastico-juridique.

Parallèlement au théâtre d'auteurs, de très nombreuses troupes de jeunes comédiens poussent plus avant le questionnement et l'expérimentation formels. À partir de l'époque dite du « jeune théâtre », à la fin des années 1960, le théâtre voit le texte dramatique se désacraliser et se marginaliser, d'abord au profit de l'improvisation et des créations collectives[1], puis, plus tard, à celui de la mise en scène et des modes modernes de communication. Théâtre engagé à conscientiser les jeunes travailleurs, comme dans les années 1970, ou spectacles fastueux des Gilles Maheu, Jean-Pierre Ronfard et Robert Lepage deux décennies plus tard, à son contact, le spectateur doit réapprendre son rôle parce que tous les points de repère de jadis qui faisaient de lui un témoin tranquille sont disparus.

1 Selon la revue *Jeu* (n° 4, hiver 1977), entre 1965 et 1974, il y a eu au Québec plus de 415 créations collectives.

Photo Yves Renaud

MICHEL TREMBLAY (né en 1942)

Le théâtre de Michel Tremblay, l'auteur québécois le plus traduit, est joué aussi bien à Broadway qu'à Paris ou en Hollande. Tout commença avec le choc sans précédent de la pièce *Les Belles-Sœurs* (1968). Cette tragi-comédie s'inscrit comme une rupture totale avec tout ce qui s'était fait ici dans le domaine théâtral : des propos d'une grande crudité, l'usage de monologues, des techniques incantatoires au cours desquelles, la pièce étant suspendue, les personnages mettent leur âme à nue.

CHUS TANNÉE

LES CINQ FEMMES (*ensemble*)
Quintette : Une maudite vie plate ! Lundi !
LISETTE DE COURVAL
Dès que le soleil a commencé à caresser de ses rayons les petites fleurs dans
5 les champs et que les petits oiseaux ont ouvert leurs petits becs pour lancer vers le ciel leurs petits cris...

LES QUATRE AUTRES FEMMES

J'me lève, pis j'prépare le déjeuner ! Des toasts, du café, du bacon, des œufs. J'ai d'la misère que l'yable à réveiller mon monde. Les enfants partent pour l'école, mon mari s'en va travailler.

10 MARIE-ANGE BROUILLETTE

Pas le mien, y'est chômeur. Y reste couché.

LES CINQ FEMMES

Là, là, j'travaille comme une enragée, jusqu'à midi. J'lave. Les robes, les jupes, les bas, les chandails, les pantalons, les canneçons, les brassières, tout y passe ! Pis frotte, pis tord, pis
15 refrotte, pis rince... C't'écœurant, j'ai les mains rouges, j't'écœurée. J'sacre. À midi, les enfants reviennent. Ça mange comme des cochons, ça revire la maison à l'envers, pis ça repart ! L'après-midi, j'étends. Ça, c'est mortel ! J'haïs ça comme une bonne ! Après, j'prépare le souper. Le monde reviennent, y'ont l'air bête, on se chicane ! Pis le soir, on regarde la télévision ! Mardi !

20 LISETTE DE COURVAL

Dès que le soleil...

LES QUATRE AUTRES FEMMES

J'me lève, pis j'prépare le déjeuner. Toujours la même maudite affaire ! Des toasts, du café, des œufs, du bacon... J'réveille le monde, j'les mets dehors. Là, c'est le repassage. J'travaille,
25 j'travaille, j'travaille. Midi arrive sans que je le voye venir pis les enfants sont en maudit parce que j'ai rien préparé pour le dîner. J'leu fais des sandwichs au baloné. J'travaille toute l'après-midi, le souper arrive, on se chicane. Pis le soir, on regarde la télévision ! Mercredi ! C'est le jour du mégasinage ! J'marche toute la journée, j'me donne un tour de reins à porter des paquets gros comme ça, j'reviens à la maison crevée ! Y faut quand même que je fasse
30 à manger. Quand le monde arrivent, j'ai l'air bête ! Mon mari sacre, les enfants braillent... Pis le soir, on regarde la télévision ! Le jeudi pis le vendredi, c'est la même chose ! J'm'esquinte, j'me désâme, j'me tue pour ma gang de nonos ! Le samedi, j'ai les enfants dans les jambes par-dessus le marché ! Pis le soir, on regarde la télévision ! Le dimanche, on sort en famille : on va souper chez la belle-mère en autobus. Y faut guetter les enfants toute
35 la journée, endurer les farces plates du beau-père, pis manger la nourriture de la belle-mère qui est donc meilleure que la mienne au dire de tout le monde ! Pis le soir, on regarde la télévision ! Chus tannée de mener une maudite vie plate ! Une maudite vie plate ! Une maudite vie plate ! Une maud...

Elles se rassoient brusquement.

Les Belles-Sœurs, Montréal, Éditions Leméac, 1972.

Pistes de lecture

1. Comparez le niveau de langue de la première réplique de Lisette de Courval à celui de la réplique suivante. Quel effet est ainsi créé ?
2. Montrez, dans cet extrait, l'importance du rythme.
3. Quel effet produit le recours au chœur ?
4. Décrivez le misérabilisme des personnages.
5. Tentez d'expliquer le succès phénoménal de cette pièce.

━━━━━━━━━ **Au plaisir de lire** ━━━━━━━━━

- *À toi, pour toujours, ta Marie-Lou*
- *L'Impromptu d'Outremont*
- *Bonjour, là, bonjour*
- *Albertine en cinq temps*

Ponopresse

ANTONINE MAILLET (née en 1929)

Auteure acadienne réputée, Antonine Maillet a écrit des romans et des pièces de théâtre à fortes composantes mythiques. Sa pièce, *La Sagouine* (1972), fut saluée comme une véritable révélation. Une Acadienne rendue au bout de son âge propose, dans un long monologue, une sorte de bilan de sa vie. Ce personnage humble mais gigantesque, résigné mais d'une grande sagesse, vient rappeler aux Acadiens la richesse de leur culture. En ce sens, Antonine Maillet pourrait être comparée aux Pierre Perrault et Gilles Vigneault. On retient l'authenticité et la beauté de la langue, qui a contribué à la régénération du texte théâtral.

DES PETITS TOURS AU BON DJEU

Ils m'appelont la Sagouine, ouais. Et je pense, ma grand foi, que si ma défunte mére vivait, a' pourrait pus se souvenir de mon nom de baptême, yelle non plus. Pourtant j'en ai un. Ils m'avont portée sus les fonds, moi itoi, coume je suis là. J'avais même une porteuse, t'as qu'à ouère, une marraine pis un parrain. Toutes des genses de par chus nous. Même de la
5 parenté, que mon pére contait. Ondoyée, baptisée, emmaillotée, j'ai passé par tout la sarémonie avant d'aouère les yeux rouverts. C'est pour dire, hein ? Je sons tout du monde pareil, à c't âge-là. C'est pus tard que... Vous êtes mieux de bouère votre thé tant qu'il est chaud. Ça vous lave l'estoumac pis les rognons. Moi, c'est là que je suis le pus faible. La nuit, je sens du mal, c'est sans bon sens. Icitte, en bas de l'échine. Pareil coume si j'avais les
10 pigrouines tordues et que ça se mettait à détordre, ça, coume un ressort, toutes les nuits que le Bon Djeu amène.

... C'est peut-être pas lui pantoute qu'amène les nuits, pis le mal... Quand c'est que Gapi parle de même, je le fais taire. Faut pas dire ça, que j'y dis. Le Bon Djeu counaît son affaire. ... Gapi, lui, il prétend que c'est pas juste. Il dit que si le Bon Djeu était si bon que ça, qu'il laisserait
15 pas souffri' le pauvre monde sans raison. Mais je le fais taire. J'allons pas nous mettre à blasphémer, sacordjé ! Et pis, si j'endurons du mal, c'est que j'en avons fait. C'est juste... Gapi, lui, il trouve que le mal que le monde fait, c'est pas du vrai mal, mais rien que des petits tours au Bon Djeu pour s'amuser ; et que le Bon Djeu arait pas besoin de tant s'énarver et nous traiter comme si j'étions du mauvais monde qui cherchions à mal faire pour mal faire. [...]

20 ... Quand je nous avons mariés, j'avons d'abord été trouver le prêtre et j'y avons demandé de faire la sarémonie. Mais il a refusé. Par rapport à la parenté. Je peux pas vous marier, qu'il a dit, vous êtes parents. C'est vrai que j'étions un petit brin parents : mon défunt pére pis sa mére, ben c'était frére et sœur. Alors il a dit : Par rapport à la loi qui guérit les mariages, je peux pas marier des cousins adjermés. Ça fait que Gapi m'a avisée, et je l'ai avisé, pis il m'a
25 dit : Si t'es contente, j'allons aller nous marier au ministre. J'avons été trouver le ministre qu'a point fait d'histoires pantoute, et je sons sortis de là houme et femme.

La Sagouine, Montréal, Éditions Leméac, coll. « Littérature », 1990.

Pistes de lecture

1. Relevez des particularités de la langue acadienne.
2. Comparez les croyances religieuses de la Sagouine à celles de son mari.
3. À qui s'adresse la Sagouine ?
4. Pourriez-vous brosser un portrait psychologique de ce personnage ?
5. Selon vous, où réside la beauté de ce texte ?
6. Qu'est-ce qui permet à cette pièce de s'inscrire dans le présent courant ?

Au plaisir de lire

- *Gapi et Sullivan*
- *Évangéline Deusse*
- *Pélagie-la-Charrette*

DENISE BOUCHER (née en 1935)

DÉPLOGUÉE DU VIDE

La Presse

LES TROIS ENSEMBLE

Nous som mes des pri son niè res po li ti ques
Nos lar mes n'usent pas les bar reaux de nos pri sons

MADELEINE

5   Un jour, le lapin dit à Alice : « Arrête de pleurer, sinon tu vas te noyer dans
tes larmes. »

MARIE

Si je remontais le cours de chacune de mes larmes, à quelles sources j'abouti-
rais ? Bof ! D'un déluge à l'autre, j'en ai assez. Je n'ai plus envie de me re-
10   tourner. J'en ai assez de tous ces murs. Je vais me la sasser cette vie-là.

MARIE

Pourriez-vous me garder les enfants pour un p'tit bout de temps ?

LA STATUE

Calvaire ! Vous allez pas faire comme vos frères. Vous allez pas vous libérer
15   sur le dos de vos mères.

LES TROIS

Voulait que ne paraissent que mes fragilités afin que je passe mon temps à
m'en inquiéter. Proverbisait : le silence est d'or pour coucher sous leurs pieds
les majorités silencieuses.
20   Voulait que je me taise sans cesse pour n'écouter que lui toujours. Lui fallait
un sourire de Bouddha, une tête de Sphynz, un œil de vierge,
Me voulait Mona Lisa et se gardait la poker face.
Me conseillait de me cacher pour qu'il ait envie de me découvrir. Quel était mon nom à moi ?
Exigeait que je joue à la cachette : j'tai vue.
25   J't'ai vue. Cacher un être dans le giron de.
Persuadait avec son sourire de vendeur de chars usagés que l'amour était impossible.
Disait que sous mon œil de velours se cache un vagin plein de dents et de morts. – Ça
finissait ma toilette –
Et bien, j'ai saigné chacun de mes silences.
30   J'ai aboli ma fissure. Mes parois se sont rapprochées. Je me suis déploguée du vide.
– Loup, y é tu ? M'entends-u ? Paré pas paré, j'sors pareil. –

Les Fées ont soif, Montréal, Typo, 1989.

La pièce de Denise Boucher, *Les Fées ont soif*
(1978), souleva une telle controverse qu'elle
s'attira la censure ecclésiastico-juridique et
provoqua un interminable débat dans les
journaux. Sans oublier la présence de
nombreux chrétiens qui récitaient leur
chapelet aux abords du théâtre où la pièce
était jouée, afin de réparer les torts faits
à la Vierge. Certains parlèrent d'une pièce
poétique de qualité exceptionnelle alors
que d'autres n'y virent que contenu et
langage blasphématoires. En fait, les trois
personnages, la mère (Marie), la putain
(Madeleine) et la statue (la Vierge) font
éclater des stéréotypes. On doit chercher
l'intrigue bien davantage dans l'aliénation
séculaire des femmes que dans la pièce
elle-même.

Pistes de lecture

1. Relevez les particularités lexicales et syntaxiques. Commentez-les.
2. Expliquez la symbolique des trois personnages.
3. Comment peut-on comprendre l'expression « prisonnières politiques » ?
4. Commentez les références au lapin et au loup.
5. Comment se manifeste le désir de libération ?
6. Analysez le degré de la transgression tant formelle que thématique.

--- **Au plaisir de lire** ---

■ *Retailles. Complaintes politiques*   ■ *Lettres d'Italie*

L'ESSAI, UN GENRE LITTÉRAIRE QUI NE SE RECONNAÎT PLUS

Alors que, dans les années 1960, l'essayiste se faisait l'observateur attentif et privilégié de la réalité, qu'il dénonçait dans une réflexion à forte teneur idéologique, dans la décennie suivante, la réflexion sociopolitique cesse, pour plusieurs, d'être le principal référent de leurs écrits. Dorénavant, la critique sociale doit passer par le crible d'une subjectivité avouée, la réalité extérieure important dans la mesure où elle est intériorisée. C'est un revirement total du point de vue de l'essayiste : hier il importait de rendre compte du cheminement d'une collectivité, aujourd'hui cette même collectivité ne peut être perçue que par ses reflets dans la personne de l'essayiste.

De nouveaux thèmes prennent le relais de la question nationale, même si cette dernière conserve la faveur de certains, au moins jusqu'au référendum de 1980. Nombreuses sont les femmes qui font de l'essai le lieu idéal de leurs interrogations et de leurs revendications. Questionnement qui déborde bientôt dans la dimension esthétique de ce genre littéraire et dans son aptitude à traduire le réel. L'essai mêle bientôt prose et poésie, théorie et récits narratifs, créations et critiques littéraires.

Manifestation de chrétiens contre la pièce *Les Fées ont soif* de Denise Boucher.

En 1978, la pièce de Denise Boucher, *Les Fées ont soif*, souleva une grande controverse, provoqua un interminable débat dans les journaux et s'attira les foudres de la censure ecclésiastico-juridique. Le Conseil des arts refusa de subventionner le TNM qui présentait la pièce, de nombreux groupes de chrétiens manifestèrent leur indignation devant le théâtre, récitant leur chapelet afin de réparer les torts causés à la Vierge Marie.

NICOLE BROSSARD (née en 1943)

DÉSIR DE DÉRIVE

Aussi pourrait-on dire, d'une part, que jusqu'ici la réalité a été, pour la plupart des femmes, une fiction, c'est-à-dire le fruit d'une imagination qui n'est pas la leur et à laquelle elles ne parviennent par *réellement* à s'adapter. Nommons ici quelques fictions : la guerre, la montée du prix de l'or, le Télé-journal, la
5 pornographie, l'érotisme ou les charmes discrets du viol. Les hommes, ceux du pouvoir et ceux de la rue, donc en général, savent de quoi il s'agit. C'est leur actualité ou le comment de leur actualisation. La vie quoi !

D'autre part, on peut dire aussi que la réalité des femmes a été perçue comme fiction. Nommons ici quelques réalités : la maternité, le viol, la prostitution,
10 la fatigue chronique, la violence subie (verbale et physique). Les journaux vous diront que cela relève du *fait divers* et non pas de l'information.

C'est donc à la limite du réel et du fictif, entre ce qui paraît possible mais qui s'avère souvent, au moment de l'écrire, impensable ; entre ce qui semble évident et qui apparaît à la dernière seconde inavouable que se trace une
15 écriture de *dérive*. Désir de dérive / désir dérivé de.

Désir de dérive : désir qui dévie du sens qu'on aurait cru que le texte prendrait – censure quant à une première intention du texte, parfois censure intégrale : silence.

Désir dérivé de : soit ce qui a son origine dans une certitude intérieure et qui fait en sorte que l'écriture traverse alors une mémoire gyn/écologique. Traversant et traversée par cette
20 mémoire, on peut présumer de l'écriture d'une femme qu'elle dérive de ce qui est rivé par le symbolisme patriarcal.

De cette mémoire gyn/écologique découlent une approche et une connaissance inédite qui supposent pour celle qui écrit une forme de recueillement et de concentration que j'appelle la pensée de l'émotion et l'émotion de la pensée. Un espace mental rempli des possibilités d'une
25 perspective qui déplace allègrement le sens. Tout est glissement dans le texte, comme une peau de femme sur une peau de femme, et cela occasionne un plaisir qui anime l'intelligence et qui ranime toutes celles qui en participent.

Cet espace mental est aussi un espace où, sans nécessairement *faire d'histoire*, la biographie et le quotidien peuvent circuler de manière à ce qu'ainsi soit transformés *l'épreuve* (vivre / écrire)
30 et son déploiement (penser).

La Nouvelle Barre du jour, nºˢ 90-91, mai 1980, dans Gérard Boismenu, Laurent Mailhot et Jacques Rouillard, *Le Québec en textes*, Montréal, Éditions du Boréal, 1986.

Photo Josée Lambert

Phare du mouvement féministe québécois, Nicole Brossard est vraisemblablement l'auteure la plus prolixe, assurément la plus commentée et étudiée. La plus marquante mais aussi la plus controversée. Dans cet extrait d'un article paru en 1980 dans la revue qu'elle a fondée et dirigée, *La Nouvelle Barre du jour*, elle s'interroge sur les particularités de l'imaginaire féminin et sur le type de rapport qu'il établit entre la femme et l'écriture.

Pistes de lecture

1. En quoi s'opposent fiction et réalité dans la pensée de Nicole Brossard ?
2. Relevez les inversions et analysez-les.
3. L'écriture au féminin peut-elle être une transgression ici ?
4. Cet essai pourrait-il être considéré comme un poème ?

Au plaisir de lire

■ *Le Centre blanc*   ■ *Sold-out. Étreinte/illustration*   ■ *L'Amèr ou Le Chapitre effrité*

La Presse

SUZANNE LAMY (1929-1987)

Suzanne Lamy a constamment exploré les multiples dimensions de la parole et de l'écriture féminines. Dans un essai situé à la frontière de la théorie et de la fiction, *D'elles* (1979), l'auteure cerne plus particulièrement l'émergence et la nature de l'énoncé féminin, en le confrontant avec celui des hommes. L'extrait fait l'éloge du bavardage, cette « énonciation sans énoncé », cette échappée lyrique entre le corps et la vie, ces mots qui donnent la vie.

PAROLE DE DÉSIR

Aussitôt que produit, l'énoncé disparaît[1], se fond dans l'énonciation d'une nouvelle parole. Éphémère, sans laisser plus d'empreinte que le vol premier de l'oiseau ou que de fugaces étreintes. Définie par sa forme et son mode de production. Par la jouissance tirée de son fonctionnement.

5 Ne sont-elles pas des phénoménologues nées (qui s'ignorent), celles qui s'abreuvent à cette pluie sonore, qui, l'oreille tendue à la mesure précise des choses, ont leur sang qui palpite au rythme des soirs mauves ou des nuages bas ? N'ont-elles pas une conscience de leur corps bien différente des rapports que la plupart des hommes entretiennent avec leur propre corps ?

Si le langage est fondé sur le manque et oscille vers le trop-plein, si la fiction et l'activité sym-
10 bolique sourdent d'un creuset qui ne peut être que du corps, comment écarter l'omniprésence du désir de ce lieu qui est d'échange, d'appel et de tension, de langage d'un corps avec un autre corps ? Parole de désir et désir de la parole s'enfantant tour à tour. À l'infini.

[...]

En suspens ou évité le risque de l'aventure dans sa totale nudité. Le corps n'en est pas moins complément, appui, contrepoint, redondance, hyperbole, antithèse, métaphore... des mots.
15 Parce que la femme vit plus (et mieux, semble-t-il) que l'homme sa sexualité dans l'intégralité de son corps, parce que, de chaque parcelle, elle peut faire un absolu et un(e) air(e) de jouissance, son corps ne se présente plus comme une toile de fond où s'inscriraient des signes, mais investi dans un échange qui a le pouvoir d'enrayer quelques codes et plusieurs interdits, de faire choir prothèses et postiches. Rien là de naturel ou d'instinctif. Bien peu du corps, rien
20 du langage qui ne relève du culturel. Seule l'absence de valeur dévolue au bavardage permet ces échappées duelles.

[...]

Pas plus que d'autres paroles, celle-ci ne s'édifie hors des idéologies en cours et des habitudes de pensée. Plus brutale précisément, elle tend, de peine et de misère, à traverser les moules. Plus expressivité qu'instrument, elle fascine.

D'elles, Montréal, Éditions de l'Hexagone, 1979.

Pistes de lecture

1. Expliquez : « Parole de désir et désir de parole s'enfantant tour à tour. »
2. Départagez la part de la théorie et celle de la fiction.
3. Décrivez l'importance du bavardage.
4. Quelles comparaisons sont faites entre les hommes et les femmes ?
5. Quel pouvoir de la parole est décrit ici ?

───────────────── **Au plaisir de lire** ─────────────────

- *Quand je lis, je m'invente*
- *La Convention*

1 Celui du bavardage.

FRANÇOIS RICARD (né en 1947)

TOUT CE QU'IL Y A D'IGNORANCE DANS MA CONNAISSANCE

Photo Claude Michaud

Dès que je connais une chose (y compris moi-même), que ma connaissance soit scientifique, empirique ou intuitive, je sais toujours, si je suis honnête, que cette connaissance est limitée, qu'elle reste environnée par le royaume infini de l'erreur possible. Je n'ai toujours, en un mot, qu'un savoir hanté par l'erreur.
5 Mais cette mauvaise conscience, cette immense possibilité de l'erreur, l'existence même de mon savoir commande, non pas que je la nie, mais que je fasse *comme si* je la niais, que je lui tourne le dos et que je reconnaisse seulement ce que je sais, le recto seulement de ma connaissance. Or la littérature serait juste l'inverse : elle me confronte au champ illimité de tout ce
10 qu'il y a d'ignorance dans ma connaissance, elle me braque les yeux sur les trous de mon savoir (et j'entends ici le savoir le plus général comme le plus intime – par exemple, la conscience de ma propre vie), sur les franges de ma science qu'agite le grand vent de l'erreur. Elle ne me fait pas connaître ce que je ne connais pas, non; elle me dit seulement : *tu ne sais pas, tu n'as jamais su,*
15 *tu ne sauras jamais.* Ou plutôt, elle ne me le dit pas : elle amplifie la voix, le filet de voix en moi (en moi ?) qui déjà me le disait mais que tout m'invite à ne pas écouter.

Au fond, je comprends qu'on ait tant voulu, qu'on veuille encore tant que la littérature soit un moyen de connaissance. Nous avons à ce point besoin de
20 savoir, nous sommes à ce point persuadés que la connaissance, comme la puissance, l'immortalité ou le salut, nous est due, que même cette voix qui nous révèle l'illusion de notre attente, nous la prenons encore pour un savoir que nous nous annexons, quitte à dénaturer son message et à transformer en acquit ce qui est en fait la nouvelle (bonne ou mauvaise) de notre déficit irrémédiable.

25 Ainsi peu à peu, ce qui avait pu un temps affaiblir mon attachement aux livres et me décevoir en eux, finit par m'y attacher encore plus fortement, mais c'est un attachement tout différent, un peu paradoxal, humble, mais peut-être indéfectible. Je finis en effet par aimer dans la littérature non pas qu'elle soit la vérité, bien au contraire, mais plutôt ceci : qu'elle soit, parmi tout ce qui me trompe – et tout me trompe – la seule chose qui, me trompant, avoue en même
30 temps sa tromperie.

La Littérature contre elle-même, Montréal, Boréal Express, coll. « Papiers collés », 1985.

François Ricard est un critique littéraire et un essayiste renommé. Son recueil *La Littérature contre elle-même* (1985) regroupe une vingtaine de textes portant sur des auteurs aussi bien que sur la littérature. L'extrait, tiré d'un de ses textes et intitulé *Éloge de la littérature*, porte un regard novateur sur les limites de la littérature : le lecteur a tendance à se faire une idée supérieure, voire salvatrice, de ce que cette notion recouvre, alors qu'en réalité ses connaissances littéraires devraient plutôt servir à faire prendre conscience de la minceur de ce qu'il sait. Le « je » affiche ici clairement ses opinions.

Pistes de lecture

1. Au premier paragraphe, qu'est-ce qui limite la connaissance de l'auteur ?
2. En quoi la littérature est-elle vue ici comme une déstabilisation de l'esprit ?
3. Qu'y a-t-il de paradoxal dans l'attachement de l'auteur à la littérature ?
4. D'après ce texte, définissez ce qu'est un essai.
5. Comparez l'utilisation du pronom personnel dans ce texte à l'usage qu'en fait Pierre Vadeboncœur dans le courant précédent.

Au plaisir de lire

■ *La Génération lyrique*

DES CHANSONS POUR SECOUER LA TORPEUR

Cette époque de rupture avec le passé voit se multiplier les spectacles d'envergure : l'Osstidcho en 1968, les trois soirées de Poèmes et chants de la résistance de 1968 à 1973, l'Automne Show en 1974, puis les grandes festivités de la Superfrancofête et de la Chant'Août à Québec en 1974 et 1975, sans oublier les fastueuses célébrations de la Saint-Jean en 1975 et 1976. La chanson se voit ainsi confier un nouveau rôle : hier encore elle était le lieu d'une rencontre intime entre le chansonnier et des spectateurs qui lui étaient tout à fait dévoués, elle se fait aujourd'hui prétexte à des fêtes de solidarité collective.

Si les groupes de chanteurs se multiplient, entre autres Offenbach, Aut'Chose, Octobre et Harmonium, un nom se démarque cependant, l'équivalent de Michel Tremblay pour le théâtre,

Robert Charlebois. Il apporte la preuve qu'on peut faire du rock – et du bon – en français. Car, dorénavant, dans l'univers de la chanson, la musique prend de plus en plus d'importance, qui n'hésite pas à se faire écho à l'underground américain. Ajoutons enfin que c'est aussi l'époque où la chanson féminine et féministe connaît ses plus beaux fleurons.

Parallèlement, les spectacles des monologuistes sont de plus en plus en vogue, qui prendront bientôt une place aussi importante que celle des chansonniers après 1980. Des personnages, hommes ou femmes, des anti-héros auxquels le public s'identifie, viennent confier leur fragilité et dire leurs blessures, leur mal de vivre dans le temps présent.

Ponopresse

ROBERT CHARLEBOIS (né en 1944)

En 1968, Robert Charlebois commence à chanter, et bientôt tout l'univers de la chanson québécoise est profondément transformé. Ce nouveau porte-parole de la jeunesse, vite sacré superstar, innove dans tous les domaines : la musique électronique, influencée par le rock américain, prend autant de place que les paroles et le sens de la dérision vient désacraliser les questions les plus graves. Les thèmes, souvent apparentés à ceux de la contre-culture, comme la société de consommation, la violence, la perte d'identité individuelle et collective, le travail routinier, ont bien peu à voir avec les valeurs d'hier. Avec Charlebois, la chanson se modernise jusque dans la langue, drue et crue, urbanisée, qui n'hésite à emprunter aux jeunes ni leurs jurons ni leurs anglicismes.

QUÉ-CAN BLUES

Ça fait longtemps qu'j'ai rien écrit
J'vais vous lâcher mon dernier cri
Y'en a qui pensent que j'ai tout dit
Qui s'imaginent que chu fini
5   Les autres attendent la fin d'ma phrase
Ym' trouvent moins « hip » depuis que j'me rase
Y'aimaient mieux ça quand j'me fâchais
Dans l'temps qu'j'faisais peur aux Français
D'autres qui trouvent que l'joual c'est ben laid
10 Pi qui chialent quand j'chante en anglais

Des fois chu pu sûr de ma race
J'lève mon collet j'me cache la face
J'nous r'garde vieillir entr'deux grosses « Mol »
Le corps raide pi les oreilles molles
15   J'nous vois nous mirer d'in vitrines
Des deux bords d'la rue Ste-Catherine
J'entends nos « quand qu'on si j'aurais »
On a pu les chansons qu'on avait
On est des « Gypsies » oubliés
20   Par les amis de Jacques Cartier

C'est pu l'moment d'faire des « party »
Nous avons notre identité
Au lieu de s'en féliciter
Le temps est venu d'éclater
25   Arrêtons d'nous r'garder l'nombril
C'est un chapitre déjà écrit
Faut pu s'contenter des croûtes
Faut dev'nir les meilleurs en « toute »
Ç'a fait trois cents ans qu'on se berce
30   Au lieu d's'occuper d'not'commerce
Pendant qu'Mon oncle SAM suce le Québec
Sous l'œil de « CONNAIS RIEN FRONT SEC »

Si les États prennent le terrain
Y va nous rester moins que rien
35   Sans pays sans patrie sans « job »
On va se r'trouver pauvres comme Job
Faut leur montrer qu'on est « capab »
Faire mieux qu'les Juifs et les Arabes
Faut s'appuyer, faut s'entraider
40   Bâtir une grande armée d'idées
Et faire de la Nouvelle France
La terre promise de l'espérance.

Qué-can blues, Montréal, Éditions Conception, 1974.

1. Expliquez le titre de la chanson.
2. Quels termes dépréciatifs relevez-vous dans ce texte ?
3. Quel niveau de langue est privilégié ici ? Commentez.
4. Serait-il possible de lire une certaine critique sociale ?
5. En quoi cette chanson se démarque-t-elle de celles du courant précédent ?

Ponopresse

PLUME LATRAVERSE / MICHEL LATRAVERSE (né en 1946)

Par sa poésie inconvenante, insolente et irrévérencieuse, souvent à saveur scatologique, Plume aime provoquer, semer l'inconfort, dire les droits de la révolte et de la liberté. Avec son personnage de clochard, ce chanteur à l'humour caustique transgresse et dynamite tout : il se plaît à décaper la misère du poids des convenances. Dans un joual qui se veut galopant, il effectue une véritable autopsie poétique de la décadence.

LES PAUVRES

Les pauvres ont pas d'argent
Les pauvres sont malades tout l'temps
Les pauvres savent pas s'organiser
Sont toujours cassés

5 Les pauvres vont pas voir de shows
Les pauvres sont ben qu'trop nonos
En plus, les pauvres y ont pas d'argent
À mettre là-d'dans

Les pauvres sont su'l Bien-Être
10 Les pauvres r'gardent par la f'nêtre
Les pauvres, y ont pas d'eau chaude
Checkent les pompiers qui rôdent
Les pauvres savent pas quoi faire
Pour s'sortir d'la misère
15 Y voudraient ben qu'un jour
Qu'un jour, enfin, ce soit leur tour

Les pauvres ont du vieux linge sale
Les pauvres, ça s'habille ben mal
Les pauvres se font toujours avoir
20 Sont donc pas d'affaires!

Les pauvres s'achètent jamais rien
Les pauvres ont toujours un chien
Les pauvres se font prendre à voler
Y s'font arrêter

25 Les pauvres, c'est d'la vermine
Du trouble pis d'la famine
Les pauvres, ça couche dehors
Les pauvres, ça l'a pas d'char
Ça boé de la robine pis ça r'garde les vitrines
30 Pis quand ça va trop mal
Ça s'tape sa photo dans l'journal...

Les pauvres, ça mendie tout l'temps
Les pauvres, c'est ben achalant
Si leur vie est si malaisée
35 Qui fassent pas d'bébé !!!
Les pauvres ont des grosses familles
Les pauvres s'promènent en béquilles
Y sont tous pauvres de père en fils
C't'une manière de vice...
             [...]
40 Les pauvres aiment la chicane
Y vivent dans des cabanes
Les pauvres vont pas à l'école
Les pauvres, c'pas des grosses bolles
Ça mange des s'melles de bottes
45 A'ec du beurre de pinottes
Y sentent la pauvreté
C'en est une vraie calamité
Les pauvres...

... mais y ont tous la t.v. couleur

Chansons pour toutes sortes de monde, Montréal, VLB éditeur, coll. « Second souffle », 1989.

Pistes de lecture

1. Commentez l'usage de la négation.
2. Relevez les préjugés contenus dans ce texte.
3. Pourquoi le dernier vers crée-t-il un malaise ?
4. Selon vous, quelle est l'intention de l'auteur ?

────────────────── Au plaisir de lire ──────────────────

■ *Contes gouttes*

Résonance

Les textes du chanteur français Renaud (né en 1952) dénoncent, dans une langue colorée où l'argot parisien prend une place importante, les injustices et les préjugés. Toute une génération de jeunes Français s'est identifiée à cette œuvre où se succèdent la révolte, la contestation mais aussi la tendresse et l'humour. La chanson *Deuxième génération*, parue en 1983, fait le portrait d'une jeunesse immigrante vivant dans la pauvreté et le rejet des valeurs de la société. Quel rapport pouvez-vous établir entre cette chanson et celle de Plume Latraverse à la page précédente ?

DEUXIÈME GÉNÉRATION

J'm'appelle Slimane et j'ai quinze ans
J'vis chez mes vieux à La Courneuve
J'ai mon C.A.P. d'délinquant
J'suis pas un nul j'ai fait mes preuves
Dans la bande c'est moi qu'est l'plus grand
Sur l'bras j'ai tatoué une couleuvre

J'suis pas encore allé en taule [1]
Paraît qu'c'est à cause de mon âge
Paraît d'ailleurs qu'c'est pas Byzance
Que t'es un peu comme dans une cage
Parc'que ici tu crois qu'c'est drôle
Tu crois qu'la rue c'est les vacances

J'ai rien à gagner, rien à perdre
Même pas la vie
J'aime que la mort dans cette vie d'merde
J'aime c'qu'est cassé
J'aime c'qu'est détruit
J'aime surtout tout c'qui vous fait peur
La douleur et la nuit...

[...]

J'ai mis une annonce dans Libé
Pour m'trouver une gonzesse [2] sympa
Qui boss'rait pour m'payer ma bouffe
Vu qu'moi, l'boulot pour que j'y touche
Y m'faudrait deux fois plus de doigts
Comme quoi, tu vois, c'est pas gagné.

C'que j'voudrais, c'est être au chôm'du [3]
Palper du blé [4] sans rien glander [5]
Pi comme ça, j'irais à la sécu [6]
J'pourrais grattos [7] me faire remplacer
Toutes les ratiches [8] que j'ai perdues
Dans des bastons [9] qu'ont mal tourné.

[...]

J'ai même pas d'tunes [10] pour m'payer d'l'herbe
Alors, je m'défonce avec c'que j'peux
Le trichlo, la colle à rustine
C'est vrai qu'des fois ça fout la gerbe [11]
Mais pour le prix, c'est c'qu'on fait d'mieux
Et pi, ça nettoie les narines.

Le soir, on rôde sur les parkings
On cherche une B.M. [12] pas trop ruinée
On l'emprunte pour une heure ou deux
On largue la caisse [13] à la Porte Dauphine
On va aux putes, juste pour mater [14]
Pour s'en souv'nir l'soir dans not'pieu [15]

[...]

J'ai rien à gagner, rien à perdre
Même pas la vie
J'aime que la mort dans cette vie d'merde
J'aime c'qu'est cassé
J'aime c'qu'est détruit
J'aime surtout tout c'qui vous fait peur
La douleur et la nuit...

Paroles et musique de Renaud Séchan ©1983, Mino Music.

1 Prison
2 Fille
3 Assurance-chômage
4 De l'argent
5 Ne rien faire
6 Sécurité sociale (assistance sociale)
7 Gratuitement
8 Dents
9 Bagarres
10 Argent
11 Ça fait vomir
12 BMW
13 Voiture
14 Regarder
15 Lit

Ponopresse

RAÔUL DUGUAY (né en 1939)

Raôul Duguay est sans doute le plus ésotérique de nos poètes et de nos chansonniers. D'abord et avant tout un homme libre, il tente de convaincre chacun de renouer avec l'essentiel qui réside en soi. À vrai dire, Raôul Duguay est moins un chanteur qu'un communicateur, et tous les moyens sont utilisés, depuis le déguisement jusqu'à la propension à faire parler les sonorités, pour communiquer à d'autres sa quête d'absolu, un absolu dont l'homme est le centre. Ce poète passeur, qui se dit « Tôuseul ak tôulmonde », utilise des images d'une grande simplicité pour inviter chacun à cesser de n'être qu'un brouillon de ce qu'il pourrait être.

LE VOYAGE

Il n'y a de repos que pour celui qui cherche
Il n'y a de repos que pour celui qui trouve
Tout est toujours à recommencer

Mais dites-moi encore où trouver le chemin
5   Que je ne cherche plus et que j'aille plus loin

La vérité la vérité la vérité
Est une poignée de sable fin
La vérité la vérité la vérité
Qui glisse entre mes doigts

10   Il n'y a de repos que pour celui qui trouve
Il n'y a de repos que pour celui qui cherche
Tout est toujours à recommencer

Tu marches au fond de toi et derrière tes pas
Et tu ne bouges pas seul ton regard avance

15   La vérité la vérité la vérité
Est une petite poignée d'eau de la source
La vérité la vérité la vérité
Qui coule entre tes mains

Il n'y a de repos que pour celui qui cherche
20   Il n'y a de repos que pour celui qui trouve
Tout est toujours à recommencer

Il marche sur ses pieds et parfois sur sa tête
Il traîne un gros boulet qui est comme lui-même

La vérité la vérité la vérité la vérité
25   Est une petite poignée d'air pur
La vérité la vérité la vérité
La vérité qui siffle entre ses dents

Il n'y a de repos que pour celui qui trouve
Il n'y a de repas que pour celui qui mange
30   Tout est toujours à recommencer

Nous marchons sur nous-mêmes comme un bétail perdu
Le mensonge est collé aux semelles de nos souliers

La vérité la vérité la vérité
Est comme la fumée
35 La vérité la vérité la vérité
Qui monte dans nos mots

Il n'y a de repos que pour celui qui cherche
Il n'y a d'oasis que pour celui qui boit
Tout est toujours à recommencer

40 Vous est-il arrivé de voir dedans vos yeux
Le chemin du retour qui coule avec amour

La vérité la vérité la vérité
Est comme le soulier
La vérité la vérité la vérité
45 Que l'on a délacé

Il n'y a de repos que pour celui qui trouve
Il n'y a de retour que pour celui qui part
Tout est toujours à recommencer

Ils ont mis des cailloux dans le bout des souliers
50 Et puis ils sont montés sur leurs propres épaules

La vérité la vérité la vérité
Est comme une lumière
La vérité la vérité la vérité
Qui point à l'horizon

55 Il n'y a de repos que pour celui qui marche
Il n'y a de repos que pour celui qui va

Paroles de Raôul Duguay et musique de Michel Garneau. Enregistré le 23 février 1978 au Théâtre
Saint-Denis à Montréal. Disque *Monter en amour*, EMI Capitol 1992, Éditions Troisantrentroi.

Pistes de lecture

1. Commentez l'usage des pronoms personnels.
2. Relevez et classez les images poétiques.
3. Expliquez la dernière strophe.
4. En quoi cette chanson qui parle de quête d'absolu peut-elle être apparentée à une transgresssion ?

─────────── A u   p l a i s i r   d e   l i r e ───────────

■ *Ruts*   ■ *Or le cycle du sang dure donc*   ■ *Chansons d'O. Poèmes et chansons*

Photo André Cornellier

CLÉMENCE DESROCHERS (née en 1933)

LA VIE D'FACTRIE

J'suis v'nue au mond'seul' comm'tout l'monde
C'est seul' que j'continue ma vie
À Dieu le Pèr' j'pourrai répondre
C'est jamais moi qu'a fait le bruit
5 Pour imaginer mon allure
Pensez à novembr'sous la pluie
Et pour l'ensembl' de ma tournure
Au plus long des longs ormes gris.

Comme on dit, dans la fleur de l'âge
10 J'suis entrée à factrie d'coton
Vu qu'les machin's font trop d'tapage
J'suis pas causeus'de profession
La seul' chos' que j'peux vous apprendre
C'est d'enfiler le bas d'coton
15 Sur un séchoir en form'de jambe
En allant d'la cuisse au talon.

Si je pouvais mett'boute à boute
Le ch'min d'la factrie à maison
Je serais rendue, y'a pas d'doute
20 Faiseuse de bébelles au Japon
Pourtant, à cause de mes heures
J'peux pas vous décrir' le parcours
J'vois rar'ment les chos's en couleurs
Vu qu'il fait noir aller-retour.

25 Quand la sirèn' crie délivrance
C'est l'cas de l'dir', j'suis au coton
Mais c'est comm' dans ma p'tite enfance
La cloch' pour la récréation
Y'a plus qu'un' chos' que je désire
30 C'est d'rentrer vite à la maison
Maint'nant j'ai plus rien à vous dire
J'suis pas un sujet à chanson...

Sur un radeau d'enfant, Montréal, Éditions Leméac, 1969.

Clémence DesRochers a écrit des récits, des poèmes, des comédies musicales, des monologues et des chansons ; elle aborde les sujets les plus graves comme les plus tristes, les plus quotidiens autant que les inusités, avec humour et poésie. Première humoriste à exploiter systématiquement les thèmes féminins, Clémence DesRochers a devancé la vague féministe des années 1970 et lui a ouvert la voie. Tantôt tendre, tantôt délirante, mais toujours émouvante, elle parle avec réalisme d'un autre versant du féminisme, les femmes anonymes qui parlent tout bas et craignent de déranger, des femmes peu fières d'elles, certes, mais pas nécessairement malheureuses pour autant. Comme les travailleuses des manufactures, des « factries ».

Pistes de lecture

1. Quelles images trouve-t-on ici ?
2. Relevez les marques de l'humour.
3. Quelle est la tonalité dominante ? Expliquez.
4. Commentez le paradoxe du dernier vers.
5. Dessinez le portrait moral de la narratrice.

━ Au plaisir de lire ━

■ *Le monde sont drôles* ■ *J'ai des p'tites nouvelles pour vous autres* ■ *Le monde aime mieux...*

LOUISE FORESTIER /
LOUISE BELHUMEUR (née en 1943)

Après avoir débuté comme interprète et avoir partagé la scène avec Robert Charlebois, Louise Forestier compose bientôt ses propres chansons. Si elle est aujourd'hui identifiée à une tendance nettement intimiste, tel ne fut pas toujours le cas. Ainsi, au temps fort du féminisme, alors que le territoire de la chanson pouvait encore être considéré par certains comme une chasse gardée des hommes, cette chanteuse a décidé de s'affirmer, quitte à laisser sortir son trop-plein d'agressivité, comme le rappelle *Les Bûcherons*.

Ponopresse

LES BÛCHERONS

Attachez vos ceintures fils de bûcherons
La sueur vous baptise en sacrament
Détachez vos ceintures fils de bûcherons
La femme vous attise en sacrament

5   Au chaud dans la cuisine préparons un banquet
Le banquet d'un ami est toujours déjà prêt
Au chaud dans un grand lit les draps sont toujours frais
Le grand lit d'un ami attend d'être défait

Apportez vos fourrures fils de bûcherons
10 La sueur vous baptise en sacrament
Étendez vos fourrures fils de bûcherons
La femme vous attise en sacrament

Dans le chaud de sa cuisse dessinez le portrait
Le portrait d'une belle est toujours très bien fait
15 Dans le chaud de son cou gravez vos initiales
L'écorce du bouleau ne s'efface jamais

Détachez vos ceintures fils de bûcherons
La sueur vous baptise en sacrament
Étendez vos fourrures fils de bûcherons
20 La femme vous attise en sacrament

Roger Chamberland et André Gaulin, *La Chanson québécoise de la Bolduc à aujourd'hui*, Québec, Nuit blanche éditeur, 1994.

Pistes de lecture

1. Pourquoi cette chanson s'adresse-t-elle aux fils de bûcherons ?
2. Identifiez trois champs lexicaux.
3. Quelle semble être l'intention de l'auteure ?
4. À quels niveaux se situe la transgression ?

QUESTIONS DE SYNTHÈSE

1. Peut-on affirmer que les poèmes de Denis Vanier et Josée Yvon sont des défis lancés à la mort ?

2. Comparez le thème de la solitude chez Émile Nelligan, Saint-Denys Garneau (chapitre 5) et Denis Vanier.

3. Établissez une parenté entre les textes de Pierre Vallières et de Victor-Lévy Beaulieu.

4. Quels traits communs pouvez-vous noter entre le Tremblay romancier et le Tremblay dramaturge ?

5. Prouvez que les extraits de Pierre Perrault (chapitre 7) et d'Antonine Maillet sont deux textes qui, chacun à sa manière, viennent dire l'importance de la culture.

6. Peut-on affirmer que Michel Tremblay et Clémence DesRochers évoquent la même déshumanisation de la femme ?

7. Montrez de quelle manière, chez Madeleine Ouellette-Michalska et Yolande Villemaire, l'écriture romanesque se nourrit essentiellement du quotidien.

8. Comparez le thème de la découverte de soi chez Denis Vanier et Raôul Duguay.

9. Dans quelle mesure Victor-Lévy Beaulieu et Lucien Francœur ont-ils le même rapport à l'Amérique ?

10. Commentez :

    ▷ La contre-culture est le rejet du nationalisme étroit du courant précédent.

    ▷ Par sa nature, le féminisme ne peut s'inscrire que dans la transgression.

    ▷ Dans ce courant, le corps et l'écriture sont le nouveau territoire qui déloge le territoire du pays.

    ▷ Dans le courant précédent, on écrivait pour le futur ; ici les auteurs s'en tiennent davantage au présent.

    ▷ Le courant précédent parlait du pays possible ; on préfère ici parler des changements possibles chez chacun.

    ▷ Le dérèglement de la syntaxe est la métaphore du dérèglement des mentalités.

    ▷ Dans ce courant, les auteurs se plaisent à disséminer le sens au gré des mots, plutôt que d'en fournir des clés facilement repérables.

TABLEAU SYNTHÈSE

1. Avec les grands bouleversements sociaux de la Révolution tranquille, le Québec s'engage résolument dans la voie de la modernité, ce qui amène une grande liberté allant jusqu'à la transgression de tous les tabous.

2. L'influence de la contre-culture venue des États-Unis est primordiale. L'exaltation des sens par divers moyens devient une façon de sortir du groupe afin de découvrir son âme.

3. En littérature, la transgression signifie la quête de l'inédit, du moderne au mépris de toute censure.

4. La transgression prend d'abord la forme de l'exploration formelle : la littérature devient un univers de signe qu'il faut décoder, la forme acquiert ainsi un sens autonome.

5. Le féminisme envahit également l'espace littéraire. La libération de la femme passe par la dénonciation des injustices faites aux femmes, l'affirmation de la féminité et la redéfinition du rapport entre la femme et l'écriture.

Intimité et
pragmatisme

minées les idéologies utopiques qui assuraient à l'individu une
place pour ses rêves
misme qui permetta
sociétés allaient se b
et de ses belles espér
sion de sa grandeur
rend soudainement a
sé s'en aller son uni
y a peu, ne pouva
maintenant avéré :
lage électronique, éa
l'évolution technolog
communication. C'é
avec un zèle mission
le prix de la vie hu
gains qu'elle procure
l'autel de la produc
sa quête des conditio
repli du mouvement
accroissement du ta
la cohésion sociale et familiale. L'être humain, soumis à une

❧ La poésie dans tous ses états
❧ La vie est un roman
❧ Le théâtre fait des scènes
❧ L'essai comme « journal dénoué »
❧ La chanson s'émeut encore

chapitre

9

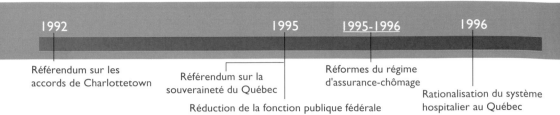

1992	1995	1995-1996	1996

Référendum sur les
accords de Charlottetown

Référendum sur la
souveraineté du Québec

Réformes du régime
d'assurance-chômage

Rationalisation du système
hospitalier au Québec

Réduction de la fonction publique fédérale

L'AUBE D'UN NOUVEAU MILLÉNAIRE

La fin du XXe siècle est marquée par le développement de ce qu'il est convenu d'appeler la société postmoderne. Celle-ci se caractérise essentiellement par l'apparition d'une nouvelle droite politique, par la prédominance des « faiseurs » sur les penseurs, par l'accroissement du secteur des services et des loisirs, par un rétrécissement proportionnel de la base industrielle de la société, par le développement d'une main-d'œuvre flexible et sans sécurité d'emploi, par l'absence relative d'idées neuves et le recyclage de structures sociopolitiques défaillantes, par l'impression que le temps s'accélère et que l'espace se rétrécit dans ce monde de télécommunications et par une homogénéisation progressive de la culture et la disparition des particularismes.

L'histoire ne peut que constater le fait que les idéaux et les réalisations de la Révolution tranquille ne semblent pas vouloir s'étendre jusqu'à la génération montante. Aussi ce qui était tenu pour acquis par la génération précédente devient-il soudain l'objet d'une espérance lointaine. Force est de constater que l'État providence, dont la mise sur pied fut un immense progrès dans l'histoire québécoise, s'effrite graduellement sous le coup de la crise des finances publiques. De trois milliards qu'elles étaient en 1970, les dépenses de l'État atteignent 25 milliards au début des années 1980 et, pour la première fois en près de trois décennies, la gratuité des services est remise en question. Devant le vieillissement de la population, le réseau de la santé et le régime des pensions de vieillesse doivent faire face à des demandes croissantes en pleine période de restrictions budgétaires. De même, la diminution de la population d'âge scolaire imputable à la dénatalité entraîne de graves difficultés financières dans le système d'éducation. Enfin, une récession économique solidement enracinée maintient le taux de chômage à un niveau élevé, entraînant des coûts supplémentaires dans les programmes d'assurance-chômage et d'assistance sociale. À l'aube de l'an 2000, une refonte en profondeur s'annonce dans l'ensemble de la structure socio-économique québécoise et canadienne. La Révolution tranquille est définitivement terminée.

△ *Nage la nuit* (1987), eau-forte de Marc-Antoine Nadeau.

Collection particulière. Galerie d'Art du Château Frontenac.

Le reclus (1995), huile de Laurent Bonet.

Le silence d'une jeune génération aux prises avec le chômage, la violence, la désillusion.

Intimité et pragmatisme

Au Québec comme dans l'ensemble du monde occidental, le phénomène de la transgression des années 1970 semble avoir définitivement fait table rase des valeurs du passé : le nationalisme, le marxisme, le moralisme et, dans une certaine mesure, la social-démocratie sont maintenant périmés ou hors de prix. Tout l'ordre social est remis en question comme si, à l'aube de l'an 2000, la société était entrée dans une ère de profonde mutation, où la réalité ne se laissait plus appréhender avec les mêmes concepts que naguère. Bien terminées les idéologies utopiques qui assuraient à l'individu une place pour ses rêves dans un demain meilleur. Disparu l'optimisme qui permettait de croire au mythe du progrès, où les sociétés allaient se bonifiant sans cesse. Spolié de ses certitudes et de ses belles espérances, l'homme de ce temps a perdu l'illusion de sa grandeur et se voit engagé dans une impasse. Il se rend soudainement compte qu'en perdant l'espoir il a aussi laissé s'en aller son unité et son identité.

Parallèlement, ce qui, il y a peu, ne pouvait sembler qu'hypothétique prédiction est maintenant avéré : la planète est devenue un gigantesque village électronique, édifié à l'aide des valeurs nouvelles que sont l'évolution technologique, le rendement, la consommation et la communication. C'est le règne du dieu Économie qui étend, avec un zèle missionnaire, son empire dans tout l'Occident. Où le prix de la vie humaine se mesure dorénavant à l'aune des gains qu'elle procure, le salarié étant devenu un simple pion sur l'autel de la productivité. Cette mondialisation des marchés et sa quête des conditions optimales du profit, qui ont entraîné un repli du mouvement syndical, une chute des salaires et un accroissement du taux de chômage, n'ont pas manqué d'altérer la cohésion sociale et familiale. L'être humain, soumis à une désintégration tant individuelle que collective, a de moins en moins de prise sur sa destinée.

Le relatif et la vacuité

Pour occulter ce sentiment de déperdition de l'être, on tente une fuite éperdue dans l'accumulation de biens de consommation immédiate. Il faut reconnaître l'exceptionnel pouvoir de séduction exercé par l'ère technologique et sa publicité, particulièrement prodigue en fantasmes de confort, sa capacité à maintenir l'illusion que l'essentiel réside dans le superflu. Comme si le bonheur personnel dépendait de la quantité de gadgets accumulés le long d'une autoroute électronique. On croit arriver à oublier sa tragédie dans la consommation à outrance, mais c'est le contraire qui se produit : s'identifier à la culture dominante de l'avoir et du dépenser, c'est jouer le jeu du système et perdre de vue sa condition d'exploité. Cette fuite fait du consommateur un cobaye de la technologie qui, en s'étourdissant dans le ludique, fait l'économie de ce qui serait à vivre.

Les impératifs de l'être supplantés par ceux de l'avoir ne sont pas sans entraîner une grande confusion. C'est le règne du relatif et de la vacuité : Tristan et Yseult deviennent une marque de commerce, les chansons de Félix Leclerc ou Gilles Vigneault sont interprétées sur des airs de yé-yé, la morale est policée par l'appareil judiciaire, la publicité et ses dollars sont l'âme nouvelle de la démocratie, la sexualité se fait produit de consommation et l'hédonisme a pris le relais des idéologies. Même la langue en est touchée : langue de bois ou langage « politically correct », c'est le triomphe de l'euphémisme et de l'insipide. Ce qu'il faut noter en fait, c'est la dissolution de toute vérité absolue, tout s'équivalant et devenant acceptable : la vie sans code jaugeable, sans mode d'emploi.

Le monde de l'enseignement n'est pas épargné par cette « ère du vide ». On y assiste à une véritable crise de la transmission des contenus pédagogiques, où les valeurs du passé se voient disqualifiées. Comme si on s'était retiré de l'histoire pour se cantonner dans le seul présent accessible, celui des mouvements de l'ego. Dans cet enseignement désorienté, l'affermissement de la réflexion, le sens de la discipline intérieure de même que le plaisir de l'effort et le goût de la performance semblent parfois des incongruités. Il est vrai que les études doivent maintenant subir la vive concurrence du travail à l'extérieur, qui soumet la vie de l'élève à une nouvelle donne : étudier, travailler, acquérir. Et les lois de la consommation de déteindre jusque dans l'enseignement : on peut maintenant apprendre sans retenir, uniquement pour la consommation d'un prochain examen. Oublier, comme si on voulait faire de la place pour apprendre de nouvelles connaissances, qui à leur tour seront oubliées. À la manière des objets jetables dont on se débarrasse pour s'en procurer de nouveaux. Ainsi peut-on, au cours de ses études, apprendre dix fois la même règle grammaticale, qu'il faut pourtant réapprendre en vue d'un prochain examen. Il semble qu'on ait perdu de vue le lien essentiel entre le savoir et le pouvoir sur les choses et les gens.

Un monde malade de l'espoir

Ajoutons à ce tableau la crise multiforme de l'autorité. Pouvoir politique, religieux ou parental, tout est maintenant discréditable et discrédité. La génération des « baby-boomers », ceux nés dans l'immédiate après-guerre, n'est pas étrangère à ce phénomène. Cette toute première génération de francophones à avoir accès à la fois au pouvoir et à la culture a voulu proposer une société égalitaire où chacun pourrait trouver sa quote-part d'affirmation et d'idéal. Mais le projet a lamentablement échoué, et l'avenir semble plus sombre que jamais. Pendant que de nombreux aînés tentent de masquer leur désenchantement et la perte de leurs illusions dans la quête d'une nouvelle éthique basée sur la célébration de la jeunesse, la leur, et de l'individualisme, ils se disqualifient auprès des jeunes, renonçant à leur servir de modèles ou de héros. Pourtant la génération suivante en aurait grand besoin, pour pouvoir regarder au-dessus de la ligne d'horizon, elle qui est aux prises avec un monde malade de l'espoir et du sens, où sévit la détresse psychologique, avec son cortège de décrochage scolaire, de chômage, de violence, d'usage abusif de drogues, sans oublier le suicide – où le Québec détient le record chez les jeunes en Occident. Comment, dans ce contexte, ne pas comprendre le silence de la jeune génération et son peu d'empressement à se chercher une place dans une société sans âme, où pullulent les vendeurs d'illusions, et qui laisse en friche tous les possibles ?

Paraître pour être

Dans cette société de fin de millénaire, l'indivi-dualisme s'avère la clef de voûte susceptible d'expliquer le plus grand nombre des comportements. La condition humaine se sentant assaillie de toutes parts, chacun se retranche dans le présent existentiel, dans les différentes strates de l'ego ; quant à l'identité, elle est le plus souvent assimilable au paraître, à l'image que les gens projettent d'eux-mêmes. Et chacun de lutter contre la dépersonnalisation et l'anonymat.

De plus, dans cette époque des communications, l'individu n'a jamais eu autant de difficulté à établir des rapports humains stables. Aussi vit-on de plus en plus isolé : on se parle par répondeur téléphonique interposé, les petites annonces des journaux servent d'entremetteuses à différents types de rencontres et les besoins minimaux de la vie sociale peuvent être comblés par l'assistance à des cours, des conférences ou des thérapies de toutes sortes. Car, consommation oblige, la détresse psychologique est devenue un marché lucratif. Même les médias, depuis les « lignes ouvertes » à la radio jusqu'aux nouvelles à la télé, profitent de cet air du temps en privilégiant les témoignages, les confessions et tout ce qui peut éveiller des émotions fortes. Le micro remplace le confessionnal de naguère, et tout ce qui était tu est maintenant discuté sur la place publique. Le verbe *banaliser* ne s'est jamais autant et si bien conjugué.

Même les relations sexuelles paraissent problématiques. La libération sexuelle a amené une obsession de la sexualité, mais une sexualité unidimensionnelle, aux passions épidermiques, semblant neutralisée par la permissivité générale. Il importe de jouir du moment qui passe, le sens de la vie s'étant réfugié dans l'éclatement des sens. Mais si le corps est libéré, le cœur semble de plus en plus prisonnier. D'autant plus qu'un nouveau mal sévit, implacable, qui permet à la mort de germer dans l'amour. Dans un tel contexte, un grand nombre tentent l'ultime retranchement dans le corps, véhicule de leur image. C'est ainsi que se développe un véritable culte des apparences, le corps étant paré de toutes les attentions pour en faire un objet de désir : c'est la manie des muscles redondants, du « body piercing » et des tatouages. Une « baroquinisation » du corps qui affirme surtout qu'on vit en périphérie de son être, l'identité s'étant réfugiée au niveau des apparences. Pendant que certains transforment leur corps, d'autres tentent une chirurgie esthétique de l'âme. Venue de Californie et issue du mouvement hippie, une religion qui se veut naturelle, mêlant signes du religieux, nourritures saines et préoccupations écologiques, désignée sous le vocable de « Nouvel Âge », promet de réinvestir l'intérieur, de donner une forme au présent vidé de sa substance et de refaire de l'homme le centre de l'univers.

« Je » et lyrisme

Toutes ces attitudes, tous ces comportements les plus divers donnent l'impression de vivre pas tant la fin d'une époque que d'une civilisation, celle qui s'était édifiée sur des valeurs collectives et sur la mémoire. Aujourd'hui, à peu près rien ne subsiste des valeurs passées, si on excepte tout ce dont elles étaient la négation. Il faut cependant croire, et nombreux sont les indices qui le laissent présager, que sous le désespoir tranquille qui a pris le relais de la Révolution tranquille soit en train de germer une ère nouvelle, fort riche, basée sur l'individu et les multiples dimensions du « je ».

Et qu'en est-il de la littérature? Après la frénétique période de transgression des années 1970, que certains artistes s'entêtent à maintenir encore deux décennies plus tard, d'autres, beaucoup plus nombreux, décident de rompre avec le conformisme de la rupture. Constamment, depuis l'époque du *Refus global*, les courants littéraires se sont inscrits en opposition au courant précédent, une avant-garde tôt démodée en appelant une nouvelle. Or, après le courant de la transgression, on imagine mal comment on pourrait aller plus loin dans une forme d'art nouvelle qui pousserait plus avant la transgression. Il semble qu'on soit arrivé au bout d'un processus – le nouveau en tant que valeur, qui s'impose contre les courants ou doctrines du passé – au bout de ce qu'il est convenu d'appeler le modernisme. On se doit maintenant de chercher ailleurs le moyen de renouveler l'art.

Dans cet âge d'or du matérialisme et de l'ego, où les nobles causes et les grands idéaux sont peu de mise, l'écrivain, conscience éclairée de son époque, s'efforce de rappeler la voie de l'essentiel. À ses contemporains hypnotisés par l'illusoire il affirme l'unicité de chaque être humain, il rappelle l'urgence de se tourner vers le moi intime, privé et quotidien. C'est, en littérature, l'épiphanie du « je », habituellement en conflit avec la société. Ce nouveau lyrisme clame sur tous les tons le droit à la différence et invite chacun à trouver SA vérité, le sens de SA vie, à fleur de vie quotidienne. Ce courant, grandement redevable aux écrivaines du mouvement féministe qui, les premières, avaient investi le territoire de l'intimité, voit la publication de très nombreux textes relatant des vérités personnelles et intimes, comme le journal d'émotion, l'autobiographie réinventée de même que des témoignages et confidences de toutes sortes. C'est la résurgence du « je suis moi-même la matière de mon livre » de Montaigne et du « connais-toi toi-même » de Socrate. Chacun de projeter une vision intériorisée de soi et du présent, souvent pessimiste mais assurément lucide, afin d'en faire des remparts contre les virtuels assauts des craintes du futur.

Dans cette quête du pays intérieur, la ville, lieu de la solitude individuelle physique et psychologique, de l'aliénation quotidienne, mais aussi foyer où l'écriture se joue et se vit, est présente plus que jamais dans la littérature québécoise, processus qui s'était déjà amorcé dans le courant précédent, au début des années 1970. Un nouvel imaginaire urbain prend forme, qui se plaît à fusionner décor réel et décor intériorisé par l'écriture. Montréal va même jusqu'à se faire personnage, abandonnant son rôle de simple décor de fiction. Elle se donne par moments des airs de nouveau lieu du pays, un pays moins porté par l'idéologie mais beaucoup plus réel.

Si les thèmes de ce courant sont les plus divers, celui de l'amour paraît privilégié, ou plutôt celui des histoires d'amour. Car ici les fugaces rencontres épidermiques sont le lot, banalisées au rang des autres éléments de la vie quotidienne. On dirait un produit de consommation : l'érotisme, conjugué de toutes les manières, se fait art de vivre dans un nouvel hédonisme. Étonnamment, le passé est fortement présent : on tente de se le réapproprier en le réinvestissant dans l'expérience vécue au quotidien. Ce retour à hier, aux racines et au pays de l'enfance, ne manque pas de rappeler une époque pas si lointaine où chacun avait encore son unité, maintenant égarée ou dispersée dans le labyrinthe de la consommation à outrance. D'autres, enfin, et ils sont aussi nombreux, préfèrent interroger leur part d'identité américaine, question de donner un sens à une partie oblitérée d'eux-mêmes.

✥ LA POÉSIE DANS TOUS SES ÉTATS

Après la poésie militante du courant du pays et les savantes édifications des formalistes, les grandes causes sociales, idéologiques ou esthétiques sont mises en veilleuse. Dans un repli individualiste, le poète se choisit dorénavant comme sujet de ses écrits. L'émotion recouvre alors ses droits, et la poésie, en renouant avec un imaginaire plus intime, revient à des préoccupations plus proprement littéraires. On se rappelle que les poètes féministes avaient affermi l'usage du « je » et que le corps était déjà au centre des préoccupations des formalistes, mais le lyrisme est devenu ici le principe moteur de la nouvelle poésie. De plus, alors que chez les féministes elle relevait du domaine politique, la vie privée est plutôt ici poétique : pour dessiner la trame de leur vécu, de nombreux poètes intègrent dans leur poésie des éléments narratifs quasi romanesques. Depuis l'époque de Nelligan et des idéalistes, poésie et vie intime n'auront jamais été si bien amalgamées.

Ce choix de la subjectivité et du quotidien intériorisé comme centre de sa poésie et de son questionnement permet au poète de témoigner de sa présence au monde, dans un lieu et une époque où le sens se dérobe. C'est l'écriture qui met au monde, qui permet à l'écrivain de trouver son centre au sein d'une collectivité qui a perdu le sien. Il s'agit de magnifier l'instant privilégié de l'intense confrontation entre le « je » et les aléas du quotidien, afin d'y trouver des réponses à ses crises d'identité. Il importe donc, au moment où le social est ravalé au simple rang de cadre et de décor, d'explorer minutieusement tout le territoire intérieur, les émotions et les sentiments, les sensations et les pulsions, les fantasmes et les obsessions.

Cette intimité est généralement tournée vers l'intérieur, pour prendre la mesure de l'instant qui passe, son bonheur ou son angoisse. L'amour se fait alors un thème particulièrement récurrent, où le plaisir est interpellé comme élément essentiel. Il arrive fréquemment que cet amour au quotidien qui se nomme et se raconte se situe dans la marge des valeurs morales de l'époque. L'enfance est aussi abondamment interrogée, dans les traces actuelles des blessures passées, de même que la mort, qui réussit à s'infiltrer dans tous les pores du quotidien. Notons, pour terminer, que ce lyrisme, à forte composante urbaine, qui jouxte fictif et vécu, privé et public, s'interroge abondamment, reliquat du précédent courant, sur les liens entre l'écriture et la vie.

Poisson d'avril, médium mixte sur toile de Paule Lagacé.

FERNAND OUELLETTE (né en 1930)

Le premier recueil de poésie de Fernand Ouellette, qui est aussi romancier et essayiste, date de 1955. Plus de trois décennies plus tard, l'inspiration se montre toujours aussi féconde et l'exaltation, aussi fraîche et spontanée. Constamment, le poète explore les voies de la réconciliation entre le temps et la passion, entre la vie et la mort. Dans *Les Heures* (1986), l'écrivain apparaît au chevet de son père. Avec sensibilité, il suit les progrès de la faucheuse en même temps que l'irrémédiable déclin de celui qui fut tant pour lui. Un style elliptique qui prend la mesure de la vie qui se retire.

SON CORPS NE S'OUVRAIT PLUS

Son corps
ne s'ouvrait plus.
Qu'importaient ses ombres!
Il s'était tourné
5   vers l'intérieur...
Pour le vrai départ.
Le dedans inviolable
était le seul espace
du passage,
10 ou l'infini
de la dérive.
Là se concentraient
les oiseaux de l'âme.
Aucune métaphore
15 n'aurait su
les piéger.
Les esprits seuls
pouvaient ouvrir
la volière.

20 Mais lui,
il ressemblait peut-être,
loin de nos regards,
au grand arbre
qui se balance sur la colline.
25 Ses désirs
avaient bien étalé
leur éventail.
Pour le moment
il paraissait monologuer
30 avec sa frayeur.
À vrai dire il s'était engagé
dans le seul courant
ascendant du dialogue.
Il n'avait cure
35 des paroles.
Il n'avait qu'à s'imaginer
ainsi qu'un cheval de neige
qui franchit l'autre versant.

Les Heures, Montréal, Typo, 1988 .

Pistes de lecture

1. Identifiez les périphrases qui désignent la mort.
2. Relevez et commentez les autres figures de style.
3. Montrez que la mort est un moment d'intense vie intérieure.
4. Qualifiez les particularités syntaxiques des vers. Leur effet ?
5. Quel est le thème principal : la mort ou la solitude ?

--- **Au plaisir de lire** ---

- *Les Actes retrouvés*
- *Poésie* (Poèmes, 1953-1971)
- *Journal dénoué*

La Presse

MICHEL GARNEAU (né en 1939)

Le dramaturge et poète Michel Garneau est un cas exceptionnel : il a pris le pari de l'enthousiasme. Il se plaît à raconter ses rapports au quotidien. Sa plume au lyrisme sensible rappelle l'ivresse susceptible d'être contenue dans le moindre geste, la moindre attention. Le plaisir de lire est, chez lui, associé à la découverte de la saveur des mots, des mots pourtant simples encore empreints de leur oralité.

J'AI REGARDÉ LE MONDE UN INSTANT

j'ai regardé le monde un instant
celui d'ici et maintenant pour toujours
le monde se tenait tranquille
un moment
5 les gens n'avaient pas encore
l'air méchant qui me trouble tant
et je parmi les gens ti-pit poète
parmi les loups les gens me sens bien ici
j'attends de te rencontrer
10 je mange des smoked meat chez schwartz
je me fais du thé
l'eau bout comme un gazou
c'est fou la terre est en misère
je continue d'être heureux
15 taureau content dans un champ
de projets d'avenir dressé devant moi
j'ai juste à grimper dedans
même si je me sens tout nu
pour toujours
20 l'eau bout comme un gazou
je me fais du thé et je vais boire
au mystère
la terre est en misère
et la vie est bien belle

La Plus Belle Île suivie de *Moments*, Montréal, Typo Poésie, 1988.

Pistes de lecture

1. Relevez les marques de l'oralité et celles du quotidien.
2. Quel effet produisent-elles ?
3. Analysez les réseaux de sonorités.
4. Le poète se sent-il en accord avec « le monde » ? Commentez.
5. Comment l'auteur exprime-t-il le plaisir de vivre ?

Au plaisir de lire

- *Sur le matelas*
- *Les Petits Chevals amoureux*
- *Les Voyagements*
- *Poésies complètes*

MICHEL BEAULIEU (1941-1985)

Michel Beaulieu, romancier, dramaturge, critique et poète, est habile à saisir la couleur de l'instant. Son écriture, située au cœur de l'angoisse et du « spasme de vivre », sait conférer de la mémoire à l'anecdote. Une poésie intime comme une confidence mais traversée par le souffle de la passion, qui s'empare des moments lumineux de la vie pour mieux dessiner les parcours du territoire intérieur.

TU VAS

tu vas
tu vaques à tes affaires
les heures passées derrière
la table de travail
5   derrière arrêtes-tu la quatrième
ligne écrite et pourquoi
pas devant pas le long de l'un
des longs côtés les lignes
où s'appuie la calligraphie tracent
10   un treillis contre l'opacité
du papier du lignage qui ne révèle
nulle transparence
et tu seras rentré trop tard
pour les informations le début
15   du dernier film un livre
attend que tu t'étendes plus tard
quand les mots ne s'offriront plus
ni les visions saisies dans leur
déchirante proximité
20   leur approximation
ni l'étape suivante du voyage
et chaque fois tu te demandes
à quoi bon voir demain
seulement le voir
25   que la peau rayonne entre les doigts.

Kaléidoscope ou les Aléas du corps grave, Montréal, Éditions du Noroît, 1984.

La Presse

Pistes de lecture

1. Commentez la composition syntaxique des vers.
2. Quel lien remarquez-vous entre le rythme et le thème du poème ?
3. Quelles sonorités sont privilégiées ici ? Leur effet ?
4. Quelle est la signification du « tu » ?
5. Comment le poète décrit-il son rapport avec les mots dans le processus créateur ?
6. En quoi s'agit-il d'une poésie de l'intimité et de l'instant présent ?

=== Au plaisir de lire ===

■ *L'Octobre* suivi de *Dérives*   ■ *Desseins* (Poèmes, 1961-1966)

PIERRE MORENCY (né en 1942)

Photo Michel Bouliane

Pierre Morency, poète et dramaturge, se passionne pour la nature, en particulier pour l'ornithologie. Quantité de ses poèmes décrivent les états de grâce que sont ses rencontres avec les oiseaux, comme autant de célébrations de la vie. Ses phrases sont remarquables pour la force de leurs images, souvent puisées à la source du surréalisme. Le poète ne cesse de mettre en lumière « le vrai des choses [qui] grésille sous les apparences », ces moments qui conjurent l'angoisse de vivre.

SOYONS

Il n'y aura pas de poème.
Seulement l'hiver en grippe, le hurlement des neiges poudreuses, la nuit
déchiquetée, on casse des miroirs
5 près du fleuve, un gémissement gla-
cial, la fracture du corps sensible, on
tournoie, on déferle, passage de la
comète, son déchirement, révélation
des ferveurs prises en pain, et puis
10 une torche au loin, un œil de braise,
le tissu nouveau sous l'écorchure.
Pas de poème. Il y aura seulement la
relation aussi exacte que possible de
ce moment : un oiseau commença
15 de chanter dans la montagne. Tu saisis ma main et l'enfouis avec la
tienne dans la grande poche de ton
manteau.

Effets personnels suivi de *Douze jours dans une nuit*,
Montréal, L'Hexagone, 1987.

LE FROID

Au pays de pierre fendre, l'année commence par une infinité
de matins couchés en rond de
chien sous les poêles, sourds à ce
5 qui monte dehors, même à l'appel
cassé des vieilles corneilles. Les
heures sont figées au fond des
bols. Un diamant trace et trace
sur les vitres une flore impossible
10 et superbe. Dans cette maison-là
vous pensez souvent à la solitude
et à la santé des territoires. En ce
moment, immobile à la fenêtre,
vous vous demandez. Plus tard,
15 vers les quatre heures, les lointains s'enflammeront, la plaine
frisera de vent, un fleuve de fari-
ne déferlera dans les plis de la
neige durcie. Vous deviendrez
20 peu à peu la force de l'horizon,
glisserez hors de vous, filerez sur
le totalement neuf, contre l'écume qui éveille. Vous brûlerez.

Les Paroles qui marchent dans la nuit,
Montréal, Boréal, 1994.

Pistes de lecture

1. Relevez les images associées à l'hiver. Le point de vue est-il le même dans les deux poèmes ?
2. Comment s'effectue le passage du réel au poétique ?
3. Comment le poète s'identifie-t-il avec la nature ?
4. Quelle est l'importance du moment présent ?
5. Une phrase du deuxième poème pourrait-elle correspondre à un vers de *Soir d'hiver* d'Émile Nelligan ?

Au plaisir de lire

■ *Au nord constamment l'amour*   ■ *Torrentiel*

MARIE UGUAY (1955-1981)

Le cinéaste Jean-Claude Labrecque a grandement contribué à faire connaître la vie et la poésie de Marie Uguay[1]. Chez cette dernière, dont le temps était compté, la poésie tient tête au silence et à la maladie. Dans un langage simple mais séduisant et efficace, Marie Uguay prend la mesure des instants et le poids des désirs.

BNQ

IL FALLAIT BIEN PARFOIS

il fallait bien parfois
que le soleil monte un peu de rougeur aux vitres
pour que nous nous sentions moins seuls
il y venait alors quelque souvenir factice de la beauté des choses
5   et puis tout s'installait dans la blancheur crue du réel
qui nous astreignait à baisser les paupières
pourtant nous étions aux aguets sous notre éblouissement
espérant une nuit humble et légère et sans limite
où nous nous enfoncerions dans le rêve éveillé de nos corps

* * *

IL Y A CE DÉSERT ACHARNEMENT DE COULEURS

il y a ce désert acharnement de couleurs
et puis l'incommode magnificence des désirs
il faut se restreindre à dormir à attendre à dormir encore
j'ai fermé la fenêtre et rentré les chaises
5   desservi la table et téléphoné il n'y avait personne
fait le lit et bu l'eau qui restait au fond du verre
toutes les saisons ont été froissées comme de mauvaises copies
nos ombres se sont tenues immobiles
c'était le commencement des destructions

Autoportraits, Montréal, Éditions du Noroît, 1982.

Pistes de lecture

1. Dans *Il fallait bien parfois*, quel effet produit l'usage de l'imparfait ?
2. Relevez et commentez les antithèses.
3. Étudiez le thème du couple : comment est-il suggéré ?
4. Quel est le thème principal de ce court poème ?
5. Dans le second poème, comment est décrit le désir ?
6. Commentez le recours à « il y a », « il faut » et « c'était ».
7. Quelles images sont contenues dans ce poème ?
8. Expliquez l'importance que prennent les gestes du quotidien.

Au plaisir de lire

- Poèmes
- Autoportraits
- Signe et Rumeur
- Poèmes inédits
- L'Outre-vie

[1] Il a tourné, pour l'Office national du film, un court métrage intimiste d'une heure intitulé *Marie Uguay*.

Intimité et pragmatisme   9

LA VIE EST UN ROMAN

On le sait déjà, le romancier se plaît à faire écho aux principales préoccupations de la société de son temps. Aussi, au moment où l'ego trouve de bon ton d'afficher des formes pour le moins replètes, on ne s'étonne pas de constater la réduction de l'intrigue au profit du héros et de sa quête – il faudrait plutôt parler de l'anti-héros, un être le plus souvent marginal, sans héritage et sans espoir, dont les faits et gestes sont soigneusement consignés. Dans ces romans inspirés d'expériences personnelles et qui font corps avec la réalité, la vie au quotidien semble servir de substitut idéologique. Il s'agit souvent de paysages intérieurs tout en nuances, œuvres d'atmosphère, qui renouent avec les romans psychologiques de la période 1945-1960, mais dont l'univers social est généralement évacué. C'est dire que le lieu de ces romans qui excellent à traduire les pensées les plus intimes est encore et toujours la langue, explorée dans toutes ses richesses, mais d'une manière moins opaque que dans le courant précédent, l'imaginaire reprenant sa priorité sur la forme.

Dans ces romans du désarroi et du mal de vivre, les personnages sont aux prises avec la désespérance de leurs pensées et une désillusion telle qu'ils ne sentent même plus sourdre la violence en eux : c'est la résignation, l'état de quasi-indifférence. Le romancier Jean-Yves Soucy a nommé un de ses romans *Bof génération* pour décrire ces gens qui n'attendent plus rien de la vie. Ces êtres pourtant lucides ne se rejoignent souvent que dans leur désarroi commun ou, ce qui revient au même, dans la consommation, de bière ou de sexe. Il s'agit généralement de jeunes, du moins quant à leur âge mental, qui refusent de vieillir, craignant d'affronter l'âge adulte et ses horizons bouchés.

Ces récits qui s'enracinent profondément dans la réalité font une large place à Montréal, en tant que lieu d'ancrage des actions quotidiennes mais également, et sans doute même davantage, parce que cette ville exerce une véritable séduction auprès des écrivains. Ils prennent plaisir à se mesurer à elle, à raconter les sentiments qu'elle leur inspire, les « bonheurs d'occasion » qu'elle leur procure. On aime ses différents quartiers, devenus la carte topographique de notre imaginaire, en particulier le Plateau Mont-Royal et sa rue Saint-Denis, moins pour leur beauté que pour leur vie et la ferveur qu'ils inspirent ; on se plaît à y voir – image parfois troublante – la genèse du Québec de demain. On ne manque surtout pas de constater que si chacun se sent seul dans la grande ville, cette dernière non seulement permet d'occulter sa solitude, mais elle dispense l'accès à l'humain.

De plus, outre l'errance dans la ville, il en est une autre particulièrement abondante : les romanciers se mettent à parcourir les États-Unis à la poursuite de leur part d'identité américaine. Jusqu'à il y a peu, la France était le seul pays de notre identification ; les États-Unis, tout au contraire, incarnaient une menace à notre culture et à notre identité. Or, les écrivains de l'époque actuelle, conscients des origines françaises de la plus grande partie de ce continent ou axant leurs démarches sur celle de Jack Kerouac, entendent assumer totalement leur américanité, qui devient un nouvel espace culturel du roman québécois.

Parmi les autres grandes tendances du roman actuel, notons le recours aux grilles freudiennes pour décrypter les carences du moi depuis les blessures de l'enfance mais également, dans une démarche tout à fait inverse, la publication de romans à la psychologie minimale où n'importent que les actions et les attitudes. Retenons enfin les nombreux retours au passé, afin de mieux comprendre le présent. Il ne s'agit pas tant ici de romans proprement historiques, généralement indissociables de la référence biographique, que d'une histoire revue et corrigée, abondamment colorée des épisodes de la petite histoire. C'est l'appel au souvenir, à la mémoire sélective, pour s'approprier des fragments de son passé, pour panser un présent en mal de son devenir. Ces romans jouissent d'une exceptionnelle popularité, comme si les écrivains qui partent à la découverte de leur enfance permettaient aux lecteurs de s'approprier la leur.

JACQUES POULIN (né en 1937)

UNE IDÉE ENVELOPPÉE DE SOUVENIRS

Pour ne pas s'endormir pendant qu'il conduisait sur la 94, Jack ouvrit la radio. Il entendit des nouvelles : les États-Unis envoyaient des conseillers militaires en Amérique centrale, le chômage avait augmenté, il y avait des inondations en Louisiane et une sécheresse en Égypte, l'aviation d'Israël bombardait le
5 Liban, le prix de l'or avait monté, la France procédait à des expériences nucléaires dans le Pacifique, les négociations pour le désarmement étaient dans une impasse. Il tourna le bouton, cherchant une émission de musique, et à sa grande surprise il entendit tout à coup une chanson française, lointaine et comme perdue dans une mer de paroles anglaises – une vieille chanson
10 française qu'il connaissait très bien ; il ajusta le bouton et alors il entendit très distinctement les mots qui disaient :

> *Qu'il est long le chemin d'Amérique*
> *Qu'il est long le chemin de l'amour*
> *Le bonheur, ça vient toujours après la peine*
15 *T'en fais pas, mon amie, je reviendrai*
> *Puisque les voyages forment la jeunesse*
> *T'en fais pas, mon amie, je vieillirai.*

L'Amérique ! Chaque fois qu'il entendait prononcer ce mot, Jack sentait bouger quelque chose au milieu des brumes qui obscurcissaient son cerveau.
20 (Un bateau larguait ses amarres et quittait lentement la terre ferme.) C'était une idée enveloppée de souvenirs très anciens – une idée qu'il appelait le « Grand Rêve de l'Amérique ». Il pensait que, dans l'histoire de l'humanité, la découverte de l'Amérique avait été la réalisation d'un vieux rêve. Les historiens disaient que les découvreurs cherchaient des épices, de l'or, un passage vers la Chine, mais Jack n'en croyait rien. Il pré-
25 tendait que, depuis le commencement du monde, les gens étaient malheureux parce qu'ils n'arrivaient pas à retrouver le paradis terrestre. Ils avaient gardé dans leur tête l'image d'un pays idéal et ils le cherchaient partout. Et lorsqu'ils avaient trouvé l'Amérique, pour eux c'était le vieux rêve qui se réalisait et ils allaient être libres et heureux. Ils allaient éviter les erreurs du passé. Ils allaient tout recommencer à neuf.

30 Avec le temps, le « Grand Rêve de l'Amérique » s'était brisé en miettes comme tous les rêves, mais il renaissait de temps à autre comme un feu qui couvait sous la cendre. Cela s'était produit au 19ᵉ siècle lorsque les gens étaient allés dans l'Ouest. Et parfois, en traversant l'Amérique, les voyageurs retrouvaient des parcelles du vieux rêve qui avaient été éparpillées [...].

Volkswagen blues, Montréal, Québec / Amérique, coll. « Littérature d'Amérique », 1984.

Écrivain de la chaleur humaine, Jacques Poulin fait de la poursuite de l'unité intérieure la trame même de ses romans. Ses personnages, marqués par leur discrétion et leur soif de tendresse, aux prises avec la si difficile communicabilité avec les autres, arrivent à donner du poids aux moindres détails du quotidien. Dans *Volkswagen blues* (1984), le personnage central, Jack Waterman, qui a entrepris avec la jeune Amérindienne Pitsémine, dans un minibus Volkswagen, un long périple allant de Gaspé à San Francisco, associe la découverte de son identité à la mise au jour de sa part d'américanité. L'écriture, sobre et dépouillée, oublie ses effets et n'en est que plus efficace.

Pistes de lecture

1. Quel est le rôle de la chanson dans cet extrait ?
2. L'auteur privilégie-t-il ici le présent ou le passé ?
3. Quel thème est le plus important ?
4. Quel lien pourriez-vous établir entre ce texte et ceux du premier chapitre ?

Au plaisir de lire

- *Jimmy*
- *Les Grandes Marées*
- *Le Vieux Chagrin*
- *La Tournée d'automne*

YVES BEAUCHEMIN (né en 1941)

Le Matou (1981) d'Yves Beauchemin fut l'un des premiers best-sellers de la littérature québécoise : traduit en une quinzaine de langues, il s'est vendu dans le monde entier à plus d'un million d'exemplaires, en plus d'être adapté au cinéma et à la télévision. Dans cette saisissante fresque de la vie au quotidien, alors que la résonance sociale est évacuée, les personnages sont décrits dans leurs attitudes, leurs désirs et leurs répulsions. Conteur talentueux, l'auteur, par son imagination débridée qui ménage une place de choix à la tendresse et à l'humour, parvient sans peine à tenir le lecteur en haleine. La première page donne le ton à ce roman réaliste, où la psychologie des personnages doit être déduite de leurs actions.

DES GUILLEMETS DE BRONZE

Vers huit heures un matin d'avril, Médéric Duchêne avançait d'un pas alerte le long de l'ancien dépôt postal « C » au coin des rues Sainte-Catherine et Plessis lorsqu'un des guillemets de bronze qui faisaient partie de l'inscription en haut de la façade quitta son rivet 5 et lui tomba sur le crâne. On entendit un craquement qui rappelait le choc d'un œuf contre une assiette et monsieur Duchêne s'écroula sur le trottoir en faisant un clin d'œil des plus étranges.

Florent Boissonnneault, un jeune homme de vingt-six ans au regard frondeur, se trouvait près de lui quand survint l'accident. Sans 10 perdre une seconde, il desserra la ceinture du malheureux, défit son col et se précipita dans une boutique pour alerter la police. Déjà, une foule de badauds s'amassait autour du blessé qui perdait beaucoup de sang. Cela ne l'incommodait aucunement, d'ailleurs, car il était occupé à revivre une délicieuse partie de pêche qu'il avait faite à l'âge 15 de sept ans sur la rivière l'Assomption.

Florent revint près de lui et s'efforça de disperser les curieux. Un de ceux-ci était remarquable. Il s'agissait d'un grand vieillard sec à redingote noire dont le visage se terminait par un curieux menton en forme de fesses. Il observait Florent depuis le début avec un œil 20 admiratif.

— Voilà un jeune homme de gestes sûrs et *d'un bel sang-froid*, dit-il à voix haute avec un accent bizarre. C'est un trésor *à* notre pays.

Florent ne l'entendit pas, occupé qu'il était à répondre aux questions des policiers. Au bout de quelques minutes, il put s'en aller.

Le Matou, Montréal, Québec / Amérique, coll. « Littérature d'Amérique », 1981.

Pistes de lecture

1. Quels détails réalistes donnent de la crédibilité au récit ?
2. Comment se manifeste l'humour, et quel est son rôle ?
3. Montrez l'importance que le narrateur attache au regard.
4. Qu'est-ce qui prédomine : l'action ou la psychologie des personnages ?

Au plaisir de lire

■ *L'Enfirouapé*　　■ *Juliette Pomerleau*

FRANCINE NOËL (née en 1945)

La prose de la romancière et dramaturge Francine Noël est en prise directe sur le quotidien. Habile à brosser de vastes fresques, l'auteure de *Myriam première*(1987) a écrit la chronique d'une époque, celle de la désillusion tranquille des années immédiates qui suivirent la défaite du référendum de 1980. Dans l'extrait, deux amies, Marité et Marie-Lyre, devisent de tout et de rien : du triomphe de l'instant présent, de la vie qui n'est que quotidienne. L'anecdote transformée en phénomène artistique.

Photo Josée Lambert

PROFITER DE CE QUI PASSE

— Je ne m'étais jamais préoccupée de mon apparence, mais maintenant je comprends qu'il a toujours été important pour moi de ne pas être trop moche. Tout à coup, je me sens pressée de profiter de ce qui passe, de plaire. Dans quelques années, je serai
5 plus regardable.

— T'es malade! dit Marie-Lyre. Regarde ta mère, elle est encore belle !

— Je ne veux pas être ENCORE belle !!!

Cela est sorti comme un cri, oppressé. Marie-Lyre la regarde, interloquée : elle ne reconnaît pas sa Marité habituelle ; sûre d'elle et désinvolte.

10 — Ma mère est un cas, continue Marité. Un phénomène ! Quand elle prétend aller dans le Sud, je me demande si elle ne va pas tout simplement se faire faire des liftings. Après tout, on n'a jamais vérifié !

— Tiens, tiens ! dit Marie-Lyre. C'est bien possible.

Elles rient et se remettent à placoter dans le calme de l'après-midi,
15 jouissant du fait de ne pas travailler. Elles parlent du climat politique, de la montée des Verts en Allemagne, de la situation au pays. « Quel pays ? » dit Marie-Lyre. Depuis le référendum de mai 80, elle ne prononce plus le mot « Québec » . Quand il lui faut absolument situer un événement, elle dit « Montréal » à la place, comme si le pays rétrécissait. Marité a
20 remarqué ce glissement dans le discours de son amie mais elle fait semblant de rien sachant que les « gens du pays » s'accommodent comme ils le peuvent de l'après-référendum. Marie-Lyre revient à sa brouille avec Juliette, elle demande à Marité de ne pas en parler à Maryse, qui se ferait inutilement du mauvais sang.

Myriam première, Montréal, VLB éditeur, 1987.

Pistes de lecture

1. Quel niveau de langue est utilisé ici ?
2. Comparez le style des dialogues à celui des passages narrés.
3. Qu'est-ce qui donne un caractère « immédiat » à cette prose ?
4. Comparez les préoccupations des héroïnes de Francine Noël à celles des auteures féministes du chapitre précédent.

Au plaisir de lire

■ *Maryse*

ROBERT LALONDE (né en 1947)

Photo Ulf Andersen

Robert Lalonde mène de front, et avec succès, la double carrière de comédien et d'écrivain. Chacun de ses romans se fait incitation à chevaucher la vie, jusque dans ses zones ombragées et troublantes loin de la stagnante routine quotidienne. Et, pour attiser la conscience, l'auteur fait constamment appel à la nature, une nature encore sauvage, capable de fouetter les sens et d'éveiller les instincts, de rappeler notre animalité. Son roman *Le Fou du père* (1988) décrit le contentieux séculaire entre les pères et les fils. Le narrateur et personnage principal, réfugié au pays du père et de l'enfance, relate ici, à l'intention de la femme aimée restée à la ville, les incertitudes qui l'assaillent, les émotions qu'il assume. On notera ici la force du lyrisme.

CE DÉSARROI CAPABLE DE TOUT CHANGER

C'est moi qui resterai captif des lueurs que son regard égaré a lancées dans tous les sens, et c'est moi qui devrai essayer de m'arranger avec ces éclairs-là qui sont comme la lumière au-dessus des débris après un cataclysme, après que le ciel furieux a frappé sans prévenir. Je ne m'habitue pas. Et si j'ai honte,
5 c'est que je sais que je n'arriverai jamais à marcher, à parler, à faire la paix et à vivre libre pendant que cet homme, mon père, est soumis à quelque monstrueuse foudre de hasard. Je reste tout seul à imaginer, à rivaliser avec l'univers et son mystère, et ça, jusqu'au grand vertige où je perds toutes mes certitudes. Il y a donc, en lui, en moi, en chacun peut-être, sur le qui-vive,
10 toujours prêt, ce désarroi capable de tout changer, ce désordre primitif dont personne avant nous n'est venu à bout et qui nous échoit comme certaines monstruosités physiques, une tache de vin ou un pied bot ? Tout de suite c'est la grande terreur et son cortège de cauchemars indéchiffrables. Tout de suite c'est le vide qui se fait, facilement, à l'endroit où vous comptiez vous étendre
15 et vous reposer un peu. Ça vous prive de toute détente et ça veut vous faire vivre sur le pied de guerre tout le temps. Et encore, pour rien, puisque ça peut cogner quand ça voudra et qu'on est, dans cet orage-là, comme une aiguille de pin dans le cyclone, sans plus de génie ni de courage, malgré toute l'étude, toute la connaissance, tout l'amour du monde. Alors, j'ai soudain un gros
20 désir des mots et de ta peinture, de nous deux dans l'atelier, de la ville et de ses horreurs quotidiennes auxquelles on a fini par s'habituer et contre lesquelles je fais des phrases et toi des couleurs, à l'abri.

Le Fou du père, Montréal, Boréal, 1988.

Pistes de lecture

1. Comment le narrateur évoque-t-il le trouble intérieur de son père ?
2. De quelle façon est exprimée la filiation séculaire des pères aux fils ?
3. Commentez le choix des verbes.
4. Quels mots traduisent la solitude et l'impuissance de l'être humain ?
5. À la fin, pourquoi le narrateur fait-il appel au quotidien ?

Au plaisir de lire

- *La Belle Épouvante*
- *L'Ogre de Grand Remous*
- *Le Dernier Été des Indiens*
- *Le Petit Aigle à tête blanche*

JACQUES SAVOIE (né en 1951)

DERRIÈRE LES PALMIERS DE LA CHEMISE

— Est-ce que t'as lu le livre de Baudelaire que je t'ai prêté?

— Tu sais ben que non. J'en ai lu trois lignes et ça m'a déprimée. Il est aussi fou que toi...

Blaudelle se met à ricaner à son tour et se penche doucement vers Armande.
5 Je crois même qu'il lui chuchote quelque chose à l'oreille. Elle le prend par le cou.

Tout ce qui l'intéresse, Armande, c'est la chemise à palmiers sur fond bleu pâle. Chaque fois qu'ils en sont à se chuchoter des petits mots, elle se passe langoureusement la langue sur les lèvres (pour redonner du brillant à son rouge) et glisse sa main derrière les palmiers de la chemise. Elle étire le bras
10 jusqu'à ce qu'elle touche le soleil, quelque part dans son dos. Quand elle lui fouille dans le tropique comme ça, Blaudelle ramollit. Alors, elle le prend par la taille et le renverse sur le divan.

Blaudelle est encore méfiant mais on sent que ça va lui passer vite.

Armande défait les boutons de la chemise. Une chaleur torride enveloppe le
15 studio. Le disque des Quatre Saisons est rendu à l'hiver. Ils se mettent alors à parler de la Floride et à délirer sur l'horizon qu'ils imaginent devant eux. Quel cirque ils peuvent faire ces deux-là dans les coussins !

Au bout d'un moment, Blaudelle arrête de bouger. Le sable se répand sur le plancher de tuiles et la chaleur gagne tout le studio. Le bleu de la chemise
20 éclabousse partout, la mauvaise herbe du Cézanne se remet à pousser et les palmiers plient en deux pour tenir debout dans le studio.

Tout à coup, Armande est en bikini. Blaudelle est enfoui sous les coussins et ne dit plus un mot. Elle est en avance d'au moins six épaisseurs de rêve. Il n'a pratiquement plus une chance de la rattraper.

25 D'une fois à l'autre, je n'arrive jamais à m'habituer au spectacle. Je ne comprends pas ce qu'il lui trouve à cette bonne femme. Même que, de loin comme ça, ils ont plutôt l'air de se faire mal.

Quand vient le « temps du coup de soleil », c'est encore plus bizarre. Comme elle est par dessus lui, elle fait de l'ombre. Au lieu de se plaindre, Blaudelle endure sans dire un mot. La belle Armande se met alors à hurler comme une damnée. Les cris vont en augmentant jusqu'à ce
30 qu'elle devienne toute raide... Pour montrer que c'est elle qui a gagné, elle pousse alors un grand soupir et fait semblant de s'évanouir.

Les Portes tournantes, Montréal, Boréal Compact, 1990.

Photo Gilles Savoie

Jacques Savoie affectionne les romans à forte incidence psychologique. Ainsi, dans *Les Portes tournantes* (1984), un homme, Blaudelle, remonte jusqu'aux mystères de la petite enfance pour recouvrer son identité usurpée. Il se remémore toutes les étapes de sa vie, ce qui l'amène bientôt à la libération : il accouche littéralement de son propre fils et peut enfin accéder à la paternité authentique. L'extrait laisse plutôt la parole à Antoine, le fils de Blaudelle. Dans une scène cocasse où son père a requis les services d'Armande, une péripatéticienne, le fils de dix ans, que l'on croit couché, observe et affirme les prérogatives du « je » et de l'imagination sur la réalité.

Pistes de lecture

1. Montrez la naïveté d'Antoine.
2. En quoi la curiosité d'Antoine est-elle subordonnée à son imagination ?
3. Dressez la liste des repères réalistes, qui sont par la suite tamisés par l'imagination du narrateur.
4. Qu'est-ce qui permet à cet extrait de figurer dans le présent courant ?

Au plaisir de lire

- *Les Portes tournantes*
- *Le Récif du prince*
- *Une histoire de cœur*

Photo Martine Doyon

MONIQUE PROULX (née en 1952)

Le troisième ouvrage de Monique Proulx, *Homme invisible à la fenêtre* (1993), a connu un succès phénoménal. Pourtant ses personnages sont fort peu conventionnels : des âmes éclopées, en quête d'amour et d'apaisement, gravitent autour du peintre Max, paraplégique depuis dix-huit ans. Dans un récit d'une grande sensibilité mais loin de toute sensiblerie, l'auteur met au jour le quotidien de ce peintre en fauteuil roulant dans ses détails les plus intimes. C'est ainsi que nous le trouvons dans un café avec son amie Maggie, un modèle d'une exceptionnelle beauté. S'y trouve mise au banc des accusés une société qui ne juge que sur les apparences. Dans ce texte incisif, l'humour acidulé prend le contre-pied du langage « politiquement correct ».

L'ESTROPIÉ ET LA NYMPHE

Peindre la tête de Maggie, c'est jongler avec toutes les couleurs du prisme qui se frottent lascivement. Dans ses cheveux, il n'y a pas moins de douze teintes de blond, viraillant entre l'ocre, le paille et le vénitien. Ses yeux ne se décident pas entre le turquoise et le topaze, et d'invraisemblables mouchetures
5 sanguines y font filtrer, sauvage, un regard de lionne. Le blanc bleuté des dents répond exactement à celui du fond de l'œil, le charbonneux des cils et des sourcils au grain de beauté piqué sur l'un des maxillaires. Ses lèvres sont trop roses pour n'être pas presque rouges ; mais là où elles se trouvent humides, c'est l'inverse. Une lumière aurifère émerge de sa peau comme des
10 abysses d'une cathédrale.

Le défi consiste à mettre tout ça sur une toile, sans que rien s'éteigne.

Nous nous fréquentons depuis quelques mois. Il m'est arrivé, un beau jour, de me retrouver derrière une table du café Cervoise à croquer des silhouettes dans un carnet, très Toulouse-Lautrec attardé, très fossile montmartre.
15 Maggie y était aussi. Nous étions tous deux, pour des raisons évidemment antinomiques, la proie des regards. Pour une fois, les mirettes des braves gens en avaient pour leur argent, vagabondant entre l'estropié et la nymphe, caracolant du « c'est-tu dommage ! » à l' « est-tu belle ! ». Il est rare que la vie se montre si miséricordieuse pour les voyeurs.

20 J'ai eu dix-huit ans pour m'habituer aux regards et à la curiosité morbide, et j'y suis maintenant totalement imperméable, sorte de tôle galvanisée sur laquelle ricochent les balles.

Homme invisible à la fenêtre, Montréal, Boréal, 1993.

Pistes de lecture

1. Relevez les images et commentez-les.
2. Étudiez la description du visage de Maggie : quelle impression se dégage de ce portrait ?
3. Dressez un portrait psychologique du narrateur, même si pour l'auteure la description prend la place de la psychologie.
4. Comment est dénoncé le voyeurisme de la société ? Sur quel ton ?

--- **Au plaisir de lire** ---

■ *Sans cœur et sans reproche*   ■ *Le Sexe des étoiles*

Résonance

L'écrivain français Serge Doubrovsky (né en 1928) s'est d'abord fait connaître par ses ouvrages de critique. Professeur de littérature à l'Université de New York, il est à ce titre proche des écrivains québécois puisqu'il écrit en français en Amérique. Ses romans ont comme point de départ sa vie intime, livrée au lecteur avec franchise et humour par le biais de la fiction. Peut-on affirmer que l'écriture est synonyme de confession dans cet extrait de *La vie l'instant* (1985) et dans *L'estropié et la nymphe* de Monique Proulx ?

LA VIE L'INSTANT

Hier, j'ai été voir L., mon expert comptable, pour notre annuel rendez-vous fiscal. Cette fois, vous me direz que je dépasse la limite. De livre en livre, je me livre. Je vous inflige mes tourments amoureux, je vous assène mes nostalgies filiales, je vogue dans mes vagues à l'âme quadra et quinquagénaires. Je me peins, me plains de long en large, un autoportrait en pied. Maintenant, pour vous offrir une nouvelle page de ma vie, je vais vous tendre ma feuille d'impôts. Qu'on se rassure. Question portefeuille, motus, je suis d'une discrétion absolue. J'ouvre plus facilement ma braguette. Les impôts sont trop sérieux pour être mis à contribution.

D'ailleurs, parler d'hier me gêne. D'habitude, quand je me raconte, c'est à distance. Avec mon style. Le style est la distance des mots. Mais hier me colle au corps, sa substance m'empoisse. La réalité m'empèse, m'empêche. Hier ne peut pas s'inventer.

Hier est trop proche, presque aujourd'hui, vivre et écrire en même temps est impossible. Je ne veux pas tenir de journal : trop fier pour me tenir du hasard. Quand on en fait le récit, la vie ne doit aller à l'aventure. Pourtant, il faut apprendre à être humble, se prendre en note. Parfois, il faut renoncer à s'orchestrer. Le coup de baguette, c'est l'existence qui le donne.

Serge Doubrovsky, *La vie l'instant*, Paris, Balland, 1985.

LOUIS HAMELIN (né en 1959)

Ponopresse

Le premier roman de Louis Hamelin, *La Rage* (1989), dit la détresse d'une certaine jeunesse dépossédée, qui n'a pour biens que sa solitude et une violence de plus en plus difficile à contenir. Qui n'en peut plus d'attendre qu'un sens se manifeste. Le roman a pour décor les terres expropriées de Mirabel, métaphore d'une autre dépossession. Dans l'extrait, Édouard Malarmé, un décrocheur à la vingtaine désabusée, est de passage au foyer familial. C'est l'occasion de réflexions nourries, mises en évidence par un rythme prompt et bousculé.

L'ADULTAT

Quand je revenais chez moi, mes parents, lève-tôt chroniques, allaient sortir du lit, s'arrachant, peut-être, à une autre répétition faiblissante de la scène primitive. Quand j'étais petit, j'ai cru longtemps que l'amour se faisait tout habillé. Même quand ma mère m'a expliqué le principe général de la chose et de la vie,

5 j'ai tenu encore un certain temps à mon idée d'un nécessaire décorum vestimentaire, rendant problématique il est vrai la transmission de sperme annoncée par la pédagogie à gants blancs de ma génitrice. Mais mon paternel n'avait sans doute plus le temps de s'adonner à ce type d'exercices contraignants à l'époque. C'était un bourreau de travail, alors que pour moi le travail était le bourreau. Il faisait sérieux, mon père. Moi, je n'ai jamais pu. J'ai été désillusionné

10 jeune. J'ai eu une enfance malheureuse, une enfance perdante, trop intellectuelle. J'avais placé tous mes espoirs en la phase adulte. Mon père me paraissait parfait, du seul fait qu'il était sérieux. Ce fut un dur coup de comprendre que le sérieux ne pouvait pas être parfait, que seul le jeu pouvait être parfait. De comprendre que le travail, pour moi, ne serait jamais bien fait, ne serait jamais fait, en somme, ne serait jamais pleinement gratifiant ou même simplement

15 satisfaisant. Rude coup de comprendre, aussi, à force d'observations furtives et de déductions mûrement réfléchies, que l'adultat n'était pas le royaume merveilleux des grandes personnes qui ne se trompent jamais, mais bien plutôt un vulgaire agrandissement négatif du monde de l'enfance, où la même farce plate allait se continuer, la farce de la faillibilité, la farce de la non-force qui était avec moi, qui est avec moi depuis toujours.

20 Merveilleuse, l'enfance ? Pantoutte ! Mais le monde adulte n'est pas mieux. Le monde adulte est tromperie, des trompes d'Eustache aux trompes de Fallope. C'est le même jeu de faire-semblant qui se poursuit, le jeu selon les règles duquel j'étais toujours perdant, parce que je n'acceptais pas le jeu, enfant, parce que j'ai voulu vivre ma vie adulte enfant, enfermé dans les livres pendant que les autres jouaient au hockey à la patinoire, jouaient au baseball dans le champ.

25 Il ne me reste plus qu'à vivre ma vie d'enfant à l'âge adulte. Depuis ma rencontre avec le *pinball*, j'ai décidé que le jeu serait l'étalon de ma vie, que le rêve deviendrait roi et *mètre* de la réalité. Je me rattrape.

La Rage, Montréal, Éditions XYZ, 1989.

Pistes de lecture

1. « L'adultat » : analysez l'étymologie de ce néologisme.
2. Observez la construction des phrases et le rythme qui en découle.
3. Quels contrastes établit le narrateur entre ses parents et lui, entre son enfance et sa vie présente ?
4. Pourrait-on parler d'idéalisme ici ?
5. Étudiez le thème du décrochage, de la rupture avec la société.

Au plaisir de lire

- *Ces spectres agités*
- *Cowboy*
- *Betsi Larousse*

LE THÉÂTRE FAIT DES SCÈNES

Fidèle aux tendances du courant précédent, le théâtre demeure un art visuel qui privilégie le spectaculaire. On y fait appel, en particulier chez Gilles Maheu et Robert Lepage, à toutes les ressources du corps comme à l'alliage de différents arts afin de susciter les émotions fortes aptes à dégourdir l'âme, engluée dans les rengaines du désabusement. Le besoin de rompre avec les stéréotypes amène même le développement de l'art de la « performance », des spectacles solos où l'acteur se donne sans réserve, incarnant généralement sa propre personne. Tout se passe alors dans l'ici et maintenant, dans l'émotion tissée entre les spectateurs et le « performeur », le spectacle se faisant nouveau et différent à chaque représentation. Citons la singularité de Pol Pelletier qui, chaque soir, met en scène sa propre vie et ses émotions les plus intimes, cas exceptionnel de théâtre essentiellement autobiographique. On s'en rend compte, au théâtre comme ailleurs, on n'échappe pas à l'air du temps, où chacun part à la reconquête de son intimité assaillie.

Mais si les préoccupations individualistes sont omniprésentes, on évite néanmoins les visées égocentriques et complaisantes d'un narcissisme étroit : citoyen du « village global », le dramaturge exprime de plus en plus des préoccupations planétaires. Aussi, nombreuses sont les pièces qui traitent de l'errance et de l'ailleurs. Ailleurs dans l'espace mais aussi dans le temps, où on tente une réappropriation de l'histoire. Ce théâtre de brassage d'idées autant que de cultures, qui ménage une place privilégiée aux marginaux et à la description de leur territoire intérieur, s'attarde à décrire le désarroi amoureux, à dire la souffrance des ruptures autant que la lassitude des frissons passagers. C'est aussi l'occasion de la floraison de ce qui est sans doute le seul théâtre véritablement engagé à teneur socioculturelle, le théâtre gay.

Cette période est donc caractérisée par un grand éclectisme, même si à la base se trouvent toujours l'impuissance de vivre, la difficulté de communiquer. Ce drame est particulièrement ressenti par les enfants des « baby-boomers » qui constatent que leur génération a été menée à un cul-de-sac, le désir même ayant été évacué. Hésitant entre le cynisme et le burlesque, le vulgaire et le désarroi, ces jeunes qui n'ont rien à attendre ni rien à perdre se vautrent dans l'opulence qui compose le vide. Dans des tranches de vie hyperréalistes, on les voit remettre en question toutes les figures d'autorité, se plaire à bousculer et à déranger. Ils se proposent de faire éclater les limitations de toutes sortes et de dégourdir une société aseptisée.

D'autres enfin illustrent la régression des comportements humains : ils dénoncent une société de consommation, meublée par des objets qui prennent de plus en plus de place, que la logique et la conscience ont été contraintes de déserter. Une condition humaine gangrenée par l'illusoire et la suffisance, dépourvue de ses aiguillons. Cette société matérialiste caractérisée par le vide existentiel est mise en évidence par le théâtre de l'absurde, celui de l'âme morte.

Conception Annette Frantz pour Carbone 14, graphisme Boyer Lachance Design, photo Yves Dubé.

Affiche de la pièce *Les Âmes mortes*, de Gilles Maheu.

Ponopresse

MARIE LABERGE (née en 1950)

Marie Laberge, romancière et dramaturge, excelle à cerner l'âme humaine, jusque dans les régions les plus ombragées de l'inconscient. Dans un style simple et direct, elle met au jour des drames familiaux où les personnages sont acculés à la plus totale désespérance. Ainsi, dans *L'Homme gris,* drame psychologique créé en 1984 – il connaîtra un grand succès à Paris avant d'être traduit en plusieurs langues – , les spectateurs assistent au dialogue à une voix entre un père alcoolique et sa fille murée dans le mutisme. Inconscient de l'impact de ses paroles sur sa fille, le père décrit une fissure intérieure. Les angoisses des personnages trouvent facilement ici leur écho dans celles des spectateurs.

JAMAIS RIEN VU D'PLUS BEAU

Roland [le père]

J'vas t'dire une affaire, ma Cri-Cri. J'vas t'faire un compliment. Pis pas rien qu'parce que j'ai dépassé ma barre, là, non, non. J'vas te l'dire parce que j'pense que ça va t'encourager, que t'as besoin de te l'faire dire après c'qui vient d't'arriver.

5   *D'un ton très sensuel, très troublant, pas « paternel » pour deux cennes.*

J'ai toujours un image de toi dans ma tête, quand t'avais dix-onze ans. Tu peux pas savoir comme t'étais belle à c't'âge-là. C'pas mêlant, j'me fatiquais pas de te r'garder. T'étais plus blonde, plus pâle qu'asteure, presque pas brune, pis frisée, une vraie p'tite face d'ange. Pis tu commençais à t'former un peu... t'as été d'bonne heure là-d'sus.
10 T'as grandi d'un coup, d'une traite, ton cou était fin, fin, pis ta belle tite tête avec tes cheveux blonds presque, pis ton petit air sérieux, pis tes p'tits seins qui commençaient à piquer... j'avais jamais rien vu d'plus beau. J't'avais jamais trouvée belle de même. Ouain, y a eu un matin qu'j'ai dit à maman que t'étais déjà une belle jeune fille. J'pouvais pas croire que tu venais de maman. J'pouvais pas croire que, toué jours, chez
15 nous, dans maison, y avait c'beauté-là, que j'pouvais regarder. Toi, tu t'en rendais pas compte, mais j'te r'gardais... c'tait ben avant que j'voye le film, là... *Bilitis...* ben t'as été ma première Bilitis. J'ai jamais été aussi fier de toi. Dans c'temps-là, pour rien au monde j'aurais voulu t'changer pour un garçon. Tu m'aurais d'mandé n'importe quoi, tu l'aurais eu. Par chance que tu t'en doutais pas, han, t'en aurais ben profité. Ouain,
20 l'année d'tes onze ans, c't'encore à ça que j'pense quand j'pense à toi. Ma belle tite fille de onze ans. Jamais j'aurais voulu que l'temps passe, que ça change. J't'aurais jusse r'gardée là, sans parler, sans t'toucher, jusse te voir de même, ç'aurait faite mon bonheur.

L'Homme gris suivi de *Éva et Évelyne,* Montréal, VLB éditeur, 1986.

Pistes de lecture

1. D'après le niveau de langue, de quel milieu social viennent les personnages ?
2. Pourquoi l'indication scénique (ou didascalie) est-elle importante ici ?
3. Étudiez la description de la fille par le père : quel malaise en découle ?
4. Quels mots suggèrent le changement de perception dans le regard du père ?
5. Comment est rendue la psychologie des personnages ?

Au plaisir de lire

- *Jocelyne Trudelle, trouvée morte dans ses larmes*
- *Oublier*
- *C'était avant la guerre à l'Anse à Gilles*
- *Aurélie, ma sœur*

NORMAND CHAURETTE (né en 1954)

L'art de Normand Chaurette, dramaturge et romancier, transcende le quotidien. Son univers théâtral, voué à cerner l'insaisissable, aborde les grands thèmes essentiels, comme la folie, l'amour et la mort. Dans *Fragments d'une lettre d'adieu lus par des géologues*, pièce créée en 1987, une commission d'enquête interroge des géologues sur le décès énigmatique d'un homme au cours d'une expédition scientifique au Cambodge. Il s'agit en fait d'un véritable questionnement sur les raisons de vivre et de mourir, où les questions sont bien plus lourdes que les réponses. L'extrait contient une partie du monologue final de l'ingénieur Xu Sojen. Un théâtre d'auteur où l'écriture poétique force le lecteur à descendre en lui-même.

IMPOSSIBLE DE SAVOIR OÙ L'ON VA

À cause de la couleur des pluies, on aurait dit les tout premiers instants de l'univers. Ces instants s'écoulaient un à un, sur cette tête anarchique, sur cette tête trouée, entrouverte mais qui allait bientôt s'éteindre, ce cerveau où passaient la vacuité, le soupçon.

5 Impossible de savoir d'où l'on vient. Impossible de savoir où l'on va. Le cerveau de Toni van Saikin regardait la mer à l'infini, diffuse et chaotique, là depuis avant le commencement du monde. Le cerveau de l'ingénieur regardait la mer à l'infini, diffuse et chaotique, là depuis avant l'éclosion de l'homme et de
10 son cerveau.

Il n'existait pas, il préexistait, il ne préexistait plus, il existait, cela revient au même quand on regarde l'infini.

Un moment, David et moi avons eu le même sursaut. On aurait juré que la mort allait dire quelque chose, et nous avons eu peur.
15 Vrai, sa mâchoire avait bougé. Pour ma part, j'aurais attendu longtemps. Il voulait peut-être nous révéler un fait qu'il jugeait important qu'on sache, qui sait ? Mais déjà, à cause de ce mouvement, son visage se mit à ressembler à un crâne et, curieusement, en très peu de temps, je dirais en quelques
20 secondes, Toni van Saikin devint comme tous les autres. Son âme était déjà loin, au-dessus de la Mer de Chine.

Fragments d'une lettre d'adieu lus par des géologues, Montréal, Leméac, 1986.

La Presse

Pistes de lecture

1. Relevez les différences stylistiques entre les trois premiers paragraphes et le dernier.
2. Analysez la symbolique de l'eau.
3. Quelle phrase exprime le passage de la vie à la mort ?
4. Par opposition au dialogue, qui met l'accent sur les reparties et l'action, quel but vise le monologue ?

─── **Au plaisir de lire** ───

■ *Provincetown Playhouse, juillet 1919, j'avais 19 ans*　　　■ *Fêtes d'automne*

La Presse

RENÉ-DANIEL DUBOIS (né en 1955)

Dramaturge prolifique, René-Daniel Dubois, qui est aussi comédien, ne ménage jamais ses effets. L'absurde et la folie s'y côtoient pour exprimer la vie et sa part inhérente de tragique. Dans *Being at home with Claude*, pièce créée en 1985 et bientôt adaptée au cinéma, le spectateur assiste à l'autopsie d'un acte passionnel : un inspecteur de police interroge un jeune homme qui a tué son amant pendant une relation amoureuse, afin que demeure intact leur amour. Le monologue final, tout en décrivant le geste fatal, dit bien davantage l'ampleur de l'amour. Un personnage à fleur d'émotion exprime ici une passion à l'état brut.

TOUT D'UN COUP ON SE NOYAIT

Pis là, quand le verre s'est pété à terre, à c'te seconde-là, j'savais qu'y'avait un move à faire. Qu'on pourrait pus jamais r'sortir de c't'appartement-là comme avant. Pis y fallait pas. Y fallait pas essayer d'faire comme avant. C'qui est vrai, c'est lui qui crie. Qui braille de joie dans mes bras,
5 ent' mes mains. J'tais en même temps comme si on s'noyait, pis en même temps comme quand on a failli s'noyer pis que, d'un coup, c'est fini, on est pus dans l'eau ; on respire pour la première fois. J'tais en train d'me noyer en lui, avec lui. Pis y'avait l'restant du monde. Le contraire de c'qui était en train d'nous arriver. Je l'sais. Je l'sais, qu'la vraie vie, c'est d'êt'
10 capab' de faire l'un pis l'aut'. Je l'sais. Qu'y'a pas rien qu'la beauté. Je l'sais qu'y'a la marde. J'ai payé assez cher pour l'apprend', j'ai pas besoin d'cours là-d'sus. Mais là, j'pensais pas, c'était ça. Ça. Rien qu'ça. Pis ça s'pouvait pas qu'on reste enfermés comme des moines, les stores baissés, à vivre du grand amour. Pis ça s'pouvait pas qu'on r'trouve c'qui
15 s'passait là, queuqu' menutes par mois, en passant l'rest' du temps à négocier avec tout l'monde. Fas que tout c'que j'me rappelle c'est que d'in coup, j'avais l'couteau à steak dans une main. Pis ça s'en v'nait. Ça s'en v'nait. J'me suis senti partir. Par en avant, pis en même temps, par en arrière. Pis exploser. Pis j'ai entendu notre cri. Pis là... Là. Tout d'un
20 coup. On s'noyait. Pis j'entendais encore crier. Pis j'entendais des balounes. Des balounes. Comme dans un milk-shake. Pis là. Là. En même temps y'avait que j'explosais partout, pis j'me noyais, pis j'nous voyais pus jamais r'sortir de chez eux. Jamais nous r'lever. Pis en même temps, j'sentais son sexe, comme un arb', qui explosait. Pis déjà, y'avait
25 pus d'couteau dans ma main. Pis moi j'criais. Pis lui. Lui. Sa gorge saignait. Y v'nait, pis en même temps, son sang r'volait jusque dans les f'nêtres, pis su l'frigidaire. Su l'poêle. Su'a tab'. Pis je l'embrassais partout. Partout. Partout. Su sa blessure. J'buvais son sang. J'm'en mettais partout. Pis lui, y donnait encore des coups. Y s'arquait. Y
30 tremblait. Pareil comme moi.

Being at home with Claude, Montréal, Leméac, 1986.

Pistes de lecture

1. Quel rôle joue ici le réalisme du langage ?
2. Étudiez les procédés stylistiques qui créent l'intensité du monologue.
3. Montrez comment le thème de la noyade est essentiel dans cet extrait.
4. Quel est le thème dominant de cet extrait ?

L'ESSAI COMME « JOURNAL DÉNOUÉ[1] »

Après avoir intenté le procès de la grande noirceur et être parti à la conquête de l'identité du pays, après avoir épousé tous les contours de la modernité, voici que l'essai, genre protéiforme s'il en est un, se creuse lui aussi un espace personnel et intime. Il est vrai que cette démarche avait déjà été entreprise par les essayistes féministes, dont les écrits prenaient source dans l'unicité de leurs expériences personnelles. D'ailleurs, si ces écrits ont été classés dans le courant de la transgression quant à la particularité de leurs thèmes, leur lyrisme pourrait tout aussi bien leur permettre de figurer dans le présent courant.

Les essayistes proposent donc une individualisation de la vision du réel : tout est canalisé par la conscience intime et personnelle. Et quand la problématique sociopolitique collective émerge dans certains écrits, c'est généralement pour permettre au moi de s'en distancier, qui prend conscience des limites que cette contingence extérieure impose à l'espace de l'intime et à l'autonomie de l'individu. Greffé sur la conscience du moi, le discours de l'essai renoue en fait avec ses origines quand Montaigne, le premier, décida de se prendre comme source de sa réflexion, convaincu d'y trouver la voie de l'universel, « tout homme port(ant) en lui la forme entière de l'humaine condition ».

1 Ce titre est emprunté à l'essai de Fernand Ouellette, *Journal dénoué*, Les Presses de l'Université de Montréal, 1974.

L'explorateur, acrylique d'Alain Cardinal

Une individualisation du réel : tout est canalisé par la conscience intime et personnelle.

259

La Presse

GILLES ARCHAMBAULT (né en 1933)

L'écriture à voix tamisée de Gilles Archambault affectionne le ton de la confidence. Tous les sujets semblent trouver grâce sous sa plume, abordés de manière singulière et éclairante. Ces « petites proses presque noires », écrites avec passion, suscitent l'émotion chez le lecteur, lui rappelant les prérogatives de la conscience. Tiré de *Les Plaisirs de la mélancolie* (1980), « Adolescence évanescente » traite bien davantage du devoir de la passion que d'un âge de la vie.

ADOLESCENCE ÉVANESCENTE

Je ne suis pas de ceux qui croient que la jeunesse a toujours raison. D'avoir raison ou pas n'a du reste pas tellement d'importance. Je croirais plutôt que la jeunesse est ferveur et que toute la vie n'est qu'une lutte pour que subsiste en soi la plus grande part possible de cette ferveur. Autrement, c'est la mort.

5 La mort est partout. La laideur qui vous environne, la hargne, l'ambition bête, la sottise, l'agressivité, les modes, l'appétit de pouvoir. Se retenir souvent pour ne pas vomir, et pas toujours à cause des autres. Le cancer est en soi, bien vivant, les occasions de geindre sur la nature humaine viennent souvent de ce regard que vous posez sur vous. Se moquer de soi pour ne pas se détruire tout à fait.

10 À l'adolescence, époque de plus en plus lointaine, tout était tellement net. Vous étiez d'une pièce, vous refusant aux compromis, trouvant que le monde était atroce. C'est alors que vous étiez vrai, sans tellement de mérite, vous bénéficiez d'une grâce que la nature accorde comme ça, sans y penser. Après, il faut un peu d'effort.

L'effort de ne pas vous laisser gruger par l'argent, par la lutte pour la survie, par l'angoisse de 15 la mort, par la lassitude de ces gestes répétés qui dissimulent si mal leur inutilité. Le temps vous mine, quoi que vous disiez ou pensiez, la nature vous trahit, vous transforme et vous pousse vers le conformisme. Que vous luttiez ou non, vous êtes engagé dans le tourbillon. On ne vous a pas demandé votre avis avant de vous y plonger. Pas plus que vous n'avez demandé l'avis des enfants que vous avez créés dans le délire. En pareille occurrence, comme vous, ils 20 auraient eu la faiblesse de souhaiter naître.

Ne jamais céder de terrain sciemment dans la lutte contre l'engourdissement, demeurer intact dans cette partie inaltérable de l'être, ne pas se transformer en robot prétentieux, repousser les frontières de la mort autant que faire se peut. Seule la mort biologique doit nous faire reculer en ce domaine.

25 Je ne connais, quant à moi, rien de plus triste que ces hommes qui continuent de se mouvoir autour de nous, vagues fantômes des adolescents que nous avons connus.

Les Plaisirs de la mélancolie. Petites proses presque noires, Montréal, Quinze, 1980.

Pistes de lecture

1. Quel thème est développé ici ?
2. Comment faut-il comprendre le titre ?
3. Quelle est la tonalité dominante de cet essai ?
4. Pouvez-vous en tracer le plan ?

--- **Au plaisir de lire** ---

- *Une suprême discrétion*
- *Le Voyageur distrait*
- *La Fuite immobile*
- *L'Obsédante obèse*
- *Les Pins parasols*

JEAN LAROSE (né en 1948)

Auteur de différents essais, Jean Larose porte depuis une vingtaine d'années un regard critique sur la société québécoise. Dans *La Petite Noirceur* (1987), il dessine un audacieux tableau des diverses modernités québécoises, à l'époque de l'après-référendum, et y constate des relents d'une autre noirceur, celle qui recouvrait le Québec avant la Révolution tranquille. Sa réflexion porte ici sur la langue parlée actuellement. Si le style de cet universitaire est volontiers abstrait, son rythme est néanmoins empreint d'un profond dynamisme.

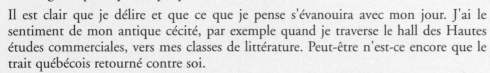

Photo Martine Doyon

UN « BABY TALK »

Combien de temps la langue française pourra-t-elle vivre dans un Québec encore plus faible ? Peut-être sortira-t-on de la « crise » plus forts et plus riches, mieux industrialisés et tout décidés à former des légions de savants, de penseurs, de critiques sociaux, de réformateurs des mœurs, d'enseignants pour former
5 l'intelligence politique du peuple...

Il est clair que je délire et que ce que je pense s'évanouira avec mon jour. J'ai le sentiment de mon antique cécité, par exemple quand je traverse le hall des Hautes études commerciales, vers mes classes de littérature. Peut-être n'est-ce encore que le trait québécois retourné contre soi.

10 Plus je suis aveugle et mieux je nous vois parmi les nations, celle-là qui ne connaît ni la guerre, ni la mort, ni la haine, ni la solennité, qui n'a réussi ni le Père ni la Loi. Une chance. Un trou. Notre langue : un *baby talk* pas encore américain, livré à la tyrannie de la mimique et du sens, une clownerie plus volontiers grossière qu'agressive. Nous passons vite aux points dans un accrochage, tout de suite acculés au corps à corps,
15 tout de suite à bout des mots turbulents qui interposeraient un heurt symbolique. Hélas, d'où nous viendra le père qui nous apprendra aussi à parler droit, afin que nous sachions enfin de quel droit chemin nous délirons génialement ? Et passions du registre du symptôme à celui de l'œuvre ? Car nous sommes allés dans nos régressions bientôt aussi loin que possible. DesRochers, Deschamps, Sol, Plume, et des pavillons
20 entiers de Ding et Dong ; la parole des amériques incompatibles qui nous travaillent, cette élocution formée aux trous psychotiques de notre dislocation, ces voix comme des hoquets, toutes nationales d'horreur et de niaiserie honteuse – il y faut un peu de travail encore en plus, peut-être ? Pour la mettre en œuvres, en symboles, en rencontres, cette effrayante ironie rhinocéros, capable d'un détachement jusqu'au
25 énième degré pour dire la défection moderne du sens, et de telle manière que dans ces bouches, la vraie voix se perde parmi les autres.

La Petite Noirceur, Montréal, Boréal, 1987.

Pistes de lecture

1. L'auteur prétend-il à l'objectivité ?
2. Quel est son point de vue sur la langue des monologuistes ?
3. De quelles images l'essayiste colore-t-il son argumentation ?
4. Peut-on qualifier ce texte de polémique ?

Au plaisir de lire

- *Le Mythe Nelligan*
- *La Petite Noirceur*
- *L'Amour du pauvre*

FRANÇOIS HÉBERT (né en 1946)

Poète, romancier, essayiste et critique littéraire, François Hébert a écrit de fort belles pages sur Montréal. Dans un texte d'humeurs simplement intitulé *Montréal* (1989), il décrit l'empreinte laissée sur lui par la ville qu'il habite et qui l'habite. Tout au long du récit, le passé vient interpeller le présent, les préoccupations sociales et linguistiques voisinent avec des réflexions d'ordre moral, l'écrivain puisant abondamment dans la réserve de ses expériences personnelles. L'extrait porte sur les églises montréalaises et les changements avec lesquels elles ont été contraintes de composer, mais bien davantage encore sur la modification des mentalités.

LES DIEUX SONT CATHODIQUES

Dans les églises, depuis que le culte n'a plus la cote, on se rabat sur la culture. On a bien essayé de rajeunir la messe, de la dire en français, de tutoyer les brebis, de les prendre par la main, de trouver des slogans capables de rivaliser avec ceux des loteries
5 et des brasseries, de psalmodier dans un micro au rythme de la guitare électrique, rien n'y fait. Le paradis catholique achève de se consumer dans ses propres perversions, dans l'enfer qui lui correspond, et ce dernier s'éteindra lui aussi, faute de combustible. Désormais les dieux sont cathodiques ; vous ne
10 les voyez pas à l'écran, mais seulement leurs truchements, les télévangélistes, qui sont les frères jumeaux des journalistes. *In God we trust.* L'Olympe est un trust. Pour la dîme, les cartes de crédit sont acceptées. Alors, les vieux curés, que voulez-vous qu'ils fassent ? Les cent pas dans la nef désertée de l'ancienne
15 foi. En attendant, les églises vibrent aux accords de Bach ou de Haendel. Mais un concert n'est pas une messe : dans son Testament, le Messie n'a pas désigné Charles Dutoit comme son héritier. Il est intéressant de noter que c'est chez les journalistes qu'on trouve le plus de hargne contre la religion. Peut-être parce
20 qu'on se sent obscurément coupable (ou joyeux ?) de l'avoir terrassée ? En effet, l'actualité a supplanté l'éternité ; les faits, le mystère ; l'information, l'imagination. Pas d'écrivain plus journalistique que celui auquel je pense, gros mangeur de curés devenu lui-même prêcheur sur le tard ! Et voyez comment
25 salivent nos hérauts du jour devant les affaires louches dans lesquelles des religieux trempent! Il les y font mariner !

Montréal, Seyssel, Champ Vallon, coll. « Des villes », 1989.

Pistes de lecture

1. Relevez les points de comparaison entre des aspects de la pratique religieuse et la foi nouvelle du temps présent.
2. Quelle est la tonalité dominante de cet extrait ?
3. Quel vous semble être le but de l'auteur ?

Au plaisir de lire

■ *Homo plasticus*

LA CHANSON S'ÉMEUT ENCORE

À l'instar des autres genres littéraires, la chanson se fait elle aussi plus lyrique. Quelque sujet qu'elle aborde, de la misère sociale à la redéfinition des rapports amoureux, du désastre des rêves à la difficile communication entre les êtres, immanquablement, elle s'attarde à explorer, à partir d'un « je » désormais incontournable, le riche terreau des émotions.

Mais on est surtout frappé par une étonnante mutation dans les goûts du public : les chansonniers qui étaient les porte-parole privilégiés des jeunes depuis l'aube des années 1960 se voient maintenant déclassés par les humoristes, parmi lesquels se trouvent un très grand nombre d'imitateurs. (Pourquoi, dans cet âge du paraître, aller voir et entendre l'original quand on peut avoir, dans un seul spectacle, plusieurs dizaines de copies ?) Ces humoristes s'intéressent à des petits riens qui font rire, aux comportements et attitudes des individus bien plus qu'aux idées abstraites et aux nobles causes. Usant de l'ironie et de la dérision, faisant à l'occasion bon ménage avec la grossièreté, ils prennent plaisir à réduire les drames du quotidien en simples pantalonnades. Il va de soi que la vie sexuelle y est abondamment exploitée, comme si on voulait mettre du piquant dans ce qui en manque. D'autres tentent de traquer la sottise dans ce qui sert de confort pour plusieurs, leur « petite vie » ronronnante de banalité. Ces derniers, des comiques de l'absurde, parviennent à décrire, mine de rien, notre sous-développement culturel ; chez eux, le sens naît du non-sens.

Le rire, phénomène de société (faute de projet de société ?), est donc devenu une habitude de consommation culturelle. Mais ce qui, chez Yvon Deschamps dans les années 1970, était provocation et subversion, appel à la conscience et à la transformation sociale, est réduit maintenant à des clins d'œil, des flashes, du délire et de l'absurde. Car les humoristes actuels n'entendent pas susciter de remous : ils cherchent à plaire et à flatter leur ego. Et le public de les célébrer avec avidité, car le rire est maintenant devenu du sérieux : il sert à masquer le tragique en soi et autour de soi, il empêche d'étouffer, d' « éclater en sanglots ». Comme l'affichait la devise du journal humoriste *Croc*, « c'est pas parce qu'on rit que c'est drôle ».

JEAN-PIERRE FERLAND (né en 1934)

Après avoir fondé le groupe des Bozos, en 1959, avec Claude Léveillée, Hervé Brousseau, Clémence DesRochers, Raymond Lévesque et le pianiste André Gagnon, Jean-Pierre Ferland a entrepris une carrière solo, l'une des plus riches parmi les chanteurs québécois. Si les thèmes de ses chansons sont multiples, celui de l'amour, en particulier de la femme amante, est le plus récurrent. Les chansons d'amour de ce chanteur sont généralement autobiographiques.

AVANT DE M'ASSAGIR

Avant de m'assagir, avant de jeter l'ancre
De ménager mon cœur, de couver ma santé
Avant de raconter mes souvenirs à l'encre
De vouloir sans pouvoir, de compter mes lauriers.
5   Avant cette saison, avant cette retraite
Je veux sauter les ponts, les murs et les hauts-bords
Je veux briser les rangs, les cadres et les fenêtres
Je veux mourir ma vie et non vivre ma mort.

Je veux vivre en mon temps, saboter les coutumes
10 Piller les conventions, sabrer les règlements.
Avant ce coup de vieux, avant ce mauvais rhume
Qui tuera mes envies et mes trente-deux dents
Et si je le pouvais, je ferais mieux encore
Je me dédoublerais, pour vivre comme il faut
15 Le jour pour ce qu'il est, la vie pour ce qu'elle vaut

Ça c'est mourir sa vie et non vivre sa mort.

Je ne veux rien savoir, je ne veux rien comprendre
Je veux recommencer, je veux voir, je veux prendre
Il sera toujours temps et jamais assez tard
20 D'accrocher ses patins, d'éteindre son regard
Je ne veux pas survivre, je ne veux pas subir
Je veux prendre mon temps, me trouver, m'affranchir
Me tromper de bateau, de pays ou de port
Et bien mourir ma vie et non vivre ma mort.

25 Mais au premier détour, à la première peine
Je me mets à gémir, à pleurer sur mon sort
À penser à plus tard, à calculer mes cennes
Et à vivre ma vie et à vivre ma mort.
Je cherche votre cou, je vous prends par la taille
30 On se fait si petit, petit, quand on a peur
Je ne suis plus géant, je ne suis plus canaille
Je couve ma santé, je ménage mon cœur.

Et puis je me reprends et puis je me répète
Qu'avant cette saison, avant cette retraite
35 Il faut sauter les ponts, les murs et les hauts-bords
Il faut mourir sa vie et non vivre sa mort
Et pendant ce temps-là le printemps se dégivre
Le jour fait ses journées, la nuit fait ses veillées
C'est à recommencer que l'on apprend à vivre
40 Que ce soit vrai ou pas, moi j'y crois.

Les Éditions Jaune, Montréal.

Pistes de lecture

1. Comment la structure de la chanson exprime-t-elle la difficulté du but visé ?
2. Quel est le rôle des répétitions « avant », « je veux », « il faut » ?
3. Quel effet produit cette longue suite d'énoncés ?
4. Analysez le rôle des antithèses.
5. Quelle strophe vous semble le plus en conformité avec le présent courant ?

SYLVAIN LELIÈVRE (né en 1943)

Sylvain Lelièvre fait carrière dans la chanson depuis le début des années 1960. Ce poète de l'intimité et du quotidien aime les textes finement ciselés, aux très nombreuses images. Ses propos généreux s'ouvrent fréquemment sur les préoccupations d'ordre social. Rarement la langue française a été mieux servie par la chanson.

Ponopresse

JE DESCENDS À LA MER

Les faisceaux des phares tracent
Des fantômes qui s'effacent
À mesure que l'ombre les reprend
Et je roule dans la nuit
5 Sur des routes où rien ne luit
Que la ligne blanche de temps en temps
Les clochers du Nouveau Monde
Flashent dans la nuit profonde
Néons géants de Shell ou de MacDo
10 Un douanier de série B
Me fait signe de stopper
« *Where do you live and where do you go ?* »

Je descends à la mer où m'attend une femme
Je descends à la mer où mon amour m'attend

15 Je n'ai rien laissé derrière
Qu'une prison familière
Dont j'étais moi-même le geôlier
Que des barreaux que j'avais
Tracés moi-même à la craie
20 Quand je n'étais encore qu'un écolier
Que des fudges et des cantiques

Des *Messerschmitts* en plastique
Des framboises et des baigneuses nues
Des dessins pleins de secrets
25 Des silences et le regret
D'une enfance à peine entraperçue

Je descends à la mer où m'attend une femme
Je descends à la mer où mon amour m'attend

Elle m'attend dans la brume
30 De la plage qui s'enfume
Dès qu'elle sort saluer le matin
Elle m'attend en plein cœur
Du chœur des oiseaux-moqueurs
Entre l'instant où la nuit s'éteint
35 Et celui où l'aube arrose
Son corps de cuivre et de rose
C'est là qu'elle habite exactement
Entre toujours et jamais
Entre hier et désormais
40 Là qu'on a rendez-vous maintenant

Je descends à la mer où m'attend une femme
Je descends à la mer où mon amour m'attend
Où mon amour m'attend

À mots découverts, Montréal, VLB Éditeur, 1994.

Pistes de lecture

1. Quelle progression pouvez-vous identifier dans la chanson ?
2. L'écriture est ouvragée : analysez les sonorités, les rimes et les images.
3. Quelle vous semble être l'intention de l'auteur ?
4. Peut-on trouver des points de comparaison entre cette chanson et le poème de Lucien Francœur au chapitre précédent ?

— **Au plaisir de lire** —

■ *Entre écrire* (Poèmes et chansons, 1962-1982)

RICHARD DESJARDINS (né en 1948)

Après avoir été membre du groupe rock Abbittibbi, Richard Desjardins fait carrière seul à partir de 1988. Alors que certains de ses percutants textes portent l'empreinte d'un humour pouvant aller jusqu'au cynisme, d'autres ne craignent pas d'afficher une tendresse d'écorché, comme c'est le cas de *Tu m'aimes-tu* ?

TU M'AIMES-TU ?

Ton dos parfait comme un désert
Quand la tempête a passé sur nos corps
Un grain d' beauté où j' m'en vas boire
Moi j' reste là les yeux rouverts
5 Sur un mystère pendant que toi, tu dors
Comme un trésor au fond d' la mer

J' suis comme un scaphandre
Au milieu du désert
Qui voudrait comprendre
10 Avant d' manquer d'air

Y est midi moins quart
Et la femme de ménage
Est dans l' corridor
Pour briser les mirages

15 T' es tell'ment tell'ment tell'ment belle
Un cadeau d'la mort
Un envoi du ciel
J'en crois pas mon corps

Pour moi t' es une prisonnière
20 En permission qu'importe le partenaire
J' dois être le vrai portrait d' ton père
Une Dare-devil Nefertiti
Des sensations c'tu ta philosophie
D'aller coucher avec un homme t'haïs ?

25 Pour moi t' as dit à ta chum
« Check le gars 'ec des lunettes
M'as t' gager un rhum
Que j'y fixe le squelette »

Y est midi moins cinq
30 Et la femme de ménage
Est là pis a fait rien qu'
Compter les naufrages

T' es tell'ment tell'ment tell'ment belle
Un paquebot géant
35 Dans chambre à coucher
Je suis l'océan
Qui veut toucher ton pied

J'pense que je l'ai j' t'ai sauvé 'a vie
Dans quequu' pays dans une vie
                 [antérieure
40 La fois j' t'ai dit « Va pas à Pompéi ! »
C'est quoi d'abord si c'est pas ça
C't à cause d'un gars qui t'a tordu le
                 [cœur
J' t'arrivé drett' avant qu' tu meures !

C' pas pour mon argent
45 Ni pour ma beauté
Ni pour mon talent...
Tu voulais-tu m' tuer?

Y est midi tapant
Et la femme de ménage
50 A cogne en hurlant :
« J' veux changer d' personnage »

T' es tell'ment tell'ment tell'ment belle
J' vas bénir la rue
J' vas brûler l'hôtel
55 Coudon...
Tu m'aimes-tu ?
Tu m'aimes-tu ?

Éditions Foukinic, Montréal.

Analyse formelle

Le lexique

1. Trouvez les principaux champs lexicaux.
2. Richard Desjardins joue-t-il sur les niveaux de langue ? Donnez des exemples précis.
3. Les figures de style abondent dans cette chanson.
   a) Relevez-les et classez-les par catégories (métaphores, comparaisons, etc.).
   b) Que voyez-vous d'inhabituel dans ces images ?

La construction de la chanson

4. La structure de cette chanson est très bien définie, les douze strophes se divisant en trois sections de quatre strophes.
   a) Numérotez les strophes et indiquez les trois grandes divisions de la chanson.
   b) À l'intérieur de chaque division, décrivez l'organisation interne. (Les répétitions jouent là un rôle important.)
   c) Les strophes 3, 7 et 11 marquent-elles une progression ? Laquelle ?
   d) Pourquoi ne retrouve-t-on le titre que dans les deux derniers vers ? Quel effet est ainsi obtenu ?
   e) Le ton oscille entre le trivial et le sublime : donnez des exemples pour chacun.

Analyse thématique

Il s'agit, évidemment, d'une chanson d'amour, mais Richard Desjardins adopte un point de vue particulier :
1. Quel moment de la relation amoureuse est décrit dans cette chanson ? Voyez-vous là quelque chose d'original ? Comparez cette chanson à d'autres chansons d'amour que vous connaissez.
2. L'incrédulité du poète devant ce bonheur inattendu :
   a) Comment le narrateur essaie-t-il d'expliquer ce qui lui arrive ? Que voyez-vous de particulier dans ces explications ?
   b) Que se cache-t-il derrière cette incrédulité ?
3. Outre son incrédulité, quels sentiments envahissent le narrateur ?

Questions d'approfondissement

1. Analysez les strophes consacrées à la femme de ménage : que décrivent-elles ? Quelle est leur importance dans l'ensemble de la chanson ?
2. Étudiez le thème de la communication (ou son absence) dans cette chanson.
3. Peut-on affirmer que cette chanson propose une nouvelle image des rapports hommes-femmes ? Appuyez votre réponse par des passages choisis.
4. Tentez de cerner les principales caractéristiques du présent courant « intimité et pragmatisme » à partir de cette chanson.

267

Ponopresse

PAUL PICHÉ (né en 1953)

Depuis son premier disque en 1977, le succès de Paul Piché n'a jamais vraiment connu de cesse. Cet artiste engagé, socialement et politiquement, a de plus exercé une influence certaine auprès des jeunes et des contestataires, qui voient en ce chanteur un phare dans une époque de démobilisation et de désespérance. Cet artiste militant de gauche a aussi chanté des textes plus intimistes, tel celui qui suit.

L'ESCALIER

Juste avant d'fermer la porte
J' me d'mandais c' que j'oubliais
J'ai touché à toutes mes poches
Pour comprendre que c' qui m' manquait
5 C'était ni ma guitare
Ni un quelconque médicament
Pour soulager quelque souffrance
Ou pour faire passer le temps
Pis tout au long de l'escalier
10 Que j'ai descendu lentement
Parce que sans raison j'aurais r'monté
Parce que sans raison j'allais devant
J'étais tout à l'envers
Parce que c' qui m' manquait c'tait par en dedans
15 J' me sentais seul comme une rivière
Abandonnée par des enfants

Et pis le temps prenait son temps
Prenait le mien sur son chemin
Sans s'arrêter, sans m'oublier
20 Sans oublier de m'essouffler
Y a pas longtemps j'étais petit
Me voilà jeune et plutôt grand
Assez pour voir que l'on vieillit
Même en amour, même au printemps
25 Alors voilà je me décris
Dans une drôle de position
Les yeux pochés et le bedon

La bière sera pas la solution
J'aimerais plutôt que cette chanson
30 Puisque c'est de ma vie qu'il est question
Finisse un soir dans ma maison
Sur un bel air d'accordéon

Pis les enfants c'est pas vraiment vraiment méchant
Ça peut mal faire, mal faire de temps en temps
35 Ça peut cracher, ça peut mentir, ça peut voler
Au fond, ça peut faire tout c' qu'on leur apprend

Mais une belle fin à cette chanson
M'impose de dire c' que j'aurais dit
Si j'avais pas changé d'avis
40 Sur le pourquoi de mes ennuis
Ben oui, j'allais pour me sauver
Vous dire comment faut être indépendant
Des sentiments de ceux qu'on aime
Pour sauver l' monde et ses problèmes
45 Qu'i' fallait surtout pas pleurer
Qu'à l'autre chanson j' m'étais trompé
Comme si l'amour pouvait m'empêcher
D' donner mon temps aux pauvres gens
Mais les héros c'est pas gratis
50 Ça s' trompe jamais, c't indépendant
La gloire paye pour les sacrifices
Le pouvoir soulage leurs tourments
Ben oui, c'est vous qui auriez pleuré
Avec c' que j'aurais composé
55 C'est une manière de s' faire aimer
Quand ceux qu'on aime veulent pas marcher
J' les ai boudés, y ont pas mordu
J' les ai quittés, y ont pas bougé
J' me sus fait peur, j' me sus tordu
60 Quand j'ai compris ben chus r'venu

Quand j'ai compris que j' faisais
Un très très grand détour
Pour aboutir seul dans un escalier
J' vous apprends rien quand j' dis
65 Qu'on est rien sans amour
Pour aider l' monde faut savoir être aimé

Les Éditions de la Minerve, Montréal, 1994.

---

1. Établissez le plan de cette chanson.
2. Relevez-en les détails autobiographiques.
3. Étudiez les thèmes de l'enfance, de la solitude et du vieillissement.
4. Quel rôle social Paul Piché veut-il assumer ?
5. Quelle est l'idée directrice de cette chanson ?

QUESTIONS DE SYNTHÈSE

1. Comparez le personnage créé par Louis Hamelin au narrateur du poème *Accompagnement* de Saint-Denys Garneau (chapitre 5).

2. Prouvez que les personnages centraux des pièces de Gratien Gélinas et de Marcel Dubé, au chapitre 6, et de René-Daniel Dubois portent tous l'empreinte de l'idéalisme.

3. Comparez le regard porté sur les pratiques religieuses par Jean-Claude Germain, au chapitre 7, François Hébert et Ying Chen, au chapitre 10.

4. Illustrez comment, dans le courant précédent, la forme primait sur l'imaginaire, alors qu'ici c'est l'inverse.

5. Peut-on affirmer que Louis Hamelin et Gilles Archambault proposent la même opposition entre la jeunesse et l'âge adulte ?

6. Quelle est l'importance du voyage dans les textes de Jacques Poulin et Sylvain Lelièvre ?

7. On a qualifié Paul Piché de chanteur nationaliste. Choisissez un poème parmi ceux du chapitre 7 et montrez en quoi ce chanteur est ou n'est pas le fils spirituel des poètes de l'Hexagone.

8. Comparez le refus de l'âge adulte chez les personnages créés par Réjean Ducharme (chapitre 7), Daniel Gagnon (chapitre 8) et Louis Hamelin.

9. Commentez :
   ▷ Dans les romans, la vie au quotidien semble servir de substitut idéologique.
   ▷ Les nombreuses descriptions tiennent ici le rôle naguère dévolu à la psychologie.
   ▷ Le lieu véritable de ces romans, c'est la langue, l'écriture.
   ▷ La plupart des personnages romanesques se rejoignent par leur désarroi.
   ▷ Dans ce courant, le regard est un thème de première importance.
   ▷ Les poètes et les chansonniers de ce courant sont en fait des idéalistes.
   ▷ La liberté individuelle est présentée ici comme la plus grande richesse.
   ▷ On perçoit constamment la conscience d'un rapport tragique de soi à l'autre et au monde.
   ▷ La vieille morale est définitivement abandonnée ; il importe maintenant d'être en accord avec soi.
   ▷ Tout ce que désirent les écrivains, c'est d'affirmer leur présence à l'instant.
   ▷ Le territoire émotionnel est le seul qu'on désire habiter.
   ▷ Cette ère de l'individualisme est un héritage de la contre-culture.
   ▷ Presque tous les écrivains parlent d'une nostalgie qui crie à l'absence.
   ▷ L'écrivain, comme l'homme de ce temps, oublie sa tragédie dans le ludique.

TABLEAU SYNTHÈSE

1. Après le courant de la transgression des années 1970, plus rien ne subsiste des idéologies optimistes d'antan qui offraient aux gens de rassurantes certitudes. Une ère nouvelle, basée sur l'individu, émerge lentement.

2. En littérature, l'obsession de la nouveauté est remplacée par l'affirmation du « je » : l'œuvre rappelle l'urgence de se tourner vers le moi intime et le quotidien. La littérature exprime une vision intériorisée de soi et du présent, invitant ainsi le lecteur à découvrir sa vérité et sa raison de vivre.

3. La ville est plus présente que jamais dans ce courant littéraire. Un nouvel imaginaire urbain prend forme, fusionnant décor extérieur et intimité.

4. Le thème de l'amour comme art de vivre et source de plaisir est privilégié, de même que le retour au passé, réinvesti dans le vécu quotidien.

Société pluraliste et littérature métissée

Noirs remonte au début de la colonie. La communauté anglophone (Anglais, Irlandais...... la Conquête joue Une communauté âmes en 1911. Les sont 5 930 en 1905. des principales ter position de la popu À compter des an alors qu'ils proven Seconde Guerre d'Amérique du région montréalais langue que le fran ethnolinguistiques turelles dans les raciales qu'il est guistique sera un des principaux fers de lance du mouvement indépen-

- ❧ Poètes sans frontières
- ❧ Les récits de l'ailleurs ici
- ❧ Le théâtre fait quasi relâche
- ❧ L'essai : différents et différends
- ❧ Le chant de l'exilé

chapitre

10

Le festival du jazz, rue Saint-Denis (1985), technique Nihon-ga sur aggloméré de Miyuki Tanobe.

UNE SOCIÉTÉ MULTI-CULTURELLE

La présence d'ethnies et de cultures autres que canadienne-française n'est pas récente au Québec. On oublie souvent que les peuples autochtones constituent la seule population originale du Québec et que la présence des Noirs remonte au début de la colonie. La communauté anglophone (Anglais, Irlandais et Écossais) qui se développe aux lendemains de la Conquête joue un rôle capital dans le développement du Québec. Une communauté juive existe à Montréal dès 1760 et atteint 28 807 âmes en 1911. Les Italiens sont présents à compter des années 1860 et sont 5 930 en 1905.

Au cours du XXᵉ siècle, le Québec constitue une des principales terres d'accueil des immigrants au Canada et la composition de la population non francophone se modifie considérablement. À compter des années 1970, le profil des immigrants change cependant : alors qu'ils provenaient majoritairement d'Europe depuis la fin de la Seconde Guerre mondiale, ils arrivent désormais plutôt des Antilles, de l'Amérique du Sud et de l'Asie du Sud-Est et se concentrent dans la région montréalaise où habitaient, en 1981, 87,3 % des Québécois parlant une autre langue que le français ou l'anglais. L'existence de tels îlots ethnolinguistiques et la faible représentation des communautés culturelles dans les divers ordres de gouvernement engendrent des tensions raciales qu'il est maintenant impossible d'ignorer.

La question linguistique sera un des principaux fers de lance du mouvement indépendantiste. À compter des années 1960, la dénatalité renforce, en effet, la crainte de la disparition éventuelle de la population francophone. On constate d'inquiétantes disparités entre le revenu annuel moyen des anglophones et celui des francophones, ainsi qu'une faible représentation des francophones au sein de l'appareil gouvernemental fédéral. L'anglais demeure la langue de travail et d'avancement des professionnels. On ressent donc de plus en plus le besoin de franciser les immigrants et d'assurer le statut du français au Québec. En 1977, la Charte de la langue française (projet de loi 101) du gouvernement du Parti québécois fait du français la langue officielle de l'État, réserve l'éducation en anglais aux enfants de parents ayant été éduqués en anglais au Québec, interdit l'affichage bilingue et restreint l'usage de l'anglais dans le monde des affaires et au gouvernement.

La question linguistique demeure toujours d'actualité, comme le démontre le succès électoral du Parti égalité en 1989. Il reste toutefois que le Québec est aujourd'hui engagé dans l'ère du multiculturalisme et que les communautés culturelles sont dorénavant un facteur dont on doit tenir compte dans l'élaboration d'un projet de société.

Origine ethnique de la population du Québec (1941-1986)[1]

	1941	1951	1961	1986
Française	2 695 032	3 327 128	4 241 354	5 240 250
Britannique	452 887	491 818	567 057	465 750
Allemande	8 880	12 249	39 457	28 425
Grecque	2 728	3 388	19 390	47 450
Italienne	28 051	34 165	108 552	163 880
Juive	66 277	73 019	74 677	81 190
Polonaise	10 036	16 998	30 790	18 835
Asiatique	7 119	7 714	14 801	72 980
Amérindienne et Inuite	13 641	16 620	21 343	49 710
Antillaise	---	---	---	12 980

1 John A. Dickinson et Brian Young, *Brève histoire socio-économique du Québec*, Québec, Septentrion, 1992, p. 287, 322.

Société pluraliste et littérature métissée

Nul n'oserait le nier, la société québécoise connaît actuellement une véritable mutation. Alors qu'il y a peu, à l'aube de la Révolution tranquille, une homogénéité culturelle la caractérisait encore, voici qu'elle adopte chaque jour davantage – et c'est particulièrement patent à Montréal, laboratoire du Québec de demain – , les traits d'une société métissée. Bien plus, ce qui était perçu comme la principale barrière à l'intégration de ceux qui parlent une langue étrangère au moment de leur immigration au Québec, la langue française elle-même, est en train de prendre racine chez les allophones. L'adoption du projet de loi 101 n'est pas étrangère à ce phénomène qui, tout en consolidant le sentiment de fierté des Québécois, ouvre grandes les portes de l'éducation aux nouveaux arrivants et fait ainsi du français le foyer des convergences culturelles. Il aura fallu, pour y arriver, que les Québécois traitent leur peur maladive de l'autre, qu'ils accueillent le nouveau venu en prenant conscience de son apport et, surtout, qu'ils acceptent de reformuler les termes de leur propre identité, composante d'une société dorénavant hétérogène.

Ouverture sur le monde

Il est vrai que cette acceptation d'une société plurielle se préparait de longue date : il s'agit en fait de la conséquence des transformations socio-culturelles survenues depuis la Seconde Guerre mondiale. Dès l'époque du *Refus global* s'affirme et s'annonce un désir de changement qui ne connaît plus de cesse. Par suite de l'émigration de la campagne à la ville, lieu de l'interdit et du danger, le Québec devient résolument urbain et l'institution catholique perd progressivement son pouvoir idéologique. Puis, pendant les années 1960, les Québécois forment une société laïque, en même temps qu'ils s'initient à la confiance en leurs multiples possibles. C'est l'heure de la transformation socio-économique du Québec et de l'ouverture sur le monde : les Maisons du Québec à l'étranger se propagent, les projets internationaux où les Québécois sont à l'œuvre se multiplient, des artistes d'ici, en grand nombre, connaissent le succès un peu partout dans le monde, le tourisme intercontinental se généralise, sans oublier l'Exposition universelle de 1967 ainsi que les Jeux olympiques de 1976, qui ont l'effet d'un puissant cordial collectif. Une porte s'entrouve enfin, qui permet l'entrée de néo-Québécois qui choisissent ce territoire et sa culture comme terre d'accueil.

Les certitudes identitaires d'une société ethnocentrique (mais à l'identité étrangement incertaine) sont en train de se dissoudre en même temps que la crainte de l'altérité comme agent de déperdition. Phénomène accentué dans la décennie 1970, celle de l'adoption par le gouvernement du Québec de la Charte des droits et libertés de la personne, loi qui stigmatise toute forme de discrimination et qui permet un riche questionnement : les féministes discutent de la séculaire autorité patriarcale et on se fait plus tolérant à l'égard des groupes identitaires minoritaires, comme les organisations gays et lesbiennes et celles désireuses d'améliorer le sort des personnes handicapées et des gens âgés. Cette reconnaissance de l'apport des différents particularismes englobe les nouveaux arrivés au pays. Assoyant moins son identité collective et nationale sur le passé que sur les nouvelles réalités de l'État québécois, la société s'interroge sur elle-même et part à la découverte des identités multiples et fragmentées qui partagent son territoire.

Le mouvement s'accélère au début des années 1980. Aux prises avec les impératifs d'un nouveau nationalisme de type économique, le « village global » québécois ne peut échapper au phénomène général d'internationalisation. Le moment de la mise de côté de l'identité essentiellement provincialiste, basée sur un nationalisme étroit, est enfin arrivé. Le Québec décide donc, avec maturité, de partir à la conquête de son devenir, faisant de l'intégration des immigrants l'un des principaux enjeux de la fin de ce millénaire. C'est l'acceptation d'une société diversifiée qui permet à de nombreux groupes culturels de se côtoyer, et la reconnaissance de l'autre comme une personne socialement et économiquement utile collectivement.

Comme si le Québec relevait enfin d'un interminable état d'adolescence socio-affective. S'étant senti rejeté dans son enfance, il avait perdu la confiance en soi et éprouvé d'énormes difficultés à s'assumer. Traumatisé par l'abandon de la mère patrie, il se mit à voir dans l'autre quelqu'un pouvant potentiellement répéter le rejet original. Vie sur la défensive qui l'a amené à se construire une carapace. Et son infériorité s'est muée en semblant de supériorité : il a fait de la nation un huis clos en transformant en croyances ce qui n'était que faits (nation fondatrice, langue française, foi catholique, territoire géographique). Il s'est permis de juger, hiérarchisant les différences de l'autre en fonction de ses propres valeurs, y voyant même une menace à son identité. Phénomène sans doute accentué par le fait qu'il devait avoir l'impression de rencontrer sa propre différence dans celle de l'autre : contre toute logique historique, n'est-il pas lui-même considéré comme un « autre » sur son propre territoire ? La tentation est alors grande de faire subir à autrui ce dont on se croit soi-même la victime. Mais le mal est maintenant en voie de guérison. La société québécoise a acquis une conscience cosmopolite : dans une attitude confiante, elle a cessé de confondre appartenance à une ethnie et appartenance à un État. Acceptant d'être en constante régénération, elle est maintenant devenue un pôle d'identification pour toutes les minorités qui acceptent de partager son territoire.

Un imaginaire en mutation

Les écrivains font nécessairement écho à ces différences des mentalités et des comportements, ajoutant à l'imaginaire québécois la dimension immigrante. Pour les présents besoins, répartissons-les en deux catégories, ceux d'origine québécoise et les Québécois d'adoption. Quant aux premiers, rappelons d'abord que, contrairement aux auteurs américains qui, dès le XIXe siècle, comprirent le profit qu'ils pouvaient tirer à intégrer l'image de l'autochtone à leur imaginaire (en témoignent les récits de Fenimore Cooper), on préféra ici conserver un silence aussi rigoureux que suspect sur la présence de l'autre, pourtant à ses côtés. En fait, il faut attendre Gabrielle Roy et Yves Thériault pour trouver des auteurs qui puisent de manière substantielle dans la source pluriculturelle. Par la suite, quand Montréal devient un lieu en même temps qu'un thème privilégié de l'écriture, des écrivains peignent les différentes cultures qui s'y expriment. La littérature se fait ainsi graduellement le témoin d'une mutation sociale, où une société apprend à s'interroger sur son identité et prend conscience du fait que la découverte authentique de soi passe par la découverte des autres.

Non satisfaite d'avoir émigré à la ville, la littérature québécoise se fait bientôt voyageuse : sous le prétexte de partir à la rencontre de Jack Kerouac, nombre d'écrivains investissent le territoire américain et y trouvent une part de leur identité. Les frontières de l'imaginaire éclatent définitivement, l'élargissement du territoire géographique appelant l'ouverture des mentalités à de nouveaux horizons. Parallèlement, le personnage de l'étranger se fait de plus en plus présent dans les œuvres littéraires, dont le décor et l'action se situent fréquemment hors du Québec. On peut enfin penser que cette transformation s'effectue d'autant plus facilement que l'écrivain lui aussi, de par sa nature, est un être qui, comme le migrant, doit abandonner le pays de toutes les certitudes tranquilles, de tous les conforts et autres lieux communs, pour assumer la précarité et les tensions exigées par l'acte créateur. Ce qui permet à Jacques Godbout d'affirmer que « écrire c'est immigrer ».

Une parole néo-québécoise

En même temps que les écrivains d'origine québécoise dessinent le nouveau tracé de notre espace culturel, on assiste à l'émergence d'une parole néo-québécoise, comme si les uns répondaient à l'appel des autres. Des auteurs issus de communautés culturelles immigrées, qui ont le plus souvent quitté leur terre natale pour des raisons économiques ou politiques, adoptent, en grand nombre, la culture francophone et investissent leur littérature d'adoption, conférant à cette dernière une maturité et une dimension toutes contemporaines. Les perspectives littéraires de ces écrivains nés hors du Québec sont fort différentes de celles des Québécois d'origine. À tout le moins, pour la majorité d'entre eux. Sans cesse, ils s'interrogent sur la problématique de l'errance et de l'appartenance. Ils s'efforcent de cerner les particularités de leur expérience migratoire : les liens qui les rattachent toujours à leur culture maternelle, la confrontation et l'équilibre à tenir entre cette dernière et la culture d'emprunt, le sentiment de marginalité auquel les réduit le plus souvent leur condition d'exilés, les difficultés éprouvées lors de leur insertion en sol québécois et toutes les autres déchirures de l'âme plus ou moins inhérentes à leur condition. Leur identité, fuyante et fragmentée, est au centre de leurs écrits, qui se veulent, chacun, la sollicitation d'une place dans la littérature d'accueil.

Un nouveau territoire identitaire

Ce brassage de cultures permet l'élaboration d'un nouveau territoire imaginaire québécois qui fait éclater toutes les frontières. On assiste à un véritable métissage des cultures autant que des écritures, phénomène complexe d'acculturation où des pans de culture d'origine viennent s'agencer dans l'édifice de la culture québécoise. Et notre littérature contemporaine, en intégrant la diversité des uns et des autres, se nourrit des plus riches patrimoines culturels de l'humanité. Quant aux écrivains, ils se font les passeurs des cultures et des idéaux, en affirmant les potentialités multiples de l'homme et de la femme de ce temps, dont la vie pas plus que l'identité ne peuvent être enfermées dans quelque ghetto.

Leur défi consiste à cerner le nouveau territoire identitaire québécois, solidaire tout autant que respectueux des particularités individuelles. Une identité non plus fondée sur une continuité historique, mais sur la juxtaposition commune des composantes d'un projet de société, qui prend toujours garde, il va de soi, de demeurer un rempart contre les assauts répétés de la culture dominante de ce continent. Défi d'autant plus grand qu'hier encore la littérature servait de fer de lance aux revendications politiques, souvent même ethniques.

Qui accepte de regarder plus haut que la ligne d'horizon observe que le Québec est actuellement en train de connaître une transformation tout aussi fondamentale que celle qu'il connut dans les années 1960. À cette époque, l'émergence d'un thème en même temps que d'un courant littéraires, le pays, permit à la littérature de se faire le porte-voix d'une modification fondamentale au sein de la vétuste société canadienne-française. Le Québec renonçait à se mirer dans le passé pour vivre le présent. Parions que le thème en même temps que le courant de la littérature migrante ou métissée, selon des modalités semblables à celles du thème et du courant du pays, sont à la fois l'indice et le détonateur d'un Québec nouveau, celui qui se prépare à vivre le troisième millénaire. Qui assume son présent en misant sur l'avenir. Comme au début des années 1960, les écrivains se font les phares et les prophètes d'une société transformée, en même temps qu'ils témoignent de l'exceptionnelle vitalité de la littérature québécoise.

Sur le mont Royal à Montréal, les frontières disparaissent au rythme des tam-tam.

❧ POÈTES SANS FRONTIÈRES

La poésie a toujours refusé de se cantonner dans des limites territoriales. Aussi, depuis toujours, des poètes de culture et parfois de langue d'origines différentes ont-ils investi l'imaginaire poétique québécois. Déjà avant 1970, les Alain Horic, Claude Haeffely, Michel Van Schendel, Patrick Straram, Juan Garcia et, parmi d'autres, Serge Legagneur avaient prouvé que l'identité culturelle québécoise avait cessé de reposer sur la vétuste référence à une généalogie aux sonorités reconnues.

Parmi les écrivains qui ont le plus contribué au rapprochement des diverses communautés et des différentes écritures, il faut rappeler l'apport notoire des Italiens, les Fulvio Caccia, Antonio D'Alfonso et Marco Micone, qui sans cesse s'efforcent de maintenir le dialogue entre les cultures voisines qui forment la mosaïque culturelle Québécoise. À de nombreuses occasions, ils ont traduit en français et fait connaître les textes de poètes anglophones du Québec ou de créateurs italo-québécois. Ils ont surtout contribué à prouver que, peu importe leur origine, les hommes et les femmes de bonne volonté arrivent toujours à communier au niveau des émotions, plus particulièrement dans le partage de la solitude inhérente à la condition humaine.

La poésie québécoise actuelle s'approprie avec fierté le pays intérieur des écrivains ressortissants d'autres cultures, venus des horizons les plus divers, pour écrire ici et en français leurs propres versions du réel. Il va de soi que cette sensibilité aux altérités culturelles n'a pu germer que dans un sol fécond, amoureusement travaillé par des poètes francophones d'origine qui se sont intéressés au dialogue entre les cultures. Comme Jacques Brault qui, dans *Poèmes des quatre côtés*[1], où il propose la traduction de poèmes de quatre auteurs de langue anglaise, affirme la priorité de la poésie – « le sol verbal recouvre le sol natal » – et fait la preuve que la découverte du différent est essentielle à la connaissance de soi. Par son parti pris d'ouverture à l'autre et d'accueil des différents possibles, la poésie québécoise est en train de dessiner la trame de la destinée de l'homme et de la femme de ce temps.

L'homme, le bagel et la ruelle, huile de Marie Cinq-Mars.

1   Jacques Brault, *Poèmes des quatre côtés*, Montréal, Éditions du Noroît, 1975.

GÉRALD GODIN (1938-1994)

Le poète Gérald Godin a été pendant de nombreuses années le ministre responsable de l'immigration au gouvernement québécois. Il fut un des rares politiciens francophones à faire l'unanimité auprès des néo-Québécois. Celui qui a eu à cœur la cause immigrante parle ici de la seule langue capable de réunir tous les Québécois.

La Presse

LA LINGUA SOLA

La langue du cœur
en espagnol, on dit corazon
en grec, on dit gardia
en italien, on dit cuore
5   en français, on dit cœur
en anglais, on dit heart
en allemand, on dit herz
en portugais, on dit coraçaon
en yiddish, on dit herts
10 Dans toutes les langues, on parle du cœur
la racine est le mot sanscrit Kerd
les humains ne parlent qu'une seule langue
quand ils laissent parler leur cœur
Dans ma ruelle, deux enfants ismaéliens
15 construisent un bonhomme de neige
avec les mêmes gestes que deux cents ans d'enfants québécois
la langue de mon pays, c'est l'hiver
mais les gestes sont toujours les mêmes
et le cœur humain, il est partout le même

Collectif sous la direction de Norma Lopel-Therrien, *Lectures plurielles. Cœxistence et cultures*, Montréal, Éditions Logiques, 1991.

Pistes de lecture

1. Quel effet produit l'énumération contenue dans les neuf premiers vers ?
2. Montrez la symbolique reliée aux enfants.
3. Quel vers est un clin d'œil à la chanson *Mon pays* de Gilles Vigneault ? Les deux poèmes ont-ils le même message ?
4. Pourquoi le poète a-t-il choisi un titre dans une langue étrangère ?

MARCO MICONE (né en 1945)

Né en Italie, Marco Micone est installé au Québec depuis 1958. Surtout connu comme dramaturge, cet intellectuel qui touche aux différents genres littéraires se trouve souvent en première ligne quand il s'agit de défendre la culture québécoise, une culture qu'il voit en mutation, se nourrissant de toutes les autres cultures sur son territoire. Il répond ici au poème / affiche nationaliste de Michèle Lalonde. L'entente avec l'autre nécessite d'abord un face à face avec sa différence.

SPEAK WHAT

Il est si beau de vous entendre parler
de *la Romance du vin*
et de *l'Homme rapaillé*
d'imaginer vos coureurs des bois
5 des poèmes dans leurs carquois

nous sommes cent peuples venus de loin
partager vos rêves et vos hivers
nous avions les mots
de Montale et de Neruda
10 le souffle de l'Oural
le rythme des haïku

speak what now
nos parents ne comprennent déjà plus nos
                    [enfants
nous sommes étrangers
15 à la colère de Félix
et au spleen de Nelligan
parlez-nous de votre Charte
de la beauté vermeille de vos automnes
du funeste octobre
20 et aussi du Noblet
nous sommes sensibles
aux pas cadencés
aux esprits cadenassés

speak what

25 comment parlez-vous
dans vos salons huppés
vous souvenez-vous du vacarme des usines
and of the voice des contremaîtres
you sound like them more and more

30 speak what now
que personne ne vous comprend
ni à St-Henri ni à Montréal-Nord
nous y parlons
la langue du silence
35 et de l'impuissance

speak what
« productions, profits et pourcentages »
parlez-nous d'autres choses
des enfants que nous aurons ensemble
40 du jardin que nous leur ferons

délestez-vous des traîtres et du cilice
imposez-nous votre langue
nous vous raconterons
la guerre, la torture et la misère
45 nous dirons notre trépas avec vos mots
pour que vous ne mouriez pas
et vous parlerons
avec notre verbe bâtard
et nos accents fêlés
50 du Cambodge et du Salvador
du Chili et de la Roumanie
de la Molise et du Péloponnèse
jusqu'à notre dernier regard

speak what

55 nous sommes cent peuples venus de loin
pour vous dire que vous n'êtes pas seuls.

Speak what, Montréal, 1989.

1. Relevez les références à quatre poètes québécois et celles concernant l'histoire du Québec.
2. L'auteur est-il prêt à abandonner sa langue ?
3. Quelle est l'intention de Marco Micone ?
4. Jusqu'à quel point les deux derniers vers confirment-ils ou infirment-ils le contenu général du poème ?

── **Au plaisir de lire** ──

■ *Gens du silence*　　■ *Addolorata*　　■ *Déjà l'agonie*

ANTONIO D'ALFONSO (né en 1953)

Photo Josée Lambert

Né à Montréal de parents d'origine italienne et d'abord éduqué en anglais, Antonio D'Alfonso, poète, romancier, scénariste et éditeur, publie ses poèmes en anglais, en français et en italien. On ne s'étonne donc pas de trouver la langue au centre de la problématique de sa poésie. Dans son recueil *L'Autre Rivage* (1987), il décrit un pays où réside une partie de son être, un rivage à jamais abandonné. Confronté à l'éclatement de son identité, ce poète voit dans l'écriture la clé de l'unité recouvrée. Il énumère ici les maux et les mots qui l'ont définitivement éloigné du rivage italien.

ITALIA MEA AMORA

　Ils m'ont jeté hors de ma maison,
　ils m'ont lancé à gauche et à droite,
　d'une chambre à une autre,
　d'un pays à un autre.
5　Ils ont changé mon nom,
　ils ont coupé les boucles de mes cheveux.
　Ils ont ri de moi
　parce que je ne m'habillais pas comme eux,
　parce que je ne parlais pas comme eux,
10　parce que je n'étais ni noir ni blanc.
　Ils m'ont forcé à travailler
　pour un salaire de misère.
　Ils m'ont demandé de nettoyer leurs toilettes
　dans leurs usines, leurs hôpitaux, leurs cimetières.
15　Ils ont violé ma grand-mère, ma mère,
　ma sœur, ma fille, ma petite-fille.
　Ils ont violé mon père, mon frère, mon fils.
　Ils m'ont enjôlé, cajolé,
　ils m'ont enculé.
20　Ils m'ont mis le pain dans la bouche
　pour me dire ensuite que je l'avais volé.
　Ils ont volé mes meubles, mon argent,
　mon emploi, ma femme, mes enfants.

Ils m'ont envoyé à l'école
25 pour apprendre le sens de l'amour,
de l'argent, du travail.
Ils m'ont envoyé à l'université pour apprendre
que l'amour, l'argent, le travail sont absurdes.
Ils m'ont donné un diplôme pour avoir désappris
30 ma langue maternelle et mon histoire.
Ils m'ont appris à parler, blasphémer, étudier
voler, travailler, penser
avec leur langue, avec leur histoire.
Ils m'ont donné comme toute nourriture
35 du pain et de l'eau.
Ils m'ont dit que je n'étais personne,
ils m'ont dit que je ne serais quelqu'un
qu'en étant comme eux.
Ils m'ont dit que j'étais mort,
40 ils m'ont dit que tu étais morte,
ils m'ont dit que tu n'étais pas mienne.
Ils m'ont drogué pour oublier la couleur de tes yeux,
la douceur de ta peau, la chaleur de ton sein.
Ils t'ont appelée putain, voleuse, ivrogne, droguée,
45 hypocrite, terroriste, fanatique.
Et lorsque je les ai traités
comme ils t'avaient traitée
ils m'ont craché à la figure.
Mais il ne m'a fallu qu'un regard,
50 un baiser, une caresse,
une nuit près de toi
pour me découvrir et comprendre qui je suis.
Maintenant, lorsqu'ils me demandent mon nom,
je prends l'encre de la terre
55 et à côté de Antonio D'Alfonso
je signe *Amore*.

L'Autre Rivage, Montréal, VLB éditeur, 1987.

Pistes de lecture

1. Quel effet est produit par la répétition des « ils », et qui ce pronom désigne-t-il ?
2. Pourquoi l'auteur compare-t-il la violence à une agression sexuelle ?
3. Comment s'effectue la dépersonnalisation ?
4. Prouvez que ce poème est surtout un grand chant d'amour.

──────────── **Au plaisir de lire** ────────────

■ *Quêtes. Textes d'auteurs italo-québécois* ■ *Voix-off Québec anglophone*

FILIPPO SALVATORE (né en 1948)

Cet Italien s'est établi à Montréal en 1964. Poète, il écrit dans sa langue maternelle. Il fut d'abord traduit en anglais, puis en français, comme c'est le cas pour *Nous, les rapaillés*. Ce poème, dédié à Gaston Miron, est un exemple du dialogue en train de s'instaurer entre les cultures dans le Québec contemporain.

Photo Josée Lambert

NOUS, LES RAPAILLÉS

À Gaston Miron

Cher frère méconnu,
tu rêves de victoire,
de lendemains lumineux,
et tu cries, glaneur de dignité,
5 ton amour déchirant
à la jeune fille volage
au cœur d'or. Cette imprudente
se laisse acheter pour quelques dollars,
et se fâche ensuite
10 si tu l'appelles putain.

J'ai bu un jour de gel
le feu qui couve sous la neige
et qui coule sans cesse dans tes veines.
Je m'en suis enivré.

15 Hôte venue des terres brûlées
de l'autre rive,
depuis des années je mange
chez ta mère à ma faim,
mais sans ôter le pain
20 de la bouche de tes frères.

Homme provisoire, tu cherches
le vrai passé dans ton avenir.

Tu te soûles, éternel
troubadour, en voyant
25 les premières gelées caresser
les courbes des Laurentides
revêtues d'arc-en-ciel.

Feuille de bouleau solitaire,
tu planes au-dessus des penthouses
30 du centre-ville, cassés
par des explosions incessantes.
Ton père buvait la moelle
de l'érable sucrée comme une femme,
et se berçait en respirant
35 la chaude haleine du bétail et du fumier.
Les rives du Saint-Laurent s'emmitouflent
dans le costume blanc du Bonhomme
                              [National.
Et l'écho de la hache
de ton père s'estompe.

40 Cher héros de la défaite, reste.
L'âme qui se nourrit de douleur,
survivra. L'herbe verte
reviendra au printemps.

Fulvio Caccia et Antonio D'Alfonso, *Quêtes. Textes d'auteurs italo-québécois*, Montréal, Éditions Guernica, 1983.

Pistes de lecture

1. Expliquez la dédicace à Gaston Miron en comparant les poèmes des deux auteurs (voir chapitre 7).
2. Pourquoi l'« Hôte venue des terres brûlées » est-elle une femme ?
3. Relevez les images associées au courant du pays et commentez-les.
4. Pour quelle raison les vers de la dernière strophe sont-ils hachurés ?
5. Le poète s'adresse-t-il aux nouveaux Québécois ou à ceux nés ici ?

ANNE-MARIE ALONZO (née en 1951)

La Presse

Née en Égypte d'une famille francophone, Anne-Marie Alonzo vit au Québec depuis 1963. À 14 ans, un accident d'auto la laisse handicapée pour la vie. Poète et éditrice, Anne-Marie Alonzo est très active dans le milieu littéraire québécois. Elle dit ici comment, par l'écriture, elle arrive à tirer profit d'une triple marginalité. On peut se demander si la singularité de l'écriture ne pourrait pas se faire l'expression d'états d'âme intérieurs.

CE QUI DE MOI S'ÉVADE

Différente dès la venue au monde. différente dissemblable marginale aussi. qui suis-je multipliée par trois : femme – immigrante – handicapée. de tous mes yeux bleus verts bruns. de toutes mes langues et couleurs de toutes mes peaux moi qui ne suis ni noire ni blanche mais entre deux.

5   toujours entre deux.

jamais unie dans toutes mes différences mais jamais déchirée non plus. entière dans un corps fracturé blessé mais dans la moelle avant tout seule entourée JE suis là me réclame de tout ce qui m'est advenu.

se dire ceci.

10   rien n'est en moi possible sans mes trois vies mes trois paires d'yeux

sans mes trois couleurs mes trois langues et mes trois peaux.
sans mes *trois* je ne suis pas.
si mes yeux verts tombent je ne vois plus même si restent mes yeux bleus
et yeux bruns et si ma langue arabe tombe alors ma langue française ne
15   répond plus et si ma couleur noire ne vit pas sur une de mes trois peaux
je deviens invisible.

je vis multiple parle d'abondance regarde tous pays qui à voir se
donnent – il y a aussi cela – les voyages !
vivre de voyages je deviens intérieure je cherche
20   creuse trouve aussi ce qui – de moi – s'évade fuit s'en va sans m'emporter.

Collectif sous la direction de Norma Lopez-Therrien, *Lectures plurielles. Cœxistence et cultures*, Montréal, Éditions Logiques, 1991.

Pistes de lecture

1. Étudiez les particularités stylistiques : ponctuation, majuscules et italique.
2. Relevez les particularités d'ordre syntaxique et trouvez leur effet.
3. Pourriez-vous repérer une allitération dans la dernière strophe ?
4. Groupez tous les triplets.
5. Quel message veut livrer l'auteure?

Au plaisir de lire

■ *Geste*   ■ *Bleus de mine*   ■ *Écoute, Sultane*

❧ LES RÉCITS DE L'AILLEURS ICI

Si les écrivains des années 1980 sont les responsables d'une véritable « déterritorialisation » du roman québécois, ils le doivent à leurs aînés qui avaient amorcé le processus au cours des décennies précédentes. Pensons à Gabrielle Roy, elle-même née hors du Québec, qui s'est constamment faite le chantre de la fraternité universelle. Dans son œuvre, les Franco-Canadiens sont nombreux, mais aussi les immigrants et les Inuits. Et on connaît le sort particulier réservé aux peuples autochtones et aux autres groupes minoritaires dans les romans d'Yves Thériault. Si l'enfermement sur soi des années 1960 ne permet d'encourager cette tendance que timidement (ce qui n'empêche pas Réjean Ducharme de centrer ses romans sur la figure de l'autre ni Hubert Aquin de situer son *Prochain épisode* en Suisse et de le faire commencer par : « Cuba coule en flammes au milieu du lac Léman... »), la décennie suivante débouche sur l'ouverture américaine et l'appropriation d'une grande partie du territoire de nos voisins du Sud. Le processus est dorénavant irréversible : l'espace du roman devient pluriel et favorise le libre déplacement des imaginaires. Le différent se fait familier, et la carte du roman québécois se déploie sur un riche questionnement centré sur des problèmes humains fondamentaux : la vie, la tendresse, l'amour, la mort et, surtout, l'incommensurable solitude du temps présent.

Pendant que les écrivains d'origine québécoise font respirer l'air du monde à leurs lecteurs en procédant à un véritable éclatement de l'espace romanesque, les écrivains migrants disent, dans des romans mais aussi des nouvelles, un genre que plusieurs affectionnent, les difficultés à vivre expatriés et les malentendus identitaires découlant du processus migratoire. Les questions de l'errance et de l'exil se trouvent donc au cœur de leurs récits : chacun décrit ses expériences et ses attentes, la douleur de la rupture avec les racines culturelles et sociales d'origine, son rapport souvent tendu avec la société québécoise, devenue pour lui le lieu de l'altérité. En situant l'ailleurs ici, les écrivains néo-québécois amorcent une démarche d'appropriation de la culture d'accueil en même temps qu'ils dynamisent la littérature québécoise. On se doit ici de souligner l'apport particulier des romans des Antillais, le groupe assurément le mieux intégré.

Conception Yvan Adam, production Richard Sadler.

La Presse

SYLVAIN TRUDEL (né en 1963)

Le premier roman de Sylvain Trudel, *Le Souffle de l'Harmattan* (1986), propose la complicité entre un jeune Africain adopté par des parents québécois, Habéké Axoum, et un jeune Québécois adopté lui aussi, Hugues Francœur, le narrateur du récit. Se sentant incompris par les adultes, les deux enfants se réfugient dans la complicité de leurs rêves. Le seul « adultère » (leur mot pour désigner une personne d'âge adulte) qu'ils estiment digne d'intérêt est un frère d'exil, Soljenitsyne, présent dans le roman. Avec naïveté et fraîcheur, l'extrait confronte deux mondes.

CHACUN A L'EXIL QU'IL DÉSIRE

Si Habéké était parvenu jusqu'à moi, c'est à cause de l'eau qu'il s'était inventée pour survivre. Dans ce temps-là, Habéké n'avait que quatre ans, mais il savait déjà inventer l'eau quand le soleil donnait des coups de pompe sur l'Afrique et que tous les gens s'évaporaient. Les caméras filmaient tout ça parce que c'était
5 un horrible spectacle. Habéké parlait parfois de Saba, sa petite sœur, avec une deuxième voix qui ne sortait qu'à ces moments-là.

[...]

Ce soir-là, Habéké a grimpé sur une colline, car il se souvenait d'un insecte qui savait où aller pour boire. C'est un insecte qui s'expose au vent nocturne qui vient de la mer loin à l'est. Le jour c'est pas la peine parce que le vent arrive du désert, mais le soir, il est chargé d'humidité
10 et quand il frappe la carapace chaude de l'insecte il fait se condenser dessus des petites gouttes d'eau. Au bout d'une heure, il se forme une grosse goutte qui coule de la carapace jusqu'à la bouche, et l'insecte l'avale. Habéké il a survécu comme ça, en se couchant sur le ventre et en offrant sa tête au vent du soir. Les gouttes se condensaient dans ses cheveux, et quand c'était suffisant, elles formaient des petits ruisseaux qui dévalaient sur ses tempes pour arroser le lac
15 desséché de sa bouche. Il a expliqué l'insecte à sa famille mais personne ne voulait croire son histoire. Le manque de croyances les a tous fait mourir de soif. Quelques jours plus tard, des coopératifs internationaux spécialisés dans les exportations ont offert une autre mer à Habéké et il est venu ici, dans l'abondance. Quand il est arrivé, il n'avait que quatre ans derrière lui. On aurait pu le dénaturaliser Canadien : on lui a appris le français, il a joué au hockey, il a
20 monté un vélo, regardé la télé, il s'est fait crier des noms, a vomi de la tourtière, s'est étouffé avec le corps du Christ et quoi encore. Mais Habéké a résisté à tout parce que, malgré les déformations, il sera pour toujours un Africain dans l'âme comme une roche est dure. Durant la vie entière sa pensée s'est faite en amharique comme il l'avait promis. Personne ne peut envahir la pensée parce que la pensée c'est l'Exil et que chacun a l'Exil qu'il désire. Habéké et
25 moi on s'était promis de visiter nos Exils un jour. J'aimais Habéké. Il avait l'intelligence.

Le Souffle de l'Harmattan, Montréal, Typo, 1993.

Pistes de lecture

1. Relevez les marques de la langue orale et commentez leur présence.
2. Quelle est la tonalité dominante ?
3. Quels passages expriment la fraîcheur du jeune Habéké ?
4. De quelle manière est décrite la maturité du jeune narrateur ?
5. Pouvez-vous trouver des points en commun entre cet extrait et le poème de Marco Micone ?

Au plaisir de lire

- *Terre du roi Christian*
- *Zara ou la mer Noire*

ÉMILE OLLIVIER (né en 1940)

Émile Ollivier a émigré de Port-au-Prince en 1965. Constamment son œuvre met en question les rêves floués du passé pour panser des blessures qui ne pourront jamais se cicatriser. Néanmoins, les racines de ce romancier se propagent maintenant avec vigueur dans le sol de ses deux patries, la Caraïbe des chaleurs et la froidure du Québec. Son roman *Passages* (1991) illustre le drame des Haïtiens de la diaspora, condamnés à l'errance dans le triangle formé par Port-au-Prince, Montréal et Miami.

Photo Josée Lambert

LE DESTIN IMPLACABLE DES SAUMONS

Qui disait que le voyage est illusoire ? On a beau se déplacer d'un endroit à l'autre, se livrer à une agitation sans relâche, en réalité, on ne fait que marquer le pas, tant les lieux restent inchangés. Dans leur soif de départ, les voyageurs ignorent souvent qu'ils ne feront qu'emprunter de vieilles traces. Mus par une
5 pulsion, quand ils ont mal ici, ils veulent aller ailleurs. Ils oublient que le mieux être est inaccessible puisqu'ils portent en eux leur étrangeté. Leur trajet, à la limite, ne dessinera qu'une boucle, tant les événements sont jetés là, orphelins, les attendant, pareils à des quais de gares. Ils erreront sans fin, animés du même désir fou que celui qui hante le destin implacable des saumons : ils tâtent des fleuves, des océans, pour retrouver à la fin l'eau, même impure, où
10 ils sont nés et y pondre en une seule et brusque poussée, une réplique d'eux-mêmes et mourir.

Il est dans l'existence des éclipses où il nous semble avoir tout perdu, des temps de silence où l'on se trouve plongé dans un brouillard, une nuit en deuil d'étoiles. Nul reflet n'éclaire la route. De l'enfermement de l'île à la prison de Krome, de l'inventaire des ratés au catalogue des renoncements, le même délicat problème de la migrance, un long détour sur le chemin de
15 la souffrance. Passagers clandestins dans le ventre d'un navire, nous visitons non des lieux, mais le temps.

Nous venons d'un pays qui n'en finit pas de se défaire, de se refaire. Coureurs de fond, nous avons franchi cinq siècles d'histoire, opiniâtres et inaltérables galériens. Nous avons subsisté, persévéré sur les flots du temps, dans cette barque putride et imputrescible à la fois, dégradable
20 et pérenne. Notre histoire est celle d'une perpétuelle menace d'effacement, effacement d'un paysage, effacement d'un peuplement : le génocide des Indiens caraïbes, la grande transhumance, l'esclavage et, depuis la mort de l'Empereur, une interminable histoire de brigandage. Notre substance est tissée de défaites et de décompositions. Et pourtant, nous franchissons la durée, nous traversons le temps, même si le sol semble se dérober sous nos pas. Malgré vents et
25 marées, malgré ce présent en feu, ce temps de tourments, cette éternité dans le purgatoire, nous continuons à survivre en nous livrant à d'impossibles gymnastiques.

Passages, Montréal, L'Hexagone, 1991.

Pistes de lecture

1. Quel parallèle l'auteur établit-il entre les saumons et les immigrants ?
2. Relevez les autres images et commentez-les.
3. Comment l'auteur résume-t-il l'histoire de son peuple ?
4. L'errance constitue-t-elle une solution ?
5. Quelle vision du monde propose cet extrait ?

Au plaisir de lire

- Mère-Solitude
- La Discorde aux cent voix
- Les Urnes scellées

Photo Josée Lambert

Né à Port-au-Prince, Dany Laferrière a choisi de s'installer à Montréal en 1978. Il est un des très rares écrivains qui décident de situer leur premier roman au Québec. Il s'agit de *Comment faire l'amour avec un nègre sans se fatiguer* (1985). Les romanciers dans sa situation tentent d'abord d'apprivoiser le passé. Ce récit a été adapté au cinéma et a connu le succès dans sa traduction américaine. Bien davantage que l'audace du sujet, on note l'humour et la nervosité du style, qualifié de « jazzé » par certains. Le narrateur est ici en compagnie d'une amie, « Miz Littérature ».

DANY LAFERRIÈRE / WINDSOR KLÉBERT LAFERRIÈRE (né en 1953)

À MA PLACE, MOI AUSSI

Miz Littérature met un disque de Simon et Garfunkel et file aux toilettes se faire sécher les cheveux. Je suis dans sa chambre. Des coussins, partout. De toutes les couleurs. Héritage des *sit-in* des années 70. Des piles de bouquins par terre, à côté d'un vieux pick-up téléfunken. Dans le coin gauche, en face
5 de la porte, un gros coffre à linge en bois de noyer. Des reproductions. Un beau Bruegel. Un Utamaro près de la fenêtre. Un splendide Piranèse, deux estampes de Hokusai, et dans le coin de la bibliothèque (faite de planches souples et de briques rouges), un précieux Holbein. Miz Littérature a placé près de son chevet, sur un mur rose, une grande photo de Virginia Woolf,
10 prise un jour de 1939, par Gisèle Freund, à Monk House, Rodwel, Sussex.

J'entends, distinctement, l'eau couler du lavabo. Eau intime. Corps mouillé. Être là, ainsi, dans cette douce intimité anglo-saxonne. Grande maison de briques rouges couvertes de lierre. Gazon anglais. Calme victorien. Fauteuils profonds. Daguerréotypes anciens. Objets patinés. Piano noir laqué.
15 Gravures d'époque. Portrait de groupe avec cooker. Banquiers (double menton et monocle) jouant au cricket. Portrait de jeunes filles au visage long, fin et maladif. Diplomate en casque colonial en poste à New Delhi. Parfum de Calcutta. Cette maison respire le calme, la tranquillité, l'ordre. L'Ordre de ceux qui ont pillé l'Afrique, l'Angleterre, maîtresse des mers... Tout est, ici, à
20 sa place SAUF MOI. Faut dire que je suis là, uniquement, pour baiser la fille. DONC, JE SUIS EN QUELQUE SORTE À MA PLACE, MOI AUSSI. Je suis ici pour baiser la fille de ces diplomates pleins de morgue qui nous giflaient à coups de *stick*. Au fond, je n'étais pas là quand ça se passait, mais que voulez-vous, à défaut de nous être bienveillante, L'HISTOIRE NOUS
25 SERT D'APHRODISIAQUE.

Miz Littérature est entrée dans la chambre. Fatiguée mais souriante. Miz Littérature, c'est quelqu'un de bien.
— Cherry ?
— Cherry.
30 — Et qu'est-ce que tu aimerais écouter ?
— Furey.
— Cherry sur Furey.

Comment faire l'amour avec un nègre sans se fatiguer, Montréal, VLB éditeur, 1985.

Pistes de lecture

1. Analysez la longueur des phrases et le rythme qui en découle.
2. Relevez la grande opposition thématique de cet extrait.
3. Expliquez l'usage des majuscules.
4. De quelle revanche historique est-il question ?
5. Ce texte pourrait-il se retrouver dans le chapitre précédent ?

Au plaisir de lire

■ *L'Odeur du café*   ■ *Le Goût des jeunes filles*

YING CHEN (née en 1961)

Née à Shanghai, Ying Chen quitte la Chine en 1989. Elle avoue être débarquée à Montréal à peine capable de soutenir une conversation en français. Pourtant, en 1995, elle a déjà publié trois ouvrages, dont l'un est finaliste pour le prestigieux prix Femina. Dans son second, un roman épistolaire, *Les Lettres chinoises* (1993), des Chinois en exil à Montréal et d'autres restés dans leur patrie s'échangent des lettres. S'y confrontent les cultures chinoise et nord-américaine.

Ponopresse

ON APPELLE ÇA LA RÉVOLUTION TRANQUILLE

Merci pour ta généreuse lettre, Sassa. Chaque fois que je pense à toi, j'ai envie de pleurer. Comment sont les choses pour toi ? Su Yuan m'a dit que tu as eu des problèmes avec le bureau des passeports. Mais tout sera réglé, tu n'as pas à trop t'inquiéter. Un de mes oncles occupe un poste au
5   bureau des passeports. Quand je me préparais à partir, il m'a « nettoyé un peu le chemin ». Je lui ai écrit pour qu'il prenne soin de ton dossier.

Tu m'as beaucoup étonnée avec ta remarquable compréhension des idées nouvelles. Or, ce qui se passe en Amérique du Nord serait peut-être hors de ton imagination. Depuis l'époque de notre Révolution culturelle, les
10   gens de notre génération ne fréquentent plus les églises. Chez nous, on a dû détruire les temples à coups de bâtons. Ici, c'était beaucoup plus simple. Comme si de rien n'était, on a quitté les églises pour se plonger dans les magasins. On appelle ça la Révolution tranquille. Et tranquillement aussi, les familles s'écroulent. Sur leurs ruines, des milliers et des milliers
15   d'enfants sans parents, de parents sans enfants, de maris sans femme, de femmes sans mari, d'individus seuls avec chien ou chat. Ce phénomène, encore curieux en Chine, est devenu ici un mode de vie. On voulait la liberté. On l'a presque obtenue, au moins en ce qui concerne les relations sexuelles. Cette liberté me semble visible sur le front des habitants. Elle
20   est là, dans les rues, sur les terrasses, au fond des bars, derrière les rideaux des fenêtres, partout. Hommes, femmes et enfants, ils avancent et se croisent tout le temps, rapides comme le vent et solitaires comme les étrangers, la liberté luisante collée au front, laquelle rend leur visage pâle comme la neige.

25   Il m'arrive parfois d'avoir peur de devenir comme eux.

Les Lettres chinoises, Montréal, Leméac, 1993.

Pistes de lecture

1. Comparez les deux révolutions dont parle l'auteure.
2. Comment l'origine de la narratrice lui permet-elle de poser un regard différent sur le Québec ?
3. Pourrait-on parler ici de critique sociale ?
4. En quoi la dernière phrase exprime-t-elle le drame de l'émigration ?

——————— **Au plaisir de lire** ———————

- *La Mémoire de l'eau*
- *L'Ingratitude*

Photo Josée Lambert

PAUL ZUMTHOR (1915-1995)

LE LIEU DE NOTRE QUÊTE

Le regard du Maître perçoit chaque geste, perçoit le moindre objet que ce geste fait exister, et il les situe dans le plan qu'il a tracé. Mais, au-delà du tracé et du plan, l'avenir s'ouvre vide : dernier effroi. Comment échapper à ce continent, trop étroit pour tant d'énergie, sinon dans le nouveau, que
5 j'inventerai, pour vous autres, sans logique, sans frontières tracées entre la vie et la mort, où la joie ne ferait que simuler le silence ? Dans un grand vide d'hommes, d'un océan à l'autre jeté.

Qu'est-ce que la science, frère Antonio, mon semblable, maintenant à jamais séparé, sinon de contempler cette eau perpétuelle, où nous baignons depuis
10 le ventre de nos mères ? où un jour nous nous perdrons peut-être, au large d'une vie nouvelle entr'aperçue, rivage inouï posé comme une règle noire au bas de notre dernière nuit ? Ne plus rien être d'autre que regard, et non plus même ce regard incendié, anéanti dans sa propre intensité : cet homme qui meurt là-bas, moi, non comme Narcisse de trop s'aimer, mais parce que sa
15 vie s'est tant réduite qu'il n'en reste plus.

Le paradis ? Loin des démons qui nous assaillent, de cette aigreur dont nous nous rongeons, par-delà toute rupture en nous, dans une unité refaite. Une interrogation suspendue, constellation dans le ciel au-devant des nefs égarées, vers l'ouest où les terres s'abîment. Et la réponse exigée, brûlante : nous
20 entiers, sans retour. Mais peut-être le paradis n'est-il pas un lieu de quelque part, mais le lieu mobile de notre quête, porté par les pas dont nous allons. Du haut de la poupe, surplombant le sillage, l'horizon de la mer scintille entre les voilures, crêté de paquets d'écume blanche. Ohé ! voici l'île ; mon île, dans la beauté de sa terre couronnée d'arbres épanouis en fleurs rouges,
25 tendues comme des coupes ! Au-delà des douceurs perdues, bien au-delà de celle des moitiés de toi qui aimait la caresse des jours, des chairs tendres, ces peaux sous tes doigts ; ne subsiste que l'autre, acharnée à l'ambition de sa tâche, dure et froide. Perdue, ta part préférée, et qui lutte pour ne point disparaître, face déjà noyée dans la nostalgie des tourmentes à travers
30 lesquelles, indifférent, tu vas.

Sur le môle, une femme sanglote. Le bourdon sonne au beffroi du bourg.

La Fête des fous, Montréal, L'Hexagone, coll. « Fictions », 1987.

Les ouvrages de Paul Zumthor, originaire de Suisse, sont publiés depuis 1938. L'œuvre colossale de ce grand humaniste et médiéviste réputé, installé au Québec en 1976, comprend des œuvres historiques et critiques, de la poésie ainsi que des récits de fiction. Dans son roman *La Fête des fous* (1987), l'écrivain brosse une gigantesque fresque de la seconde moitié du XVe siècle. Époque du début de la grande migration transocéanique, mais encore plus moment particulier pour la mutation des mentalités. L'extrait présente Christophe Colomb, le « Maître », accaparé par ses pensées, au moment des adieux précédant son premier voyage.

Pistes de lecture

1. Analysez le thème du regard.
2. Comment présente-t-on l'errance ?
3. Comparez ce dernier thème avec ce qu'en dit Émile Ollivier.
4. En quoi ce texte exprime-t-il le merveilleux associé au Nouveau Monde ?
5. Quel lien peut-on établir entre les raisons qui poussent Christophe Colomb à partir et le destin des immigrants ?

Au plaisir de lire

■ *Les Contrebandiers*   ■ *La Traversée*

✒ LE THÉÂTRE FAIT QUASI RELÂCHE

Pendant que les dramaturges québécois, comme les romanciers, s'ouvrent sur l'ailleurs en y plantant, de plus en plus nombreux, le décor de leurs pièces, étonnamment, les écrivains néo-québécois semblent délaisser ce genre littéraire immédiatement efficace, apte à actualiser les causes les plus abstraites. Serait-ce dû aux sommes astronomiques requises pour la création d'une pièce ? Certes, le répertoire du Centre des auteurs dramatiques[1] relève bien une douzaine d'auteurs nés hors du Québec, mais Marco Micone semble actuellement le seul à se démarquer véritablement. Cette situation semble toutefois compensée par le vif intérêt manifesté par les auteurs néo-québécois pour le cinéma. Parmi ceux-ci, soulignons l'apport particulier de Paul Tana.

SUZANNE LEBEAU (née en 1948)

La Presse

Suzanne Lebeau a étudié l'art dramatique à Montréal, à Paris et en Pologne. Elle poursuit une recherche sur l'imaginaire des enfants, dont elle contribue à élargir les frontières. Depuis 1975, elle a écrit une douzaine de pièces qui furent traduites en plusieurs langues et produites dans le monde entier. *Salvador*, qui lui valut le prestigieux Prix francophonie jeunesse en 1994, est centrée sur un écrivain qui se souvient de son enfance défavorisée en Amérique du Sud. Mais il a pu échapper à son destin. La pièce comprend deux Salvador : l'enfant (action) et l'adulte (récit). L'extrait décrit la perte de son père, victime d'un assassinat politique.

DISPARU COMME UN FANTÔME

SALVADOR (ACTION)
Qu'est-ce qu'il faut faire pour devenir un homme ?

PÈRE
Le temps seulement en vient à bout. Salvadorcito... Mais il faut y
5 croire passionnément... comme ta mère.

SALVADOR (RÉCIT)
Mon père partit dans la nuit discuter du passé et de l'avenir des terres qui entouraient le village. Cette réunion fut la plus longue de toutes. Pas un des hommes qui y assistaient n'est revenu ce soir-là
10 et le village s'est mis à attendre.

SALVADOR (ACTION)
Papa ! Papa !

SALVADOR (RÉCIT)
Je l'appelais tout bas plusieurs fois par jour, j'écrivais le mot devant
15 la maison, sur les cahiers d'Ana, sur les murs, convaincu qu'il ne pouvait pas ne pas m'entendre et qu'il viendrait nous surprendre un matin avec une cruche pleine d'eau fraîche.

Salvador enfant joue de la flûte des Andes

SALVADOR (RÉCIT)
20 Les jours passaient. J'aiguisais mes oreilles pour être le premier à entendre le chant du *chocllo pocochi* plus pur que celui du canari. Mon père avait l'habitude d'annoncer son retour en imitant le

1 Répertoire du Centre des auteurs dramatiques, *Théâtre québécois : 146 auteurs, 1067 pièces résumées*, Montréal, VLB éditeur et Cead, 1994.

chant de cet oiseau de la montagne.

On entend un chant d'oiseau

25 SALVADOR (ACTION)
C'est lui ! Je l'entends ! Papa !

SALVADOR (RÉCIT)
Ce n'était qu'un *chocllo pocochi*. Un simple *chocllo pocochi*.

SALVADOR (ACTION)
30 Tiens ! Attrape ! Sale oiseau de malheur !

SALVADOR (RÉCIT)
Je le chassai furieusement à coups de pierres.

SALVADOR (ACTION)
Je déteste les *chocllo pocochi*.

35 SALVADOR (RÉCIT)
Mon père a disparu comme un fantôme dans une nuit noire sans
lune et sans étoiles. Aujourd'hui encore j'ai le regret de ne pas avoir
mis mes bras autour de son cou pour lui souhaiter une belle soirée.
La vie d'un homme a si peu d'importance dans la montagne.

40 *Salvador joue de la flûte des Andes*

SALVADOR (RÉCIT)
Quand j'entends battre les volets dans une nuit pareille, froide et
pluvieuse, je sais que c'est lui qui essaie de me dire quelque chose...

Salvador, Montréal, VLB éditeur, 1996.

Pistes de lecture

1. Le dialogue entre l'adulte et l'enfant vous semble-t-il bien servir l'action dramatique ?
2. Prouvez que les deux styles différents traduisent aussi des émotions différentes.
3. Quel est le rôle de l'oiseau ?
4. Prouvez que la sobriété du ton n'en produit pas moins un texte pathétique.

Au plaisir de lire

■ *Une lune entre deux maisons*   ■ *Conte du jour et de la nuit*

MARCO MICONE (né en 1945)

L'INTELLECTUELLE DE LA GANG

Si ç'avait pas été pour les cours d'espagnol, je serais pas restée longtemps au cégep. Mais même avec ça, une année c't'assez. Y a tellement de chômage, ça sert à rien de s'instruire. Les chômeurs instruits, c'est connu, sont beaucoup plus malheureux que les chômeurs qui sont pas instruits. Moi, je veux pas
5 être malheureuse. En septembre, quand je vas m'inscrire aux cours du soir, je vas prendre deux cours d'espagnol. Ça me fera quatre langues. Avec quatre langues, je peux me marier sans crainte. Si Johnny connaissait quatre langues, j'suis sûre qu'i' aurait moins peur de se marier. L'anglais et le français, j'és ai appris à l'école bilingue. À l'école bilingue française. C'est pour ça que je
10 parle le français naturel. Je réfléchis même pas quand je parle. C'est la seule école bilingue française de Montréal. Mais les bonnes sœurs étaient tellement dures qu'on pouvait presque rien faire. Défense de parler dans les corridors. Défense de sortir de la cour à midi. Défense de mâcher de la gomme. Défense même de rester trop longtemps dans les toilettes : une minute pour le pipi,
15 pas plus. La bonne sœur qui surveillait les toilettes, on l'appelait la « merdeuse ».
Elle rit.

C'est moi qui lui avais trouvé ce nom-là. Défense de ci... défense de ça...
C'est pas pour rien que l'école s'appelle Notre-Dame-de-la-Défense. À
20 St-Léonard, y a déjà eu des écoles bilingues anglaises pour les Italiens, mais ç'a pas marché. I' se sont aperçus que c'est pas nécessaire d'enseigner les deux langues à l'école parce que les Italiens apprennent déjà le français dans la rue. Et la rue, pour apprendre le français, c'est pas pire que l'école. C'est la même chose pour l'italien. On a pas besoin de l'étudier : on a ça dans le sang. Pour
25 nous les Italiens, l'école est presque pas utile. Tous mes amis ont lâché ça le plus vite possible. Moi, j'passe pour l'intellectuelle de la gang. Johnny, lui, a même pas terminé sa dixième année. Quand on est intelligent comme lui... on s'ennuie toujours à l'école.
L'éclairage ainsi que sa posture changent.
30 *Exubérante, et enchaînant rapidement.*

Moi, je m'ennuie jamais. Je m'ennuie jamais avec mes quatre langues. J'peux parler l'anglais le lundi, le français le mardi, l'italien le mercredi, l'espagnol le jeudi et les quatre à la fois le vendredi.
Grave.
35 La fin de semaine je parle pas parce que mon père est là.

Addolorata, Montréal, Éditions Guernica, 1984.

Le théâtre de responsabilité sociale qu'est celui de Marco Micone rappelle que, pour l'exilé, le recouvrement de l'identité doit passer par un dialogue avec l'autre et sa différence. Cet appel à l'intégration des Italiens à la société québécoise n'a pas manqué de soulever certaines controverses entre le dramaturge et les leaders pro-canadiens de sa communauté. *Addolorata*, pièce créée en 1983 et reprise, sous une forme renouvelée en 1996, décrit la désillusion d'une jeune Italienne qui croit choisir la liberté dans le mariage alors qu'en réalité elle ne désire qu'échapper à l'autorité paternelle et patriarcale. Addolorata réfléchit ici naïvement sur l'apport de la connaissance des langues.

Pistes de lecture

1. Selon Addolorata, que lui apporte l'apprentissage des langues ?
2. Relevez les affirmations qui peuvent vous sembler discutables.
3. Quelle est la tonalité dominante de cet extrait ?
4. Qu'apprend-on ici sur la multi-ethnicité de Montréal ?
5. Est-on en présence d'une question surtout linguistique ou sociale ?
6. Une jeune Québécoise dite de souche pourrait-elle exprimer des propos semblables ?

PAN BOUYOUCAS (né en 1946)

D'origine grecque, Pan Bouyoucas habite Montréal depuis 1963. Il y a écrit deux romans, des nouvelles, des pièces radiophoniques en plus de nombreuses pièces de théâtre, d'abord en anglais puis en français. Sa pièce *Le Cerf-volant*, écrite en 1990 mais montée en 1993, relate le raz-le-bol d'un épicier d'origine grecque, Dimitri. Las d'avoir perdu sa vie dans son pays d'adoption, depuis trente ans, à ne travailler que pour se bâtir une réussite pécuniaire, il quitte un jour son travail et monte sur son toit : il veut y faire voler un cerf-volant. L'extrait de cette comédie dramatique sur le Montréal ethnique propose un dialogue entre Dimitri, épicier, et son frère restaurateur, Andrea, venu pour le convaincre de descendre.

LE TRAVAIL, LE TRAVAIL

DIMITRI
Le travail, le travail... *(Il soulève le verre, hume le retsina.)* Après le café, je me suis baladé un peu, comme ça, en auto. C'est là que j'ai vu le magasin de cerfs-volants. Toute une vitrine de petits, de grands,
5 de rouges, de jaunes... Il y en avait même en forme de cœur. En tout cas, je me suis parqué en face et je les ai regardés pendant au moins une heure. Tu ne peux pas savoir toutes les images, toutes les odeurs, tous les sons que ça m'a ramenés. Je te jure, je les regardais, et à un certain moment, j'ai cru entendre la sirène du *Saturnia*.

10 ANDREA
De qui ?

DIMITRI
Du *Saturnia*, le bateau qui nous a amenés au Canada.

ANDREA
15 Nono, tu étais à côté du port.

DIMITRI
Ah ?... J'aurais juré que c'était le *Saturnia*. Comment l'oublier ? C'était la première sirène de bateau que j'entendais. Et la dernière...

ANDREA
20 *Thank God.*

DIMITRI
Pourquoi ?

ANDREA
Nous vois-tu reprendre le bateau à notre âge ? Même à vingt ans, on
25 ne se remet jamais complètement d'une greffe du cœur.

DIMITRI
Tu te rappelles tout ce qu'on se racontait dans notre cabine pour oublier notre mal de mer ? On va aller là, on va faire ci, on va faire ça. Où est-ce qu'on est allé, Andrea ? À part la maison et le travail,
30 qu'est-ce qu'on a vu ? Qu'est-ce qu'on a fait ? Le temps d'apprendre

quelques mots, de nous habituer à marcher dans la neige, de nous bâtir une petite sécurité et il est déjà temps de replier bagage pour le grand voyage. Des fois... Des fois je me demande si on n'aurait pas dû rester en Grèce. Ils ne crèvent pas de faim. Puis au café, on
35 comprendrait le rire des autres, et les autres comprendraient nos soupirs...

ANDREA
Tu ne crois pas qu'il est un peu ridicule, à notre âge, de faire encore soupirer notre cœur ?

40 DIMITRI
Tu devrais voir l'ami de ma locataire. *(Il vide son verre.)*

ANDREA
Il est vieux ?

DIMITRI
45 Mais il est Québécois.

ANDREA
Ça veut dire quoi ?

DIMITRI
Ça veut dire que quand il ouvre les yeux le matin, il peut rêver à
50 autre chose qu'au festival du broccoli.

Le Cerf-volant, Montréal, Centre des auteurs dramatiques, 1990.

Pistes de lecture

1. Étudiez les différentes utilisations du mot « cœur ».
2. Quelle symbolique est associée au cerf-volant ?
3. Quelle phrase montre, avec humour, le vide de l'existence des personnages ?
4. En quoi consiste l'opposition entre les deux personnages ?
5. Que peut-on trouver de commun avec l'extrait d'Émile Ollivier ?

Société pluraliste
et littérature métissée   10

ABLA FARHOUD (née en 1945)

Photo Josée Lambert

Née au Liban, Abla Farhoud a émigré au Canada en 1951. Elle retournera dans son pays d'origine, s'installera ensuite à Paris, mais reviendra définitivement au Québec en 1973. Elle a écrit six pièces dont *Apatride* (1993). Au cœur de leur pays détruit par de nombreuses années de guerre, un homme et une femme, séparés par l'exil, se retrouvent, quarante ans après s'être quittés, au cœur de leur histoire d'amour.

MON PAYS N'EST PAS UNE TERRE

WALID

Arrête de t'en faire accroire ! Ce n'est pas moi que tu aimes, c'est celui qui est dans ta tête.

SAWDA

5 Celui qui est dans ma tête est juste là devant moi.

WALID

C'est un homme fini qui est devant toi, un vieux ressort rouillé, cassé, qui ne rebondit plus. Le jeune homme que tu as aimé n'existe plus. Il est descendu de la montagne pour la dernière fois, il y a
10 40 ans, il a suivi ses parents, sans dire un mot. L'amour est une montagne à escalader. Sawda, j'ai dérapé, la mort m'a eu, j'ai glissé tout droit dans la vie de mon père ! Ce n'est pas toi que j'ai reniée, Sawda, ce n'est pas toi que j'ai quittée, Sawda, j'ai quitté ma propre vie, MA vie, celle que j'aurais voulu vivre, que j'aurais dû vivre.
15 *(un temps)* Ce n'est pas moi que tu aimes, tu aimes un mort.

SAWDA

Non Walid, ce jeune homme vit en toi. Il est toi.

VOIX DU SOLDAT *(en langue éwé)* Hé miawoé ! mi nazo la fima ! Afokou la fisia, ékou bé nya yé. Ameyi woé la si kan, ékan wo !

20 *(un silence)*

WALID

Et toi, tu les a revues, tes montagnes ?

SAWDA

Non. J'ai vu beaucoup de montagnes depuis, ailleurs, aussi belles,
25 sinon plus. J'aime les montagnes.

WALID

Toutes les montagnes ne sont pas tes montagnes...

SAWDA

Tout ce que je regarde et que je trouve beau, tout ce que j'aime est à
30 moi dans l'instant où je le regarde et que je le trouve beau et que je l'aime. Mon pays n'est pas une terre, Walid, ni une montagne, mon pays... c'est ce corps qui a fait le chemin avec moi, qui souffre quand je souffre, qui rit quand je ris, qui jouit quand je jouis. Il a mal aux

os quand j'ai mal, il perd ses dents quand je les perds. Nous vieillis-
35 sons ensemble, nous mourrons ensemble en emportant ce que nous
avons vécu, en ne laissant aucune terre en héritage ou peut-être
toutes les terres... Tout ce que j'ai vécu sur MES montagnes, comme
tu dis, est dans ma tête, dans mon corps, dans mes poumons, inscrit
dans la plante de mes pieds. Ce que j'y ai vécu avec toi, avant toi et
40 même après, je le porte, je l'apporte, partout où je vais. J'ai poussé
dans une lisière, j'ai migré en naissant, et c'est dans cet espace-là que
je vaque, que je me promène, que j'apprends, entre l'ancrage et
l'errance. Cette lisière sans nom aurait pu me tuer, c'est vrai, elle m'a
donné peu à peu la liberté d'apprendre la vie dans son état le plus
45 brut, le plus primaire, elle m'a forcée à devenir de moins en moins
ce que je ne suis pas. J'ai longtemps marché pieds nus, ça aide. C'est
toujours pieds nus que je rêve, que je pense, que je me questionne,
que j'aime.

WALID

50 Tout a l'air si simple pour toi.

SAWDA

Simple ? ! C'est un travail de chaque instant ! La vie c'est un corps
à corps quotidien avec la mort, une montagne à escalader, tu viens
de le dire, et j'ai souvent, moi aussi, glissé vers la mort, mais la vie
55 m'a toujours rattrapée... Est-ce que l'on peut avancer les deux pieds
collés au sol, dis-moi ? !

Apatride, Montréal, Centre des auteurs dramatiques, 1993.

Pistes de lecture

1. En quoi l'errance devient-elle une richesse ?
2. Comparez la personnalité des deux personnages : quelle est leur vision du monde ?
3. Comment Sawda s'approprie-t-elle le réel ?
4. Que demande-t-on au théâtre ici ?

❧ L'ESSAI : DIFFÉRENTS ET DIFFÉRENDS

L'essai étant le genre littéraire protéiforme par excellence, et celui le mieux habilité à véhiculer des notions abstraites, on ne saurait s'étonner d'en trouver de nombreux consacrés à l'errance et à la quête identitaire, tant dans les revues consacrées aux figures de l'autre (*Dérives, ViceVersa*, etc.) que dans des ouvrages portant sur un aspect particulier des rapports interculturels. Les essayistes reconnaissent généralement que ce qui distingue est plus enrichissant que ce qui est même, et que le bénéfice des uns et des autres passe par l'intégration des différences authentiquement assumées, plutôt que par l'assimilation appauvrissante. Ils insistent également sur la difficulté d'une société naguère frileuse linguistiquement d'accepter de jeunes greffons qui viennent modifier les composantes de sa sève. Ils ne manquent surtout pas de souligner le fait que les Québécois ne peuvent pas donner aux nouveaux venus ce dont ils sont eux-mêmes privés, le statut de citoyen. Ces textes qui enrichissent l'horizon idéologique québécois empruntent les approches les plus diverses.

Photo Patrick Fuyet.

Rue Saint-Laurent à Montréal.

La rue Saint-Laurent, traditionnelle ligne de démarcation entre la partie est et la partie ouest de la ville, est aussi le lieu de rencontre de toutes les cultures de cette société pluraliste.

DORIS LUSSIER (1918-1993)

Le nom de Doris Lussier est surtout associé à ses talents de comédien et de monologuiste. Mais ce professeur de philosophie, identifié à la Beauce même s'il est né près de Sherbrooke, est aussi un essayiste à la plume remarquable. Il donne ici des balises à une notion difficilement cernable, la culture.

Ponopresse

CE QUI MANQUE QUAND ON A TOUT APPRIS

« Quand j'entends prononcer le mot culture, je sors mon révolver ! », disait Hermann Gœring. La sombre brute hitlérienne qui a éructé cette sublime ânerie ne savait sans doute pas qu'il venait d'illustrer la différence qu'il y a entre un homme et une bête. Il lui a fallu toute
5   une guerre pour le lui apprendre.

Culture est un mot emprunté au langage des paysans. Ce n'est pas pour rien. En effet, la culture est un ensemencement. Celui de l'esprit et celui du cœur. Pour que l'homme soit enfin plus raisonnable qu'animal. Bref, plus civilisé. C'est-à-dire plus fraternel.

10 Car il n'y a de vraie culture que celle qui, passant par le perfectionnement de la personne, débouche sur celui de la société. La culture est un ordre réalisé dans la personne, et la civilisation est un ordre réalisé dans la société. Une culture qui ne s'achève pas dans le pluralisme des idées, et la fraternité des hommes est une valeur
15 avortée. Une possession de soi qui n'est pas aussi une ouverture aux autres n'est qu'un égoïsme dilettante. Le mot charmant de Lord Dewar, dans les *Carnets du major Thompson*, me revient en mémoire : « Les cerveaux, c'est comme les parachutes : pour fonctionner, il faut qu'ils soient ouverts. »

20 C'est pourquoi la culture authentique est une transculture. Elle est conscience de la fraternité. La culture étant aussi ce par quoi se définissent les nations, elle se nierait elle-même si elle ne s'employait à toujours privilégier les valeurs qui les rassemblent parce qu'elles se ressemblent. « La culture ne connaît pas de nations mineures ; elle
25 ne connaît que des nations fraternelles » disait Malraux. Ce qui manque au bonheur des hommes, c'est moins la somme de leurs connaissances que le sens de leur solidarité. Autrefois la culture, c'était ce qui restait quand on avait tout oublié ; aujourd'hui, c'est ce qui manque quand on a tout appris.

Collectif sous la direction de Norma Lopez-Therrien, *Lectures plurielles. Cœexistence et cultures*, Montréal, Éditions Logiques, 1991.

Pistes de lecture

1. Que signifie le mot « transculture » ?
2. Pourquoi l'auteur recourt-il à des citations ?
3. Les images servent-elles à appuyer le propos de l'auteur ? Et quel est-il précisément ?
4. Expliquez l'opposition contenue dans la dernière phrase.

Né juif à Bagdad, Naïm Kattan a émigré de l'Orient à l'Occident puis, en 1954, de la France au Canada. L'œuvre abondante de ce juif irakien francophone, formée de romans, nouvelles, critiques et essais, s'efforce de rendre compte de la richesse des cultures qui ont marqué sa vie. Dans son essai *Le Réel et le théâtral* (1970), il décrit, entre autres sujets, ce qui attend celui qui doit renoncer à sa langue maternelle.

NAÏM KATTAN (né en 1928)

JE VIVAIS SIMULTANÉMENT DANS DEUX UNIVERS

Je suis venu au français chargé d'un lourd bagage. Instrument fragile que je peux à tout moment, soit transformer par la magie d'un autre verbe, soit enterrer sous un lourd poids de fleurs. Désormais je déambulais dans les voies tortueuses de ma langue maternelle avec une allure française qui me donnait un air docte et peu précis puisque ma précision nouvelle était d'emprunt. Il m'était devenu 5 impossible d'écrire dans deux langues. Je vivais simultanément dans deux univers, tension qui devenait parfois intolérable et, à quelques occasions, bénéfique. Écrire dans deux langues sans que l'expression dans l'une ou l'autre se transforme en réplique ou en reflet nécessitait un effort que je ne voulais consentir puisqu'il me paraissait inutile. Je ne vivais plus en Orient puisque je 10 refusais la condition d'exilé en France. Porteur d'un monde, je me sentais libre dans l'autre puisque, dès que je parvenais à l'intérioriser, sa réalité devenait seconde. Écrire en arabe perdait à mes yeux toute nécessité. Je ne pouvais plus mettre en question le besoin d'habiter l'univers français. Mais à quelle condition ? C'est à ce moment précis que le véritable voyage commence. Les sollicitations 15 se pressent, se multiplient : changer de nom, ne plus parler l'arabe, me déclarer hautement et fièrement occidental, rejeter l'Orient dans l'oubli et le mépris... C'est par respect pour le monde où je faisais mon entrée que je voulais sauvegarder de l'ancien le plus précieux, ce qui plonge dans l'intimité. On ne peut changer de langue que les yeux ouverts, en mesurant ce qu'on laisse, ce que l'on abandonne. Autrement l'on ne change pas de langue mais de 20 véhicule de conversation. On n'immigre pas d'une culture à l'autre, mais on se déplace d'une ville à une autre.

Et si l'on évite la tension, ce déplacement conduit à une perte de soi. C'est dans la tension que l'on aménage sa place dans une langue – cette terre inconnue que l'on change en la découvrant afin qu'elle ne soit pas un lieu de passage, un décor invisible, mais un lieu habité. Les langues 25 ne se superposent pas, ne cohabitent pas séparément, mais s'imbriquent l'une dans l'autre, l'une informant l'autre, la pressant de l'intérieur au point d'éclatement. Car l'homme séparé qui se choisit et s'accepte consciemment comme tel finit par vivre sous un double masque, et un masque ne protège pas seulement l'intégrité et l'intimité de l'envahissement mais jette un écran entre l'homme et la réalité. 30

Le Réel et le théâtral, Montréal, HMH, 1970.

Pistes de lecture

1. Faites le plan de cet extrait, en soulignant la logique de l'argumentation.
2. Quelle métaphore illustre le déchirement de l'auteur entre sa culture d'origine et sa culture d'adoption ?
3. Expliquez ce que l'auteur entend par « tension » et « théâtral ».
4. Comment le passage d'une langue à une autre signifie-t-il davantage qu'un simple changement linguistique ?

Au plaisir de lire

■ *Adieu Babylone*　　■ *La Reprise*　　■ *Le Repos de l'Oubli*

GÉRARD ÉTIENNE (né en 1936)

L'ABSENCE DE RAPPORTS DIALOGIQUES

Le Québec se trouve confronté à deux facteurs historiques : la résistance des Anglais à toute démarche politique visant la souveraineté politique du peuple québécois et les revendications traditionnelles des Amérindiens. Dans le premier cas, nous assistons à un conflit qui semble marquer les relations d'un groupe
5 minoritaire, relativement fort sur le plan économique, avec la société majoritaire, entendu que ce groupe minoritaire, sur le plan historique, a été toujours perçu comme un groupe colonisateur. Nous sommes donc dans une formation sociale où le facteur de domination doit être envisagé sinon comme un facteur de dissension, du moins comme une haine camouflée dans l'inconscient collectif.

10 Le deuxième cas est encore plus complexe. Même si, à un certain niveau d'analyse sociologique, les Amérindiens ont été ostracisés par le gouvernement central avec la création de réserves qui symbolisent une forme d'apartheid, donc de négation de tout rapport humain avec la société centripète, ces derniers s'opposent, eux aussi, à la dynamique québécoise relativement à la souveraineté
15 et vont même jusqu'à établir un plan de combat pour déposséder le Québec d'une bonne partie de son territoire. [...]

En ce qui concerne les groupes ethniques, les conditions requises pour leur assimilation à la société majoritaire sont loin d'être remplies à cause de la non-rationalité de la politique d'immigration canadienne. Objectivement, on peut même considérer les
20 politiciens des partis libéral et conservateur comme les alliés objectifs des Anglais et des Amérindiens, vu leur refus d'adhérer aux valeurs éthiques de la société québécoise. Autrement dit, non seulement avoue-t-on ne pas se reconnaître dans le projet politique du groupe centripète, mais on le perçoit comme l'instrument des déboires de la périphérie (chômage, ostracisme, expression de supériorité raciale). À tel point que même les enfants d'immigrés
25 voient l'*ailleurs* (le pays de leurs parents) comme le seul territoire propice à leur développement et au respect de leur identité. Il faut ajouter à tout ceci un phénomène non prévu au Québec : la poursuite, sur son territoire, de luttes politiques qui déchirent certains pays. Dans nombre de cas, le Québec est aujourd'hui perçu comme le réservoir de pulsions politiques si bien articulées que même des journalistes chevronnés n'osent enquêter soit sur des agressions qui résultent de
30 ces pulsions, soit sur une politique de désinformation pratiquée par les intégristes d'un mouvement politique ou religieux. [...] Ces conflits ne peuvent pas être maîtrisés, vu l'absence de rapports dialogiques, vu aussi l'absence d'infrastructures qui pourraient favoriser un dialogue entre cultures.

La Question raciale et raciste dans le roman québécois, Montréal, Éditions Balzac, coll. « Littératures à l'essai », 1995.

Haïtien de naissance, le romancier, poète et essayiste Gérard Étienne a émigré au Québec, pour des raisons politiques, en 1965. Depuis 1974, il travaille et vit au Nouveau-Brunswick. Dans son ouvrage *La Question raciale et raciste dans le roman québécois* (1995), il voit le Québec comme « une vaste scène où se joue un drame socio-ethnique ». Auquel, selon lui, il faudra porter une attention particulière pour éviter que ne se produisent des événements tragiques, comme il en arrive ailleurs.

Pistes de lecture

1. Quels groupes différents composent le tissu québécois ?
2. Trouvez le point de vue particulier de chacun des groupes non francophones à l'égard des francophones.
3. De quelle menace potentielle parle l'auteur ?
4. Commentez le point de vue exprimé par Gérard Étienne.

Au plaisir de lire

- *Le Nègre crucifié*
- *Une femme muette*
- *La Reine Soleil Levée*

Société pluraliste et littérature métissée   10

Encore davantage qu'au théâtre, la chanson demeure fermée aux artistes d'origine non québécoise. Serait-ce dû au fait qu'un spectacle de chansons exige immédiatement l'adhésion la plus totale des spectateurs, ce qui serait le signe que l'ouverture à l'autre connaît encore des réticences ? On a aussi tendance à oublier que la chanson des auteurs-interprètes a longtemps été au Québec un quasi-lieu d'exclusion réservé aux hommes, qui plus est, aux artistes adoptant une vision nationaliste du devenir québécois, les femmes se retrouvant surtout parmi les interprètes. Mais plusieurs indices portent à croire que dans ce domaine aussi il y a ouverture à de nouveaux horizons culturels : de nombreux chanteurs québécois portent un regard bienveillant sur l'autre, sur l'étranger venu s'établir ici ou pas, en même temps que les Kashtin, Judy Richards, Jim Corcoran et autres Émeline Michel se font une place, laborieusement mais sûrement, dans la chanson québécoise.

Photo Josée Lambert

PAULINE JULIEN (1928-1998)

Pauline Julien fut la première interprète, au Québec, à consacrer la totalité d'un spectacle aux femmes et à la condition féminine. Elle a aussi été l'une des premières à chanter l'autre. Sa chanson *L'Étranger*, écrite en 1972, permet de mesurer l'évolution du comportement social des Québécois à l'égard des immigrants.

L'ÉTRANGER

Quand j'étais petite fille
Dans une petite ville
Il y avait la famille, les amis, les voisins
Ceux qui étaient comme nous
5   Puis il y avait les autres
Les étrangers, l'étranger
C'était l'Italien, le Polonais
L'homme de la ville d'à côté
Les pauvres, les quêteux, les moins bien habillés

10   Et ma mère bonne comme du bon pain
Ouvrait sa porte
Rarement son cœur
C'est ainsi que j'apprenais la charité
Mais non pas la bonté
15   La crainte mais non pas le respect

Dépaysée, au bout du monde
Je pense à vous, je pense à vous
Demain ce sera votre tour
Que ferez-vous, que ferez-vous
20   Dépaysée, au bout du monde
Je pense à vous, je pense à vous
Demain ce sera votre tour
Que ferez-vous, que ferez-vous

Aujourd'hui l'étranger
25 C'est moi et quelques autres
Comme l'Arabe, le Noir, l'homme d'ailleurs,
L'homme de partout
C'est un peu comme chez nous
On me regarde en souriant
30 Ou on se méfie
On change de trottoir quand on me voit
On éloigne les enfants
Je suis rarement invitée à leur table

Il semble que j'aie des mœurs étranges
35 L'âme aussi noire que le charbon
Je viens sûrement du bout du monde
Je suis l'étrangère
On est toujours l'étranger de quelqu'un

Dépaysée, au bout du monde
40 Je pense à vous, je pense à vous
Demain ce sera votre tour
Que ferez-vous, que ferez-vous
Dépaysée au bout du monde
Je me prends à rêver, à rêver
45 À la chaleur, à l'amitié,
Au pain à partager, à la tendresse

Croyez-vous qu'il soit possible d'inventer un monde
Où les hommes s'aiment entr' eux
Croyez-vous qu'il soit possible d'inventer un monde
50 Où les hommes soient heureux
Croyez-vous qu'il soit possible d'inventer un monde
Un monde amoureux
Croyez-vous qu'il soit possible d'inventer un monde
Où il n'y aurait plus d'ÉTRANGER.

Dans Michel Rheault, *Les voies parallèles de Pauline Julien*, Montréal, VLB, 1993.

Pistes de lecture

1. Quel parallèle dresse l'auteure entre son enfance et aujourd'hui ?
2. Expliquez le changement de ton de la 3e strophe, qui sert aussi de refrain.
3. Montrez l'évolution dans le temps.
4. La dernière strophe vous semble-t-elle relever de l'utopie ?

Société pluraliste
et littérature métissée

Résonance

Auteur marocain immigré en France, Tahar Ben Jelloun (né en 1944) a remporté le prestigieux prix Goncourt en 1987 pour son roman *La nuit sacrée*. L'extrait suivant du roman *Les Amandiers sont morts de leurs blessures* décrit la souffrance morale liée à la solitude de l'immigrant, rejeté à cause de sa race par les habitants de son pays... d'accueil. Quel(s) lien(s) voyez-vous entre ce texte et la chanson *L'Étranger* de Pauline Julien ?

LES AMANDIERS SONT MORTS DE LEURS BLESSURES

Il a la peau brune, des cheveux crépus, de grandes mains calleuses noircies par le travail. Son visage sourit et son front dessine des rides serrées. Il a quarante ans, peut-être moins.

Cet homme, habillé de gris, a pris le métro à la station Denfert-Rochereau, direction Porte-de-la-Chapelle.

D'où vient-il ? Peu importe ! Son visage, ses gestes, son sourire disent assez qu'il n'est pas d'ici. Ce n'est pas un touriste non plus. Il est venu d'ailleurs, de l'autre côté des montagnes, de l'autre côté des mers. Il est venu d'une autre durée, la différence entre les dents. Il est venu seul. Une parenthèse dans sa vie. Une parenthèse qui dure depuis bientôt sept ans. Il habite dans une petite chambre, dans le dix-huitième. Il n'est pas triste. Il sourit et cherche parmi les voyageurs un regard, un signe.

Je suis petit dans ma solitude. Mais je ris. Tiens, je ne me suis pas rasé ce matin. Ce n'est pas grave. Personne ne me regarde. Ils lisent. Dans les couloirs, ils courent. Dans le métro, ils lisent. Ils ne perdent pas de temps. Moi, je m'arrête dans les couloirs. J'écoute les jeunes qui chantent. Je ris. Je plaisante. Je vais parler à quelqu'un, n'importe qui. Non. Il va me prendre pour un mendiant. Qu'est-ce qu'un mendiant dans ce pays ? Je n'en ai jamais vu. Des gens descendent, se bousculent. D'autres montent. J'ai l'impression qu'ils se ressemblent. Je vais parler à ce couple. Je vais m'asseoir en face de lui, puisque la place est libre, et je vais lui dire quelque chose de gentil : Aaaaa... Maaaaa... Ooooo...

Ils ont peur. Je ne voulais pas les effrayer. La femme serre le bras de son homme. Elle compte les stations sur le tableau. Je leur fais un grand sourire et je reprends : Aaaaa... Maaaaa... Ooooo... Ils se lèvent et vont s'installer à l'autre bout du wagon. Je ne voulais pas les embêter. Les autres voyageurs commencent à me regarder. Ils se disent : quel homme étrange ! D'où vient-il ? Je me tourne vers un groupe de voyageurs. Rien sur le visage. La fatigue. Je gesticule. Je souris et leur dis: Aaaaa... Maaaaa... Ooooo... Il est fou. Il est saoul. Il est bizarre. Il peut être dangereux. Inquiétant. Quelle langue est-ce ? Il n'est pas rasé. J'ai peur. Il n'est pas de chez nous, il a les cheveux crépus. Il faut l'enfermer.

Qu'est-ce qu'il veut dire ? Il ne se sent pas bien. Qu'est-ce qu'il veut ?

Rien. Je ne voulais rien dire. Je voulais parler. Parler avec quelqu'un. Parler du temps qu'il fait. Parler de mon pays ; c'est le printemps chez moi ; le parfum des fleurs ; la couleur de l'herbe ; les yeux des enfants ; le soleil ; la violence du besoin ; la misère que j'ai fuie. On irait prendre un café, échanger nos adresses...

Tahar Ben Jelloun, *Les Amandiers sont morts de leurs blessures*, Éditions Maspéro, Paris, 1976.

MICHEL RIVARD (né en 1951)

C'EST UN MUR

C'est un mur qui se dresse entre un homme et sa sœur
Quand la peau s'est trompée de couleur
Il est froid comme la guerre il est vieux comme la terre
C'est un mur entre un homme et sa sœur

5 Dans les villes où la peur est l'arme des puissants
Il se dresse entre l'homme et l'enfant
Il est froid comme la guerre il est vieux comme la terre
C'est un mur entre l'homme et l'enfant

Nous qui ne sommes pourtant...

10 Ni tout à fait Noirs
Ni tout à fait Blancs
Partout pareils
Sous le vent...
Ni tout à fait Noirs
15 Ni tout à fait Blancs
Partout pareils
Dans le sang

C'est un mur qui se dresse en dehors de l'amour
Tapissé d'appels au secours
20 Il est froid comme le fer il est partout sur terre
C'est un mur en dehors de l'amour

Dans un monde où la peur est l'arme des puissants
Il nous cache la lumière du cœur
Il est froid comme le fer il est partout sur terre
25 C'est un mur entre une femme et son frère

Nous qui ne sommes pourtant...

Ni tout à fait Noirs
Ni tout à fait Blancs
Partout pareils
30 Sous le vent...
Ni tout à fait Noirs
Ni tout à fait Blancs
Partout pareils
Dans le sang...

Un trou dans les nuages, Montréal, Les Éditions Sauvages, 1987.

Michel Rivard chante aussi bien en solo qu'avec le groupe Beau Dommage. Son talent exceptionnel en fait l'un des plus importants auteurs-compositeurs-interprètes de sa génération. Chez lui, qualité et innovation vont de pair, et chaque nouveau spectacle se veut une fête pour l'oreille et l'intelligence. Sa chanson *C'est un mur* traite du racisme qui isole.

Pistes de lecture

1. Relevez les images et commentez-les.
2. Montrez l'opposition entre le présentatif « c'est » et le pronom « nous ».
3. En quoi l'image du mur est-elle en totale négation avec le thème du poème de Gérald Godin ?

Ponopresse

JIM CORCORAN /
JAMES CORCORAN (né en 1949)

Jim Corcoran, anglophone d'origine irlandaise, a commencé à chanter en français en 1971. Lui dont le français n'est pas la langue maternelle se plaît à jouer avec les sons et les mots, pour en actualiser tous les possibles. Il arrive à une telle maîtrise de sa langue d'adoption qu'il se permet de donner une leçon de français aux Québécois francophones avec sa chanson *Je me tutoie*, où il ne craint pas de créer de nombreux néologismes.

JE ME TUTOIE

Je me tutoie depuis déjà longtemps
Je me serre, je me sors
Je me berce, je me borde
Et j'm'endors

5 Fatigué de moi je rêve à toi
Je te majuscule
Je te point d'exclame
Je te vouvoie

Mais lorsque je nous trait d'union
10 Ça me réveille
Or je me minuscule
J'me rendors
Point

Corcoran, Gog and Magog Music, 1994.

Pistes de lecture

1. Quels néologismes sont contenus ici ?
2. Expliquez le jeu de mots du titre. Trouve-t-il des échos dans la chanson ?
3. Quelle peut être l'intention de l'auteur ?

QUESTIONS DE SYNTHÈSE

1. Prouvez que la quête des Antonio D'Alfonso et Émile Ollivier est comparable à celle des auteurs du « pays convergent ».

2. Peut-on affirmer que la poésie d'Anne-Marie Alonzo s'inscrit dans le courant de la transgression, au même titre que les écrits de Madeleine Gagnon et Nicole Brossard (chapitre 8) ?

3. Comparez le traitement réservé aux enfants chez Marie-Claire Blais et Réjean Ducharme (chapitre 7), Daniel Gagnon (chapitre 8) et Sylvain Trudel.

4. Faites la preuve que Dany Laferrière et Ying Chen auraient aussi leur place dans le chapitre précédent (Intimité et pragmatisme).

5. Comparez les écrits de Jacques Cartier (chapitre 1) et de Paul Zumthor, en faisant la preuve que seul le deuxième peut revendiquer le titre d'écrivain.

6. Prouvez que pour Abla Farhoud et Émile Ollivier comme pour Gilles Vigneault (chapitre 7) le seul véritable pays est intérieur.

7. Comparez le traitement du thème de l'errance dans les textes d'Émile Ollivier et d'Abla Farhoud.

8. Peut-on qualifier le poème de Gérald Godin et la chanson de Michel Rivard de textes humanistes ?

9. À l'aide des textes de Ying Chen et de Marco Micone, prouvez que les auteurs issus des communautés culturelles jettent un éclairage original sur la société québécoise.

10. Commentez :
   ▷ La question de l'appartenance est au centre des préoccupations des écrivains néo-québécois.
   ▷ Les néo-Québécois qui écrivent au théâtre produisent des œuvres surtout didactiques.
   ▷ Nous assistons présentement à une « déterritorialisation » du roman québécois.
   ▷ Les écrivains néo-québécois revendiquent l'intégration mais non l'assimilation au milieu francophone.
   ▷ Pour les Québécois, la découverte de soi passe par la découverte des autres.
   ▷ « Écrire c'est immigrer. » (Jacques Godbout)
   ▷ La littérature des néo-Québécois est d'abord intuitive et personnelle.
   ▷ À partir de 1980, les écrivains se font les passeurs d'une nouvelle identité culturelle.
   ▷ Le nationalisme n'est plus territorial mais culturel.

TABLEAU SYNTHÈSE

1. La société québécoise connaît actuellement une importante mutation : celle du multiculturalisme. Les Québécois, peuple qui se caractérisait autrefois par une certaine homogénéité culturelle, acceptent maintenant de redéfinir les termes de leur identité. Le Québec adopte de plus en plus les traits d'une société métissée.

2. Les écrivains d'origine québécoise font éclater les frontières de l'imaginaire. De plus en plus d'œuvres se déroulent hors du Québec. Le personnage de l'étranger se fait de plus en plus présent dans la littérature.

3. Des auteurs issus des communautés culturelles adoptent la culture francophone. Ils abordent les thèmes de l'errance, de l'appartenance à leur culture d'origine, et témoignent des difficultés inhérentes à leur condition d'immigrants.

4. Les écrivains de ce courant se font les prophètes d'un Québec nouveau, fondé sur l'intégration de nouvelles cultures venant renouveler l'imaginaire d'ici.

L'ANALYSE LITTÉRAIRE

I – Définition

L'analyse littéraire est l'étude des procédés d'écriture d'une oeuvre, qui permet de cerner et d'approfondir son propos ; par là, elle aide à comprendre l'effet d'ordre esthétique produit sur le lecteur. Cet exercice porte plus particulièrement sur la forme du texte et son aptitude à éclairer le sens ou le fond.

Ses caractéristiques sont les suivantes :
– Elle porte sur des textes brefs (un poème ou un court extrait de roman, de pièce de théâtre, etc.)
– Elle est construite autour d'un plan de rédaction.
– Elle est structurée de la manière suivante : introduction, développement, conclusion.
– Elle est rédigée dans un français correct.
– Elle n'est ni un résumé, ni une analyse mot à mot du texte, ni un jugement de valeur sur le texte.

2 – Préparation

Lecture du texte

On ne saurait sous-estimer cette étape dans la préparation de l'analyse. Il convient de lire attentivement le texte à plusieurs reprises afin de s'en imprégner. L'idéal est de procéder d'abord à une première lecture, sans idées préconçues sur le texte. Une fois cette première étape complétée, on rédige une « fiche signalétique » de l'extrait (voir le point A de la Grille d'analyse, p. 310).

Élaboration du plan de l'analyse

C'est l'association entre le thème (le fond) et les procédés littéraires (la forme) qui fournit la matière de l'analyse.

Toutes les recherches doivent converger vers la rédaction d'un plan détaillé de l'analyse littéraire.

Pour y arriver, on aura intérêt à suivre les autres étapes proposées par la Grille d'analyse.

La rédaction de l'analyse

L'expression « analyse littéraire » désigne précisément le texte écrit qui vient compléter l'étude.

La rédaction doit respecter les principes de base énoncés plus haut :
– On doit suivre rigoureusement le plan annoncé dans l'introduction (on peut modifier le plan durant la rédaction du brouillon).
– L'analyse comporte une introduction (environ 15 % du texte), un développement (environ 70 % du texte) et une conclusion (environ 15 % du texte).

– Le style de l'analyse doit être discursif : objectif, neutre et axé sur l'enchaînement des idées. On évitera donc les jugements de valeur, les commentaires personnels, de même que l'emploi du « je » et du « nous ». C'est le style de tous les travaux reliés à l'atteinte de la compétence de chacun des ensembles de cette séquence.

LA DISSERTATION

I – Définition

Il ne s'agit plus d'analyser une oeuvre littéraire, mais plutôt, à l'aide de textes littéraires, d'expliquer le jugement proposé dans l'énoncé du sujet et d'en montrer le bien-fondé. Sont donc exclus ici la discussion, la critique et l'expression d'un jugement personnel.

Caractéristiques de la dissertation :
– Elle propose une affirmation avec laquelle on doit être obligatoirement d'accord. Cette affirmation sera habituellement accompagnée d'une des consignes suivantes : illustrez, montrez, expliquez, prouvez, etc.
– Elle est construite autour d'un plan de rédaction.
– Elle est structurée de la manière suivante : introduction, développement, conclusion.
– Elle est rédigée dans un français correct.

2 – Préparation de la dissertation

Analyse du sujet

Il s'agit d'une étape cruciale qui, souvent, détermine la réussite même du travail. Le sujet est le coeur de la dissertation. Il faut donc être en mesure de bien comprendre ce qu'il faut faire. Souvent, l'analyse du sujet est précieuse dans la mesure où elle suggère un plan préliminaire de rédaction.

Pour analyser le sujet, on peut se poser les questions suivantes :
– Quels sont les mots importants de la question ?
– Quel est le sens de la consigne : de quoi doit-on parler ?
– Comment doit-on en parler ? (ce qui est indiqué par les verbes eux-mêmes : montrez, prouvez, expliquez, etc.)
– Peut-on déceler un plan de rédaction dans la formulation du sujet ?

Une fois qu'il a répondu à ces questions, l'élève reformule la question dans ses propres mots.

La collecte des idées et des faits

Il ne faut jamais perdre de vue que cette dissertation demande un accord total avec le sujet proposé. On cherche donc uniquement des faits et des idées qui appuient ce sujet ; dans le texte final de la dissertation, rien ne doit venir jeter le doute sur l'hypothèse de départ, sinon c'est tout le système d'argumentation qui s'écroule.

Les faits et idées proviennent essentiellement du ou des textes à l'étude. On les lit donc attentivement, crayon en main, en prenant soin de noter le moindre passage qui peut contribuer à prouver le sujet. Une manière particulièrement efficace de recueillir l'information consiste à soumettre les textes étudiés à la Grille d'analyse (voir p. 310).

Regroupement des informations et élaboration du plan

Une fois terminée la collecte des faits, idées et citations, vient l'étape du plan. Comme on l'a signalé plus haut, le sujet suggère souvent le plan de la rédaction. Un principe de base à respecter : le plan doit être cohérent et progressif. Il doit cheminer vers l'idée la plus importante, celle qui a le plus de poids dans la démonstration du sujet.

La rédaction

Les principes de base de la rédaction de l'analyse littéraire s'appliquent également à la dissertation :
– On doit respecter intégralement son plan. Tout écart par rapport au plan constitue une rupture du contrat posé avec le lecteur.
– L'analyse comporte une introduction (environ 10 % du texte), un développement (environ 80 % du texte) et une conclusion (environ 10 % du texte).
– Le style est celui de l'analyse littéraire (voir précédemment).

LA DISSERTATION CRITIQUE (OU ESSAI CRITIQUE)

I – Définition

Alors que la précédente dissertation se voulait explicative et visait à la démonstration et à l'illustration du bien-fondé de la vérité contenue dans l'énoncé du sujet, la dissertation critique (ou essai critique) est un texte critique qui demande de prendre personnellement position par rapport à l'énoncé de la question. Ici, l'orientation critique se double de la volonté de persuader.

L'essentiel du travail consiste donc à bâtir un système d'argumentation, à partir de textes littéraires afin de convaincre le lecteur de la justesse de son point de vue.

Caractéristiques de la dissertation critique (ou essai critique) :
– Elle propose une affirmation qui doit amener un jugement, une prise de position. Cette affirmation est habituellement accompagnée d'une consigne (critiquez, commentez, discutez, etc.) ou sera exprimée sous la forme d'une question (peut-on dire que, est-il juste d'affirmer que, pensez-vous que, etc.).
– Elle est construite autour d'un plan de rédaction.
– Elle est structurée de la manière suivante : introduction, développement, conclusion.
– Elle est rédigée dans un français correct.

2 – Préparation

Analyse du sujet

Les mêmes consignes données précédemment pour la dissertation s'appliquent ici. Toutefois, comme l'essai nous demande une prise de position, il faut que la préparation du travail soit orientée autour d'une hypothèse de travail. Cette hypothèse, qui pourra être remise en question par la suite, nous permet d'amorcer la recherche.

On peut commencer par se poser les questions suivantes :
– Quel est le sens de la consigne ?
– Quels sont les mots importants du sujet ?
– Quel est le problème à résoudre ?
– Quelle est votre opinion préliminaire sur la question ?
– Peut-on déceler un plan de rédaction dans la formulation du sujet ?

Une fois cette étape terminée, on est en mesure de proposer un début de réponse à la problématique du sujet.

La collecte des idées et des faits

On doit cette fois chercher des faits et des idées qui permettent de vérifier l'hypothèse de départ. Il se peut qu'une lecture attentive du texte vienne contredire cette hypothèse. Peu importe, car on n'en est encore qu'à l'étape de la recherche et le plan de rédaction n'est pas encore rédigé.

La recherche des faits et idées s'effectue essentiellement de la même manière que pour la dissertation. On procède à une lecture attentive de l'oeuvre, crayon en main, et on note, sur des fiches, les citations les plus éclairantes. Une manière particulièrement efficace de recueillir l'information, si l'essai porte sur des textes brefs, consiste à appliquer la Grille d'analyse (voir p. 310).

Regroupement des informations et élaboration du plan

Alors que le plan de la dissertation était suggéré par l'énoncé de la question, celui de de la dissertation critique (ou essai) dépend de la prise de position qu'on a personnellement adoptée après la recherche et l'analyse des oeuvres.

Il ne faut pas oublier que le plan doit être progressif. Il doit cheminer vers l'idée la plus importante, celle qui a le plus de poids dans la démonstration du sujet.

La rédaction

Les principes de base de la rédaction de l'analyse littéraire et de la dissertation s'appliquent également à la dissertation critique (ou essai critique) :
– On doit respecter intégralement son plan. Tout écart par rapport au plan constitue une rupture du contrat posé avec le lecteur.
– L'analyse comporte une introduction (environ 10 % du texte), un développement (environ 80 % du texte) et une conclusion (environ 10 % du texte).
– Le style de la dissertation critique (ou essai critique) doit être discursif (voir le style de l'analyse littéraire).

A. La rédaction de la « fiche signalétique » du texte étudié

- ► S'agit-il d'un extrait ou d'une œuvre complète ?
- ► Est-ce écrit en vers ou en prose ?
- ► Quelles sont les caractéristiques de sa forme ou de sa structure ?
- ► Trouve-t-on des particularités typographiques (majuscules, italiques, etc.) ?
- ► À quel genre littéraire appartient-il (roman, poésie, théâtre, etc.) et quels traits y reconnaît-on ?
- ► De quel type de texte s'agit-il (narration, dialogue, description, portrait, argumentation, injonction, etc.) ?
- ► Appartient-il au domaine du vrai, du vraisemblable, du merveilleux, du fantastique ou de la science-fiction ?
- ► Le titre est-il révélateur ? Est-ce le titre d'origine ?
- ► De prime abord, à quel courant littéraire se rattache-t-il ?
- ► Pourriez-vous, dès maintenant, indiquer les principales étapes de l'enchaînement ou des idées ?
- ► A priori, quels vous semblent être le sujet et les principaux thèmes ?

B. Le réseau du sens

Les personnages

a) Qui parle : l'auteur, le narrateur ou un personnage ?
  ▷ Repérez la première personne des pronoms et des adjectifs.
b) À qui parle-t-on ?
  ▷ Repérez la 2ᵉ personne.
c) De qui parle-t-on ?
  ▷ Dressez la liste de tous les êtres animés cités dans le texte.

L'espace et le temps

a) L'espace
   – L'espace ou le cadre physique
     ▷ Relevez les mots qui désignent des lieux ou un décor.
   – Le cadre moral (traditions, coutumes, éducation, religion, etc.)
     ▷ Relevez-en les marques.
b) Le temps
   ▷ Notez le temps des verbes (passé, présent, futur)
   ▷ Relevez les mots qui fournissent une indication temporelle : temps du récit et temps sociohistorique.

Les mots et les thèmes

- ► Trouvez le sens contextuel des principaux mots.
- ► Y a-t-il des archaïsmes ou des néologismes ? Des termes techniques ou spécialisés ?
- ► Quels niveaux de langue sont utilisés ?
- ► Quels mots sont répétés ?
- ► Quels mots forment un jeu d'oppositions ?
- ► Formez des champs lexicaux (mots regroupés autour d'une même notion).
- ► Départagez le thème principal des thèmes secondaires.

N.B. : La suite de l'analyse devra porter sur l'accord entre le sens et la forme, la complémentarité entre la matière et la manière, gage de la qualité littéraire.

C. L'organisation syntaxique (y compris la ponctuation)

▸ Relevez et analysez les marques de la syntaxe qui ont un rapport avec le sens.
1. Groupez les verbes selon leur mode verbal et tirez-en les conclusions.
2. Commentez la composition des phrases (nominales, verbales, complexes, incomplètes, etc.).
3. Utilise-t-on la syntaxe de l'oral ou celle de l'écrit ?
4. Y a-t-il des inversions dans l'ordre des mots ?
5. Relevez les particularités de la ponctuation et expliquez leur effet.
6. Commentez en une phrase l'organisation syntaxique du texte.

D. Le réseau de l'image ou la symbolique

▸ Relevez les images poétiques (ou figures de style) et commentez leur lien avec le sens.
1. Figures par RESSEMBLANCE entre deux mots
   a) La *comparaison* : à l'aide d'un outil comparatif, elle rapproche deux éléments ayant une relation intelligible.
   Ex. : Le *papillon* est comme une *fleur* sans tige.
   b) La *métaphore* : elle est une comparaison sans outil comparatif.
   Ex. : Le papillon est une *fleur sans tige*.
   c) L'*allégorie* : elle exprime une idée abstraite ou un sentiment au moyen d'une image concrète.
   Ex. : Il n'y a pas de moisson sans culture (pour rendre l'idée qu'il n'y a pas de réussite sans travail).
   d) La *personnification* : elle attribue à une chose inanimée des caractéristiques humaines.
   Ex. : « Et toi, Terre de Québec, *Mère Courage* » (Gaston Miron).
2. Figures par CORRESPONDANCE ou substitution d'un mot par un autre ou par une expression
   a) La *métonymie* : elle remplace un mot par un autre, auquel il est relié par un rapport de nécessité (le contenant et le contenu, l'effet et la cause, le symbole et le réel, le métier et l'instrument, le producteur et le produit, l'abstrait et le concret, etc.).
   Ex. : Boire un *verre* en lisant un *Ducharme* après avoir admiré un *Riopelle*.
   b) La *synecdoque* : c'est une métonymie qui prend la partie pour le tout, le singulier pour le pluriel, le matériau pour l'objet, l'espèce pour le genre. Ici les deux termes ne pourraient pas exister l'un sans l'autre.
   Ex. : On voit déjà les premières *voiles* (= navires).
   Le *Québécois* est un bon vivant (= les Québécois).
   c) L'*ironie* : aussi appelée antiphrase, elle remplace un mot ou une locution par son contraire.
   Ex. : C'est du *joli* ! (= une maladresse).
   Belle *réussite* ! Il te faut tout reprendre !
   d) La *périphrase* : elle remplace un mot par sa définition.
   Ex. : J'aime me rendre dans la *vieille capitale* (= Québec).
   e) L'*euphémisme* : il atténue un mot susceptible d'être désagréable.
   Ex. : Les *gens du bel âge* aiment voyager (= les vieux).
3. Figures par CONTRASTE ou opposition entre deux mots
   a) L'*antithèse* : elle oppose deux mots l'un à l'autre.
   Ex. : « Oh ! si *gai*, que j'ai peur d'éclater en *sanglots* ! » (Émile Nelligan)
   b) L'*oxymore* : il associe deux mots qui s'opposent par leur sens.
   Ex. : *Beau dommage* qu'il est *bien mal* parti !

4. Figures par INSISTANCE
   a) L'*hyperbole* : exagération dans la description d'une idée, d'un objet, d'une personne.
      Ex. : Je me *tue* à vous le répéter.
   b) Le *pléonasme* : il répète ce qui vient d'être énoncé.
      Ex. : « Ah ! comme la *neige* a *neigé* ! » (Émile Nelligan)
   c) La *gradation* : elle énonce des termes dans une progression le plus souvent ascendante.
      Ex. : Hurler de *douleur*, de *rage*, de *désespoir*, de *terreur*.
5. Figure par OMISSION
   L'*ellipse* : omission des mots non nécessaires à la compréhension du texte
   Ex. : « Suis allé au bois. » [absence du pronom] (Frère Marie-Victorin)

E. Le réseau du rythme ou la musicalité

▸ Interrogez-vous sur la valeur (significative, expressive, ornementale, etc.) des effets rythmiques.

1. Les particularités des *vers* (longueur), des *strophes* (nombre de vers) et de l'*ensemble formel* en poésie, et celles des *paragraphes* en prose.

2. La répétition des *sons*
   a) La *rime* : même sonorité à la fin de deux vers.
   b) L'*allitération* : la répétition significative d'un même son. Si le son répété est une voyelle, on parlera plutôt d'*assonance*.
      Ex. : « C'est le règne du *ri*re ame*r* et de la *r*age » (Émile Nelligan).
   c) La *paronomase* : la répétition d'une même syllabe dans des mots différents.
      Ex. : « *Moelleu*sement étendu (...) un sourire m*ielleu*x » (Rodolphe Girard).
   d) L'*anaphore* : la répétition d'un mot en tête de plusieurs vers.
      Ex. : « Voici que...
             Voici que... »
   e) Le *calembour* : un jeu de mots basé sur une similitude de sons et une différence de sens.
      Ex. : « C'était vraiment la fran*caco*phonie ! » (Sol)

3. La répétition des *mots*, des *expressions*, des *vers* ou des *phrases*, de même que le recours au *leitmotiv* et au *refrain*.

4. Le *rejet* et l'*enjambement* : quand une phrase syntaxique ne cadre pas avec le vers, mais déborde dans le vers suivant.

F. Questions portant sur l'ensemble du texte

1. Quelle *intention* traduit ce *texte* (esthétique, morale, philosophique, religieuse, scientifique, etc.) ?

2. Quelle est la *dominante tonale* (comique, pathétique, tragique, lyrique, épique, fantastique, etc.) ?

3. Quelle est la *vision du monde* (et l'*intention* particulière) de l'*auteur* ?

4. Trouvez les indices de conformité ou d'écart de ce texte par rapport au courant littéraire auquel vous l'avez associé.

G. La rédaction d'un *plan* (en vue d'une analyse orale ou écrite)

▸ Autour du fil conducteur des thèmes
   – regroupez les constantes ou les principaux centres d'intérêt (stylistique ou autres) découverts au cours de votre étude ;
   – agencez-les sous la forme d'un plan qui rendrait compte de la valeur et de l'intérêt du texte analysé, résidant dans la complémentarité entre le fond et la forme.

BIBLIOGRAPHIE SOMMAIRE

Ouvrages généraux et études

- **Arguin, Maurice**, *Le Roman québécois de 1944 à 1965*, Montréal, L'Hexagone, coll. « *CRELIQ* », 1989.
- **Beaudoin, Réjean**, *Le Roman québécois*, Montréal, Boréal, coll. « *Boréal Express* », 1991.
- **Bessette, Gérard** et **Lucien Geslin**, **Charles Parent**, *Histoire de la littérature canadienne-française par les textes*, Montréal, Centre éducatif et culturel, 1968.
- **Bourassa, André-G.**, *Surréalisme et littérature québécoise, Histoire d'une révolution culturelle*, Montréal, Typo, 1986.
- **Centre des auteurs dramatiques**, Répertoire du, *Théâtre québécois : 146 auteurs, 1067 pièces résumées*, Montréal VLB éditeur/CEAD, 1994.
- **Dionne, René** (sous la direction de) *Le Québécois et sa littérature*, Sherbrooke, Éditions Naaman, 1984.
- **En coll.**, *Le Roman Contemporain au Québec (1960-1985)*, Montréal, Fides, coll « Archives des lettres canadiennes, tome VIII », 1992.
- **Giroux, Robert** et **Constance Havard**, **Rock LaPalme**, *Le Guide de la chanson québécoise*, Montréal/Paris, Triptyque/Syros/Alternatives, 1991.
- **Godin, Jean-Cléo** et **Laurent Mailhot**, *Le Théâtre québécois*, 2 volumes, Montréal, Hurtubise/HMH, 1970 et 1980.
- **Grandpré, Pierre de**, *Histoire de la littérature française du Québec*, 4 tomes, Montréal, Beauchemin, de 1967 à 1969.
- **Hamel, Réginald** et **John Hare**, **Paul Wyczynski**, *Dictionnaire des auteurs de langue française en Amérique du Nord*, Montréal, Fides, 1989.
- **Kwaterko, Józef**, *Le Roman québécois de 1960 à 1975. Idéologie et représentation littéraire*, Longueuil, Éditions du Préambule, 1989.
- **Lemire, Maurice** (sous la direction de) *Dictionnaire des oeuvres littéraires du Québec*, 6 tomes, Montréal, Fides, de 1978 à 1994.
- **Mailhot, Laurent**, *La Littérature québécoise*, Paris, PUF, coll. « Que sais-je ? », 1974.
- **Marcotte, Gilles**, *Le Temps des poètes*, Montréal, HMH, 1969.
- **Marcotte, Gilles**, *Une littérature qui se fait*, Montréal, HMH, 1962.
- **Marcotte, Gilles**, *Littérature et circonstances*, Montréal, L'Hexagone, 1989.
- **Milot, Pierre**, *La Camera obscura du postmodernisme*, Montréal, L'Hexagone, 1988.
- **Milot, Louise** et **Joap Lintvelt**, *Le Roman québécois depuis 1960. Méthodes et analyses*, Québec, PUL, 1992.
- **Morency, Jean**, *Le Mythe américain dans les fictions d'Amérique, de Washington Irving à Jacques Poulin*, Québec, Nuit blanche Éditeur, 1994.
- **Nepveu, Pierre**, *L'Écologie du réel. Mort et naissance de la littérature québécoise*, Montréal, Boréal, 1988.
- **Pascal, Gabrielle** (sous la direction de), *Le Roman québécois au féminin (1980-1995)*, Montréal, Triptyque, 1995.
- **Paterson, Janet M.**, *Moments postmodernes dans le roman québécois*, Ottawa, Les Presses de l'Université d'Ottawa, 1993.

- **Przychodzen, Janusz**, *Un projet de* Liberté. *L'essai littéraire au Québec* (1970-1990), Québec, IQRC, coll. « Edmond-de-Nevers N° 12 », 1993.
- **Royer, Jean**, *Introduction à la poésie québécoise*, Montréal, Bibliothèque québécoise, 1989.
- **Servais-Maquoi, Mireille**, *Le Roman de la terre au Québec*, Québec, PUL coll. « Vie des lettres québécoises », 1974.
- **Tremblay-Matte, Cécile**, *La Chanson écrite au féminin (1730-1990), de Madeleine de Verchères à Mitsou*, Laval, Éditions Trois, 1990.

Anthologies

- **Boismenu, Gérard** et **Laurent Mailhot, Jacques Rouillard**, *Le Québec en textes. Anthologie 1940-1986*, Montréal, Boréal, 1986.
- **Bosquet, Alain**, *Poésie du Québec*, Paris/Montréal, Seghers/HMH, 1962.
- **Brossard, Nicole** et **Lisette Girouard**, *Anthologie de la poésie des femmes au Québec*, Montréal, Éditions du Remue-ménage, 1991.
- **Caccia, Fulvio** et **Antonio D'Alfonso**, *Quêtes. Textes d'auteurs italo-québécois*, Montréal, Éditions Guernica, 1983.
- **Chamberland, Roger** et **André Gaulin**, *La Chanson québécoise, de la Bolduc à aujourd'hui*, Québec, Nuit blanche Éditeur, 1994.
- **Francoeur, Lucien**, *Vingt-cinq poètes québécois 1968-1978*, Montréal, L'Hexagone, 1990.
- **Fredette, Nathalie**, *Montréal en prose, 1892-1992*, Montréal, L'Hexagone, 1992.
- **Gauvin, Lise** et **Gaston Miron**, *Écrivains contemporains du Québec*, Paris, Seghers, 1989.
- **Hare, John**, *Anthologie de la poésie québécoise du XIXe siècle*, (1790-1890), Montréal, Cahiers du Québec/Hurtubise HMH, 1979.
- **Le Bel, Michel** et **Jean-Marcel Paquette**, *Le Québec par ses textes littéraires (1534-1976)*, Montréal, Éditions France-Québec/Fernand Nathan, 1979.
- **Mailhot Laurent** avec la collaboration de **Benoît Melançon**, *Essais québécois 1837-1983*. Montréal, Hurtubise/HMH, coll. « Textes et documents littéraires », 1984.
- **Mailhot Laurent** et **Doris-Michel Montpetit**, *Monologues québécois 1890-1980*, Montréal, Leméac, 1980.
- **Mailhot Laurent** et **Pierre Nepveu**, *La Poésie québécoise des origines à nos jours*, Montréal, L'Hexagone, coll. « Typo », 1986.
- **Marcotte, Gilles** (sous la direction de), *Anthologie de la littérature québécoise*, 4 tomes, Montréal, La Presse, de 1978 à 1980.
- **Renaud, André**, *Recueil de textes littéraires canadiens-français*, Montréal, Éditions du Renouveau Pédagogique, 1968.
- **Royer, Jean**, *La Poésie québécoise contemporaine*, Montréal/Paris, L'Hexagone/La Découverte, 1987.

INDEX SOMMAIRE DES NOTIONS LITTÉRAIRES

A

Absurde, 183, 255
Allégorie, 30, 60, 311
Allitération, 87, 101, 138, 209, 282, 312
Américanité, 179, 204, 246, 247
Anachronisme, 185
Analyse littéraire, 15, 306
Anaphore, 205, 312
Antiphrase, 311
Anti-terroir, 67, 76
Antithèse, 46, 52, 101, 264, 311
Archaïsme, 216, 310
Argumentation, 115, 298, 307, 308, 310
Assonance, 312
Automatisme, 120, 135, 139, 141, 145, 146, 205
Autoreprésentation, 210

C

Calembour, 312
Classicisme, 24, 50, 64
Comique, 126, 134, 312
Comparaison, 37, 59, 62, 87, 224, 267, 311
Contraste (figure par), 311
Correspondance (figure par), 311
Courant littéraire, 3, 136, 199, 216, 220, 234, 264, 310, 312

D

Didascalie, 256
Dissertation, 307
Dissertation critique, 308
Dominante tonale, *voir* Tonalité

E

École littéraire, 3, 7
Écrits coloniaux, 11, 24, 152
Ellipse, 191, 312
Enjambement, 312
Énumération, 63, 153, 183
Épique, 312
Essai, *voir* Dissertation critique
Esthétique, 58, 67, 135
Euphémisme, 15, 237, 311

Existentialisme, 128, 146
Exotisme, 67, 76, 77, 94, 116

F

Fantastique, 35, 36, 40, 45, 210, 310, 312
Féminisme, 201, 202, 209, 218, 223, 232, 234, 240, 249
Fiche signalétique, 306, 310
Formalisme, 202, 240

G

Gradation, 85, 312
Grille d'analyse, 306, 307, 309, 310

H

Humour, 34, 46, 81, 215, 232, 248, 252, 293
Hyperbole, 45, 87, 312
Hyperréalisme, 255

I

Idéalisation, 63, 67, 73, 75, 82, 83, 86
Idéalisme, 69, 97, 109, 116, 175, 254, 270
Insistance (figure par), 312
Intention de l'auteur, 63, 76, 86, 153, 203, 208, 215, 228, 233, 265, 279, 304, 312
Intertextualité, 202, 210, 214
Inversion, 223, 311
Ironie, 14, 121

J

Joual, 150, 169, 187, 228

L

Langue, niveau de, 31, 38, 73, 126, 182, 193, 212, 215, 217, 219, 227, 249, 256, 284, 310
Littérature agriculturiste, 72, 83, 96
Littérature migrante, 274, 275
Littérature orale, 27, 32, 35, 40
Lyrique, 312
Lyrisme, 30, 152, 159, 168, 214, 239, 240, 250, 259

M

Merveilleux, 152, 288, 310

Métaphore, 50, 52, 60, 62, 69, 70, 153, 157, 179, 267, 298, 311
Métonymie, 70, 311
Modernité littéraire, 98, 201, 208, 210, 234
Mouvement littéraire, 3
Multiculturalisme, 305
Musicalité, *voir* Sonorité

N

Nationalisme, 58, 234, 237
Naturalisme, 44, 78, 80, 85, 120
Néologisme, 254, 310

O

Omission (figure par), 312
Opposition, 75, 81, 99, 286, 297, 303, 310, 311
Oxymore, 87, 311

P

Parnasse, 69, 70, 76, 77
Paronomase, 312
Pathétique, 312
Patriotisme, 28, 43, 58, 62, 64, 67, 88, 89, 123
Périphrase, 241, 311
Personnification, 311
Plan, 306, 307, 308, 309, 312
Pléonasme, 87, 312
Pluralisme, 273
Ponctuation, 36, 76, 206, 282, 311
Postmodernité, 201, 236

R

Réalisme, 34, 44, 69, 81, 84, 85, 119, 120, 122, 125, 140, 173, 174, 248, 258
Récit parodique, 210
Redondance, 104
Régionalisme, 67, 71, 83, 90, 93
Rejet, 312
Renaissance, 11, 24
Répétition, 50, 91, 101, 103, 141, 159, 195, 264, 280, 312
Réseau de l'image, 311
Réseau du rythme, 312
Réseau du sens, 310

Ressemblance (figure par), 311
Rime, 53, 62, 72, 76, 101, 192, 312
Roman policier, 210
Romantisme, 43, 44, 45, 47, 48, 49, 50, 51, 52, 53, 54, 58, 59, 61, 62, 64, 69, 101
Rythme, 53, 112, 173, 192, 219, 243, 286, 312

S

Satire, 123, 133, 173, 185
Science-fiction, 210, 310
Sonorité, 76, 77, 99, 242, 243, 265, 312
Surréalisme, 76, 120, 135, 140, 145, 146
Symbolisme, 99, 106, 107, 108, 122, 138, 178, 183, 191, 221, 257, 277
Symbolisme (courant littéraire), 44, 101
Synecdoque, 311

T

Tendance littéraire, 3
Terroir, 63, 67, 70, 71, 72, 73, 82, 85, 86, 88, 90, 94, 178
Textes fondateurs, 11, 24
Tonalité, 15, 37, 38, 55, 56, 84, 89, 126, 152, 157, 166, 168, 189, 206, 214, 216, 232, 260, 262, 284, 291, 312
Tragique, 312
Transgression, 35, 40, 199, 200, 201, 202, 207, 213, 221, 223, 231, 233, 234, 259

U

Universalisme, 67, 94

INDEX DES NOMS PROPRES

Les noms des auteurs étudiés sont en capitales et les numéros des pages des extraits choisis sont en caractères gras.

A

Alembert, Jean Le Rond d', 57
ALFONSO, Antonio d', 276, **279**, 305
ALONZO, Anne-Marie, **282**, 305
Angers, Félicité, *voir* Conan, Laure
AQUIN, Hubert, 62, **176**, 179, 283
ARCHAMBAULT, Gilles, **260**, 270
AUBERT DE GASPÉ fils, Philippe, 29, **36**
AUBERT DE GASPÉ père, Philippe, **37**
Aubin, Napoléon, 49

B

BEAUCHEMIN, Nérée, **70**
BEAUCHEMIN, Yves, **248**
BEAUGRAND, Honoré, **39**
BEAULIEU, Michel, **243**
BEAULIEU, Victor-Lévy, **214**, 234
BEAUSOLEIL, Claude, **208**
Beckett, Samuel, 133
Belhumeur, Louise, *voir* Forestier, Louise
BEN JELLOUN, Tahar, **302**
Bernanos, Georges, 120
BESSETTE, Gérard, 79, **173**, 196
Bigras, Dan, 207
BLAIS, Marie-Claire, **178**, 196, 305

Bolduc, La, 28, 88
BORDUAS, Paul-Émile, 118, 135, **142**
BOUCHARD, Georges, **75**, 85, 94
BOUCHER, Denise, 198, **221**, 222
BOUCHER DE BOUCHERVILLE, Pierre-Georges, 44, **45**, 64
Boulet, Gerry, 207
Bourassa, Robert, 148
Bourgault, Pierre, 168
Bourget, Mgr Ignace, 42, 57, 58, 88
BOUYOUCAS, Pan, **292**
BRAULT, Jacques, 1, **160**, 196, 276
BRETON, André, 135, **145**
BROSSARD, Nicole, **223**, 305
Brousseau, Hervé, 263
BUIES, Arthur, 54, **56**, 57, 64
Burroughs, William, 200

C

Caccia, Fulvio, 276
Camus, Albert, 109, 120, 173, 196
CARTIER, Jacques, 10, 11, 12, **13**, 17, 18, 24, 152, 227, 305
CASGRAIN, Henri-Raymond, **59**, 61, 64
CHAMBERLAND, Paul, 164, **167**, 196
Champlain, Samuel de, 10

CHAPMAN, William, **69**, 94
CHARLEBOIS, Robert, **226**, 233
CHARLEVOIX, François-Xavier, 16, **19**, 24
CHAURETTE, Normand, **257**
Chauveau, P.-J. Olivier, 44
CHEN, Ying, 270, **287**, 305
Chénier, Jean-Olivier, 181, 182
Coderre, Émile, *voir* Narrache, Jean
Colborne, John, 52
Colomb, Christophe, 10, 11, 288
CONAN, Laure, 44, **47**, 64
Cooper, Fenimore, 274
CORCORAN, Jim, 298, **304**
Corriveau, Marie-Josephte, 35, 37
Craig, sir James Henry, 42
CRÉMAZIE, Octave, 44, 48, **62**, 98
Cross, James Richard, 148

D

DELAHAYE, Guy, **76**, 116
DESBIENS, Jean-Paul, **187**
Deschamps, Yvon, 89, 261, 263
DESJARDINS, Richard, **266**
DESROCHERS, Alfred, **71**, 94
DESROCHERS, Clémence, **232**, 234, 261, 263
Dessaules, Henriette, voir Fadette
DESSAULLES, Louis-Antoine, 54, **55**, 64

Diaz, Barthélémy, 10
Diderot, Denis, 57
Dorion, Jean-Baptiste Éric, 57
DOUBROVSKY, Serge, **253**
DUBÉ, Marcel, 125, **127**, 134, 270
DUBERGER, Jean, **31**
DUBOIS, Claude, **32**
DUBOIS, René-Daniel, **258**, 270
DUCHARME, Réjean, **102**, 116, **177**, 196, 270, 283, 305
DUGUAY, Raôul, 201, **230**, 234
Duplessis, Maurice, 118, 119, 120
Durham, John George Lambton, Lord, 27, 28, 52
Dylan, Bob, 200

E

Éluard, Paul, 135
ÉTIENNE, Gérard, **299**
ÉVANTUREL, Eudore, 44, **48**, 64

F

FADETTE , 44, **46**, 64
FARHOUD, Abla, **294**, 305
Favreau, Marc, *voir* Sol
FERLAND, Jean-Pierre, 190, **263**
FERRON, Jacques, 149, **171**, **181**, 196, 214
FORESTIER, Louise, **233**
FRANCOEUR, Lucien, **204**, 234, 265
FRÉCHETTE, Louis, **38**, 214
Frère Untel, *voir* Desbiens, Jean-Paul
Freud, Sigmund, 120

G

Gadbois, Charles-Émile, 88
Gagnon, André, 263
GAGNON, Daniel, **217**, 270, 305
GAGNON, Madeleine, **209**, 305
Gama, Vasco de, 11
Garcia, Juan, 276
GARNEAU, François-Xavier, 48, 49, **50**, 58
GARNEAU, Hector de Saint-Denys, **104**, 105, 116, 124, 149, 234, 270
GARNEAU, Michel, **242**
GAUTHIER, Claude, **195**
Gauthier, Paul-Marcel, 88
GAUVREAU, Claude, 136, 140, **141**, 142, 146

GÉLINAS, Gratien, 125, **126**, 270
GÉRIN-LAJOIE, Antoine, **53**
Gérin-Lajoie, Paul, 149
GERMAIN, Jean-Claude, **184**, 196, 199, 270
GIGUÈRE, Roland, **138**, 146
Ginsberg, Allen, 200
GIRARD, Rodolphe, **81**, 94, 312
Godbout, Adélard, 118
GODBOUT, Jacques, 99, **179**, 274, 305
GODIN, Gérald, **165**, **277**, 303, 305
GRANDBOIS, Alain, **106**
Green, Julien, 120
GRIGNON, Claude-Henri, **85**, **93**, 94
GROULX, Lionel, 72, **115**, 116
GUÈVREMONT, Germaine, **87**, 94
Guibord, Joseph, 57
Guyard, Marie, *voir* Marie de l'Incarnation

H

Haeffely, Claude, 276
HAMELIN, Louis, **254**, 270, 305
HARVEY, Jean-Charles, 111, **113**
HÉBERT, Anne, **108**, 110, 116, **131**, 146, 217
HÉBERT, François, **262**, 270
HÉMON, Louis, 83, **84**, 116
HÉNAULT, Gilles, **136**, 146
Hendrix, Jimmy, 200
HOLBACH, baron Paul Henri d', **57**
Horic, Alain, 276
Hugo, Victor, 49

I

Ionesco, Eugène, 133

J

JÉSUITES, **22**
Joplin, Janis, 200
JULIEN, Pauline, 207, **300**, 302

K

Kashtin, 300
KATTAN, Naïm, **298**
Kerouac, Jack, 200, 246, 274
Kirouac, Conrad, *voir* Marie-Victorin, Frère

L

Labelle, curé Antoine, 66
LABERGE, Albert, **78**, 79, 80, 94
LABERGE, Marie, **256**
Labrecque, Jean-Claude, 245
LACOMBE, Patrice, **63**, 64, 67
LAFERRIÈRE, Dany, **286**, 305
Lahaise, Guillaume, *voir* Delahaye, Guy
LA HONTAN, Louis-Armand de Lom D'Arce, baron de, 12, **14**
LALONDE, Robert, **250**
Lamartine, Alphonse de, 49
LAMY, Suzanne, **224**
LANGEVIN, André, 128, **132**, 196
LANGEVIN, Gilbert, **207**
LANGUIRAND, Jacques, **133**
LAPOINTE, Gatien, **158**, 196
LAPOINTE, Paul-Marie, **139**
Laporte, Pierre, 148, 202
LAROSE, Jean, **261**
LASNIER, Rina, **107**
LATRAVERSE, Plume, **228**, 229, 261
Lavallée, Calixa, 29
Leary, Timothy, 200
LEBEAU, Suzanne, **289**
LECLERC, Félix, **191**, 278
Leduc, Fernand, 135
Legagneur Serge, 276
Léger, Pierre, 210
LELIÈVRE, Sylvain, **265**, 270
LEMELIN, Roger, 121, **123**, 146
Lepage, Robert, 218, 255
Lesage, Jean, 148, 149
LÉVEILLÉE, Claude, 190, **194**, 263
LÉVESQUE, Raymond, 89, **193**
Lévesque, René, 148, 149
LORANGER, Françoise, **129**, 146, **183**
LORANGER, Jean-Aubert, **82**, 94, **103**, 105, 116
LORIMIER, François-Marie-Thomas, Chevalier de, 49, **51**, 182
Louis XIV, 10
LUSSIER, Doris, **297**
Luther, Martin, 10

M

Magellan, 11
Maheu, Gilles, 218, 255

MAILLET, Antonine, **220**, 234
MAJOR, André, **175**, 196
Marcotte, Gilles, 58
MARIE DE L'INCARNATION, 21, **23**
MARIE-VICTORIN, Frère, **74**, 312
Maritain, Jacques, 120
Marjo, 207
Martin, Claude, 21
Maupassant, Guy de, 82
Mauriac, François, 120
Michel, Émeline, 300
MICONE, Marco, 276, **278**, 284, 289, **291**, 305
MIRON, Gaston, 62, 149, **153**, 155, 196, 201, 208, 281, 311
Molière, Jean-Baptiste Poquelin, dit, 173
Montaigne, Michel Eyquem de, 239, 259
MONTPETIT, Édouard, **92**, 94, 116
MORENCY, Pierre, **244**
MORIN, Paul, **77**
Mounier, Emmanuel, 120

N

NARRACHE, Jean, 88, **89**, 94
NELLIGAN, Émile, 62, 76, 92, 97, 98, **99**, 101, 102, 105, 112, 116, 141, 149, 201, 204, 234, 240, 244, 278, 311, 312
NOËL, Francine, **249**

O

OLLIVIER, Émile, **285**, 288, 293, 305
OUELLETTE, Fernand, **241**
OUELLETTE-MICHALSKA, Madeleine, **213**, 234

P

Panneton, Philippe, *voir* Ringuet

Papineau, Louis-Joseph, 42, 49, 51
Parent, Étienne, 49
Péguy, Charles, 120
Pelletier, Pol, 255
PÉLOQUIN, Claude, 201, **205**
PERRAULT, Pierre, 150, **152**, 159, 220, 234
PICHÉ, Paul, **268**, 270
PILON, Jean-Guy, **156**
Pontbriand, Mgr de, 26
Potvin, Damase, 72
POULIN, Jacques, **247**, 270
Prévert, Jacques, 146
PROULX, Monique, **252**, 253

R

Rabelais, François, 11, 216
RENAUD, **229**
RENAUD, Jacques, **174**, 196
RICARD, François, **225**
Richards, Judy, 300
RIMBAUD, Arthur, **110**
RINGUET, **86**, 94
Riopelle, Jean-Paul, 135
RIVARD, Adjutor, **73**, 74, 94
RIVARD, Michel, **303**, 305
Ronfard, Jean-Pierre, 218
ROUSSEAU, Jean-Jacques, **18**, 57
Routhier, Basile, 29
ROY, Camille, 78, **91**, 92, 93, 94, 146
ROY, Gabrielle, 120, 121, **122**, 125, 274, 283

S

SAGARD, Gabriel, 16, **17**, 18, 24
Saint-Denis, Janou, 201
SALVATORE, Filippo, **281**
Sartre, Jean-Paul, 120, 128
SAVARD, Félix-Antoine, 111, **112**, 115, 116
SAVOIE, Jacques, **251**

Schendel, Michel Van, 276
Séchan, Renaud, *voir* Renaud
SENGHOR, Léopold Sédar, **155**
Socrate, 239
Sol, 261
Soucy, Jean-Yves, 246
Straram, Patrick, 276

T

Tana, Paul, 289
TARDIVEL, Jules-Paul, **60**
THÉRIAULT, Marie José, **216**
THÉRIAULT, Yves, 120, 121, **124**, 146, 274, 283
TREMBLAY, Michel, **215**, **218**, 226, 234
Trudeau, Pierre Elliot, 170
TRUDEL, Sylvain, **284**, 305

U

UGUAY, Marie, 222, **245**

V

VADEBONCOEUR, Pierre, **189**, 225
VALLIÈRES, Pierre, 148, **188**, 189, 196, 234
VANIER, Denis, **203**, 234
Verrazano, Florentin, 10
VIGNEAULT, Gilles, 179, 190, **192**, 193, 196, 220, 277, 305
Vigny, Alfred de, 49
VILLEMAIRE, Yolande, **212**, 234
Voltaire, François Marie Arouet, dit, 57

Y

YVON, Josée, **206**, 234

Z

ZOLA, Émile, **80**
ZUMTHOR, Paul, **288**, 305

INDEX DES ŒUVRES ÉTUDIÉES

À la claire fontaine, 30
Accompagnement, Hector de Saint-Denys Garneau, 104
Addolorata, Marco Micone, 291

Afficheur hurle, L', Paul Chamberland, 167
Amandiers sont morts de leurs blessures, Les, Tahar Ben Jelloun, 302

Amérique inavouable, L', Lucien Francœur, 204
Anciens Canadiens, Les, Philippe Aubert de Gaspé père, 37

Angéline de Montbrun, Laure Conan, 47

Apatride, Abla Farhoud, 294

Arbre de vie, L', Rina Lasnier, 107

Arbres, Paul-Marie Lapointe, 139

Ashini, Yves Thériault, 124

Autographie I, Madeleine Gagnon, 209

Autoportraits, Marie Uguay, 245

Avalée des avalés, Réjean Ducharme, 177

Avant de m'assagir, Jean-Pierre Ferland, 263

« Ayons le culte de la supériorité », Édouard Montpetit, 92

Being at home with Claude, René-Daniel Dubois, 258

Belles-Sœurs, Les, Michel Tremblay, 218

Bonheur d'occasion, Gabrielle Roy, 122

Bozo-les-culottes, Raymond Lévesque, 193

Bûcherons, Les, Louise Forestier, 233

Cabochon, Le, André Major, 175

Cage d'oiseau, Hector de Saint-Denys Garneau, 105

Canadien errant, Un, Antoine Gérin-Lajoie, 53

Cantouque d'amour, Gérald Godin, 165

Cassé, Le, Jacques Renaud, 174

Ce qui de moi s'évade, Anne-Marie Alonzo, 282

Ce qui manque quand on a tout appris, Doris Lussier, 297

Cerf-volant, Le, Pan Bouyoucas, 292

C'est un mur, Michel Rivard, 303

Chasse-galerie, La, Honoré Beaugrand, 39

Chasse-galerie, La, Claude Dubois, 32

Chez nos gens, Adjutor Rivard, 73

Comment faire l'amour avec un nègre sans se fatiguer, Dany Laferrière, 286

Correspondance, Arthur Rimbaud, 110

Croquis laurentiens, Frère Marie-Victorin, 74

D'elles, Suzanne Lamy, 224

Demi-civilisés, Les, Jean-Charles Harvey, 113

Demoiselles de Numidie, Les, Marie Josée Thériault, 216

Dernière Heure et la Première, La, Pierre Vadeboncœur, 189

« Désir de dérive », Nicole Brossard, 223

Deuxième génération, Renaud Séchan, 229

Diable et la chasse-galerie, Le, Jean Du Berger, 31

Directives, Lionel Groulx, 115

« Discours sur la Tolérance », Louis-Antoine Dessaulles, 55

Discours sur l'origine et les fondements de l'inégalité parmi les hommes, Jean-Jacques Rousseau, 18

Des heures ténébreuses, Gilbert Langevin, 207

Double jeu, Françoise Loranger, 183

Écrire, Claude Péloquin, 205

Élongiaque, Claude Gauvreau, 140

Envoi aux marins de La Capricieuse, Octave Crémazie, 62

Escalier, L', Paul Piché, 268

Étranger, L', Pauline Julien, 300

Études et croquis, Camille Roy, 91

Fées ont soif, Les, Denise Boucher, 221

Fête des fous, La, Paul Zumthor, 288

Fille à marier, La, Daniel Gagnon, 217

Fille maigre, La, Anne Hébert, 108

Filles-commandos bandées, Josée Yvon, 206

Fou du père, Le, Robert Lalonde, 250

Fragments d'une lettre d'adieu lus par des géologues, Normand Chaurette, 257

Froid, Le, Pierre Morency, 244

Glaïeuls, Les, Alain Grandbois, 106

Grand voyage au pays des Hurons, Le, Gabriel Sagard, 17

Grands départs, Les, Jacques Languirand, 133

Grands soleils, Les, Jacques Ferron, 181

Heures, Les, Fernand Ouellette, 241

Histoire et description générale de la Nouvelle-France, François-Xavier Charlevoix, 19

Homme et son péché, Un, Claude-Henri Grignon, 85

Homme gris, L', Marie Laberge, 256

Homme invisible à la fenêtre, Monique Proulx, 252

Homme rapaillé, L', Gaston Miron, 153, 154

Hosties noires, Léopold Sédar Senghor, 155

Hôtel Putama, Denis Vanier, 203

Influence d'un livre, L', Philippe Aubert de Gaspé fils, 36

Insolences du Frère Untel, Les, Jean-Paul Desbiens, 187

Italia mea amora, Antonio D'Alfonso, 279

J'ai regardé le monde un instant, Michel Garneau, 242

Je descends à la mer, Sylvain Lelièvre, 265

Je me tutoie, Jim Corcoran, 304

Je murmure le nom de mon pays, Jean-Guy Pilon, 156

Je regarde dehors par la fenêtre, Jean-Aubert Loranger, 103

Je suis le produit de votre fiasco, Gilbert Langevin, 207

Je te salue, Gilles Hénault, 136

Jeu cahotique des messages, Le, Claude Beausoleil, 208

Journal d'Henriette Dessaulles, Fadette, 46

Laboureur, Le, William Chapman, 69

Lanterne, La, Arthur Buies, 56

Lettre, Marie-Thomas Chevalier de Lorimier, 51

Lettres chinoises, Les, Ying Chen, 287

Libraire, Le, Gérard Bessette, 173

Liminaire « Je suis un fils déchu », Alfred DesRochers, 71

Lingua sola, La, Gérald Godin, 277

Littérature contre elle-même, La, François Ricard, 225

Lutins, Les, Louis Fréchette, 38

Main du bourreau finit toujours par pourrir, La, Roland Giguère, 138

Maison Tresler, La, Madeleine Ouellette-Michalska, 213

Maria Chapdelaine, Louis Hémon, 84

Marie Calumet, Rodolphe Girard, 81

Mathieu, Françoise Loranger, 129

Matou, Le, Yves Beauchemin, 248

Menaud, maître-draveur, Félix-Antoine

Savard, 112

Mon pays, Gilles Vigneault, 192

Monsieur Melville, Victor-Lévy Beaulieu, 214

Montréal, François Hébert, 262

Myriam première, Francine Noël, 249

Nègres blancs d'Amérique, Pierre Vallières, 188

Nez qui voque, Le, Réjean Ducharme, 102

« Notre culture sera paysanne ou ne sera pas », Claude-Henri Grignon, 93

Nous, les rapaillés, Filippo Salvatore, 281

Ode au Saint-Laurent, Gatien Lapointe, 158

Oranges sont vertes, Les, Claude Gauvreau, 141

Passages, Émile Ollivier, 285

Passeur Le, Jean-Aubert Loranger, 82

Patriotes, Les, Claude Léveillée, 194

Pauvres, Les, Plume Latraverse, 228

Pays dont la devise est je m'oublie, Un, Jean-Claude Germain, 185

Paysagiste, Le, Jacques Ferron, 171

Perdrix, La, Nérée Beauchemin, 70

Petite Noirceur, La, Jean Larose, 261

Plaisirs de la mélancolie, Les, Gilles Archambault, 260

Plouffe, Les, Roger Lemelin, 123

Plus beau voyage, Le, Claude Gauthier, 195

Poésie, solitude rompue, Anne Hébert, 109

Portes tournantes, Les, Jacques Savoie, 251

Pour la patrie, Jules-Paul Tardivel, 60

Pourquoi désespérer, François-Xavier Garneau, 50

Poussière sur la ville, André Langevin, 132

Premier manifeste du surréalisme, André Breton, 145

« Prêtres », *Encyclopédie*, Baron Paul Henri d'Holbach, 57

Pris et protégé, Alain Grandbois, 106

Prochain épisode, Hubert Aquin, 176

Quand j'parl' tout seul, Jean Narrache, 89

Qué-can blues, Robert Charlebois, 226

Question raciale et raciste dans le roman québécois, La, Gérard Étienne, 299

Rage, La, Louis Hamelin, 254

Réel et le théâtral, Le, Naïm Kattan, 298

Refus global, 142

Relations des Jésuites, 22

Rôle de notre littérature, Henri-Raymond Casgrain, 59

Romance du vin, La, Émile Nelligan, 100

Sagouine, La, Antonine Maillet, 220

Saison dans la vie d'Emmanuel, Une, Marie-Claire Blais, 178

Salut Galarneau !, Jacques Godbout, 179

Salvador, Suzanne Lebeau, 289

Scouine, La, Albert Laberge, 78

Simple soldat, Un, Marcel Dubé, 127

Soir d'hiver, Émile Nelligan, 99

Souffle de l'Harmattan, Le, Sylvain Trudel, 284

Soulagement, Eudore Évanturel, 48

Soyons, Pierre Morency, 244

Speak what, Marco Micone, 278

Suite fraternelle, Jacques Brault, 160

Survenant, Le, Germaine Guèvremont, 87

Témoignage de Marie de l'Incarnation, Le, Marie de l'Incarnation, 23

Terre, La, Émile Zola, 80

Terre paternelle, La, Patrice Lacombe, 63

Thérèse et Pierrette à l'école des Saints-Anges, Michel Tremblay, 215

Tit-Coq, Gratien Gélinas, 126

Tokio, Paul Morin, 77

Torrent, Le, Anne Hébert, 131

Tour de l'île, Le, Félix Leclerc, 191

Tour de Trafalgar, La, Pierre-Georges Boucher de Boucherville, 45

Toutes Isles, Pierre Perrault, 152

Trente arpents, Ringuet, 86

Trois filles qui ont cariotté, Les, Jacques Labrecque, 33

Tu m'aimes-tu ?, Richard Desjardins, 266

Tu vas, Michel Beaulieu, 243

Vaisseau d'or, Le, Émile Nelligan, 99

Vie d'factrie, La, Clémence DesRochers, 232

Vie en prose, La, Yolande Villemaire, 212

Vieilles choses... Vieilles gens, Georges Bouchard, 75

Vie l'instant, La, Serge Doubrovsky, 253

Visions d'hospice, Guy Delahaye, 76

Volkswagen blues, Jacques Poulin, 247

Voyage, Le, Raôul Duguay, 230

Voyages de Jacques Cartier, Jacques Cartier, 13

Voyages du Baron de La Hontan dans l'Amérique septentrionale, La Hontan, 14